Vergerio, Pietro Pao.

Briefwechsel zwischen Christoph, Herzog von Württemberg und Petrus Paulus Vergerius

Vergerio, Pietro Paolo

Briefwechsel zwischen Christoph, Herzog von Württemberg und Petrus Paulus Vergerius

Inktank publishing, 2018

www.inktank-publishing.com

ISBN/EAN: 9783747768242

BRIEFWECHSEL

ZWISCHEN

CHRISTOPH, HERZOG VON WÜRTTEMBERG,

UND

PETRUS PAULUS VERGERIUS

GESAMMELT UND HERAUSGEGEBEN

VON

EDUARD VON KAUSLER.
WEILAND VICEDIRECTOR DES K. HAUS- UND STAATSARCHIVS,

UND

THEODOR SCHOTT,
PROFESSOR, BIBLIOTHEKAR AN DER K. ÖFFENTLICHEN BIBLIOTHEK IN STUTTGART.

FÜR DEN LITTERARISCHEN VEREIN IN STUTTGART
NACH BESCHLUSS DES AUSSCHUSSES VOM JUNI 1861
GEDRUCKT VON H. LAUPP IN TÜBINGEN
1875.

EINLEITUNG.

I

VERGERS LEBEN.

Petrus Paulus Vergerius [1] ist 1498 in Capodistria geboren; noch soll in der romantischen felsenstadt sein geburtshaus gezeigt werden; früher hatte die stadt dem kaiser Justin zu ehren den namen Justinopolis getragen und Vergerius nennt sich gar manchmal Justinopolitanus; damals stand dieselbe mit der ganzen istrischen halbinsel unter venezianischer herrschaft, das selbstgefühl der königin der Adria ist auch in diesem sohne zu erkennen, und nachdem er schon längst in württembergischen diensten stand, liegt ihm viel daran, dass die Markusstadt sich nicht vor den anmaßenden ansprüchen, Roms beuge, und mit ganz besonderer vorliebe gedenkt er der reformation in Venedig und ihrer unglücklichen märtyrer. Seine familie war angesehen und nicht unbemittelt; ein ahne gleiches namens (weswegen unser Vergerius der jüngere heißt) hatte ein jahrhundert zuvor 1349 bis 1428 in Padua und Venedig eine bedeutende rolle als schriftsteller und lehrer gespielt [2]; Petrarcas leben hatte er geschrieben, 1419 hatte er eine reise nach Deutschland zu kaiser Sigismund unternommen. Man wird nicht irren, wenn

*

1 Vergers leben ist ausführlich beschrieben von C. H. Sixt, Petrus Paulus Vergerius, Braunschweig 1855; neue (titel-) ausgabe 1872; die vorliegende skizze will besonders die lebensperiode Vergers, die in Württemberg verfloss, schildern; von einer würdigung seiner schriftstellerischen thätigkeit ist schon aus mangel an raum ganz abgesehen worden; dagegen wird sie die sixtische darstellung in manchem ergänzen, aber auch das urtheil über Verger wesentlich anders stellen.

2 S. über ihn Schweminski, P. P. Vergerius und M. Vegius. Ein beitrag zur geschichte der pädagogik. Programm des k. Marien-gymnasiums zu Posen 1858.

dieser mann dem jüngeren geschlecht als vorbild dargestellt wurde, ebenso wenig, wenn der ehrgeiz ihm nachzueifern bald erwachte. Eine zahlreiche geschwisterschaar [1] umgab Peter Paul; Aurelio, der älteste der familie, Giacomo, Giovanni Battista hießen die brüder, auch 2 schwestern Cecilia und Lucretia erwähnt er; für die söhne und enkel derselben hat Vergerius jederzeit treulich gesorgt, 2 von ihnen Aurelius und Ludovicus hat er nach Deutschland zu sich genommen, er sparte keine bitten und keine mühen, dass freigebige fürsten sie in ihre dienste nehmen sollten, oder auf ihre kosten studieren lassen, dass die pension, die er von Frankreich erhielt, auf sie übergehe (s. z. b. brief 42. 66. 91. 127. 158. 204 u. s. w.), eine der letzten sorgen seines lebens war, einer mannbaren nichte eine standesgemäße aussteuer zu verschaffen, gewiss ein rührender zug von familienanhänglichkeit, die im fremden lande eher zu- als abgenommen hat. Die namen der eltern finden sich dagegen in keinem der folgenden briefe, was in der spätern abfassung derselben seine ganz natürliche erklärung findet.

In Padua studierte Verger die rechte; mit einer menge talentvoller männer kam er auf der berühmten hochschule zusammen, z. b. mit Peter Martyr Vermigli, Flaminio, Bembo und andern; frühe wurde seine begabung anerkannt und geschäzt; die freundschaften, die hier geknüpft wurden, waren für sein ganzes leben bedeutungsvoll; manche aus diesem kreise haben sich später im oratorium der liebe zusammengefunden, denen eine reformation der kirche sympathisch war; und wenn die wege der männer nachher weit auseinandergiengen, gerade die reformation war der punkt, an dem sie sich geschieden haben. Es ist doch wohl auch das interesse an dem neuen geist gewesen, der in Wittenberg sich zeigte, was ihn und seinen bruder Giacomo bewog, den freiherrn von Schenck, der dem kurfürsten Friedrich dem weisen reliquien besorgte, um einen empfehlungsbrief an Spalatin zu bitten, sie wollen in Wittenberg studieren. Ein unwohlsein hielt sie von der reise ab, der freiherr kam bald nicht mehr nach Italien, da die reliquien in Deutschland

*

1 B. 97 a in seinem testament giebt er die ausführlichsten familiennachrichten; doch möchte eine stammtafel nach denselben und nach den angaben in den briefen schwer herzustellen sein, da zwischen nefe und großneffe nicht immer unterschieden wird.

ihren werth verloren hatten. Erst in späteren jahren unter ganz anderen verhältnissen kam Verger nach Deutschland.

Nach vollendung seiner studien übte er seinen beruf als advokat in Verona, Padua und 5 jahre in Venedig aus; aber bald war ihm die thätigkeit, bei der sich zwar geld gewinnen ließ, aber keine hohe stellung erwerben, zu gering; Rom, wohin doch aller Italiäner augen stets gerichtet waren als der ersten stadt ihrer halbinsel, war gewiß der rechte ort für den ehrgeizigen jungen mann, sich dort auszuzeichnen; sein bruder Aurelio hatte bei papst Clemens VII eine stellung als sekretär gefunden; 1529 begab sich auch Peter Paul in die Tiberstadt; in kurzer zeit war es ihm gelungen, das vertrauen des papstes zu gewinnen, so dass ihn dieser für den voraussichtlich sehr wichtigen Augsburger reichstag von 1530 zum gesandten der curie ernannte. Redefertig, geschäftsgewandt (etwas von der advokatenart, alle möglichen geschäfte anzunehmen, blieb ihm zeitlebens), mit einer wunderbaren gabe, mit allen verhältnissen rasch vertraut zu werden und mit allen einflussreichen personen, die in seine nähe kamen, sich rasch bekannt zu machen, war Verger, der noch im geruche makelloser rechtgläubigkeit stand, ganz an seinem posten. Auf Ferdinand von Österreich, eine der hauptstützen des katholischen glaubens in Deutschland, sollte er ermuthigend einwirken; er wuste sich so gut in den könig zu finden, dass dieser ihn mit ehren überhäufte [1] und im jahr 1533 zum pathen für seine tochter Katharina, die spätere königin von Polen, annahm. Eine reihe von kurzen gesandtschaftsberichten aus den jahren 1533 und 34 sind noch erhalten [2] mit treffenden bemerkungen und voll guter beobachtungen; in vertrauten briefen sprach er sich sehr befriedigt über seinen beruf aus, der seinen wünschen entspreche, eine vorstufe zu höheren würden sei und schon an und für sich nicht zu den untergeordneten gehöre.

Clemens VII starb. Paul III bestieg den päpstlichen stuhl; Verger blieb auf ausdrücklichen wunsch Ferdinands an seinem posten, ja er erhielt den auftrag 1535 die protestantischen fürsten, die er an Ferdinands hof und in Augsburg wohl sämmtlich kennen gelernt,

1 Einige briefe, die Ferdinand in den jahren 1534 und 36 an ihn richtete, sind veröffentlicht von Valentinelli, Lettere latine di principi Austriaci. Venezia 1856.

2 S. Hugo Lämmer: Monumenta vaticana, Freiburg 1861, s. 146 ff.

1 *

zu dem nach Mantua ausgeschriebenen concil einzuladen und die
herrenlose englische krone jedem anzubieten, der sie annehme. Aber
mit keinem von beiden hatte er glück; es war dem papste schwerlich völlig ernst mit dem concil, und Verger war diss nicht verborgen, aber auch die evangelischen fürsten Deutschlands hatten ihre
gründe, auf·den vorschlag nicht einzugehen, und Melanchthon hat
im auftrag des schmalkaldischen bundes Vergers werbung die treff-
lichste antwort gegeben. Die interessanteste epoche jener rundreise
ist seine zusammenkunft mit Luther in Wittenberg (7 November)
gewesen; heiteren muthes ist Luther zu dieser conferenz gegangen
(man denke an die köstliche scene mit seinem barbier, dass er sich
so schmücke, damit des papstes legat denke: Ei der teufel, ist der
Luther noch jung und hat schon so viel unglück angerichtet, was
wird er noch thun?) im freimüthigsten tone hat er sich gegen
seinen widersacher ausgesprochen und dieser hat von dem großen
Deutschen durchaus nicht den eindruck empfangen, den man hätte
erwarten können; er fand nicht, wie einst ein anderer legat, bei jener
bestie mirabiles speculationes in capite suo. In einem vertrauten
briefe hat er seine geringschätzung über ihn offen ausgesprochen, [1]
und wenn sonst die berichte über jene zusammenkunft keineswegs
übereinstimmen, gewiss ist, dass durch Luther Verger nicht zum abfall von Rom veranlasst wurde.

Dann eilte er nach Italien, um zu berichten und den lohn seiner thaten in empfang zu nehmen; übermäßig groß fiel derselbe
nicht aus; Mai 1536 wurde er mit dem bisthum des kroatischen
städtchens Modrusch belehnt (mit etwas sauersüßer miene schreibt
er von diesem glück an seine freunde); daß er je dort sich aufgehalten hat, ist nicht nachzuweisen und bald vertauscht er dasselbe
mit dem bischofsitz in seiner vaterstadt Capodistria. Er ließ sich
zum priester weihen und begann eine neue thätigkeit; ausführlich
hat er später in seinem widerruf die ceremonien beschrieben, die
er vornahm; wo er öffentlich auftrat, ist es nie ohne großen pomp
geschehen, denn er liebte stets äußeren glanz; aber auch mit der
theologie hat er sich mehr beschäftigt, als bisher; wie so mancher

---

1 Der brief vom 12 November 1535, den H. Lämmer in seinen
Analecta Romana, Schaffhausen 1861, s. 128 ff. wörtlich anführt, ist
derselbe, von welchem vorher aus Pallavicini, Istoria del Concilio di
Trento III, 18, 9 nur einige bruchstücke bekannt waren.

rechtsgelehrte des 16 jahrhunderts hat auch er das corpus juris mit der bibel vertauscht.

Unterbrochen wurde seine bischöfliche thätigkeit 1540 durch eine reise, die er als begleiter des cardinals Hippolyt von Este nach Frankreich unternahm, wo er am hofe Franzs I besonders dessen schwester Margarethe von Angoulême kennen lernte; die unterhaltung mit der geistreichen, der reformation geneigten frau über religiöse gegenstände machte den tiefsten eindruck auf ihn [1]; reich beschenkt vom könige eilte er nach Worms, wo in dem bekannten religions-gespräche einer der letzten versuche zur vereinigung der beiden getrennten kirchen gemacht wurde. In wessen auftrag Verger in Worms erschien, ist immer noch nicht mit völliger klarheit er-wiesen [2]; manche glaubten, der könig von Frankreich habe ihn be-auftragt. Klügere leute hielten diss für unwahrscheinlich, und hielten ihn eher für einen verkappten gesandten des papstes, er selbst hat sich auch später nicht darüber ausgesprochen. Eifrigst verkehrte er mit katholiken und protestanten; 1 Januar 1541 hielt er vor den versammelten abgeordneten und theologen eine rede über die ein-heit und den frieden der kirche; sie war noch von ächt römischem geiste getragen und ragt keineswegs durch besondere tiefe der auf-fassung oder durch neue ideen hervor, hat aber auch in ihrem theile etwas dazu beigetragen, dass gerade weder der friede, noch die einheit der kirche zu stande kam.

Aber der aufenthalt in Deutschland hatte eine ganz andere folge, als er erwartet; statt des purpurs, auf den er sich (mit recht oder unrecht) rechnung gemacht, mit welchem jedenfalls andere in gedanken ihn schon geschmückt sahen, begegnete er kälte und zu-rücksetzung; man hatte ihn beim papste als heimlichen Lutheraner verdächtigt und gerade sein bekanntsein mit vielen protestanten, sein verkehr mit ihnen auch in Worms gab der verdächtigung schein-baren grund, und überdiss begann in Italien die zeit aufzusteigen, wo es bald zu den schwersten verbrechen gehörte, nicht bloß ketze-rische gesinnungen, sondern auch nur ketzerischen umgang zu haben. Eine andere luft wehte über die halbinsel, als der Jesuitenorden ge-

1 Siehe die begeisterte schilderung, die Verger in einem brief an Vittoria Colonna von der königin von Navarra entwirft Lettere vol-gari ed. 1542. I, 100.

2 Siehe darüber auch Hugo Lämmers Monumenta vaticana s. 305.

gründet wurde; die katholische kirche schickte sich vom jahr 1542 an, das verlorene gebiet in der welt wieder zu erobern, die abgefallenen glieder auszustoßen oder zu bestrafen; von einem oratorium der liebe vernahm man nichts mehr, um so fühlbarer machte sich die inquisition. Auch die edelsten und vornehmsten der nation wurden nicht verschont; schmerzlich empfand Contarini, als er von Deutschland zürückkehrte, diese wendung. Vittoria Colonna gieng in das kloster zu Orvieto; bei manchen war eine völlige veränderung der gesinnung hervorgetreten, wie bei Caraffa, dem stifter der inquisition; andere, wie Occhino, Peter Martyr, Curioa, blieben dem evangelischen bekenntnis treu, aber eilten über die Alpen, um leben und freiheit zu retten; bald füllten sich die kerker und loderten die scheiterhaufen, aber noch ein volles menschenalter vergieng, bis unter der eisernen hand der inquisition die letzten zuckungen evangelischen lebens in Italien erstorben waren.

Unter diesen ketzerverfolgungen hatte frühe auch Verger zu leiden; schon während seines letzten aufenthaltes in Deutschland finden sich spuren, dass man ihn beim papste verdächtigte; sie waren ihm selbst nicht verborgen geblieben. Obgleich selbst verstimmt über die zurücksetzung und die geldverhältnisse seines bischofssitzes, erschrack er doch sehr darüber und meinte am leichtesten über all diese unrube und gefahr herr zu werden, wenn er in einem buche die lutherische lehre und ihre anhänger widerlege. Ausführlich hat er in einem selbstbekenntnis [1] dargelegt, wie gerade diss der weg geworden sei, ihn erst recht zum evangelischen glauben zu führen; er war nicht der mann, um von seiner innern überzeugung einen hehl zu machen oder das, was ihn lebhaft ergriff und beschäftigte, zu verheimlichen; in seinen predigten trat die rechtfertigungslehre in den vordergrund; an seinem bruder Giovanni Battista, der unterdessen bischof von Pola geworden war, fand er zu seiner innigsten freude einen gesinnungs- und glaubensgenossen. Auch in der gemeinde rührte es sich, und wenn auch keine katholischen ceremonien abgeschafft wurden, Verger noch das päpstliche jubiläum rühmte, so war doch die bewegung so stark, daß die inquisition in Venedig sich bewogen fand, eine untersuchung einzuleiten. Liederliche mönche, gegen welche Verger gerecht, aber scharf

*

1 S. der widerruf Petri Pauli Vergerii, Tübingen 1558.

eingeschritten, waren die ankläger geworden. Die untersuchungs-
kemmission fand außer einigen ketzerischen büchern nichts gravieren-
des, ja einer der inquisitoren hat ihm noch das lob eines katholischen mannes und treuen seelenhirten gespendet; aber seines bleibens
auf dem bischofssitze war doch nicht länger (Januar 1546). Mit
seinem bruder Giovanni Battista verließ er die heimath, um von
nun an ein unstetes wanderleben zu führen; früher war diese unruhige lebensweise seine lust und sein beruf gewesen, jetzt wählte
er sie aus noth. Er flüchtete zuerst zu einem alten gönner und
vielvermögenden freunde, zu dem cardinal Hercules von Gonzaga;
treulich hat sich dieser des verdächtigen angenommen, aber er konnte
es nicht dahin bringen, dass man in Rom Vergers berufung auf das
versammelte Trienter concil, vor welchem er sich rechtfertigen wollte,
annahm; man fürchtete (und nicht mit unrecht) seine scharfe zunge,
sondern verlangte unbedingte unterwerfung; der vorladung vor seinen inquisitor in Venedig folgte er nicht, die rückkehr in sein bisthum war ihm verschlossen, er hielt sich einige zeit in Riva auf,
da gab ein besuch in Padua seinem noch schwankenden entschluss
die letzte entscheidung.[1] Dort kam er nämlich an das kranken-
lager des unglücklichen advokaten Francesco Spiera, der eine zeitlang den evangelischen glauben mit voller begeisterung in sich aufgenommen und bekannt hatte, aber aus angst vor den verfolgungen,
mit denen man ihn bedrohte, denselben feierlich abschwur, seitdem
von den schrecklichsten gewissensbissen gequält wurde und in völlige
verzweiflung versank, indem er meinte, die sünde gegen den heiligen geist (Matth. 12, 32) begangen zu haben. Den eindruck,
den das seelenleiden dieses mannes, der durch nichts getröstet werden konnte und unversöhnt starb, auf Verger machte, hat er in
seinen 6 briefen und seiner vertheidigungsschrift ausgesprochen und
unverkennbar hat der anblick des verzweifelnden sehr dazu beigetragen, den schwankenden in seinem neugewonnenen glauben zu be-
festigen und die absicht, wenn sie je da war, um weltlicher vor-
theile willen oder aus furcht denselben zu verleugnen, weit von
sich zu weisen[2]. Der bruch mit Rom wurde beschleunigt; als er

1 Über den process Vergers hat die rivista cristiana, Firenze 1873,
einige originaldokumente veröffentlicht; mir kam leider nur das sep-
temberheft zu gesicht.

2 Eine reihe sehr wichtiger documente über den process Spieras

sah, wie man seine besuche bei Spiera beargwöhnte, da übergab er 13 December 1548 eine vertheidigungsschrift dem bischof in Padua; sie ist sein scheidebrief von Rom geworden, geschrieben mit dem feuer einer gekränkten unschuld, getragen von einer edlen entschlossenheit, um Christi willen alles zu dulden; eiligst verließ er dann Italien und floh über Bergamo nach Graubündten; seine liegenden güter hatte er vorher unter seine nächsten verwandten getheilt.

Selten hat ein übertritt so große aufmerksamkeit erregt, wie dieser; die fälle waren nicht allzuhäufig, daß ein italiänischer bischof, ein gewesener nuntius, der in die geheimnisse des Vaticans einen tiefen einblick gethan, bisthum und vaterland, ehre und freunde aufgab für einen neuen glauben, für eine ungewisse zukunft, und Verger verhehlt nicht, dass es ihm schwer gefallen; in jener rechtfertigungsschrift ruft er aus, er habe geglaubt, am ende seiner tage angekommen zu sein und dem hafen der ruhe sich zu nähern, da sei der hauptsturm über ihn hereingebrochen. Äußere und innere gründe haben ihn gleichermaßen zu diesem schritte bewogen; sein ehrgeiz war verletzt, die misstimmung mit der curie wurde bleibend, aber es wäre sehr ungerecht, die religiösen triebfedern leugnen zu wollen, die den letzten ausschlag gegeben haben.

Am 3 Juli 1549 sprach der papst vor versammeltem consistorium seine absetzung und excommunication aus; einen entgegenkommenden schritt gegen Verger hat Rom, so lange der process währte, nicht gethan. wohl aber ihn immer weiter in die bahn hineingetrieben, die ihn zum abfall vom katholischen glauben führte, und nachdem er einmal mit dem papstthum gebrochen, wollte auch er von einer versöhnung nichts mehr wissen. Man hat später manchen versuch gemacht, ihn zum rücktritt zu bewegen, aber in seinen briefen und schriften findet sich nicht die leiseste spur, dass er diss im sinne hatte; wenn er mit seinen früheren bekannten nicht gebrochen hat, sondern vielfach den briefverkehr mit ihnen aufrecht erhielt, so ist er dagegen mit dem papste in unaufhörlicher feindschaft; was er thun konnte durch wort und schrift, um das papst-

*

aus den venetianischen inquisitionsakten sind veröffentlicht in der zeitschrift für historische theologie 1874, I, 71 ff. Dort ist auch eine predigt erwähnt, die Verger über Spiera gehalten hat und welche der inquisition neue nahrung für ihre angriffe bot.

thum herabzusetzen, das hat er redlich gethan; Rom hat ihn mit gleicher münze bezahlt, gehasst und ihm nachstellungen bereitet, wo es konnte; zu einer art von verdienst rechnete sich diss Verger, denn mehr als einmal (s. brief 176) zieht er in seinen briefen den uns so seltsam anmuthenden schluß: Ich muß bei Christo hoch begnadigt sein, denn ich werde vom papste so sehr verfolgt und gehasst; und in seinem testament spricht er den kräftigsten fluch über das papstthum aus: Und alle welt sage amen! (S. b. 97, a.)

Verger flüchtete über Bergamo ins Veltlin nach Chiavenna und weiter hinein nach Poschiavo; der strom der italiänischen flüchtlinge hatte sich schon lange dorthin ergossen, mehrere hundert hielten sich in diesen thälern auf, in denen man der heimath nicht zu ferne war, wo die italiänische sprache vielfach verstanden und gesprochen wurde und wo die vegetation noch farbe und charakter des schönen südens trug. Das land stand unter bündtnerischer herrschaft und die 3 bünde ließen es jedem einwohner frei, sich zu der einen oder andern religionsparthei zu halten; ebenso mühten sich Frankreich und Spanien um die freundschaft der bergbewohner, wegen der wichtigen pässe. Hier entfaltete Verger eine eifrige, vielgeschäftige thätigkeit; aus seinem arsenal voll donnerkeile, die er gegen das papstthum mitgebracht hatte, wie ein freund von ihm rühmt, schleudert er in kleinen, zahlreichen broschüren einen um den andern gegen seinen todfeind; besonders um seine schriften drucken zu können, hat er in den jahren 1550 und 51 die errichtung einer druckerei in Poschiavo eifrigst betrieben; daneben predigte er, nahm eine pfarrstelle an, reiste umher und schloss neue verbindungen und freundschaften, auch von politischen bestrebungen hat er sich nicht ferne gehalten; aber während der 4 jahre, die er sich in Graubündten aufhielt, brachte er es zu keinem bleibenden wohnsitz, zu keiner festen stellung, zu keiner ruhigen, ersprießlichen thätigkeit. Man ist dem manne, dem ein solcher ruf vorangegangen, mit großer freundlichkeit entgegengekommen, gastfreundlich wurde er überall, wohin er kam, aufgenommen, in Vicosoprano wurde er zum pfarrherrn erwählt und seine beredtsamkeit, seine imposante persönlichkeit, der eifer, mit welchem er sich gegen das papstthum aussprach, hat der reformation manchen vorschub in jenen gegenden geleistet; noch nach vielen jahren redete er gerne von »seinem« Veltlin. Aber diese einfache pfarrstelle genügte seinem thätigkeitsdrang nicht; noch

im ersten sommer (1549) durchreiste er die ganze Schweiz,[1] eine
stelle in Lausanne wäre ihm angenehm gewesen, noch lieber wünschte
er unter die zahl der Berner geistlichen aufgenommen zu werden.
Bald richtete er seine spähenden blicke ins ausland, um dort eine
passende stellung zu finden; in England erweckte der jugendliche
könig Eduard VI mit seinem eifer für die reformation die schönsten
hoffnungen der Evangelischen.[2] Heinrich II von Frankreich setzte
ihm einen jahrgehalt aus für seine bemühungen, Graubündten für
Frankreich zu gewinnen. (S. brief n. 204.) Aber die unterhandlungen mit England zerschlugen sich und bald stellten sich im
Bündtnerlande misshelligkeiten genug ein. Es ging ihm wie so manchem verbannten alter und neuer zeit, dass er das gleichgewicht in
seinem wesen verlor; die erinnerung an das alte, die alte stellung,
das alte ansehen war noch nicht vergangen und das neue, die neue
heimath und thätigkeit war ihm noch nicht so lieb geworden, dass
er keine vergleichungen angestellt hätte. Seine tadler sagten, er
habe die bischofsmitra noch nicht ausgezogen, und er, der gewohnt
war, eine rolle in der welt zu spielen und aufmerksamkeiten zu
empfangen, beklagte sich wohl darüber, dass man den flüchtling, der
um des evangeliums willen alles verlassen habe, zu wenig ehre. Ihm
erschienen die hohen berge unwirtlich, und wenn er dann die
Schweiz durchwanderte, so galt diss andern als trägheit und sie fragten,
warum er nicht seines pfarramtes warte. Unter den italiänischen
flüchtlingen war er der stellung nach entschieden der vornehmste
und ihm selbst gefiel es, nicht bloß mit allen seinen landsleuten in
verbindung zu stehen, sondern als ihr beschützer und fürsprecher
allenthalben aufzutreten; aber diese menschenfreundliche thätigkeit,
in welche sich auch einige eitelkeit mischte, trug bittere früchte;
nur sehr wenige jener vertriebenen verstanden sich die allgemeine

*

1 Über den aufenthalt Vergers in Graubündten s. de Porta, historia
reformationis ecclesiarum ræticarum, Chur 1772, I. 2, 139 ff. Meyer,
die evangelische gemeinde in Lokarno, Zürich 1836, I, 36 ff. Trechsel,
die protestantischen Antitrinitarier, Heidelberg 1839, II, 107 ff.

2 S. den titel zweier schriften, die Verger dem könig widmete, in
Wellers übersicht der litterarischen thätigkeit des Pietro Paolo Vergerio im Serapeum. Jahrg. 19, s. 65 ff. n. 18. 19. Weller giebt die
mir bekannte vollständigste und genaueste übersicht über Vergers litterarische thätigkeit.

achtung zu erwerben, wie Curio und noch mehr Peter Martyr Vermigli; bei andern hörten die streitigkeiten unter einander und mit den Schweizern gar nicht auf, sehr viele zeigten bedenkliche zuneigung zu den schlimmsten ketzereien (man denke an Gribaldo, Socino und andere), mit allen war Verger gut freund und diss wurde ihm in jenen aufgeregten zeiten übel ausgelegt. Ein lieblingsplan von ihm war die vereinigung der italiänischen gemeinden unter einer eigenen synode, natürlich unter seiner leitung, es kam deshalb zu unangenehmen erörterungen mit den rhätischen geistlichen, besonders mit Phil. Gallicius und Joh. Comander, die im dienste ihrer kirche ergraut waren und sich wenig von einem fremdling darein sprechen lassen wollten; beide theile mögen bei diesem streiten den weg der liebe und besonnenheit verlassen haben; die rhätische confession, die herbst 1552 angenommen wurde und allen irrlehren einen festen damm entgegensetzen sollte, drückte Verger den wanderstab in die hände; einen ruf, der vom herzog Christoph in Württemberg an ihn ergieng, nahm er an.

Wie herzog Christoph mit Verger bekannt geworden, ist nicht nachzuweisen. Beim reichstag in Augsburg 1530 und am hofe Ferdinands hatte Verger gewiss öfters von dem herzoglichen erben Württembergs gehört, fiel doch die eroberung Württembergs durch die schlacht bei Lauffen 1534 gerade in die zeit seines aufenthaltes in Deutschland [1]; das wahrscheinlichste aber ist, dass die edle herzogin Renata von Ferrara, die tochter Ludwigs XII, die bekanntschaft der beiden vermittelte; Renata war dem evangelischen glauben innigst zugethan und wünschte ihre töchter an evangelische deutsche fürsten zu vermählen; ihre wünsche trafen zusammen mit einer art lieblingsbeschäftigung Christophs, eben zwischen den fürstlichen familien zu vermitteln. um auch dadurch die verbreitung des evangelischen glaubens möglichst zu fördern. Schon 1546 wollte Christoph die älteste princessin Anna mit dem damaligen kurprinzen Johann Friedrich dem mittleren vermählen. Die sache zerschlug sich wegen des schmalkaldischen krieges und Anna heirathete den herzog Franz von Guise; jetzt (1553) wurden diese bestrebungen mit der zweiten tochter Lucretia erneuert, und in den ersten briefen

*

1 Siehe den nuntiaturbericht Vergers über diesen krieg in H. Lämmers Monum. vatic. s. 158 ff.

dieser sammlung treffen wir Verger, der mit dem hofe von Ferrara längst bekannt war, mitten in diesen verhandlungen [1]. Christoph wollte Verger wohl schwerlich als professor an der universität Tübingen anstellen, jedenfalls wäre er sehr bald von diesem plan abgekommen; und wenn er ihn auch als universitätsverwandten betrachtet wissen wollte (s. br. n. 230), eine lehrthätigkeit hat Verger nie gehabt, der deutschen sprache ist er ohnediss nie mächtig geworden (s. br. n. 183). Als mann, der um des glaubens willen seinem bisthum entsagt hatte, schätzte er ihn; wegen seiner genauen kenntnis des papstthums, sowie wegen seiner ausgebreiteten bekanntschaften hoffte er den gewandten Italiäner als vorkämpfer des protestantismus, als diplomatischen agenten und correspondenten verwenden zu können. April 1553 verließ er Graubündten [2]. Anfang Mai war er in Tübingen eingetroffen; Bullinger hatte ihm ein empfehlungsschreiben an Brenz mitgegeben; eiligst macht er sich daran, die Confessio wirtembergica ins Italiänische zu übersetzen, sowie das Syntagma suevicum, ebenso will er den catechismus von Brenz in seine muttersprache übertragen, sich mit diesen druckschriften nach Italien begeben und sie dort überall verbreiten. Dem herzog, der in freundlicher fürsorge im hause Melchior Volmars ihm quartier angewiesen und den befehl gegeben hatte, dem drucke kein hindernis in den weg zu legen, verheißt er großen erfolg von dieser thätigkeit (s. br. n. 1). In württembergische dienste war er aber noch nicht getreten; noch nennt er Graubündten locum ministerii sui. Dorthin kehrte er schon im August zurück (9 August schrieb er von Chur aus br. 4); er hatte sich in Württemberg land und leute angesehen, der herzog hatte ihn mit vollmachten für die

*

1 Siehe Müller, entdecktes sächsisches staatskabinet III, 90 bis 133. Stälin, wirt. Gesch. IV, 649.

2 S. Meyer, die evangel. gem. in Lokarno I, 79. Dagegen beruht die behauptung Meyers, dass er schon anfang 1552 einen ruf von herzog Christoph erhalten, auf einem irrthum, wie schon Heberle, in studien der evangel. geistlichkeit Württembergs 1842, XIV, b, 48 bis 90 vermuthet hat. Die annahme von Sixt, dass Verger schon 21 Januar in Tübingen gewesen sei, gründet sich auf einen brief Vergers an Bullinger, der dieses datum trägt (Porta II, 254); aber statt Januar muß es wohl Juni heißen, da es unmöglich ist, dass Verger am 16 Januar noch nicht einmal in Chur und am 21 schon in Tübingen war, besonders bei tiefem schnee; de Porta II, 167.

ferrarische heirath versehen, aber nach Italien selbst gelangte Verger nicht; der weg war ihm zu gefährlich, der nachstellungen zu viele; die heirathsangelegenheit wurde wegen des kriegs zwischen Moriz von Sachsen und Albrecht von Brandenburg hinadsgezögert, aber die herzogin rieth Verger die stellung bei Christoph anzunehmen, und da um dieselbe zeit der thronwechsel in England jede aussicht, dorthin zu kommen, vereitelte, überdiss die prediger in Graubündten von den versuchen Vergers, den catechismus von Brenz in ihren gemeinden zu verbreiten, und so durch lutherische dogmen verwirrung im reformirten lager hervorzurufen, keineswegs erbaut waren und ihm diss deutlich zu fühlen gaben, so nahm Verger, der sich in Graubündten vor den päpstlichen nachstellungen nicht mehr sicher sah (s. br. n. 5), das ihm von Christoph angebotene asyl an; er will nichts als sicherheit und ruhe, wo er mit seinem bescheidenen haushalt (er war zwar nicht so klein, 3 bis 4 personen) unangefochten leben könne und wäre es mitten in den wäldern (br. n. 5).

In einem freundlichen briefe vom 10 Oct. 1553 (n. 7) stellte herzog Christoph ihm die wahl seines aufenthaltes in Württemberg frei, schlug aber als den passendsten ort Tübingen vor wegen des umgangs mit so vielen gelehrten männern; einen monat später (16 Nov. brief 7a) wurde der eigentliche vertrag, wenn man so sagen kann, sowie die besoldung festgestellt; Verger wurde consiliarius des herzogs; mit fürstlicher liberalität ließ ihm sein neuer herr ein bedeutendes einstandsgeschenk überreichen, sorgte dafür, dass der abt Johann von Hirsau ihm und den seinigen ein paar stuben und kammern, keller und küche einräumte; später wurde der gehalt beträchtlich erhöht (ende 1562 br. 169); im jahr 1559 bezog er ein haus, das dem abt von Blaubeuren gehörte (br. 240), später wohnte er bei der wittwe eines katholischen arztes um 55 fl. zur miethe (br. 249). Auch einen garten oder weinberg besaß er, um fremde sämereien, die er mitgebracht, zum gemeinen besten dort anzupflanzen (br. 74. 75) [1].

---

1 Fischlin, memoria theologorum wirtenbergensium; Ulm 1710, suppl. s. 116 ff. giebt an, Verger habe einen weinberg in der nähe des herzoglichen stipendiums (des jetzigen evangelischen seminars) gekauft und dem stipendium vermacht. Vgl. dagegen brief 169, aus dem hervorgeht,

Sein wirkungskreis war kein fest umgräuzter; gerade als correspondenten und diplomatischem agenten lag ihm das verschiedenste ob; zu allen möglichen sendungen benutzte ihn Christoph, nach Polen, Graubündten, an den Rhein; doch ist nicht zu verkennen, dass besonders in späteren jahren wichtigere diplomatische verhandlungen ihm nie anvertraut wurden; die stets aufs neue angetragenen dienste, z. b. nach Trient oder Frankreich zu gehen, wurden freundlich aber entschieden abgelehnt und die kränklichkeit des betagten mannes gab oft einen bequemen vorwand, seine dringendsten bitten abzuschlagen. Die nachrichten, die er von seinen zahlreichen correspondenten oder die er bei der begegnung eines durchreisenden gesandten oder bischofs erfuhr, hatte er dem herzog mitzutheilen; die quellen waren nicht immer lauter und seine auffassung nicht immer die richtige; von seinem eifer und seinen raschen schlüssen sticht die kühle, besonnene kritik, die herzog Christoph ausübte und die als marginalbemerkungen zu Vergers briefen deren interessantesten commentar bilden, merkwürdig ab. Seine hauptthätigkeit war aber so zu sagen eine kirchenpolitische, das evangelium in den ländern, wo es um seine existenz rang, zu unterstützen und zu verbreiten und dem papstthum möglichst viel schaden zuzufügen. Darum reiste und schrieb Verger, deswegen betrieb er die übersetzung der bibel ins Slavische; hier etwas großes gethan oder auch nur gewollt zu haben, hielt er für seines lebens ruhm und diese wirksamkeit, wünschte auch herzog Christoph. Von den 12 jahren, welche er in Württemberg zubrachte, ist kaum eines vergangen, das ihn nicht in ferne gegenden geführt hätte; aber auch sonst war er stets auf der fahrt. Bald kommt ein italiänischer cardinal, dann ein französischer gesandter, irgend einer von den unzähligen, die er zu seinen allernächsten freunden rechnet; er muss hin, ihn zu sehen und zu sprechen. Unruhig und viel bewegt ist diese lebensweise, aber gerade nach Vergers geschmack. Auf seinen reisen sucht er auch seine eigenen bücher und schriften so viel als möglich zu verbreiten, manchmal nimmt er ganze ladungen davon mit und veranstaltet deswegen vorher noch neue auflagen.

Was er in Graubündten angefangen, setzte er fort; es erschien

*

dass er den stipendiaten-weinberg nutzungsweise (warscheinlich ohne pacht) erhalten hat.

eine reihe kleiner schriftchen, flugschriften und broschüren, welche irgend eine that des papstthums, einen aberglauben der katholischen kirche geiselten; oder er übersetzte einen deutschen catechismus, richtete einen trost- oder mahnbrief an seine freunde in Italien oder focht eine persönliche fehde aus.

Sie waren meistens von kleinem umfang, häufig nur wenige bogen oder seiten stark; manche wurden in briefform gefaltet und den bekannten und freunden in die häuser geschickt, um so die wachsamen augen der inquisitoren zu teuschen; lodernde feuerfunken sollten sie sein, durch welche er das gebäude des papstthums in flammen zu stecken glaubte. Großen erfolg hoffte der sanguinische und eitle mann von seinen schriften (s. br. 2); häufig findet sich in seinen briefen der ausruf: noch nie sei er so beschäftigt gewesen, als jetzt zur ehre Gottes. Seine zeitgenossen urtheilten nicht immer so günstig; leichte waare nennt sie Curio, bei vielen wäre es kein schade gewesen, wenn sie das licht der welt nicht erblickt hätten; der Graubündtner prediger Gallicius schreibt: Vellem tamen ut plus doceret quam exclamaret [1]; und Bullinger warnt: Man hat die jahre her wohl erfahren, was er für büchlein hat lassen ausgehen, sine nomine, falso sub nomine und zum theil famosos libellos, nichts denn spötteln und schmähen, nichts fruchtbares. [2] Auch herzog Christoph ließ ihm manche mahnung zugehen; strenge hielt der herzog darauf, dass er ihm jede schrift vorlege, ehe er sie herausgebe, lobte was zu loben war, sprach aber ebenso offen sein mißfallen aus; eine schrift Vergers über das concil von Trient ließ der herzog, nach dem gutachten von Brenz, gar nicht drucken, da das meiste aus Sleidan abgeschrieben sei, und als Verger die anmerkungen zum Catalogus Hæreticorum herausgab, schrieb Christoph, weil viel historisches darin enthalten sei, solle Verger sehen, dass das, was er anführe, certum sei, damit er nicht reprehendiert werde (br. 240). Eine unwillkührliche selbstkritik über sich übt Verger in den wahren worten: Multa enim scribuntur, quæ postea pon inveniuntur vera (br. 143). Die strenge censur des herzogs ist aber nicht nur aus den pressverhältnissen der damaligen zeit zu erklären, sondern auch aus dem umstand, dass Christoph meistens die kosten des druckes

*

1 S. De Porta II, 168.
2 Meyer, die evang. gemeinde in Lokarno II, 243.

trug, die Verger, dessen feder nie ruhen konnte, freilich stets so gering als möglich darzustellen suchte. Doch gelüstete den schlauen Italiäner gegen den stachel zu löcken, wo er konnte. Manche schrift von ihm erschien unter einem pseudonym oder außerhalb Württembergs oder war der druckort falsch angegeben, oft ohne dass ein grund vorhanden gewesen wäre, namen und ort zu verbergen. Die päpste, durch die scharfen hiebe, die Verger nach allen seiten austheilte, tief verletzt, ließen seine schriften durch die inquisition aufgreifen und vernichten, wo sie konnten; diese verfolgungswuth und der kleine umfang der schriften, weswegen sie der zerstörenden unbill der zeit leichter erlagen, als größere werke, bewirkten, dass Vergers schriften auf den bibliotheken so selten zu treffen sind, obgleich er ein schriftsteller von großer fruchtbarkeit war und obgleich von einigen 4 bis 5 auflagen erschienen waren. Von der gesammtausgabe seiner werke, die er am abend seines lebens unternahm, »um der welt etwas zu hinterlassen, nicht an geld, aber was der sache Christi nützen könne« (brief 247) und welche etwa 4 bände umfasst hätte, ist nur der I band vollendet worden [1]. In die theologischen streitigkeiten der protestanten, die in allen deutschen gauen so heftig entbrannt waren, besonders in den abendmahlsstreit, hat er sich glücklicherweise nicht eingelassen; als er längere zeit in Württemberg war, erklärte er, die lutherische auffassung der einsetzungsworte sei die richtige, und nicht minder beklagt er eifrig in den briefen an Christoph, dass in Polen und Frankreich die reformierte ansicht immer mehr boden gewinne; aber diese klagen sind doch mehr schein gewesen, denn im grunde hat er den unterschied der beiden lehrmeinungen für nicht sehr bedeutend gehalten und so ist ihm der übergang aus dem reformierten lager in das lutherische nicht allzu schwer geworden. Ein negatives verdienst könnte man eher darin finden, dass er den unitarischen und antitrinitarischen irrlehren, denen seine mitvertriebenen landsleute so schnell zufielen, stets abgeneigt war, und herzog Christoph konnte daher mit fug und recht ihm das beste zeugnis der rechtgläubigkeit ausstellen (br. 182 a).

Sein haus in Tübingen ist von besuchern und gästen nie leer

---

[1] S. über Vergers schriften die schon angeführte zusammenstellung von Weller im Serapeum, jahrg. 19.

gewesen; dass er für seine neffen nach besten kräften sorgte, wurde
schon erwähnt; aber überdiss drängte sich ein ungezähltes heer
von bittstellern aller art und aller nationen um ihn, seine vielen
»freunde« und bekannten wiesen ihm dieselben zu, und gewiss gehört seine bereitwilligkeit, jeden verbannten und vertriebenen zu
unterstützen, ihn zu empfehlen und für ihn zu bitten, zu den liebens-
würdigsten seiten seines charakters. Da ist es ein märtyrer des
evangeliums Baldus von Albona, der in den venetianischen kerkern
schmachtet, dann 2 gefangene, die kaiser Maximilian in gewahrsam
hält, dann ein graf Julius von Thiene, der in Württemberg aufnahme sucht, [1] dann die Spanierin Isabella Manriquez, die gar verschiedene anliegen hat, die löwen auf dem schloß in Tübingen zu
sehen wünscht, aber auch liebhaberin von gutem essig ist, dann
kommt ein portugiesischer spielmann u. s. w.; für sie alle und noch
viele andere schreibt Verger mit seiner nimmer müden feder und
für sie alle mußte herzog Christoph helfend eintreten. Überdiess
führte Verger einen ziemlich großen haushalt; er war gewohnt
gewesen, großartig aufzutreten und suchte diese lebensweise auch
später in veränderten umständen beizubehalten, stets hat er einige
diener und pferde (einmal deren 7), immer einen sekretär; seine
briefe sind nur von ihm unterzeichnet und wenn seine neffen auch
dieses amt häufig versahen, so wollten sie doch auch auf des oheims
kosten leben. So kam es, dass der gehalt, der für die damaligen
zeiten gewiß bedeutend war und später ansehnlich erhöht wurde,
immer weniger zureichen wollte; das fortwährende reisen und seine
zunehmende kränklichkeit, welche theure badekuren veranlasste,
brachten ihn in beständige geldverlegenheit. Schon aus Italien hatte
er den unschönen ruf mitgebracht, dass sein hauptbestreben sei,
geld zusammenzuraffen, wo er könne; in der Schweiz wurde ihm
dasselbe nachgesagt und in dem zeitraum, welchen diese briefe um-
schließen, macht es einen wahrhaft kläglichen eindruck, wie die
vermögensverhältnisse von jahr zu jahr unregelmäßiger und die bitten um geld häufiger und dringender werden. Brief 98 klagt er,
wie der apotheker ihm 50 fl. abgenommen und überdieß nur alte

---

1 Sein gesuch und das gutachten der württembergischen räthe, in
welchem eine hauptrolle spielte, dass er seinen eigenen pfennig ver-
zehre, gehören zu den am meisten charakteristischen der sammlung
(br. n. 36 ff.).

Verger

und ranzige mittel dafür gegeben habe; ein anderes mal hat ihn
Baden-Baden (br. n. 113) oder das Wildbad vollständig ausgezogen (br. 161), aber er will nicht beschwerlich fallen; dann möchte
er seinen auf Georgii verfallenen gehalt schon im Januar beziehen
(br. 170) und wie er am verfalltermin die fruchtbesoldung nicht sogleich auf den tag erhält, schreibt er stracks dem herzog und beklagt sich bitterlich (br. 181). Zu seinen reisen entlehnt er gerne
pferde vom herzog; ein einfaches frommes thier will er (br. 192),
er wolle gewiß es unversehrt zurückgeben. Aus Polen hat er einige
zobelpelze mitgebracht und so lange trägt er sie dem herzog an,
bis dieser endlich sie abkauft (br. 101). In Chur hat er sich so
verschuldet, daß er um Christi willen bittet, ihn doch auszulösen
(br. 155); gerade die letzten briefe Vergers enthalten nichts als
den ruf: geld, geld! Nur ein einziges mal ist ihm eine geldsumme
klein erschienen, als er in Chur wegen einer injurie gegen den spanischen gesandten um 25 kronen gestraft wurde (br. 202a), da
spricht er von pecuniola; freilich bittet er unmittelbar darauf den
herzog um geld; der bote, den er abschicke, solle es doch sogleich
mitbringen.

Mit bewundernswerther geduld und freigebigkeit hat herzog
Christoph diesen sturm von bittgesuchen ausgehalten; wenn Verger
immer wieder auf die reise nach Poissy oder Trient zurückkommt,
mit ruhiger freundlichkeit wird die abschlägige antwort ertheilt; soweit es nur möglich ist, gewährt auch Christoph die bitten, und
nimmt es nicht übel, wenn Verger auch mit kleinigkeiten ihn be-
helligt, um weinbergpfähle bittet (br. 200) oder für seinen neffen
Aurelius eine büchse reklamirt, welche ein herzoglicher förster demselben abgenommen (br. 199a). Nie hat Christoph seinen diener im
stich gelassen; zu einer reise nach Graubünden gab er ihm 200 fl.;
ein andermal bekam er ein »badtgeld« (br. 131) und noch dem
letzten briefe, den Verger wenige tage vor seinem tode erhielt, war
eine beträchtliche geldsumme beigeschlossen (br. 227) und mit recht
floßen die briefe Vergers über von dem edelmuth des gnädigen
fürsten. Dem vielangegangenen herzog darf man es dann auch
nicht verüblen, wenn er unmuthig über das fortgesetzte betteln in
den klassischen ausruf ausbricht: »Diser khumbt Alle tritt vnd helt
vmb geldt An; soll Ainest mit Ime Abgerechnet werden vnd so
man Ime wass zu thuen, solches Ime bezallen« (br. 252) und ein

anderesmal vorsorglich bemerkt: »doch das die quittung gestellt
werde, sonst khem er wider« (br. 244). Auch mag die herzogliche kasse nicht immer zum besten bestellt gewesen sein; als Verger wieder einmal um 100 fl. bittet, läßt Christoph zurückschreiben,
er habe nicht soviel geld bei sich, da er nicht in Stuttgart sei
(br. 215).

Im allgemeinen ist es ein schönes vertrauensvolles verhältnis
gewesen, in welchem der herzog zu seinem rathe stand; besonders
gegen außen ehrt er ihn, wo es nöthig ist, noch 1564 spricht er
von singularis gratia, die er zu ihm habe (br. 198) und der brief,
in welchem Christoph ihn seinem fürstlichen collegen Albrecht von
Preußen empfiehlt, ist ein ehrenvolles denkmal der wirklichen hoch-
schätzung, die Christoph für ihn hatte und der schönste lobspruch,
der ihm aus hohem munde zu theil geworden ist (br. 182ª). Verger
seinerseits that alles, was er konnte, um seinem landesherrn zu gefallen; er pries ihn wo er konnte und seiner worte manche streifen
nahe an schmeichelei, wie es denn auch zu den sonderbarkeiten gehört, die uns abstoßen, dass er dem herzog regelmäßig berichtet,
wann er das heilige abendmahl genommen oder bedauert, dass er
es nicht zugleich mit dem herzog habe nehmen können. Sollte es
vielleicht ein beweis seiner rechtgläubigkeit sein? Wenn Christoph
ihm etwas abschlug oder ihn zurecht wies, s. z. b. 22, hat er vielleicht im stillen geseufzt und gemurrt, aber in seinen briefen schlägt
er den ton der geduldigen ergebung an, wie es sich für einen
Christen gezieme, der des herzogs willen für Gottes willen ansehe,
wie er umgekehrt bei jedem einfall und projekt, das ihm in den
sinn kommt, die phrase anwendet: der heilige geist habe ihm dies
eingegeben.

Mit den herzoglichen beamten dagegen war das verhältnis
nicht immer ein angenehmes; den derben Schwaben waren die fremden gäste, die sich keineswegs durch demuth auszeichneten, und
immer mit neuen ansprüchen auftraten, widerwärtig, auch fingen die
heißblütigen Italiäner gerne streit und hader an und so kam es
zwischen ihnen und den herzoglichen beamten, welche die mühe des
geldanschaffens manchmal schwer empfanden, zu unerquicklichen
Scenen.

Mit den professoren der universität, mit den geistlichen lebte
Verger im allgemeinen friedlich; vorübergehend war die zwistigkeit

2 *

mit Eisenmann, der Verger nicht das h. abendmahl reichen wollte
(vielleicht sah er in Verger einen Cryptokalvinisten?). Durch her-
zogliches machtgebot kam ein vergleich zu stande[1]. Viel verdrießlicher
waren die händel mit dem schwindler und abentheurer Scalichius;
auch Verger war nicht ganz ohne eigene schuld in dieselben hinein-
gezogen worden, durch eine lange reihe von briefen zieht sich die
widerwärtige angelegenheit, sie hat Verger viel geschadet und ihm
von herzog Christoph manchen verweis eingetragen (br. 96 ff.).

Über die ersten jahre, die Verger in Württemberg zubrachte,
fließen die quellen nicht allzureichlich (nur 18 documente in den
jahren 1553 und 54); das wichtigste ereigniss, das sie erwähnen,
ist eine reise nach Straßburg (Oct. 1554, br. 12), wo er mit Sleidan
zusammentraf, der ihm von früher bekannt war; nun war er damit
beschäftigt, sein geschichtswerk durchzusehen und neues und unbe-
kanntes dem forscher mitzutheilen; Sleidan hat sich dankbar gezeigt,
indem er Vergers leben und thun ausführlicher behandelt hat, als
das von manchem andern gleichbedeutenden manne; wie weit Vergers angaben sonst verwendbar und richtig waren, läßt sich freilich
nicht mehr nachweisen. Eine reihe von 18 schriften des verschiedensten inhalts hat in jenen zwei jahren die presse verlassen (siehe
die titel im serapeum jg. 19. N. 40. 46—63); von manchen seiner
schriften jetzt und in späteren jahren gibt er an seinen entschluss,
sie zu schreiben, den fortgang, den das werk nimmt, auch wenn der
erste bogen fertig-geworden; aber bei mindestens ebensovielen fehlt
jeder anhaltspunkt in den noch vorhandenen briefen; durch die vergleichung von beiden erhält man ein bild von Vergers vielumfassen-
der thätigkeit, welche ein landsmann treffend mit den worten ge-
würdigt hat: er glaube, daß nichts ohne ihn geschehen könne.

Auch im jahr 1555 rührte sich seine feder; (s. Serap. N. 64
bis 67) der herzogin Sabina von Württemberg widmete er eine religiöse schrift »unseres herrn Jesu ablassbrief« (Ser. 67); Reginald
Pole hatte schon 1554 in einer flammenden rede den kaiser auf-
gefordert zu den waffen zu greifen, 55 vertheidigte er die einheit
der kirche in einer besondern schrift. Verger gab beide werke
seines früheren freundes, mit welchem er auch nicht mehr in der

1 Nach mittheilungen aus dem Stuttgarter k. archiv.

frage über die einheit zusammenstimmte, heraus, mit scholien versehen (ser. n. 60 und 66). Aber von ganz anderer wichtigkeit ist sein zusammentreffen mit Primus Truber, dem reformator Krains, dem übersetzer der bibel in die südslavische sprache. Als die niederlage der protestanten im schmalkaldischen kriege diesen merkwürdigen mann aus amt und heimath vertrieben, hatte er sich nach Deutschland geflüchtet und durch vermittlung von Veit Dietrich in Rothenburg an der Tauber und später in Kempten eine predigerstelle gefunden (1548 ff.). Um mit seinen landsleuten in geistiger verbindung zu bleiben und die reformation möglichst zu fördern, unternahm es Truber, die slowenische sprache in buchstaben und schrift zu fassen und so den seinigen die möglichkeit einer eigenen, selbständigen litteratur zu geben. 1550 erschien in Tübingen ein abecedarium und ein catechismus in slowenischer sprache aber mit deutschen und lateinischen lettern pseudonym. In seinem vaterlande wurden diese arbeiten mit großer freude aufgenommen, aber dem wunsche, andere schriften, eine postille und bibelübersetzung herauszugeben, stellten sich unüberwindliche schwierigkeiten entgegen; von Krain und Kärnthen aus wurde nun Verger auf Truber aufmerksam gemacht; es ist nicht unmöglich, daß er noch in Italien von den evangelischen predigten dieses mannes gehört hatte, nachweisen läßt sich aber eine frühere bekanntschaft nicht; diese litterarische thätigkeit war ihm jedenfalls unbekannt. Einen aufenthalt in Göppingen, December 1554 und Januar 55, benützte er, um mit Truber in Ulm zusammenzukommen, da er sich nicht getraute nach Kempten zu reisen. Mit aller geschäftigkeit, mit welcher Verger jedesmal einen neuen Gegenstand ergriff, bemächtigte er sich dieser sache; alle bedenken Trubers, der die schwierigkeiten der unternehmung deutlich vor augen sah, auch mit edler bescheidenheit seine geringen kenntnisse in den alten sprachen als störend hervorhob, überwand Verger mit siegender beredtsamkeit; er versprach nach kräften dafür zu wirken, stellte geldbeiträge nach allen seiten hin in aussicht, bot den schutz und die hülfe herzog Christophs an und nun wurde das werk rüstig unternommen. Die lutherische bibelübersetzung wurde zu grunde gelegt und von Truber das evangelium Matthäi in das Slowenische (Windische) übersetzt (br. 20); Juli 55 war dies vollendet (br. 30); hocherfreut hatten sich die landsleute Trubers über dies edle werk geäußert, ihrerseits ebenfalls geldmittel in aussicht gestellt; nun brachte Verger durch eine zusammenkunft mit Truber in Blaubeuren es dahin, dass derselbe seine pfarrstelle in Kempten aufgab und nach Reutlingen zog, um den druck zu leiten und zu überwachen, worin ihm Verger zur seite stand. 18 August 1555 wurde der erste druckbogen des Matthäus dem herzog überreicht und triumpfirend ruft Verger aus: jam sclavice loquitur (Matthaeus) qua lingua nunquam antea usus fuit (br. 32). Wie weit Verger an der übersetzung selbst theil genommen, ist nicht ganz klar; er redet von nostra versio (br. 18), gesteht dann freilich auch, Truber sei multo peritior in ea lingua (br. 31). Kenntnisse der slowenischen sprache hatte Verger, sehr groß sind sie schwerlich gewesen und von der übersetzung wird wohl ein geringer theil auf ihn fallen, aber sein verdienst war, daß er die sache nach außen hin mit all der energie, die ihm bei solch neuen unternehmungen zu gebot stand, vertrat; schrieb er ja einmal im ersten feuer der begeisterung: ein römischer cardinal wolle sich auch dabei betheiligen (br. 27). Dadurch, daß er nach außen hin seinen namen statt des in Deutschland unbekannten Trubers an die spitze stellte, daß er in dem weiten kreise seiner gönner und bekannten das interesse dafür weckte und an allen thüren um geldunterstützung anpochte, hat er das unternehmen, das vieler wunsch war, das auf der grenze zwischen scheitern und fortsetzen schwebte, materiell möglich gemacht; ohne ihn wäre Truber schwerlich von seinen kleineren versuchen zu der bibelübersetzung vorgeschritten, aber nachdem einmal das werk im fluß war, trat Truber und später Ungnad in den vordergrund, Verger selbst hatte seine thätigkeit andern gebieten zugewendet; seine reisen nach Preußen und Polen nahmen ihn in anspruch, doch zeigte er in manchfachen äußerungen, daß er nicht alles interesse an jenen arbeiten verloren hatte (br. 66. 70). Auch eine reise, die er von Wien aus in jene gegenden unternahm, diente wohl der Übersetzungsangelegenheit, s. Le Bret IX, 117. Einmal bietet er sogar dem herzog eine schon vollendete übersetzung der bibel in das krobatische (dalmatisch-illyrische) an, deren druck viel weniger kosten verursachen würde, allein die sache hatte keine weitere folgen (br. 85). Zu einem zerwürfnis mit Truber war es auch gekommen; gerüchte, dass Truber schwärmerische, kezerische ansichten hegte, waren ausgesprengt worden und Verger war nicht unbetheiligt bei diesen beschuldigungen; in einer eigenen

schrift muste sich Truber rechtfertigen; später trat wieder eine
versöhnung zwischen beiden ein, denn am sterbebette Vergers stand
Primus Truber und tröstete den sterbenden mit geistlichem zuspruche
(br. 228). [1]

Aber in ganz anderer, großartiger und uneigennütziger weise
widmete diesem segensreichen werke seine volle thätigkeit Hans v.
Ungnad, freiherr von Sonnegg; als Truber jene schüchternen versuche unternahm, war er noch statthalter in Steiermark; durch ihn
wurde Verger, der mit ihm schon frühe bekannt gewesen sein muß
(br. N. 239), auf Trubers thun aufmerksam gemacht; und als Ungnad selbst von dem katholischen Ferdinand gezwungen wurde, die
hohe stellung, in welcher er ein volles menschenalter hindurch in
krieg und frieden treulich dem haus Österreich gedient hatte, aufzugeben, weil er sich von seinem evangelischen glauben nicht lossagen
wollte, so widmete er den abend seines lebens und den rest seines
vermögens dem friedlichen werke, die bibel und religiöse schriften
in die sprache der völker übertragen zu lassen, welche er einst in
voller manneskraft als statthalter regiert und als krieger gegen den
halbmond geführt hatte. Herzog Christoph wies diesem edlen vertriebenen, dessen er sich auch in manchen staatsgeschäften bediente,
diesem ächt evangelischen ritter ohne furcht und tadel, in Urach

*

1 S. über diese ganze angelegenheit Schnurrer, slavischer bücherdruck
in Würtemberg im 16 jahrhundert. Tübingen 1799. Kostrenčić, Urkundliche beiträge zur geschichte der protestantischen literatur der
Südslaven in den jahren 1559 bis 1565. Wien 1874. Die obige darstellung gründet sich besonders auf sehr werthvolle mittheilungen,
welche hr. pfarrer Elze in Venedig mir gütigst zusandte und wofür ich
hier herzlichen dank ausspreche; seit jahren ist er mit studien über die
krainische litteratur im 16 jahrhundert beschäftigt und wohl der genaueste kenner dieser übersetzungsarbeiten. Das buch von Kostrenčić
enthält nur die ungnadische periode des slavischen bücherdrucks und
hat nur wenige notizen über Verger. Der schlimme verdacht, in den
Verger gerieth, von den für die übersetzung bestimmten geldmitteln
etwas zu andern zwecken verwendet zu haben, wird Kostrenčić s. 6
ebenfalls ausgesprochen. Dass Verger slowenisch verstand, beweist
seine schrift: Ena molitoh tiv kerszhenikou etc. Oratione de persegui-
tati e forusciti per lo Evangelio e per Giesu Christo Sixt. s. 601. N. 86.
Serap. s. 100. N. 126, welche hr. Elze mit aller entschiedenheit Verger
zuschreibt, der sie übersetzt habe; vielleicht habe Truber sie corrigiert.
Die trennung Vergers und Trubers setzt hr. Elze in das jahr 1557.

wohnung und zuflucht an; dort wurde 1559 eine eigene druckerei errichtet, an welcher auch Truber thätig war; so lange Ungnad lebte († 27 December 1564), stand sie in höchster blüthe und eine reihe von werken in dalmatisch-illyrischer sprache (damals krobatisch genannt) mit glagolischen, kyrillischen und lateinischen lettern gedruckt, ist aus jener officin hervorgegangen, die somit die erste bibelanstalt ist, von welcher die evangelische geschichte kenntniß hat; die meisten evangelischen fürsten, eine menge reichsstädte unterstützten freigebig dies gemeinnützige werk, den hervorragendsten antheil hatte freilich herzog Christoph. Mit dieser druckerei und der übersetzung in den krobatischen dialekt der südslavischen sprache hat Verger keine beziehungen gehabt, mit Ungnad stand er dagegen in vielfachem verkehr und beide haben auch ihre letzte ruhestätte in der St. Georgenkirche in Tübingen gefunden.

Eine reise, die Verger april und mai 1555 in die Schweiz unternahm, besonders auch um den ausgezeichneten juristen Gribaldo für Tübingen zu gewinnen (s. Meyer, die evangelische gemeinde in Lokarno II, 9 ff. Trechsel, die protestantischen Antitrinitarier II. 58 f.), wird in dem briefwechsel mit keinem worte erwähnt; freilich enthält derselbe eine bedeutende lücke über die monate april bis juli.

Ein neues bedeutendes feld öffnete sich seiner thätigkeit in Preußen und Polen vom jahr 1556 an. Auch in diesem slavischen reiche hatte die reformation eingang und anhang gefunden. Zwar die regentenfamilie war dem alten glauben treu geblieben, aber sie verhielt sich wenigstens nicht positiv feindlich gegen die neuerungen und Sigismund II August schien eine zeitlang günstig für die reformation gestimmt; doch war es eher religiöse gleichgültigkeit, die so ausgelegt wurde. Dagegen hatten, wie in vielen ländern, so auch hier, reiche und mächtige adelsfamilien aus unabhängigkeitsstreben gegen die krone, aus haß und neid gegen den clerus und aus religiösen beweggründen entschieden parthei für die protestanten genommen, ihre schlösser gaben sie zu den versammlungen her und ihr mächtiger arm schützte prediger und arme leute vor den gewaltthätigkeiten der bischöffe; unter ihnen waren die einflußreichsten die Radzivil, Gorka, Ostrorog, Tarnow, Tomicki, Ossowski; die zahlreiche deutsche bevölkerung in den städten war dem beispiel der heimathlichen reichsstädte gefolgt und protestantisch gestimmt. Aber in keinem andern lande hatten die streitigkeiten und lehrverschie-

denheiten der evangelischen schlimmere folgen, als in Polen; einen
eigenen reformator hatte dieses land nicht erzeugt, so war man auf
die von außen gekommenen lehrer angewiesen. Den Lutheranern,
welche an dem herzog Albrecht von Preußen eine starke stütze
hatten, waren reformirte geistliche gefolgt und hatten durch ihr ent-
schiedenes auftreten gegen die katholischen gebräuche großen anhang gewonnen, besonders den mächtigen woiwoden von Litthauen,
Nikolaus Radzivil Czarny. Aber noch eine III. religionsgemeinschaft
hatte ihren weg in die Weichselländer gefunden, die böhmischen
brüder, die nach dem schmalkaldischen krieg von Ferdinand I heftig
verfolgt wurden, nach Preußen und Polen auswanderten und dort
eine ziemliche verbreitung fanden; ihr bedeutendster gönner war
der graf Jakob Ostrorog[1]; jede der beiden andern religionsgemein-
schaften, lutheraner und reformirte, suchten sie auf ihre seite zu
ziehen. Aber auch die katholische kirche war keineswegs gesonnen,
das volk, das seit seiner christianisirung ein vorkämpfer des katholischen glaubens gewesen war und geblieben ist, leichten kaufes sich
entreißen zu lassen. Papst Julius III sandte dem könig Sigismund
II. August ein geweihtes schwert zum kampfe nicht blos gegen den
halbmond, die forderungen der landboten durch ein polnisches nationalconcil eine kirchenverbesserung herbeizuführen (1552 gestellt
und 1555 erneuert), wurden von der curie mit dem hinweis auf das
Tridentinum, das allen diesen ansprüchen genügen werde, abgelehnt.
Der bischof Lipomanni von Verona, der mit ausgedehnten vollmachten als päpstlicher nuntius nach Polen geschickt wurde, sollte neben
sehr energischen rathschlägen an den könig (er sollte von dem könig die köpfe von 8 bis 10 der vornehmsten evangelisch gesinnten
adeligen fordern) durch kleine zugeständnisse den wichtigen forderungen ausweichen.

So war in Polen alles in gewaltiger aufregung, und um die

*

1 S. über die polnische reformation Lukaszewicz, geschichte der
reformirten kirchen in Lithauen I, 1848. Krasinski, geschichte des
ursprungs, fortschritts und verfalls der reformation in Polen. Leipzig
1841. Koniecki, geschichte der reformation in Polen. Breslau 1872
Gindely, geschichte der böhmischen brüder. I. II. Prag 1857. 1862.
Das ungerechte urtheil des letzteren über die lutherische reformation
I, 392 ist einfach lächerlich, wie er auch die bedeutung der brüder-
unität zu hoch stellt.

verwirrung zu vermehren und die reformation zu schwächen, hatten auch die antitrinitarier in Polen ihr gelobtes land gefunden; schon 1551 war Lelius Socinus von Wittenberg aus dorthin gekommen [1] und 1555 waren in Kleinpolen so viele antitrinitarier, dass sie in Pinczow eine größere versammlung halten konnten. [2]

In diese bewegung, wo alles noch im fluss war, deren verlauf und ausgang niemand voraussehen konnte, griff Verger handelnd und schreibend ein; seine aufmerksamkeit war wohl schon lange dorthin gerichtet und er wünschte auch dort etwas auszurichten; andererseits kannte man ihn als eifrigsten gegner des papstthums und glaubte, seine anwesenheit werde zur bekämpfung der päpstlichen ansprüche und zur aufdeckung der päpstlichen listen sehr nützlich sein. Mit einer naivität, die uns keineswegs sehr zart erscheint, bahnt Verger die anknüpfung [3] mit dem polnischen regentenhause an. Jene östreichische princessin, welche er aus der taufe gehoben (s. s. 3), war 1553 polnische königin geworden; Verger behauptet nun die pflicht zu haben, für ihr geistliches wohl besorgt sein zu müssen und widmet eine einleitung zur italiänischen übersetzung der württembergischen confession dem könige, in der entschiedenen absicht, die augen des monarchen auf sich zu ziehen und ihm seine dienste anzubieten. Es ist nun sehr wahrscheinlich, daß eine einladung an Verger erfolgte, anfang 1556 [4]; zugleich war er mit dem herzog Albrecht von Preußen in verbindung getreten, ein jahrelanger briefwechsel (s. Sixt. s. 531 bis 593 vom Oct. 1556 bis Febr. 1563) ist die frucht davon gewesen. Unter dem geleite des preußischen sekretärs Timotheus reiste er 8 Juni von Stuttgart ab. Über Wittenberg, wo er mit Melanchthon zusammenkam, gelangte er nach einer reise von 34 tagen 20 Juli nach Königsberg (br. 45), freundlichst aufgenommen von herzog Albrecht; eine aufforderung, in seine dienste zu treten, lehnte er entschieden ab; sein beruf sei, für Italien zu wirken und das vermöge er besser in Württemberg. Hocherfreut war er, als august 1556 Nikolaus Radzivil, der schon

*

1 S. Trechsel, die protestantischen Antitrinitarier II, 155.
2 S. Koniecki s. 143 ff.
3 Dem briefwechsel nach ist dies die erste anknüpfung.
4 Gegen Gindely I, 402. Bei der großen lücke, die der briefwechsel enthält, von November 1555 bis Mai 1556 kein brief, ist das genauere nicht nachzuweisen.

seit 1552 mit herzog Christoph in brieflichem verkehr stand, die freundlichste einladung an ihn ergehen ließ zu einem besuch in Wilna (br. 47). Die neubeit aller verhältnisse wirkte so günstig auf den thätigen mann, dass er, der sonst stets etwas zu klagen hat, ruft: pulchre valeo. Schon wollte er sich im October zur heimreise anschicken (br. 48), da ereilte ihn, wie es scheint, eine zweite einladung Radzivils. 29 October war er in Wilna im verkehr mit Radzivil, ja mit dem königspaare selbst (so nach Sixt s. 535 ff., denn im briefwechsel ist eine große lücke vom 14 October 1556 bis 17 Juni 1557). Wie viel Verger dazu beigetragen, daß die blutdürstigen absichten und anträge des päpstlichen nuntius Lipomanni scheiterten, läßt sich, wie Gindely I, 402 mit recht bemerkt, mehr vermuthen als nachweisen; seine schriften de Gregorio Papa I (Serap. s. 85. N. 72), Catalogus Haereticorum (ib. N. 73) und besonders die veröffentlichung des briefwechsels zwischen Lipomanni und Radzivil (Duae Epistolae ib. N. 74), sowie die scholien zu 2 briefen Pauls IV (Scholia in binas Pauli IV literas loc. cit. N. 78) sind gewiß nicht vergeblich gewesen. [1]

Sehr wichtig für Verger war sein zusammentreffen mit den nach Polen und Preußen eingewanderten böhmischen brüdern; er hatte vorher keine gute meinung von ihnen gehabt (s. br. 46), aber nachdem er januar 1557 ihre häupter Rokyta und Israel in Soldau kennen gelernt, ihre confession von 1535 geprüft und rechtgläubig gefunden hatte, faßte er für die vielverfolgten und verläumdeten exulanten eine solche zuneigung, dass er nicht nur das abendmahl mit ihnen genoß, sondern überall, wo er konnte, für sie fürsprechend eintrat. Ihre confession gab er 1558 mit vorrede und nachtrag versehen heraus (Serapeum s. 89. N. 88), mit allem eifer verwahrte er sich gegen jede änderung derselben; mit Rokyta und Israel stand er in längerem briefwechsel. Herzog Christoph wußte er so für die brüdergemeinden einzunehmen, daß er für den gefangenen Augusta Maximilians verwendung in anspruch nahm, ebenso an Radzivil die brüder empfahl und selbst sich erbot, 2 jünglinge der gemeinde auf seine kosten in Tübingen studiren zu lassen. Eines der unbestrittensten verdienste Vergers ist, wesentlich dazu beigetragen zu haben,

*

1 Auch die schrift: Cur et quomodo christianum concilium debeat esse liberum u. s. w. gab er mit einer vorrede neu heraus (Serap. s. 88. N. 80).

dass die böhmischen brüder in der achtung des evangelischen Europas gehoben wurden, und wenn ihm nicht alles gelang, wenn namentlich Maximilian seine abneigung gegen sie nicht ablegte, so ist doch das evangelische Polen ein lieblingskind geblieben; in seinen briefen nahmen die berichte über Polen stets einen großen raum ein, triumphierend verkündigt er das wachsthum der gemeinden oder eine günstige wendung in den königlichen entschlüssen; sein sehnlichster wunsch war, von Maximilian als gesandter dorthin gesandt zu werden; und gegen ende 1560 sprach er brieflich gegen die vorsteher der brüdergemeinde den wunsch aus, die wenigen tage, die er noch zu leben habe, in ihrer mitte zuzubringen; aber die brüder in der richtigen anschauung von der ruhelosigkeit und den ansprüchen des alten mannes erklärten sich zwar bereit, ihn aufzunehmen, aber stellten ihm die ungewisse lage vor, in die er sich begebe und nun verzichtete Verger. [1]

Erst vom 17 Juni 1557 ist der nächste brief datiert; Verger hatte eine reise in die Schweiz unternommen, wobei er bis nach Genf gekommen war; indessen fehlt jede weitere urkunde darüber und wir sehen aus dem reiseberichte nur, daß es sich um die Ferrarische heirath, wohl auch um die polnischen angelegenheiten handelte, dagegen wurde die schriftstellerische thätigkeit, der er sich mit erneutem eifer hingab, in eigenthümlicher weise unterbrochen durch eine persönliche angelegenheit. Verger wollte eine italiänische dame, auch eine vertriebene, die in seinem hause zuflucht gefunden hatte, als ehefrau heimführen. Name und stand der erwählten werden in dem einzigen briefe, der davon handelt (br. 52) nicht genannt; gnädigst bewilligte der herzog eine namhafte gehaltserhöhung, aber die bitte um eine privattrauung im eigenen hause schlug er ab. Indessen wurde aus der ganzen sache nichts; in keinem briefe findet sich die mindeste andeutung, dass er verheirathet gewesen sei und doch wäre es unmöglich gewesen, dies mit stillschweigen zu übergehen, da die correspondenz gerade so viele kleine einzelnheiten seines täglichen lebens uns offenbart.

Beza und Farel kamen im verlauf des jahres an den hof zu

1 Über das verhältnis Vergers zu den böhmischen brüdern siehe Gindely, geschichte der böhmischen brüder I, 392 ff. und Fontes rerum austriacarum abth. II, t. 19, 213 ff. und besonders auch die briefe Vergers um aufnahme unter die brüder s. 255 ff.

Göppingen, um Christophs fürsprache für die von Heinrich II verfolgten Waldenser zu erflehen; Verger, der mit ihnen zusammenkam, wäre sehr gerne als gesandter nach Frankreich gegangen, aber es kam nur zu einer brieflichen verhandlung. Größere hoffnungen setzte Verger auf eine reise, die er ende 1557 nach Wien zu Maximilian unternahm; schon früher machte es ihm große freude, zu hören, dass Maximilian seine bücher gerne lese (br. 42), und eiligst schickt er ihm die neuesten. Im persönlichen verkehr hofft er dem evangelisierenden könig von Böhmen seine abneigung gegen die böhmischen brüder zu benehmen und ihn zur theilnahme an der gesandtschaft nach Polen zu bewegen, um welche Radzivil den herzog Christoph und den churfürsten Ottheinrich von der Pfalz gebeten und wozu diese geneigtheit gezeigt hatten; des königs gewichtige stimme sollte die günstigen aussichten der evangelischen vermehren. Anfang 1558, als kaiser Ferdinand, vor dem sich der apostat nicht sehen lassen durfte, nach Böhmen »verruckt« war, traf Verger in Wien ein (br. 57), freilich mit keinem credenzbrief Christophs versehen, da er offenbar der besonnenheit seines rathes nicht ganz vertraute; entsprechend nahm ihn Maximilian auf, freundlich, aber ohne gewicht auf seine vorschläge und seinen rath zu legen; so reiste Verger nach einigen wochen wieder ab und war nach einem abstecher in die windischen länder 19 april 1558 (br. 61) wieder in Tübingen. In der ausführlichen relation über seine zusammenkunft mit Maximilian ist zwar manches interessante zu finden, aber weder hatte er den könig günstiger für die böhmischen brüder gestimmt, noch kam es zu einer gesandtschaft nach Polen; der vorsichtige monarch hatte keine lust sich in diese verwickelten verhältnisse zu mischen, seine hinneigung zum protestantismus war keineswegs so groß, um ihn dazu zu treiben und Verger schien ihm nicht der mann, dem wichtiges anvertraut werden könnte. Verger hat auch durch sein späteres benehmen dies mißtrauen nicht beseitigt (s. z. b. br. 69. Le Bret IX, 128 ff.) und die häufige erscheinung, daß ein mann bei seinem ersten auftreten imponirt und die herzen gewinnt, bei näherer kenntniß aber nur verliert, scheint auch Maximilian mit Verger gemacht zu haben, doch würdigte Maximilian auch noch später Verger einer correspondenz, s. br. N. 185.

Leidend war Verger von seiner reise zurückgekommen, er ging im Mai ins Wildbad, aber das heilkräftige wasser sagte ihm dissmal nicht zu. Noch in demselben monat kehrt er wieder nach Tübingen zurück und erst im nächsten monat erholte er sich allmählich. Dürftig ist die zahl der briefe dieses jahres; ein längerer aufenthalt Christophs in Tübingen und Vergers krankheit erklärt diese lücke; auch die litterarischen leistungen waren nicht bedeutend (siehe Serap. s. 69. N. 10. s. 88. N. 83 bis 89. 96). Aber eine reise nach Heidelberg, die er ende 1558 unternahm, um den kurfürsten um einen beitrag für die slavische bibelübersetzung anzugehen, brachte ihn mit englischen diplomaten in verbindung und herrliche aussichten schienen sich ihm zu öffnen; was ihm bei Eduard VI nicht gelungen war, konnte sich unter dem scepter seiner schwester Elisabeth erfüllen. 14 december 1558 schrieb er an Elisabeth, wohl den ersten brief, denn neben glück- und segenswünschen zu ihrer thronbesteigung schildert er seine gegenwärtigen verhältnisse als rath herzog Christophs und spricht die hoffnung aus, bei der wiederherstellung der wahren religion, die er von ihr erwartet, auch sein theil thun zu können. Es war eine wenig verblümte art, ihr seine dienste anzubieten, und offenbar war Verger durch Elisabeths gesandten, Heinrich Killigrew, den er in Heidelberg getroffen, zu diesem schritte ermuthigt worden. Elisabeth lag daran, den evangelischen fürsten Deutschlands nahe zu treten, hoffte durch Verger auf Christoph und durch diesen auf seine fürstlichen collegen einzuwirken, nahm Vergers schreiben gnädig auf und bald gelangten weitere anträge nach Deutschland. Dort hatte herzog Christoph, von Verger benachrichtigt, die andern evangelischen fürsten in kenntnis gesetzt und da sie ebenso wünschen musten, an der mächtigen königin des inselreiches einen beistand zu haben, redete man von einer gesandtschaft nach England, um Elisabeth zu beglückwünschen u. s. w. Januar 1559 kam Killigrew von Straßburg, um herzog Christoph aufzusuchen; da er ihn verfehlte, übergab er Verger seine aufträge (br. 73 a), den antrag auf ein förmliches schutz- und trutzbündnis. Schleunigst entledigte sich Verger seines mandats (21 januar), aber begreiflicherweise ging herzog Christoph mit den übrigen confessionsverwandten auf solche weitgreifenden plane nicht ein. Es wird nie zu entscheiden sein, ob Killigrew seine instruktion überschritt oder Verger sie so auslegte und herzog Christoph darstellte; lord Cecil, der früher einen sehr freundlichen brief an Verger gerichtet, bedeutete ihm, daß er ihn nicht recht verstanden und später schrieb er auf die (falsche) nachricht von seinem tode, daß er nie viel auf ihn gehalten habe, auch dem lebenden nicht rathen möchte, nach England zu kommen. Gerade diss beklagte aber Verger am meisten, dass auch die englische reise vereitelt worden; herzog Christoph hatte beim beginn der unterhandlungen seinen neffen Ludwig dorthin gesandt und die anmaßende klage Peter Pauls: »wenn ich nach England gegangen wäre, ich hätte in einer so großen sache gewiss bedeutendes ausgerichtet!« (br. 73) verhallte spurlos in den lüften; wohl währten bei den deutschen evangelischen fürsten die besprechungen während des ganzen Augsburgischen reichstags fort, wohl stand Verger selbst in regem briefwechsel mit England (das naivste davon ist der wohlgemeinte rath, den er mit merkwürdiger selbstverblendung der königin Elisabeth giebt, br. 73b), im auftrag Christophs mußte er den Frankfurter receß ins lateinische für die königin übersetzen, aber zu einem resultat kam es nicht; keine gesandtschaft wurde abgesandt, sondern (15 august 1559) nur ein gratulationsschreiben und Verger mußte sich seufzend trösten: fiat voluntas Dei![1] An den spätern verhandlungen herzog Christophs, der vielumworbenen jungfräulichen königin einen gemahl zuzuführen, hat Verger gar keinen antheil genommen.

Eine ziemliche anzahl von schriften brachte dieses jahr (Serap. s. 90. N. 90 bis 95); kaum war in Rom ein neuer index erschienen, so gab er ihn sammt scholien heraus (br. 85); gegen den ermländischen bischoff Hosius, der mit so großem erfolg das evangelium in Polen bekämpfte, trat er auf (dialogi quatuor etc., s. br. 76) und gerade dessen bedeutende thätigkeit veranlaßte ihn, herbst 59 sich zu einer II. reise nach Preußen und Polen aufzumachen; im osten wollte er hereinbringen, was der westen ihm versagt hatte und es dünkte ihm beinahe nothwendig, den gefährlichen bischoff nicht blos mit der feder in der hand, sondern aug in aug zu bekämpfen und besonders seinen steigenden einfluß auf den könig zu paralysiren. Schriftlich kündigte er sich bei dem herzog Albrecht an (Sixt s. 536); 20 october brach er von Tübingen auf; über Heidelberg, Weimar,

1 Über die englische episode im leben Vergers vergleiche Calendar of State Papers, Foreign 1558 bis 1559, s. 32. 111. 113. 115. 221. 225. 479. 1561 bis 1562, s. 562. Schweizerisches museum 1788. IV, 1. 481 ff. 561. 822.

Jena, Erfelt (Erfurt) reiste er in den norden, überall die ihm bekannten fürsten besuchend; auch Schwerin und Stettin ließ er nicht vorbei und endlich gelangte er um die weihnachtszeit nach Königsberg; seine briefe sind voll bitterer klagen über die grundlosen wege, die ihn überall aufgehalten. Auch diesmal waren es vielseitige geschäfte, die er zu besorgen hatte; einen ansehnlichen vorrath seiner streitschriften hatte er mitgenommen, andere ließ er neu auflegen (wie seinen catalogus, de papa femina, Serap. 19, s. 86 N. 75, 92), überallhin wurden sie verbreitet; die böhmischen brüder suchte er von einer vereinigung mit den calvinisten abzuhalten; bei Radzivil hielt er sich längere zeit auf; mit dem könig kam er oft zusammen, er hatte wegen einer heirathsangelegenheit (die vermählung seiner schwester mit herzog Johann Wilhelm von Sachsen) zu sprechen und wurde mit aufträgen von ihm deßhalb betraut, aber auch in religiöser hinsicht war sein aufenthalt nicht vergeblich; der schwankende monarch neigte sich etwas den reformatorischen bestrebungen zu, denn in dem empfehlungsbriefe, welchen er einigen jungen Polen, die in Tübingen studieren wollten, mitgab, hebt er hervor: dass dieselben die reine lehre in Tübingen kennen lernen wollen. [1] Voll freudigen stolzes, dass seine mission für das evangelium nicht unfruchtbar gewesen sei, kehrte Verger anfang mai 1560 (vor dem 10 mai, br. 92) nach Württemberg zurück. Dem herzog führte er ein prächtiges viergespann, ein geschenk Radzivils, zu, aber noch mehr mag den fürsten, der sehr viel auf seine universität hielt, die schaar von polnischen adeligen erfreut haben, die mit ihren hofmeistern unter Vergers geleite nach Tübingen sich begab, dort zu studieren (br. 93). Wenige tage nachher kamen Rokyta und Herbert, die abgesandten der böhmischen brüder, auf einer reise nach der Schweiz, um die reformirten theologen für sich zu gewinnen; sie sollten Vergers rath einholen; aufs freundlichste nahm er sich ihrer an, stellte sie dem herzog und dem pfalzgrafen Wolfgang in Göppingen vor und fasste die bittschrift selbst ab, in welcher die fürsten um ihre protektion für die confession angegangen wurden. Die einzige frucht dieser verhandlungen war das versprechen Christophs, einige junge männer der gemeinde auf seine kosten studieren zu lassen und 2 warme schreiben an Radzivil und

*

1 S. Moser, neues patriotisches Archiv II, 46.

könig Sigismund. [1]

Eine schwere krankheit ergriff ihn im Juli; er glaubte dem tode nahe zu sein und machte 12 Juli sein testament; mit der freundlichsten leutseligkeit sorgte herzog Christoph für seinen rath, sandte seinen eigenen leibarzt, erkundigte sich auf das liebreichste nach ihm und gestattete dem genesenden gerne, in dem schönen benachbarten kloster Bebenhausen der luftveränderung halber zu wohnen. Gerührt dankte Verger für das schöne erbarmen, mit welchem der gütige fürst des armen, kranken, verlassenen sich annehme (br. 97), vergaß freilich auch nicht, die alten klagen vorzubringen über geldverbrauch und berichtete noch halb krank ausführlich von einer häßlichen litterarischen fehde, in die er mit dem betrügerischen Scalichius gerathen war und welche des herzogs geduld lange in anspruch nahm, bis er ärgerlich über das wüste zanken, beiden schweigen gebot (br. 100). Dass Verger während seiner krankheit nur wenig litterarisch thätig sein konnte, ließ sich erwarten; die todesgedanken, welche ihm seine krankheit nahe gelegt, machte er in einer kleinen, erbaulichen schrift bekannt (s. Serap. 19. s. 91. n. 98), eine pädagogische schrift seines ahnen gab er neu heraus (ib. n. 99) und das glaubensbekenntnis des edlen französischen märtyrers Anna Dubourg, der im december 1559 in Paris den tod erlitten, ließ er lateinisch und deutsch drucken (ib. n. 97).

Da brachte das scheidende jahr einen gewaltigen umschwung durch den tod Franzs II, welcher der welt eine andere gestalt zu geben schien; aller augen waren auf Frankreich gerichtet, wo die macht der Guisen zusammensank, der protestantismus gewaltig sich regte und offen um gleichberechtigung warb und die regentschaft Antons von Navarra die erwartungen der evangelischen hoch steigerte. Wie konnte es anders sein, als dass Verger, der sich überall als einen vorkämpfer des evangeliums-zeigen wollte, nicht auch sich für berufen hielt, bei dieser bewegung mitzuwirken! er war aufs tiefste ergriffen, in einer gewissen fieberhaften aufregung, woran sein geschwächter gesundheitszustand, der ihn zwang, mehrere wochen in Baden-Baden und in Wildbad sich aufzuhalten, auch die schuld

---

1 S. Gindely, geschichte der böhmischen brüder I, 411 ff. Die berichte von Rokyta und Herbert, sowie den brief Christophs an Radzivil vom 18 juni 1560 fontes rer. austriac. II. t. 19. s. 185 ff. Die correspondenz enthält von allen diesen angelegenheiten gar nichts.

Verger 3

tragen mochte; von keinem jahr haben wir so viele briefe, was
allerdings auch von zufälligen umständen herrühren mag, aber von
keinem jahr sind die briefe so reichhaltig und nicht leicht ist seine
feder so emsig gewesen, als da er nach Frankreich oder Trient
reisen wollte. Aber dem ungestümen drängen und treiben setzte
die bedächtige vorsicht herzog Christophs ernstliche hindernisse entgegen; mit knapper noth erlangte Verger, dass sein neffe Ludwig
gleichsam als sein vorläufer nach Frankreich entsandt wurde (17 april,
br. n. 112), aber den oheim ließ Christoph nicht ziehen, trotz seiner
in jedem briefe wiederkehrenden bitte, trotz seines rühmens, dass
er so viele personen in Frankreich kenne und dass ein mann, wie
er, gewiß etwas bedeutendes zur ehre gottes ausrichten werde; seine
geschwächte gesundheit, die ihn zwang, sich mehrere wochen in
Baden-Baden aufzuhalten (Mai, br. n. 113 und 114), schien ihm
kein hinderniß, um so willkommener war der hinweis darauf für
herzog Christoph, welcher offenbar der unvorsichtigkeit Vergers miß-
traute und taub gegen alle bitten schien. Die nachricht von der
berufung Bezas und Martyrs erfüllte Verger mit neuer sehnsucht;
es wäre ein wunder, meint er, wenn nicht auch lutherische theologen nach Poissy gewünscht würden und gerne wäre er selbst bereit,
dorthin zu ziehen, schon um der königin (Katharina von Medici)
willen, auf welche ein landsmann großen einfluß haben könne (br.
124). Umsonst; wie es in Frankreich leute gab, die seine anwesenheit keineswegs wünschten (z. b. Hubert Languet), so wollte herzog
Christoph ihn auch nicht als privatmann ziehen lassen, da er wuste,
der eitle mann hätte diesen charakter schwerlich gewahrt. Verger
muste sich darein ergeben, dass er besser thue, nach Göppingen
ins bad zu gehen, statt ins schöne Frankreich und nach des herzogs freundlicher erinnerung 140 stunden im bad zu sitzen statt nur
50 (br. 128) und endlich in der wahl und absendung der 3 württembergischen theologen Andreä, Beuerlin und Bidembach die leitung des hl. geistes zu erkennen (br. 128). Dafür hatte er die
genugthuung, seine voraussage, dass an dem zankapfel der abendmahlslehre alles scheitern werde, in erfüllung gehen zu sehen; indessen würde seine anwesenheit schwerlich dies verhindert haben.
Unbegreiflich aber ist jener streich, den er Andreä spielte, als er
ihm ein versiegeltes paket mitgab an den cardinal von Bourbon,
das statt der angeblichen briefe einige der schlimmsten schmäh-

schriften gegen die katholische kirche enthielt; ein zufall machte Andreä mit dem compromittierenden inhalt bekannt, so dass er es nicht übergab; wir glauben nicht, dass es kleinliche rache war an dem glücklicheren nebenbuhler, sondern in knabenhafter thorheit wollte Verger seinen alten widersacher ärgern, unbekümmert, welche folgen dies auch für den überbringer haben könnte; der briefwechsel enthält darüber nicht die leiseste andeutung.

Als ende 1561 herzog Christoph selbst dem könig von Navarra schrieb, er halte es für gut, daß der könig Vergerium zu sich berufe ob multas causas (br. n. 136) und hoffe zuversichtlich, dass es geschehen werde, so hatte bei Anton damals schon jene wandlung angefangen, die ihn später ganz in die hände der katholischen parthei lieferte und der französische gesandte in der Schweiz Coignet, von Bullinger bearbeitet, scheint ebenfalls vor Verger gewarnt zu haben. [1]

Aber zu gleicher zeit, da er so sehnsüchtig nach Frankreich schaut, sind seines herzens gedanken auch mit dem neu zusammentretenden concil in Trient beschäftigt und hegt er den heißesten wunsch, dort zu erscheinen, dort eine rolle zu spielen. Den 29 November 1560 hatte Pius IV das concil wieder ausgeschrieben; was ließ sich verlockenderes denken, als in der versammlung, wo man 1549 ihn nicht hatte hören wollen, als wahrhafter christlicher bischoff aufzutreten, durch seine entschiedenheit die »Nikodemusse« zu stärken, durch seine enthüllungen cardinäle und concil in die größte verlegenheit zu bringen, und so die brandfackel in die versammlung zu schleudern! Er weiß, dass er sich durch diese reise in die größte gefahr begiebt, dass man ihn in den kerker werfen und verurtheilen könnte, aber die märtyrerkrone zieht den eifrigen eher an, als daß sie ihn bedenklich macht, ja den wunsch vor seinem tode noch etwas recht großes für die sache Christi zu wirken und für den herrn zu sterben, wiederholt er so oft, dass man fast versucht ist, zu glauben, es sei ihm nicht immer so ganz ernst damit gewesen; auch sucht er sonst einen geleitsbrief zu erhalten, und nur wenn dies unmöglich sei, ist er bereit, auch ohne denselben über die alpen zu reisen. Seine sehnsucht begegnete sich mit den wünschen der curie; mit dem wiederaufschwung des katholicismus hatte man in Rom die hoffnung gefasst, die abgefallenen glieder in

*

1 S. Meyer, die evangelische gemeinde von Lokarno II, 248.

3*.

den schooß der mutter kirche zurückzuführen; bei manchen war diss gelungen; sollte es nicht auch bei Verger möglich sein? war er ja doch mit einer reihe treuer söhne der kirche in briefwechsel und verkehr geblieben! Der nuntius Delfino erhielt den auftrag, mit ihm in verhandlungen zu treten; im Elsaß fanden dieselben Juni und Juli 1561 statt; Delfino stellte eine berufung von kaiser und papst in aussicht, und stündlich harrte Verger derselben, allein sie kam nicht; der legat mochte sich bald überzeugen, daß ein rücktritt in den katholicismus durchaus nicht zu erwarten sei und so befahl der papst, den verkehr mit Verger abzubrechen. So erbleichte allmählig auch dieser hoffnungsstern, aber der sanguinische mann wollte sich den letzten schimmer nicht entreißen lassen, noch im April 1563 schreibt er: einige väter hoffen ihn in Trient zu sehen (br. n. 180).

Und doch sollte das jahr 1561 nicht zu ende gehen, ohne dass er im auftrag des herzogs eine reise gemacht hätte. Philipp voh Spanien und der papst suchten die Graubündner zu einem bündniß zu bewegen, welches ihren truppen den freien durchzug durch die alpenpässe gestattet hätte und ihnen ferner die möglichkeit gab, den protestantismus jener gemeinden zu unterdrücken; Juni 1561 erschienen ihre gesandten in Chur (ihre forderungen s. br. n. 133). Verger erhielt sehr bald nachricht von diesem vorhaben; bei herzog Christoph erregten diese mittheilungen große besorgnisse; die luft war ohnediss voll von kriegsgerüchten und kriegsbefürchtungen und die gefahr, welche dem süddeutschen protestantismus von dieser seite her drohte, keineswegs gering anzuschlagen; Verger wurde angewiesen, die sache im auge zu behalten (br. n. 115) und November 1561 mußte er eiligst im auftrag seines herzogs dorthin, um genaue erkundigungen einzuziehen, die Graubündner in ihrer guten gesinnung für die deutschen fürsten zu bestärken und zur abweisung der päpstlich-spanischen forderungen zu bestimmen. Wenn die ablehnung derselben auch schon vor seiner ankunft erfolgte, ganz ohne einfluss ist diese sendung nicht gewesen; sie wurde unterstützt durch eine italiänische schrift »an die edlen herrn der 3 bünde über die päpstliche sendung« [1] und wenn herzog Christoph auf Vergers bitten sich der armen bündnerischen geistlichkeit angenommen hat, sie mit

*

1 Den titel der schrift s. Serap. 19. s. 92. n. 107, das datum 1 November 1561.

geld unterstützte und einige von ihren söhnen auf seine kosten in Tübingen studieren lassen wollte (s. br. 137. 138 ff. 158), so haben zwar die schweizerischen reformierten 'einen entsezlichen versuch, das lutherthum bei ihnen einzuschmuggeln darin gewittert und Vergers thätigkeit keineswegs mit lobsprüchen überhäuft, aber jene geistlichen waren sehr erfreut über die hochherzigkeit des deutschen fürsten und der zweck, die bündner für die deutsch-protestantischen wünsche auch fernerhin günstig zu stimmen, war damit erreicht, [1] denn die spanisch-päpstliche parthei gab ihre versuche nach der ersten abschlägigen antwort nicht auf. Schon in den ersten monaten des nächsten jahres mußte Verger deßwegen abermals nach Graubünden. Die hoffnung, Frankreich besuchen zu dürfen, hatte ihn über den jahreswechsel begleitet und als er von der beabsichtigten zusammenkunft herzog Christophs mit den Guisen in Elsaß-Zabern erfuhr, meinte er, er müsse auch mitgenommen werden, allein Christoph lehnte das anerbieten unter dem vorwand der geschwächten gesundheit seines rathes ab. 10 März 1562 reiste Verger von Tübingen ab (br. n. 151); den nachstellungen, welche man ihm bereitet hatte und von denen er in Lindau kunde erhielt, entrann er glücklich; in kaufmannskleidern betrat er Graubünden; eifrigst machte er sich daran, das bündniß zwischen Graubünden und Frankreich, das Heinrichs II. tod zerrissen, zu erneuern. Daneben besuchte er die evangelischen gemeinden der italiänischen thäler, wobei er bis ins Veltlin gelangte, predigte (br. n. 151) und kehrte

*

1 Die chronologie dieser reise, über welche kein brief vorhanden ist, macht einige schwierigkeit. Meyer, die evangelische gemeinde in Lokarno II, 250 giebt an, dass Verger um den 14 November in Chur angekommen sei, und diss stimmt allein mit den daten unserer briefe, von denen n. 134 am 30 October von Stuttgart aus, n. 135 am 4 December von Tübingen aus geschrieben ist; zu einer reise nach Chur wurden 5 bis 6 tage gerechnet, so würde ein monat vollständig hingereicht haben. Dagegen ist die angabe de Portas, hist. ref. eccl. rhaet. II, 169 Vergerius hic versetur jam aliquot dies aus einem brief vom 17 October 1561 unmöglich richtig, da wir briefe vom 1. 6. 8. 13. 22. 23. 30. October (n. 128 bis 134) alle von württembergischen orten aus haben; der richtigkeit der chronologie de Portas ist, wie auch Meyer bemerkt, in diesen jahren nicht unbedingt zu trauen. Die reise selbst erwähnt Verger nur in andeutungen, so br. 136: Vergerius nescio quid fecisse in hac causa, cum nuper venisset, nescio unde. Sixt. 579: fui nuper in Rhaetia.

hochbefriedigt über seine thätigkeit 16 Juni nach Tübingen zurück
(br. n. 156) [1]. Aber keine art von ungemach hatte es gegeben,
die er nicht erlebt, und wenn er auch im Wildbad erholung von
seinen strapazen fand (August 1562), so war doch der einfluss des
alters immer mehr zu spüren; die eigenen klagen senex sum et
valetudinarius kehren häufig wieder in den briefen, diese selbst
werden uninteressanter und leiden an dem gebrechen zahlreicher
wiederholungen. Zwar seine feder ist noch nicht müde, mirum in
modum sum occupatus ruft er September 1562 aus (br. n. 163),
auch spitzig genug war sie noch, wie sein buch gegen Chizzuola
beweist, der nicht ohne wissen der curie eine schrift voll persön-
licher invektiven gegen ihn und voll angriffe gegen die evangelischen überhaupt vom stapel gelassen hatte. [2] Im übrigen bewegte
sich seine schriftstellerische thätigkeit im jahr 1562 besonders um
das concil (s. Serap. n. 111 bis 123), aber am meisten nahm ihn
die herausgabe seiner gesammelten schriften in anspruch, um dem
papstthum eine letzte gefährliche wunde dadurch beizubringen, s.
oben s. 16.

Mehrere reisen in die Schweiz füllten die letzten jahre seines
lebens. Mai 1563 faßte er den entschluß eine kur in Baden (im
Aargau) zu gebrauchen (br. n. 182), er reiste nach Zürich, aber
zog der sicherheit wegen Sondrio vor (br. 184); leider fand er in
»seinem« Veltlin die fortschritte des evangeliums nicht so groß, wie
er erwartet hatte. Ende Juli (28. s. br. 185) war er wieder in
Tübingen, trotz seiner geschwächten gesundheit immer wieder reise-
lustig; denn im december 1563 geht er über Straßburg und Basel
nach Solothurn (br. 193) und april 1564 eilt er noch einmal nach
Chur, um die letzte hand anzulegen, die spanischen vorschläge zu
nichte zu machen. Leider ließ er sich in der hitze beikommen,
den spanischen gesandten Verbeccus einen gesandten des papstes zu
schelten, es gab einen sehr ärgerlichen auftritt, den er durch eine
empfindliche geldstrafe büßen mußte, aber eine noch größere ein-
buße litt sein ansehen (s. br. n. 202 f.); man mochte es den Grau-
bündnern nicht verdenken, wenn sie froh waren, als er wieder ab-

1 Die ausführliche beschreibung der reise s. Sixt s. 460 ff. Von dem
plan, eine italiänische kirche zu gründen, Meyer II, 247, erwähnt die
correspondenz nichts.

2 S. den titel Serapeum s. 100. n. 124.

reiste, des alters spuren und die sinkende kraft hatten sich zu deutlich geoffenbart [1]. Und dennoch hatte der betagte mann keine ruhe. Beinahe den ganzen rest des jahres 1564 füllten die bitten um erlaubnis zu einer reise nach Villach und Triest, um der heirath einer nichte anzuwohnen. Mächtig zog ihn noch einmal die süße heimath an, ehe er starb. Ungern gab herzog Christoph, dem schon die frühjahrsreise in die Schweiz zuwider gewesen war, die erlaubniss dazu. 17 October (br. n. 223) kündigt Verger seinen entschluss an, sich auf den weg zu machen; es ist sehr wahrscheinlich, dass er die Reise ausgeführt, allein in den wenigen briefen, welche nach einer langen pause (vom 17 October 1564 bis 11 April 1565) den faden der erzählung wieder aufnehmen, findet sich nicht die leiseste spur von derselben. Zum letztenmal hatte er den wanderstab in der hand gehabt, eine längere krankheit fesselte ihn an Tübingen, rasch zerfielen die kräfte, die wenigen aus diesem jahr vorhandenen briefe sprechen todesahnungen aus, inniger als je flossen die dankesbezeugungen gegen herzog Christoph, der durch freundlichkeiten jeder art dem sterbenden manne seine letzten tage zu erleichtern suchte.

Am 4 October 1565 zwischen 11 und 12 uhr mittags schloss Verger sein vielbewegtes leben, sein neffe Aurelius und Primus Truber waren an seinem todtenbette gestanden. Herzog Christoph befahl, »nachdem der ehrwürdig vnser besonders lieber petter paulus vergerius die schuld menschlicher natur bezallt« ihn in der St Georgenkirche in Tübingen in der nähe von Ungnad zu bestatten, sämmtliche universitätsverwandten sollten ihm zur »leicht« geben, eine tafel zu einem epitaphium und auf das grab ein stein mit seinem wappen und einer umschrift, wie es sonst bei universitätsverwandten sitte sei, errichtet werden. Die kosten davon trug er, er wollte seinen treuen diener damit ehren und noch über dessen grab hinaus dehnte er sein wohlwollen aus, indem er die verschiedenen reklamationen der vergerischen neffen mit fürstlicher großmuth ausglich. Die sinnige inschrift des epitaphs erwähnt Sixt s. 526; 1635 ließen die Jesuiten, damals die herren der evangelischen stadt, denkstein und tafel ihres todfeindes wegnehmen, 1672 wurde beides wieder an seine stelle gesetzt; am ersten pfeiler soll sie gestanden sein, aber in

*

1 Vgl. besonders das bezeichnende urtheil herzog Christophs br. n. 219 a.

späteren baulichen veränderungen ist beides zu grunde gegangen[1]. Sein neffe Aurelius blieb in württembergischen diensten. 1567 wurde er mit einer gesandtschaft herzog Christophs nach Frankreich betraut, wovon sich noch eine interessante relation im württembergischen k. archiv findet[2]. Von dort an wird der name nicht mehr erwähnt.

Eine interessante gestalt ist der bischoff von Capodistria gewesen, interessant wegen der zeit, in welcher er lebte, wegen der rolle, die er in derselben spielte, und nicht minder wegen seines eigenen persönlichen wesens; wie er während seines lebens mitten im kampf der partheien stand, so ist auch nach seinem tode über ihn gestritten worden, wie um die leiche des Patroklus und es hat an bittern anklägern und heftigen feinden so wenig gefehlt als an begeisterten lobrednern und vertheidigern; sein vielbewegtes leben und seine vielseitigkeit fordert zu beidem heraus. Der entscheidende punkt ist natürlich sein übertritt zum protestantismus, die evangelische welt hat ihn von dort an zu den ihrigen gezählt; daß er diesen schritt gethan hat, war sein verdienst und wird jederzeit so angesehen werden; viele seiner zeitgenossen und landsleute sind auf halbem wege stehen geblieben, die einheit der kirche, die macht der tradition, die äußeren verhältnisse übten bestimmenden einfluß über ihre inneren überzeugungen, Verger hat auch diese bande gesprengt und ist nachher entschieden evangelisch geblieben. Von seinen angeblichen gelüsten, in das papstthum wieder zurückzukehren, verrathen seine briefe nichts, äussere verhältnisse haben ihn nicht beim protestantismus zurückgehalten, denn wenn er auch von verschiedenen fürsten geehrt und geschätzt wurde, das brod der verbannung schmeckt stets herb und keines der fremden länder, in welchen er sich aufgehalten, konnte ihm das schöne süße heimathland ersetzen; auch die fleischtöpfe Egyptens waren ihm nicht zugefallen, man denke nur an die vielen bettelbriefe, welche ihm seine geld-

---

1 Am 300jährigen todestag Vergers habe ich die ganze kirche vergeblich nach dem grabmal durchsucht; bei der im jahr 1866 vorgenommenen gründlichen restauration der kirche fand sich ebenfalls keine spur vor, s. Bunz, die stiftskirche zu St Georg in Tübingen 1869, s. 119 und doch führt ein in diesem jahrhundert gedrucktes verzeichniss der gräber in der St-Georgskirche noch P. P. Vergerius an!

2 S. Kluckhohn, briefe Friedrichs des Frommen II, 130.

noth auspresste. Diese überzeugungstreue achtete herzog Christoph
hoch, sie ließ ihn die vielen widerwärtigkeiten und schwächen vergessen, welche an seinem diener auffielen', und sie gab ihm das
schöne ehrende zeugniss in den mund, dass er ihn für »ain auffrechten biedermann und ainen rechten Christen erkhenne und halte«
(s. br. n. 182 a). Darin aber liegt das tragische im leben Vergers,
dass sein abfall vom katholicismus gerade zu der zeit erfolgte, da
derselbe wieder macht gewann, als das schicksal der reformation
in Italien schon entschieden war und dass nun auch Verger unter
diesem loos zu leiden hatte und von dem boden, wo er naturge-
mäss seine wirksamkeit hätte entfalten sollen und können, heraus-
gerissen und in fremde verhältnisse hineinversetzt wurde, in denen
er unmöglich solche früchte bringen konnte, wie in Italien. Wie
sein herz immer an der alten heimath hing und er desswegen auch
seine brieflichen und persönlichen verbindungen mit ehemaligen glaubensgenossen unterhielt, was zu vielen missdeutungen anlass gab,
auch nicht immer passend war, so war auch seine spätere thätigkeit besonders der italiänischen reformation zugewandt; seine schrift-
stellerei, die theilnahme an der slavischen bibelübersetzung, seine
reisen nach Graubünden, seine vielfachen fürbitten für vertriebene
landsleute legen beredtes zeugniß dafür ab, mehr als einmal hat er
dies auch in seinen briefen ausgesprochen und erst in zweiter linie
kommen Polen und Preußen und die böhmischen brüder. Sein protestantischer glaube war mit einer starken dosis hass gegen das
papstthum, das ihn verstossen und gegen die päpste, die dies gewagt, getränkt, darum hielt er sich am liebsten in solchen gegenden
auf, wo es galt, diesen gemeinsamen feind ernstlich zu bekämpfen,
da spielte er als gefürchteter kenner vieler römischen geheimnisse,
als grimmer feind Roms, dem witz und hohn, ernst und leidenschaft
gleichmässig zur verfügung standen und den der heiligenschein eines
freiwilligen märtyrerthums schmückte, eine bedeutende rolle; die
vielseitigkeit und vielgeschäftigkeit seiner natur, die im innersten
seines wesens begründet war und einen hervorragenden charakterzug
in ihm ausmacht, kamen hier in ungeordneten verhältnissen zur
geltung, während sie ihn bei ruhigen und geordneten zuständen
widerwärtig machten und ihn selbst zu allen möglichen planen und
immer neuen wünschen und unternehmungen trieben. In den böhmischen brüdern, die ebenso hart verfolgt wurden und gleichfalls

aus ihrer heimath auswandern mussten, sah er leidensgenossen und die gleichmäßigkeit des schicksals weckte seine theilnahme, die sich zu lebhafter vorliebe für diese stillen im lande steigerte; den übrigen kirchlichen und religiösen verhältnissen Deutschlands blieb er stets etwas fremd. Vor den theologischen lehrstreitigkeiten, welche die evangelische welt verheerten, sowie vor den irrwegen der kezerei, in welchen so viele seiner landsleute zu grunde giengen, bewahrte ihn klugheit und gleichgültigkeit.

Wie groß sein einfluss bei der bekämpfung des papstthums und bei der verbreitung evangelischer grundsätze gewesen, was er wirklich zu stande gebracht in dem politischen und religiösen gewebe der reformationsgeschichte, wer vermöchte diess darzulegen? Die persönliche einwirkung gab hier stets den ausschlag und sie entzieht sich jeder berechnung. Darum ist es eine müssige frage, ob Verger ein mann zweiten oder dritten rangs gewesen sei. Umsonst hat er nicht gelebt und würden alle andere stimmen schweigen, so würde der hass, den die curie gegen den lebenden und todten gezeigt hat, zeugniss genug ablegen für seine bedeutung.

Aber auch an solchen zügen fehlt es nicht, welche das bild des mannes trüben und es wäre ungerecht und unwahr, sie zu verhehlen, vielleicht deutlicher als manche schöne charakterseite treten sie in unserem briefwechsel hervor; es ist seine unruhige geschäftigkeit, welche die hand in allem haben wollte und in dem bestreben, allen alles zu sein, soweit geht, dass sie zum überdruss wird, seine maaßlose eitelkeit, die ihn zu gründlicher selbsttäuschung über sich und seine gaben verleitet, geldgier und aufdringlichkeit machen ihn für uns widerwärtig, während sein benehmen gegen Gribaldi z. b. gar keine entschuldigung zulässt.

Empfindlich haben ihm diese schwächen und fehler geschadet, die mitwelt hat manches harte urtheil deswegen über ihn gefällt und nicht mit unrecht, und das schönste lob, ein ganz lauterer charakter gewesen zu sein, kann Verger nicht zieren.

II

DER BRIEFWECHSEL.

Verger ist ein sehr fleißiger briefschreiber gewesen, wie sich wegen seiner grossen bekanntschaft kaum anders denken lässt; nicht leicht wird sich ein größeres archiv in Deutschland, Italien, der Schweiz und in Frankreich finden, welches nicht briefe von ihm enthielte. Sixt hat die in Königsberg vorgefundenen als beilagen seines werkes veröffentlicht. Gindely, Trechsel, Meyer haben in ihren werken, das was die archive der brüdergemeinde, die staatsbibliothek in Bern, die universitätsbibliothek in Basel, die simmlerische sammlung in Zürich ihnen bot, auszugsweise benützt; die gedruckten briefsammlungen des 16. und späterer jahrhunderte, z. b. Lettere volgari, Lettere di Aretino u. s. w. enthalten briefe Vergers und wie viel mag noch in den schränken von bibliotheken und archiven unentdeckt und ungekannt schlummern? Eine sammlung seiner briefe ist noch nicht vorhanden, der hier vorliegende briefwechsel umfasst nur die ganze noch vorhandene correspondenz zwischen herzog Christoph und Verger; sie beginnt mit dem 24 Juni 1553 (n. 1) und endigt mit dem 30 Juli 1565 (n. 226). Die briefe n. 227 bis 235 enthalten nachrichten über die beerdigung Vergers und die übrigen 236 bis 254 entbehren eines sicheren oder jeglichen datums.

Von den 294 dokumenten der sammlung entfallen auf das

jahr			nämlich			
1553	10	nämlich	9	briefe	1	beilagen
1554	8		7	«	1	«
1555	34		23	«	11	«
1556	7		7	«	—	«
1557	11		10	«	1	«
1558	18		16	«	2	«

1559	23	19 briefe	4 beilagen
1560	19	16 «	3 «
1561	37	35 «	2 «
1562	30	27 «	3 «
1563	29	25 «	4 «
1564	36	30 «	6 «
1565	13	4 «	9 «
undatiert	19	16 «	3 «
	294	244 briefe 50 beilagen.	

Auch diese bedeutende anzahl umschließt nicht die ganze correspondenz der beiden; das erste wort des 1 briefes Pergo weist auf frühere mittheilungen hin und in den 12 jahren des briefwechsels sind die empfindlichsten lücken zu beklagen.

Die hier veröffentlichten briefe sind dem k. württembergischen staatsarchive entnommen, wo sie unter der rubrik: Religionssachen büsch. 20a bis 20g eine zusammenhängende, geordnete sammlung bilden.

In andere fascikel waren versprengt:

N. 56. weltliche fürsten insgemein. Ferrara.

N. 67. Schreiben von Charles Dumoulin 1554 bis 62. Universität Tübingen.

N. 77. Universität Tübingen.

N. 78. England.

N. 93. Polen. Büschel 1.

N. 93 b. Pfalzgraf. Briefwechsel zwischen Christoph und Friedrich III de anno 1550 bis 1568. Fasc. 1.

N. 113. 121. 121a. Frankreich. Fasc. IV.

N. 217. 218. 241. Polen.

N. 236. Nach der abschrift aus der Jägerschen sammlung Ulmensia et Varia, Tom. IV.

N. 85 ist der consistorialregistratur entnommen.

Von n. 5b. 7a. 49a. 52. 73a. b. c. d konnten die originalien im archive nicht mehr aufgefunden werden. Die briefe herzog Christophs sind nur im concept vorhanden und im gegensatz zu der breiten deutlichen handschrift Vergers und seiner sekretäre oft sehr undeutlich geschrieben.

Dieses reiche material ist, soweit es zugänglich war, von früheren geschichtschreibern und forschern nicht bei seite gelassen worden.

Sattler in seiner geschichte der herzoge hat das ihm wichtig scheinende benützt, Lebret, magazin b. II. III. IX, hat einige briefe ausgewählt. Schnurrer hat das auf den slavischen bücherdruck bezügliche, Moser in seinem neuen patriotischen archive II die polnischen dokumente, das schweizerische museum jg. IV die englischen verhandlungen mitgetheilt und das interesse, welches diese bruchstücke erregten, weckte den gedanken an eine sammlung und herausgabe der briefe Vergers. Leider ist von dem großen schatze der briefe, welche er selbst erhielt, nichts mehr aufzufinden; wahrscheinlich haben die neffen, als nach dem tode herzog Christophs Württemberg keine stätte für sie bot, die papiere ihres oheims mitgenommen und sie sind spurlos verschollen; die hoffnung, dieselben in irgend einem verborgenen winkel aufzuspüren, wird eine ziemlich eitle sein.

Verger ist kein Luther oder Calvin gewesen, darum hat auch seine correspondenz einen viel geringeren werth; auch Hubert Languets briefwechsel (Arcana seculi XVI) steht weit über dem Vergers an pünktlichkeit und zuverlässigkeit der erzählung wie an schärfe der beobachtung; Verger war meistens nur correspondent, selten augenzeuge, mehr schriftsteller als diplomat; überdieß sind alle briefe an Christoph gerichtet, der unterthan schreibt an seinen herrn, der herzogliche rath berichtet an seinen fürsten und darum fehlt jenes sich gehen lassen, jenes vertrauliche sich aussprechen, und damit der anmuthigste zauber, den ein briefwechsel haben kann. Dennoch wird die forschung über das 16 jahrhundert manchen gewinn daraus entnehmen können, manches ereigniss wird in einem neuen lichte erscheinen, mancher charakter eine bisher unbekannte seite enthüllen, auch die culturgeschichte sich da und dort bereichern; sehr viel gewinnt die württembergische geschichte und hier fällt das hellste licht mit recht auf die beiden personen, deren namen der briefwechsel trägt. Eine gerechte würdigung, eine gründliche lebensbeschreibung Vergers hat nun einen sichern boden, denn es ist ja sein eigen leben, das er in seinen briefen zeichnet, darum sind auch manche unbedeutendere briefe von der sammlung nicht ausgeschlossen worden und der fürstliche gönner wird auch in diesem briefwechsel so erscheinen, wie ihn unser württembergischer geschichtschreiber rühmt »als das musterbild eines guten fürsten« [1].

1 Stälin IV, 760.

*

1553.

1.

Verger an Herzog Christoph.

Tübingen 24 Juni 1553.

Verger überschickt seine italiänische übersetzung der württembergischen confession, sowie die vorrede zu dem syntagma, erbietet
sich den catechismus von Brenz ins Italiänische zu übersetzen und
wünscht bei dem kreistag in Ulm zu sein.

Theilweise (Pergo-degustare) schon gedruckt in C. F. Schnurrer,
erläuterungen der würtembergischen kirchen- reformations- und ge-
lehrtengeschichte. Tübingen 1798. S. 215. 219.

Illustrissime Princeps et Domine Domine gratiosissime!

Pergo reddere rationem villicationis meæ. Heri primum absolutus est a typographo liber confessionis [1], quem et mitto. Utinam
vero Celsitudo Tua posset intelligere et judicare, quod mihi donum
dederit Deus (ad gloriam ejus dico) in lingua mea italica! Hodie
misi certum nuntium, qui aliquot ex his confessionibus incipiat
spargere per Italiam in nomine Domini. Ego reliquas mecum feram.
Dico iterum, quod jam dixi, spero ingentem fructum ex ipsis. Valde
tarde incedit typographus in imprimendo, quia illi omnino res nova
est laborare in lingua usque adeo incognita. Vix absolvet alterum
librum nempe syntagma [2] tribus septimanis (ut opinor) at sperave-

---

1 Der titel: Confessio piæ doctrinæ, quæ nomine illustr. principis ac domini Christophori D. Virtemb. etc. per legatos ejus die
XXIIII mensis Januarii a. 1552. congregationi tridentini concilii propo-
sita est. Die übersetzung Vergers Confessione della pia dottrina, s. Sixt
s. 597 n. 33. Serapeum s. 77 n. 46. Die litteratur der confession vergl.
Schnurrer, erläuterungen s. 214 ff.

2 Syntagma eorum, quae nomine illustr. princ. Christophori in
synodo tridentino per legatos suos acta sunt. 1553. Der titel der italiänischen übersetzung lautet: Descrittione di quello che in nome dell'
illustr. u. s. w. s. Sixt s. 597. 32. Serapeum s. 77. n. 48.

ram, fore ut utrumque potuisset XX diebus absolvere. Mihi vero neque ulla mora molesta est neque ullus labor, dummodo emergat gloria domini Dei mei.

Mitto etiam praefationem, quam cogito affigere ante syntagma. D. Volmarius [3], meus carissimus hospes, atque idem valde bonus et prudens vir non recusavit laborem, vertendi tantum in hunc usum, ut Vestra illustrissima Dominatio possit eam degustare. Vehementer cupio habere protestationem regis Galliarum factum in concilio tridentino [4]. Ejus exemplum puto esse in Vestro archivo, quin affirmavit mihi d. Brentius [5], omnino illic esse; quapropter supplico, Vestræ Celsitudini, ut jubeat quæri et ad me statim mitti, ut possim uti nunc ad laudem Dei. Audio mense Augusto futura comitia Ulmae [6], et quia forsitan tractabitur illic aliquid in causa religionis, magnopere cuperem eo tempore illuc ex Rhætia venire sub aliquo prætestu [7]. Novit enim Tua Celsitudo, quomodo in comitiis augustanis multi fuerint decepti sub quadam externa specie bonorum verborum (ea historia etiam in ipso syntagmate recitatur). Si ergo tunc ego affuissem, potuissem indicare et manifestare omnes illas astutias et

*

3 Melchior Volmar Roth, geb. 1497 in Rottweil, studierte in Tübingen und Paris, wurde professor der griechischen sprache in Bourges und dort der lehrer von Calvin und Beza; wegen seiner hinneigung zur reformation, die er auch seinen schülern einflößte, verließ er 1535 Frankreich und kam nach Tübingen als professor der rechte. Der feine, gebildete, in hohem ansehen stehende mann wurde von den herzogen Ulrich und Christoph mehrfach mit wichtigen staatsgeschäften betraut. Er starb 1561 in Isny, s. Schnurrer, erläuterungen 361 ff. Ruckgaber, geschichte der freien reichsstadt Rothweil 2 b. 494 ff. Baum, Beza I, 11 ff.

4 Papst Julius III hatte 1551 den herzog Ottavio Farnese von Parma bekriegt, dieser stellte sich unter den schutz Frankreichs und so wurde Heinrich II selbst in einen krieg mit dem papst verwickelt; in folge davon protestirte er gegen das auf 1 september 1551 wieder nach Trient ausgeschriebene concil als nicht ökumenisch. Die protestation mit den weiteren massregeln als edikt von Fontainebleau bekannt 3 September 1551, s. Soldan, geschichte des protestantismus in Frankreich 1855. I, 226 f.

5 Johannes Brenz, der reformator Württembergs, geb. 24 Juni 1499, † 11 September 1570. damals stiftspropst in Stuttgart; in kirchensachen herzog Christophs rechte hand.

6 Der alljährliche kreistag des schwäbischen kreises.

7 Lies prætextu.

dolos; fateor enim me illismet fuisse aliquando usum, quum essem
legatus paparum, et prosequerer ecclesiam Dei; sed possum cum
Paulo dicere: Ignorans feci, ideo misericordiam sum consecutus. [8]

Quandoquidem intellexi ex litteris d. Creteri [9], Tuæ Illustrissimæ
Dominationi videri consultum, si pro commodo ecclesiarum Italiæ verterem catechismum d. Brentii [10]; respondeo, idem mihi videri omnino;
itaque promitto, quod laborem non defugiam, quin statim, ubi in
Rhætiam venero, vertere incipiam, ut per consilia atque auxilia
vestra nostra Italia hoc tantum commodum consequatur; est enim
ille omnino utilis liber. Laboremus omnes pro instauranda ecclesia
filii Dei, domini nostri Jesuchristi, alius quidem precibus, alius
predicando, alius scribendo, alius juvando opibus datis ab ipso Deo
eos, qui collaborant in evangelio. Quam primum venerit ad aures
Celsitudinis Vestræ, quisnam suffectus fuerit loco ducis Venetorum de-
mortui [11], supplico, ut mihi indicari faciat ob certas causas. Puto ego
futurum unum ex familia Throna vel Thenpula. Fama attulit, Vestram
Dominationem Illustrissimam prorsus transegisse cum Rege Romanorum [12]
et redemisse vexationem, quod prudentis est. Dominus Deus fortunet,
quod actum est, et confirmet Vos cum omni posteritate in felicissima et

*

8 1 Tim. 1, 13.

9 M. Caspar Gräter von Gundelsheim, frühe der reformation zugewandt, als lehrer der alten sprachen in Heilbronn angestellt, später
pfarrer in Herrenberg, c. 1540 hofprediger herzog Ulrichs; auch herzog
Christoph behielt den um die reformation Württembergs sehr verdienten
mann in dieser stellung, s. Fischlin, memoria theologorum württember-
gensium 1709. I, 41 (der aber sein todesjahr zu früh auf 1552 angibt),
Jäger, mittheilungen zur schwäbischen und fränkischen reformationsgeschichte I, 26 ff.

10 Der große catechismus von Brenz: Catechismus pia et utili
explicatione illustrata. De Porta führt an II, 163, man sage: Verger
lasse ihn in Zürich drucken und widme ihn den gemeinden des Veltlin.
Im Serapeum 19 ist er aber nirgends angeführt.

11 Francesco Donato, doge seit 24 November 1545, war 23 Mai
1553 gestorben; sein nachfolger wurde Marcantonio Trevisan, vom
4 Juni 1553 bis 31 Mai 1554. s. br. n. 4.

12 Kaiser Ferdinand I, geb. 1503, † 25 Juli 1564, seit 1531 römischer könig. Der entwurf zu dem vertrage, welcher die sogenannten
ansprüche Ferdinands auf Württemberg regelte und den widerwärtigen
streitigkeiten ein ende machte, wurde 6 Juni 1553 von Christoph unter-
schrieben; s. Stälin IV, 532.

pacifica regni possessione ad laudem et gloriam ejus per Jesum Christum d. nostrum. Fiat, fiat. Commendo me ex animo V. Excellentiæ. Tubingæ die 24 Junii 1553.

VERGERIUS.

Illustrissimo Principi et Domino Domino Christophoro Duci Vir-.
tembergae etc. Domino meo gratiosissimo.

Hinten die Bemerkung von des herzogs hand: bedarff khainer
anntwurtt.

2.

Verger an herzog Christoph.

Tübingen 27 Juli 1553.

Verger berichtet über seine übersetzungen, bittet um einen wagen
und einen begleiter zu seiner reise nach Granbünden; nachrichten aus
Italien und Sicilien über einen einfall der Türken; über die berufung
von Dumoulin und Volmars gastfreundschaft.

Illustrissime Princeps, et Domine Domine gratiosissime!

Gloria cœlesti Patri per Jesum Christum cum Spiritu Sancto. Absolvi enim libellos, et jam impositos currui præmisi Lindavium, sunt
decem vascula, folia vero ultra XXXIm; ac non modo confessionem et syntagma, sed initium catechismi verti et curavi imprimendum, et hoc autumno reliqua vertam. Spero fore, ut ante duos
menses possem magnam horum partem per Italiam et ulterius spargere, nam soleo ad domum usque fratrum et amicorum mittere dono
et addere etiam compacturam de meo, atque hac ratione facile possum plura distrahere, quam decem bibliopolæ, omnia ad gloriam
Dei. Ego hic Tubingæ omnibus professoribus, parochis et diaconis
donavi latina illa, quæ pertinent ad concilia [1] et ad juramenta paparum et episcoporum, atque ita revelata sunt nunc omnibus ea,
quæ paulo ante vix unus aut alter noverat in tota Germania; in
summa possumus affirmare actum esse de omnibus synodis papisticis;

*

1 Vielleicht seine schrift Bulla Julii III cum commentariolo D.
Vidæ (pseudonym für Verger) 1551, die 1553 in Tübingen neu auf-
gelegt wurde, s. Serapeum 19. s. 75. n. 35; möglicherweise könnte auch
die ebendas. n. 40 genannte Concilium fugiendum esse gemeint sein.

Verger   4

Tua enim Celsitudo letale vulnus illis inflixit mittendo legationem[1], mihi vero Deus dedit eam vim, ut potuerim ambas manus ponere in ipso vulnere et illud dilatare et lacerare ad gloriam nominis ejus.

Mitto unum exemplum syntagmatis, versio mea crevit a septimo folio ad XIX. Historia tamen semper eadem mansit, sed multa fuerunt declaranda. Discedam statim, ubi redierit is nuntius, quem nunc mitto. Quoniam vero statim ibo ex Rhætia, et quidem per postas ad illustrissimum illum ducem[2], de quo dixi, qui a me anxie quæret de regno Angliæ[3], et de ill. d. marchione Alberto[4], oro Celsitudinem

*

1 Die gesandtschaft, welche herzog Christoph 1551 zum concil nach Trient geschickt und welche dort die württembergische confession übergeben hatte.

2 Herkules II von 1534 bis 1558 herzog von Ferrara, gemahl von Renata von Frankreich (geb. 29 October 1510, † 12 Juni 1575), tochter von könig Ludwig XII, der edlen gönnerin und beschützerin der reformation. Schon 1546 hatte herzog Christoph, von Frankreich dazu angeregt, die älteste tochter Anna mit dem erbprinzen von Sachsen, Johann Friedrich dem mittleren, vermählen wollen; der schmalkaldische krieg vereitelte die sache und Anna heirathete den herzog Franz von Guise. Nun wurde demselben deutschen fürsten die zweite tochter Lucretia vorgeschlagen, aber auch dies zerschlug sich. Johann Friedrich heirathete Agnes, die wittwe von kurfürst Moriz, aber nach deren frühem tode, 4 November 1555, wurde abermals unter Vergers vermittlung das heirathsprojekt mit Lucretia erneuert, 1557, ebenfalls erfolglos, indem der herzog von Ferrara weniger als je geneigt war, seine tochter einem evangelischen fürsten zu geben. Lucretia vermählte sich mit Franz Maria von Urbino 1570 und Johann Friedrich, nach anderen irrfahrten, mit Elisabeth, tochter von kurfürst Friedrich III von der Pfalz (1558), welche ihre schönen weiblichen tugenden besonders während der gefangenschaft ihres mannes zeigte. s. Müller, entdecktes staatskabinet. 3 eröffn. 90 bis 138. Beck, Johann Friedrich der Mittlere I, 221. 229. Stälin IV, 431. 649 f. Auch eine vermählung von Leonore, der jüngsten tochter, mit Eberhard, herzog Christophs ältestem sohne, wurde in vorschlag gebracht, trotz des bedeutenden altersunterschiedes. s. Stälin ibid. br. n. 4. 5. 5 b. 7. 8. 9. 10. 12. 49. 56. 129.

3 Eduard VI war 6 Juli 1553 gestorben.

4 Markgraf Albrecht von Brandenburg-Culmbach, damals in fehde mit kurfürst Moriz von Sachsen und den bischöffen von Bamberg, Würzburg etc., von Moriz 9 Juli 1553 bei Sievershausen geschlagen; Albrecht entkam, irrte aber dann machtlos umher und starb 8 Januar 1557 in Pforzheim geächtet. S. br. n. 3. 4.

Vestram velit mihi significare hæc duo tantum: Num alius rex fuerit creatus, et num vera sint, quæ prius fuerunt dicta de captivitate marchionis? Præterea supplico eidem Vestræ Celsitudini velit scribere ad cellarium, ut quemadmodum dedit mihi currum usque Lindavium, ita velit omnino dare nuntium equestrem usque ad locum ministerii mei; sum enim omnino solus, nam Tigurum remisi equitem, quem mecum adduxeram, et nuntius Tuus non solum ostendet viam, sed erit mihi veluti pro custode vitæ meæ; sine illo non possum esse. Cellarius quidem dicit, sibi fuisse scriptum de curru et nuntio, sed glossat litteras et dicit: dabo currum sumptu principis, sed non sumptu principis nuntium. Itaque V. Celsitudo aperiat ipsa mentem suam.

Accepi heri litteras ab Italia; certum est Dragutum [1], olim pyratam, nunc imperatoris Turcarum summum præfectum triremium, invasisse Siciliam et jam obtinuisse locum in ea, quem appellant Pharum Messinæ. Princeps Salernitanus est cum eo, qui habet XXIII triremes regis Gallorum; is expòsuit magnum numerum militum in litore. Timendum non solum de amissione Siciliæ, sed de regno neapolitano. Exercitus Cæsaris relicto agro senensi profectus est Neapolim versus. Ego ex Italia his de rebus Celsitudinem Tuam diligenter commonefaciam per meas litteras, quin si dux ille illustrissimus ita jusserit, egomet redibo, præsertim si videro, illum idem optare ex animo, quod aliquando optabat de nuptiis etc.

Egi cum abbate, diligenter monui, ut suscipiat evangelium d. nostri Jesuchristi; attente audivit; non male respondit, nempe se cogitaturum et Deum rogaturum, non est valde alienus. Sed esset urgendus et instigandus privatis concionibus; rogemus pro eo.

D. Carolus Molinæus [2], ad quem scripseram, ut veniret visum

*

1 S. darüber Ranke, deutsche geschichte im zeitalter der reformation (3 aufl.) V. 115. 233. H. Martin, histoire de France (IV 6d.) VIII, 426 f., wo der weitere verlauf der expedition angegeben ist, die daran scheiterte, dass die französische flotte mit dem fürsten von Salerno nicht zur rechten zeit eintraf, s. br. 1. 6.

2 Charles Dumoulin, der berühmte rechtsgelehrte, geb. ende des 15 jahrhunderts in Paris. Wie so mancher fachgenosse seiner zeit, wandte er sich der reformation zu, musste deswegen 1552 Frankreich verlassen und flüchtete nach Deutschland. Von Straßburg aus trat er December 1553 in die dienste herzog Christophs, der ihn mit großen ehren in Tübingen anstellte. Aber schon October 1554 verließ er Tü-

4 *

Tubingam, misit ad me duas litteras, quas mitto; si quid amplius Vestra Celsitudo jusserit, scribam illi.

D. Volmarius [1], hospes meus, bene me tractavit, ut nihil queam amplius cupere, quia tamen non est honesta res, ut fuerim illi gravis, discedens solvam liberaliter omnia. Certe non potuit me Celsitudo Vestra ad meliorem virum neque in amœniorem domum mittere. Bene et feliciter valeat illustrissima Amplitudo Tua. Deus eam incolumen nobis servet per Jesum Christum d. nostrum.

Tubingæ die 27. Julii 1553.

Vergerius.

3.

Herzog Christoph an Verger.

Urach 30 Juli 1553.

Antwort auf n. 2. Glückwünsche zur reise nach Graubünden, nachrichten über England, den markgrafen Albrecht von Brandenburg-Culmbach; gewährt Vergers bitte um einen begleiter zur reise.

Christophorus Dei gratia Dux Würtembergensis.

Salutem et gratiam nostram. Litteras tuas a tabellione tuo, dilecte Vergeri, nobis heri oblatas, recepimus et legimus etc. Principio quidem non dubitamus de tua integritate et diligentia, quibus ex animo gloriam Christi atque ejus ecclesiam augere et ornare desideras, dabitque misericors Pater incrementum, ut in eo animi tui compos fias. Ducet vero atque reducet te incolumem angelus Domini et tibi fidus custos comesque itineris erit.

Quod autem de rege Anglorum nuper electo et principis Al-

bingen, nach Brodeau, vie de M. Charles Du Molin (Paris 1654), weil seine rechtgläubigkeit in betreff der abendmahlslehre verdächtigt wurde. Brenz giebt gesundheits- und familienrücksichten an, s. Anecdota Brentiana von Pressel, s. 393. Über Mömpelgard, wo er eine zeitlang eingekerkert war, kehrte er in sein vaterland zurück, aber der ausbruch der religionskriege zwang ihn zu einer zweiten flucht von Paris; seine letzten jahre brachte er in einem unstäten wanderleben zu, verfolgt und angeklagt und freigesprochen; er starb 27 December 1566 in Paris. Siehe ausser Brodeau auch Revue de législation 1872, 288 ff. Das königliche staatsarchiv in Stuttgart besitzt eine menge briefe von ihm. s. br. n. 94.

1 S. br. n. 1.

berti, marchionis, consanguinei nostri statu, certior a nobis fieri cupis, notum tibi facimus, quod nobis per litteras fide dignas significatum est, statim mortuo priore Anglorum rege ab ipsis Anglis ducem e Northumer [1], virum quidem principatu et imperio dignum, in regem electum fuisse, at is rursus e finibus Angliæ recedere atque in tutum se recipere coactus fuit, cum alii plerique d. Mariam, imperatoris Caroli V, domini nostri clementissimi, ex sorore neptim, elegissent eandemque in reginam proclamassent atque investivissent, quam quidem adhuc retinent, armis potestateque defensuri.

Marchio vero Albertus immunis e conflictu illo [2] evasit, neque (ut fertur) captus est. Sed infractus animo reparat vires atque exercitum colligit, conscribendo tam pedites quam equites, ita ut adversariis suis rursus obviam sive in occursum ire atque eos ad pugnam provocare fortunamque tentare destinaverit. Id ipsum etiam episcopi cum Saxonibus et Braunsvicensibus ex adverso faciunt. Precemur itaque Deum omnipotentem misericordiarum patrem, ut imminentem horribilem Germaniæ cladem clementer avertat.

Hæc fuere, quæ tuæ flagitationi respondere voluimus, et tibi ex animo bene cupimus. Cellario quoque nostro juxta petitiones tuas per litteras, tabellioni tuo traditas, mandamus, ut nostris sumptibus tibi unum e servis seu equitibus nostris adjungere velit, qui te ad destinatum locum ducat, tibi tuoque equo inserviendo. Bene vale.

Urachi 30 Julii anno 53.

4.

Verger an herzog Christoph.
Chur 10 August 1553.
Nachrichten über den thronwechsel in England, den französisch-

*

1 Johann, herzog von Northumberland, graf von Warwick, brachte seine schwiegertochter Johanna Gray, die Eduard VI in seinem testament zur nachfolgerin bestimmt haben sollte, dahin, dass sie die englische krone annahm; aber Maria Tudor, die tochter Katharinas von Arragonien ließ sich zur königin ausrufen, nöthigte Johanna zur abdankung, nahm Northumberland gefangen und ließ ihn 22 August 1553 hinrichten.

2 Sievershausen s. br. 2, a. 5. Es kam indessen zu keiner schlacht mehr.

italiänischen krieg, Polen, Venedig, das Veltlin und Vergers reise nach Ferrara.

Illuśtrissime et excellentissime Princeps et Domine Domine Clementissime!

Heri Curiam Rhœtorum appuli, et quia hic inveni aliquem ex meis, qui me ulterius comitabitur, putavi nuntium esse remittendum. Remitto itaque. Nova quæ d. legatus[1] regis Gallorum mihi communicavit sunt hujusmodi: d. Catherina[2] Cæsaris patruelis regno Angliæ potita est et dux ille, qui fuerat electus, non modo cessit, sed in vinculis retinetur. Profugit, et nescitur quo unus ex illis summis nobilibus, ad quem successio regni jure pertineret; is errumpet aliquando, ex familia albæ rosæ est, et novas res (ut multi putant) mollietur.

D. commestabilis[3] in exercitum ingressus est post expugnationem Hædini[4], ardent animi utrinque mirum in modum, affirmat mihi is d. legatus, Cæsarem nunc aliam civitatem non oppugnare.

Fama est regem Poloniæ[5] diem suum obiisse, d. legatus putat

1 Jean des Monstiers, Herr von Froissac (nach Gallia christiana), bischof von Bayonne; gewandter, viel verwendeter diplomat, besonders in Deutschland, das er sehr genau kannte, schloss mit Moriz von Sachsen das bündniss, war 1552 in Passau, † 1568 in Paris. 1553 gelang es ihm, die anstrengungen Carls V und des Papstes, mit Graubünden ein bündniss zu schließen, zu vereiteln und die Schweizer für Frankreich zu gewinnen. s. de Porta II, 251 ff. br. n. 79.

2 Verger verwechselt hier Maria Tudor mit ihrer mutter Katharina von Arragonien, die schon 6 Januar 1536 gestorben war. Der dux ist der herzog von Northumberland, s. br. n. 3. Der sprössling von der weißen rose, auf welchen Verger anspielt, ist Eduard Courtenay, urenkel von Eduard IV. Als sein vater, der marquis von Exeter, unter Heinrich VIII hingerichtet wurde, blieb er im Tower gefangen; Maria Tudor gab ihn nach 15jährigem kerker frei, er musste aber bald England verlassen, weil er staatsgefährlich schien und † Mai 1556 in Venedig.

3 Anna von Montmorency, connétable von Frankreich, Heinrichs II vertrautester rath, fiel bei Dreux 1567.

4 Philibert Emmanuel, geb. 8 Juli 1528, † 30 August 1580, seit 1553 herzog von Savoyen, das aber damals Frankreich erobert hatte; er eroberte an der spitze des kaiserlichen heeres 22 August 1553 Hesdin in Artois.

5 War nicht richtig, denn Sigismund II August, könig seit 1548, starb erst 1572.

esse verum. Quin addit se pro certo scire, illustrissimum d. marchionem Albertum [1] male habere propter vulnus in· brachio acceptum,
quod valde intumuit; sed hæc melius Celsitudo Vestra potest novisse.

Papa destinavit legatos, qui eant ad episcopos [2] Germaniæ, et
illis gratulentur pro victoria et offerant deinceps auxilia.

Certa res est, classem regis Gallorum nuper invasisse et occu-
passe unam urbem. in Sicilia, cui Alica [3] nomen, et fecisse prædam
ad centum et quinquaginta millia coronatorum. In regno neapolitano aliqui, qui erant exules, et regis Gallorum partes sequebantur,
coacto exercitulo occuparunt Salernum; cardinalis Pacecus [4], qui
prorex est, miserat aliquot Hispanos obviam, qui fuerunt cæsi.

Dux Venetorum, qui nuper fuit creatus, est d. Joannes Aloysius Bernardo, vir bonus quidem, sed qui nunquam fuit in rebus
agendis exercitatus.

Mea Vallis Tellina, ubi habeo ministerium et tuguriolum, la-
borat magna pestilentia [5], et me in apertissimum periculum con-
jiciam, si nunc intravero. Agam quod Dominus suo spiritu monuerit.
Legatus Papae [6], qui in meum odium missus est, urget, ut audiatur
ab his dominis trium fœderum, qui responderunt, se paratos esse
comitia celebrare et audire, si Papa sumptum sumministret; non
enim esse morem, ut propriis sumptibus conveniant, nisi quando
suos magistratus creaturi sunt; expectatur itaque pecunia e Roma.
Nunc magis fremet et Papa et suus legatus, quum viderit me tantum librorum attulisse et sparsisse; gloria Deo, spero me brevi de
illis triumphaturum. Cras hinc abibo, et cito in Italiam ad Ferrariæ

*

1 S. br. n. 2. 3.
2 S. br. n. 2. 3.
3 Alikante.
4 Peter Pacheco von Montalban, cardinalbischof von Jaen, später
vicekönig von Neapel, † 4 Februar 1560.
5 Cölius Curio Secundus schrieb nicht unrichtig: Neminem unquam vidi miserius formidare pestilentiam, quam Vergerius fecit. de
Porta II, 161.
6 Paul Odescalco von Como, apostolischer nuntius und inquisitor,
damals ins Veltlin gesandt, um das evangelium dort auszurotten; s. de
Porta II, 257. Seine instruction s. br. n. 5 a. Verger schrieb gegen
ihn: Delle commissioni e faculta, che P. Giulio III ha dato a M. P.
Odescalco. Serap. s. 82. n. 57.

ducem¹ efficiamque, ut brevi Vestra Celsitudo possit intelligere, quid
ille cogitet, et si videro, eum cupere nuptias, et mihi ita velle mandare, ut veniam cum responso, non detrectabo laborem. Deus pater
noster coelestis augeat Celsitudini Vestrae divina sua dona per Jesum Christum d. nostrum, hoc rogo ex animo, et rogabit mecum
brevi tota mea ecclesia. Commendo me reverenter. Curiae Rhaetorum X Augusti 1553.

(Nachschrift.) Nunc d. legatus regis monet me per suum secretarium, Papam alios legatos destinasse, qui eant in Angliam, et
hortentur populos ad conversionem. Nihil intentatum relinquit, at
frustra, ut spero, et destruet eum Dominus spiritu oris sui.

Vergerius.

5.

Verger an herzog Christoph.

Chiavenna 17 September 1553. Chur 28 September 1553.

Verger berichtet, dass er nicht nach Ferrara reisen konnte, über
die heirathsangelegenheit; spricht den entschluss aus, bleibend seinen
wohnsitz in Tübingen zu nehmen, wenn es der herzog gestatte.
(Schnurrer, slavischer bücherdruck in Württemberg 1799, s. 13, führt
einige Stellen aus diesem briefe an.)

Illustrissime et excellentissime Dux et Domine Domine gratiosissime!

Mitto Aurelium Vergerium nepotem meum, qui has litteras Celsitudini Vestrae tuto perferat, ex quibus ipsa possit plane intelligere, quid
actum fuerit cum duce Ferrariae², et quid in his finibus Italiae in
causa evangelii agatur. Legatus ille Papae³, de quo coram sum
locutus, venit ad proximas urbes atque ita custodit et obsidet una
cum cardinalibus et episcopis, qui proxime habitant, omnes vias,
quibus in Italiam itur, ut non ausus fuerim me ipsum tanto pericolo
committere et Ferrariam ire. Sed nepotem hunc meum cum meis

*

1 S. br. n. 2.
2 S. n. 2.
3 Odescalco, s. n. 4.

litteris misi, qui incidit etiam in manus impiorum et beneficio Dei
evasit veluti quodam miraculo. Ego scripseram d. ducissæ in hanc
sententiam: me fuisse per aliquot septimanas in ducatu Vestro, et
quam mira benignitate fuissem a Celsitudine Vestra exceptus, me
inter loquendum cognovisse ex ejus verbis, eam esse optime affectam
erga illustrissimum d. ducem ejus maritum et erga illam, et cupere
occasionem, qua posset suum benevolum animum testari, et salutavi
utrumque tum Vestro tum illustrissimæ Vestræ consortis nomine;
deinde addidi, Vestram Celsitudinem, quum de filiabus ejus mentio
incidisset, dixisse, se suam omnem operam benigne collocaturam et
facturam quicquid posset, si intelligeret, illustrissimum ejus maritum
adhuc esse ejus animi, quo aliquando fuit, nempe collocandi in matrimonium unam ex filiabus illustrissimi d. ducis Saxoniæ primogenito. Respondit itaque, se maximas gratias agere Vestræ Celsitudini atque illustrissimæ Vestræ consorti pro tam propensa beni-
volentia, et rogare Deum patrem domini nostri Jesuchristi, ut rependat ipse, qui abunde potest, et se interim occasionem optare, qua
possit vicissim suum erga vos animum testari, et plurimam salutem
mittere utrique. Quod ad matrimonium attinet, laudat magnopere
conditiones illustrissimi d. ducis Saxoniæ filii, et ait se ejusdem
animi esse, quo olim fuit, et cupere illi filiam collocare. Sed antequam res inciperet serio tractari, vellet videre, quem exitum habitura essent bella illa saxonica [1], præsertim quisnam in electoratu [2]
successurus esset. Ita ad me scribit italice, nam si latine scripsisset,
misissem nunc ipsaamet litteras. Deinde addit hujusmodi verba:
»Tu Vergeri interea causam ne deseras, sed tene vivam practicam
hanc quantum potes apud excellentissimum d. ducem Vuirtembergensem,
nec prætermittas omnia ea officia, quæ in hac re tuæ prudentiæ
(ita scribit) videbuntur necessaria.« Sic res habet. Fideliter refero
omnia atque hic addo nunc, duas illas Ferrariæ ducis filias esse
omnium prorsus italicarum puellarum præstantissimas pietate in
Deum, elegantia et integritate morum et pulchritudine; dotem vero
habituras, qualem vix ullus rex numeraret, et de nobilitate utriusque parentis, quum ea sit toto orbi nota, mitto loqui. Mihi quidem
videretur (sed Vestra Celsitudo agat, ut summæ ejus sapientiæ vi-

*

1 Der krieg mit markgraf Albrecht von Brandenburg-Culmbach.
2 Nach dem tode von Moriz; es war sein bruder August.

debitur) consultum fore, si ea per aliquem ex suis nuntiaret illustrissimo d. Saxoniæ duci, Herculem Ferrariensium ducem adhuc esse
eo animo, quo fuerat, et cupere filiam filio nuptui tradere, et hortari illum ut, posteaquam Deus finem dederit bello, velit audire Celsitudinem Vestram, quæ negotium habet in manu, antequam aliam ducat; et satis de nuptiis. Nunc ad reliqua. — Quum essem Tubingæ,
scripsi Celsitudini Vestræ, adventurum fuisse in hanc regionem quendam legatum Papæ, a quo mihi fuisset magnopere timendum, et
rogavi eam, ut vellet me Tubingæ suscipere, si posteaquam in Rhætiam rediissem, vidissem non posse me resistere furori illius belluæ,
et Celsitudo Vestra per manum d. Creteri [1] benigne respondit id,
quod etiam propriis verbis non semel dixerat mihi (quæ ejus est pietas
et clementia), nempe quod venirem, quando vellem, quod mihi non
esset defuturæ. Nunc igitur affirmo, legatum ipsum jam advenisse
in proximam quandam urbem et sævire, ac insanire præ rabie contra omnes Christianos, sed præsertim contra me. Mitto hic exemplum ejus auctoritatis, nam minatur carceres, tormenta et supplicia.
Hujus nebulonis opera meus is nepos, quum nunc Ferrariam iret,
fuerat captus, sed fugit ex unguibus ejus (ut initio scripsi) ejusdemque opera nuntius, qui ferebat litteras Celsitudinis Vestræ ad ducem
Venetorum, pro liberatione illius fratris Christiani [2], qui per XI
annos sustinet carceres, raptus de media via fuerat in carcerem
conjectus, sed d. Veneti, quum audiissent eum ferre Vestras litteras,
jusserunt liberari, sed nondum confecit negotium, ideo non rediit
ad me. In summa necesse est, ut secedam ab his finibus Italiæ,
saltem ad tempus, alioquin papistæ perdent me procul dubio: si
vero secedendum sit, alium locum (intercepta mihi Anglia [3]) non
habeo, quam eum ipsum, quem Celsitudo Vestra mihi obtulit pro
sua clementia. Tubingæ itaque cuperem hærere, quamdiu Dominus
vellet, et scholam atque ecclesiam juvare pro virili; sum ego quar-

*

1 Gräter, s. br. n. 1.

2 Baldus Lupetinus von Albona. Das nähere über diesen evangelischen märtyrer s. n. 17.

3 Durch den tod könig Eduards VI, dem Verger seine bücher De
portamenti di Papa Giulio III und Della creatione del nuovo Papa Giulio
III, Serap. s. 71, n. 18. 19 gewidmet hatte (wofür er ein ansehnliches
geschenk erhielt) und durch die thronbesteigung Marias war jede möglichkeit, in England zuflucht und wirkungskreis zu finden, verschwunden.

tus[1] in mea familiola, et omnes in evangelii propagatione laboraremus die noctuque. At si ob aliquam causam Celsitudini Vestræ non videretur, me nunc in illa luce academiæ Tubingensis debere comparere, non recuso vivere in aliquo secessu et vico solitario, et latitare (si ita videtur consultum). Dum possim cedere præsenti furori et insidiis paparum, et dum habeam, unde me et familiolam (tenuiter quidem et evangelice) possim alere et laborare in evangelio, reliqua omnia contemno, etiamsi in media aliqua silva mihi esset vivendum. Peto nunc hospitium ac veluti portum, in quem ex hac tempestate et periculo summo recurram, et saltem ad tempus (ut dixi) et illius nomine peto, qui dixit : Qui vos recipit, me recipit, id est Jesuchristi d. nostri nomine. Vestra Celsitudo dignetur pro sua clementia respondere, quicquid Dominus illi suo spiritu suggesserit, in cujus manu omnes res atque omnem meam vitam collocavi; sive vivendum, sive moriendum sit, Demini sumus. Commendo me humiliter Vestræ Celsitudini et pietati. Deus eam cum tota familia et dominio servet a malo per Jesum Christum dominum nostrum.

Clavenæ XVII Septembris 1553.

Vergerius.

(P. S.) Hactenus scripsi Clavenæ, postea Curiam Rhætorum veni, ut me longius subtraherem ab ea urbe, in qua ille legatus hostis meus habitat. Incredibile dictu est, quantum mihi sit infensus, præsertim quum viderit me syntagma et confessionem fidei Vestræ per totam Italiam sparsisse, gloria Deo. Hic ego quædam negotia, quæ ad evangelii propagationem pertinent, conficiam, interea redibit nepos meus cum responso Vestræ Celsitudinis (ut spero).

Curiæ Rhætorum XXVIII Sept.

5a.

Beilage.

Päpstliche vollmacht für Paul Odescalco.   -

Auctoritas[2] apostolica novi nuntii suæ sanctitatis aput Rhætos.

*

1 S. seine familiennotizen br. 97a. und oben s. 17.
2 Der französische gesandte de l'Aubespine hatte diese merkwür-

Dilecto filio magistro Paulo Odescalco clerico Comensi utriusque
juris doctori, notario et in toto dominio Rhætorum nuntio' nostro.
Dilecte fili salutem. Cum sicut nobis nuper innotuit, nonnulli iniqui-
tatis filii instigante humani generis hoste, diversa perverSaque dog-
mata et pravas opiniones ac varias hæreses in dominio Rhætorum
disseminare et prædicare ac Christi fideles a pietate Christiana et
sanctæ matris Romanæ ecclesiæ devotione et obedientia avertere
contendant et conentur, Nos impietatem hujusmodi avertere volentes,
te qui etiam litterarum apostolicarum majoris et minoris justitiæ cor-
rector et in utraque signatura nostra referendarius existis, cujusque
litterarum scientiam et prudentiam ac in Deum pietatem etiam familiari experientia perspectam habemus, nostrum et apostolicæ sedis
nuntium ad totum dominium hujusmodi per præsentes destinamus
tibique verbum Dei in illis partibus per probos et catholicos viros
tam seculares quam cujusvis ordinis regulares prædicare et disseminare faciendi et populos earundem partium ad veram Christi
fidem et pietatem ædificandi, nec non quoscunque de fide male sentientes aut de illa quomodolibet suspectos inquirendi, et contra eos,
prout juris fuerit procedendi ac juxta canonicas sanctiones carceribus mancipandi et rigoroso examini et torturæ subjiciendi et qui
resipiscere et ad gremium ejusdem ecclesiæ redire voluerint (dummodo relapsi non sint) a quibusvis eorum hæresibus et in fide præ-
dicta erroribus illis prius per eos publice vel occulte prout tibi videbitur abjuratis et injunctis inde sibi pro modo culpæ pœnitentia
salutari et aliis quæ jure fuerint injungenda etiam in utroque foro
absolvendi et liberandi ac unitati ipsius ecclesiæ et communioni fidelium restituendi, nec non qui corde indurato in hæresibus et erroribus suis perseveraverint, et quoscunque eorum receptatores aut
fautores debitis pœnis et si canonicæ sanctiones id exigerint etiam
supplicio affici faciendi, nec non omnia et singula inquisitoribus hæ-
reticæ pravitatis a jure permissa exequendi et adimplendi et ad
effectum præmissorum quoscunque culpabiles aut suspectos etiam per
edictum publicum locis publicis et consuetis affigendam constito sum-
marie et extrajudicaliter de non tuto ad eos accessu citandi eisque

*

dige instruktion Bullinger in Zürich zukommen lassen, durch den letzteren erhielt sie Verger; er ließ dieselbe auch vermehrt drucken unter
dem titel: Delle commissioni e facultá che Papa Giulio III ha dato
a M. P. Odescalco 1554, s. Meyer, 1. 81. Serap. s. 82, n. 57.

et aliis, quibus opus fuerit, etiam simili edicto ac sub sententiis, censuris et poenis ecclesiasticis inhibendi, ceteraque in praemissis necessaria seu quomodolibet opportuna faciendi, statuendi et ordinandi
plenam et liberam apostolica auctoritate tenore praesentium concedimus facultatem et potestatem, non obstantibus constitutionibus et
ordinationibus apostolicis ceterisque contrariis quibuscumque. Datum etc.

5 b.

Verger an herzog Christoph.
Chur 28 September 1553.

Wegen der ferrarischen heirath.
Gedruckt bei Sattler IV, s. 64. beil. 24. Das original im archiv
nicht mehr aufzufinden. Der anfang scheint zu fehlen.

Aperiam hic seorsum rem aliquam magni momenti. Ducissa
Ferrariae [1] non solum libenter daret filiam majorem natu d. ducis
Saxoniae primogenito, sed etiam daret minorem natu Vestrae Celsitudinis filio [2]. Quin scio, ducem ipsum Ferrariae ejusdem animi esse, suo
quidem tempore, nam sciunt filium esse tenerae aetatis. Sed scribit
ad me ducissa, ut quum ad Celsitudinem Vestram rediero, incipiam
tentare animos et materiam praeparare. Rarissima est ea conditio;
pater puellae dux est inter omnes Italiae principes nobilissimus et doc-
tissimus, mater regis Galliarum filia, dos maxima et rege digna,
puella ipsa formosissima et valde bene educata in omni virtutum
genere. Rogandus pater coelestis per Jesum Christum. d. nostrum ut
faciat ipse, quod bonum est in oculis suis. Coram pluribus hac de
re agam cum Vestra Celsitudine, cui me reverenter commendo.

Curiae Rhaetorum 28 Septembris 1553.

Vergerius.

6.

Verger an herzog Christoph.
Chur 29 September 1553.

Nachrichten über die türkische flotte.

Illustrissime et Excellentissime Domine Dux!

*

1 S. br. n. 2.
2 Eberhard geb. 7 Januar 1545 in Mömpelgard, † 2 Mai 1568.

Nunc quum essem misurus nuntium meum, audivi a bono viro,
qui ex Italia venit immo ab ipsamet classe gallica, Dragutum [1] cum
omnibus triremibus thurcicis Constantinopolim versus discessisse re-
licta classe gallica in insula Corsica. Timendum est, quod sola hæc
per se non poterit resistere classi d. Andreæ Doria [2]. Det pacem
Dominus, in qua eum laudemus et glorificemus omnes! Commendo
me reverenter VestræCelsitudini, Deus eam servet a malo.

Curiæ Rhætorum 29 Septembris 1553.

Vergerius.

7.

Herzog Christoph an Verger.
Stuttgart 10 October 1553.

Herzog Christoph dankt Verger für seine bemühungen in den
heirathsangelegenheiten und bietet ihm Tübingen oder einen andern
ort Württembergs als wohnsitz an.

Sehr undeutlich geschriebenes concept.

Christophorus Dei gratia Dux Wirtembergensis etc. etc. comes
Montis Pelligardi.

Salutem. Litteras tuas accepimus, Vergeri carissime, ad quas
quæ pro tempore putabamus respondenda, paucis accipe. Et primum omnium gratum est nobis officium illud tuum, quod nostro
nomine illustrissimæ domui ducatus Ferrariensis in salutandis principibus personis exhibuisti, quod ut sæpe facias hortamur te etiam.
Nec minus grata sunt, quæ ex illorum collocutione nobis refers,
maxime vero, quæ ad sponsalia, sic Christo volente, inter maximum natu filium ducis Saxoniæ et Ferrariensis filiam olim futura
pertinent. Non enim diffidimus, quin fructus aliquis egregius hinc
ad ecclesiam quoque Christi manaturus sit, ubi pii piis et in tantis
familiis auspicio Dei aliquando conjungantur. Nec ab instituto illo
suo pulcherrimo Ferrariensem remorentur rumores illi bellici [3], qui

1 S. br. n. 2. 4.
2 Andreas Doria, geb. 1468, † 1560, der berühmte seeheld Genuas,
eroberer von Tunis, damals admiral der kaiserlichen flotte.
3 Die streitigkeiten, welche nach dem tode von kurfürst Moriz
zwischen der albertinischen und ernestinischen linie ausbrachen, indem
Johann Friedrich wieder in den besitz der kurwürde und seines landes gelangen wollte, was aber nicht gelang. Sie wurden durch den

plerumque re ipsa grandiores esse solent. Non enim dubitamus, quin brevi inter Saxonem et Augustum Mauritii fratrem [1], transactiones, quæ pro foribus sunt, finem habituræ sint non infelicem. Et Alberti [2] vires sic sunt debilitatæ, ut nihil quidcunque a ceptis suis Herculem deterrere possit. Quod consulis autem, [3 linien unlesbar] intelligeremus, idem hoc Herculem serio velle. Ne quid igitur hic per nos stet, tu te ipsum nobis declara luculentius, [2 linien unlesbar] Et gaudebimus occasionem nobis dari, unde promptum erga se animum nostrum Hercules ille noster perspicere possit. Sed de iis hactenus. Quod ad causam tuam attinet, si quidem apud nos esse cupis, libera tibi a nobis facultas conceditur vel Tubingam remigrandi, vel quocunque locorum tibi visum fuerit; quicquid enim hujus ad te scripsit Greterus [3], nostro consilio scripsit. Tibi igitur, inquam, optio detur, ubicumque velis inter nostros habitandi, quanquam arbitremur, Tubingam tibi commodissimam fore, tum propter doctissimorum virorum, quos nunc habet, perpetuam conversationem, tum quod propediem illuc quoque venturum speremus Molynæum [4], quem tu nobis tantopere commendasti; bono igitur sis animo ac vale feliciter. Stutgardiæ 10 Octobris Anno etc. 53°.

7 a.

Herzog Christoph an Verger.
Stuttgart 16 November 1553.

Herzog Christoph weist Verger unterhalt und wohnung an.

Gedruckt Sattler IV, beil. 25. s. 65. Das original im archiv nicht mehr aufzufinden.

Christophorus dux Wirtembergensis etc.

S. P. Reverende vir et amice dilecte! Redditæ sunt mihi vestræ litteræ [5], quibus facitis nos certiores, quod receperitis vos

*

Naumburger vertrag vom 24 Februar 1554 beendigt, welcher Johann Friedrich und seinen erben die ämter Altenburg, Lukkau, Schmöllen und andere gebietstheile zusicherte; s. Beck, Johann Friedrich der mittlere I, 153 ff.

2 Albrecht von Brandenburg, s. br. n. 2.

3 S. br. n. 1.

4 S. br. n. 2.

5 Dieser brief Vergers, in welchem er definitiv dem herzog zusagt, ist verloren gegangen. Die gefahren, denen er entrann, hat

juxta nostram concessionem ad Tubingam et quanta evaseritis pericula. Gratulamur igitur de incolumi vestro reditu et agimus Deo patri domini nostri Jesu Christi nomine vestro gratias, quod vos inter tot adversariorum insidias conservaverit et et ore leonum tam clementer eripuerit. Nec dubitamus, quin id hoc consilio divinitus fiat, ut ecclesiam filii Dei vestris officiis et donis a Deo vobis concessis juvare non intermittatis et ut in hac secessione et otio omne studium vestrum in asserenda gloria nominis Dei collocetis. Quod a nobis requiritis, curabimus non illiberaliter, quæ ad usum vitæ vestræ necessaria sunt. Scribamus abbati Hirsaviensi, ut liceat vobis in domo ejus Tubingæ habitare et speramus, eum hoc officii non recusaturum. Jussimus præterea, ut præfecti nostri curent vobis advehi ligna et fuderum vini ac numerari in prasentia centum aureos, quæ cum in usum vestrum absumpseritis et nos a vobis admoniti fuerimus, non committemus, ut desideretis in nobis benignitatem, nec patiemur, quod in nobis est, ut vobis aliquid rerum necessarium desit, donec Dominus ostenderit consilium, ut de vestris rebus aliquid certi constituatur. Bene ac feliciter valete.

Datum Stuckgardiæ 16 die Novembris anno ab incarnatione servatoris nostri 53.

Assignatur Vergerio pro alimentis suis:

Fudera vini.
XII clovteræ lignorum.
XX modii avenæ.
200 fl. in numerata.

Addidit dux, cum Vergerius uxorem Tigurinam exulem ducere constituerat:

1 fuder wein.
8 klaffter holz.
20 malter habern.
30 malter dinkel.

*

Verger in einem briefe an Bullinger vorausgesehen: Certe (Papa) mecum non pugnabit scripturis, sed subornabit viros, qui pugione, sclopeto, veneno mecum agant: at in Domino confido. de Porta l. c. II, 253 f.

1554.

8.

Verger an herzog Christoph.
Stuttgart 7 April 1554.

Wegen der ferrarischen heirath.

Illustrissime et excellentissime Princeps et Domine Domine Clementissime!

Veni Stutgardiam et cum clarissimo viro d. magno magistro curiæ, et cum d. Brentio contuli quædam negotia, quæ ipsi Vestræ Celsitudini referent. Unum vero ex eorum consilio hic egomet nunc scribam. Illustrissima d. Ferrariæ ducissa[1] nuper ad me scripsit, jussitque ut nuntiarem Celsitudini Vestræ, quod se illi ex animo commendat. Deinde petit a me, ut scribam, quo in statu sint res illustrissimi filii primogeniti ducis Johannis Friderici felicis memoriæ[2], idest an sint aliquo modo auctæ propter mortem ducis Mauritii, quia ipsa domina ducissa audivit, ducem Augustum quædam castra aut oppida dedisse ipsi primogenito, et cuperet scire, num re vera ita sit[3]. Ego itaque, quum ex me nihil certi possim scire hac in re, putavi rogandam Celsitudinem Vestram, si vellet dignari ad me scribere, an illustrissimus ille primogenitus consecutus sit opes aut castra aliqua post mortem Mauritii. Nam ego quicquid a Vestra Celsitudine intellexissem, statim ad d. ducissam scriberem. Commendo me reverenter pietati et caritati Vestræ. D. Jesus augeat omnibus dona cœlestia.

Stutgardiæ die 7 Apr. 1554.

Vergerius.

9.

Herzog Christoph an Verger.
Concept sine dato.

Antwort auf n. 8.

Ex tuis intelleximus litteris, qua nos animi affectione prose-

---

*

1 S. br. n. 2.
2 Johann Friedrich war 4 März 1554 gestorben.
3 S. br. n. 7. 9.

Verger   5

quatur d. Ferrariæ ducissa, cujus nomine non minore favore eandem comprehendimus ut quæ nobis vel tua promotione valde recommendata. Cæterum cum eadem tam officiose super ducis Johannis Frederici piæ memoriæ filiis statu inquisierit, non intermisimus eundem ut accepimus, ita et tibi notum facere. Cum enim post ducis Mauritii mortem bonæ memoriæ Augustus frater bonorum administrationem subierit, idemque feuda, quæ Cæsar in fratrem defunctum transtulerat, occuparit, intercedentibus Saxoniæ statibus ante aliquanto, quam vitam obiret, cum Johanne Frederico duce ejusdemque filiis in tractatum[1] descendit, vigore cujus dux Augustus ex bonis a Cæsare confiscatis quatuor opima et distincta dominia cum omnibus appertinentiis sæpe dicto Johanni Frederico et filiis tam hæredis restituit, quorum annuus reditus summam triginta florenorum millium ascendit; accedunt insuper duo monasteria, quæ singulis annis ex residuo Frederici filiis 8000 florenorum millia contribuunt, quibus in unum collectis universæ ducum intratæ absque illo gravamine sive hypotheca et oppignoratione facillime centena florenorum millia annue conficiunt. Quæ de bonis eorum corporis. In bonis fero animi filii etiam post patris mortem adeo elucent et procul dubio a Jesu Christo domino nostro ejusdemque sancto evangelio nunquam deficient, quin hanc sponsam et vitæ et bonorum periculo perpetuo adornabunt. Porro cum percepimus, quod ducis Ferrariæ primogenitus[2] ambiat cognatam nostram, Alberti ducis Bavariæ sororem[3] et eo quasi negotium traductum sit, ut id ipsum in donatione propter nuptias potissimum hæreat et retardetur, mirum nobis visum est, tam divitem Ferrariæ ducem dotem, quam claram familiam et amicos Germaniæ proceres atque principes prius habere. Quid quod conjunx domini parentis nostri felicis memoriæ, sororem, dominam matrem nostram[4], patris ducis

*

1 S. br. n. 7.

2 Alfons, von 1559 bis 1597 herzog von Ferrara; er war mit seinem vater ganz zerfallen und damals in Frankreich; heirathete 1560 Lucretia von Medici.

3 Mathilde, geb. 1532, † 2 November 1565, ihr bräutigam, Philipp von Braunschweig, war 1553 gestorben; sie heirathete 1556 Philibert von Baden.

4 Sabine von Baiern, tochter von herzog Albrecht IV, lebte in ihrem wittwensitze Nürtingen, † dort 30 August 1564, und wurde in der stiftskirche Tübingen beigesetzt; dem evangelischen bekenntnis

Alberti in uxorem duxerit, cui dos non adeo ampla, imo multo inferior distributa sit. Non enim dotem, sed familiam, non pecuniam, sed uxorem inter nos consuevimus ducere. Quæ tu suo loco studiosius exagerabis idemque elaborabis sedulo, ne ob tam vilem rem matrimonium utraque ex parte felicissimum irritetur. Quæ tibi ad litteras tuas ex singulari favore respondere voluimus.

10.
Verger an herzog Christoph.
Tübingen 19 April 1554.

Nachrichten über die ferrarische heirath und über ein buch von R. Pole.

Illustrissime Princeps et Domine Domine Gratiosissime!

Ago gratias quam maximas Celsitudini Vestræ, quæ dignata est nuper meis litteris respondere, ac non modo ad id quod petebam, sed aliud præterea non parvi momenti communicare. Nunc obsecro atque supplico, ut pauca liceat mihi de utroque articulo adhuc scribere. Quum diu familiaris fuerim duci et ducissæ Ferrariæ, possum affirmare, ducem, qui pietatem veram non novit, cupere Bavaricas [1] pro filio, ducissam vero, quæ vere novit pietatem, Saxonicas pro filia desiderare. Sed et aliud simul affirmare possum, ducem esse aliquanto tenaciorem (ut dicam id quod est) et illum in causa esse, ut nunc quæsierim, si quid principi Saxoni accreverit, atque ut Bavaricæ nuptiæ causa dotis retardentur, non autem ducissam, quæ ut vere pia est ita et magnanima, nihilque præter virtutem nobilitatemque in suorum filiorum matrimoniis quærendum censet. Scripsi ego huic nuper de meliore nota tanquam ex me, ac litteras per certum nuntium usque ad fines Italiæ misi, et ita puto, me exagitasse negotium et ursisse, ut nuptiæ illæ Bavaricæ omnino sint futuræ; scio enim ducem Ferrariæ et cardinalem Hippolytum [2] ejus fratrem atque

*

war sie von frühe an zugethan gewesen. S. Stälin IV, 770, s. br. n. 14. Die construktion ist sehr mangelhaft.

1 S. n. 9.

2 Hippolyt von Este, sohn von Alfons I von Ferrara, bruder von Herkules II, geb. 1509, mit den höchsten kirchlichen würden betraut, erzbischof von Mailand, cardinal, protektor von Frankreich, zu vielen kirchlich-politischen missionen verwendet, † 2 December 1572. S. br. n. 128.

5 *

una Gallorum regem magnopere cupere, ut fiant. Itaque consultum
fuerit, si illustrissimus consanguineus Celsitudinis Vestræ permaneat
constans, neque de plus pollicendo cogitet. Hic addiderim, Alfonsum
illum futurum sponsum sane optimæ indolis principem esse atque
ab evangelio minime alienum [3], mater enim curavit instillari illi
clanculum invito patre, quod certe scio, semina pietatis. Eum præterea nunc in Gallia esse, quo profugit a patre, qui illum contineret
in neutralitate, ut nec Cæsari nec regi faveret; puto Vestram Celsitudinem scire. Commendandum est Domino negotium; ego me puto
optimam operam nunc pro illo illustrissimo consanguineo Vestro
navasse ut dixi, et credo nuptias futuras. Utinam vero futura sponsa
a veritate non sit aliena, quemadmodum neque sponsus futurus est.

Fuit Tubingæ clarissimus d. a Gilthlinga [4], qui ad singula capita
negotiorum, quæ illi nuper Stutgardiæ proposueram, dixit mihi Celsitudinis Vestræ sententiam. Deinde quum d. Brentius a me petiisset
librum cardinalis illius Poli Angli [5] dandum Vestris legatis, qui ad

*

3 S. br. n. 9. Alfons II zeigte sich später anders; nach seiner
thronbesteigung eröffnete er seiner mutter, entweder müsse sie das
land verlassen oder den evangelischen glauben aufgeben; sie wählte
das erstere.

4 Balthasar von Gültlingen, landhofmeister herzog Christophs bis
1556, † 1563.

5 Reginald Pole, geb. 1499, dem königl. hause Englands nahe verwandt. Reichbegabt und hochgeboren gelangte er schon als junger
mann zu hohen kirchlichen würden, aber seine schrift pro unitatis
ecclesiæ defensione, worin er sich gegen Heinrichs VIII trennung von
Rom aussprach, zog ihm den hass seines verwandten und herrn zu, er
wurde als hochverräther zum tode verurtheilt; der papst, zu welchem
er sich geflüchtet, belohnte ihn dagegen mit dem cardinalshut. Merk-
würdigerweise schloss er sich in Italien dem reformatorisch angehauch-
ten kreise von Contarini, Sadolet u. s. w. an, und so konnte Verger
mit recht behaupten: agnoscebat vel saltem agnoscere se simulabat,
hominem per solam fidem in Christum justificari. Maria Tudors thronbesteigung öffnete ihm glänzende aussichten, als päpstlicher cardinal-
legat kehrte er nach England zurück, das er in cultus und lehre mit
allem eifer wieder katholisch zu machen suchte; nach Cranmers tod
wurde er 1556 erzbischof von Canterbury. Wenige stunden nach Marias tod schloss auch er sein wechselvolles leben, 18 November 1558,
ehe es einen neuen wechsel erlitt, s. br. n. 15. 19. 20. 21. 24. Die hier
genannte schrift ist: Oratio Reg. Poli, qua Cæsaris animum accendere
conatur, ut adversum eos, qui nomen Evangelio, dederunt, arma sumat.

conventum * jam mittuntur, remisi illi. Ego autem (ita ut debeo)
Vestræ sententiæ omnino acquiesco, servaboque apud me omnia
scripta et alia etiam parabo, quibus nostri uti possint, quum occasio
comitiorum advenerit. Interea Illustrissima Vestra Dominatio gustet,
qua virulentia et rabie scripta fuerit ad Cæsarem ab illo cardinale
oratio; mitto enim hic adjunctam, atque una instructionem mitto,
si forte videretur ad legatos Vestros, ad quos missus est liber, mittendam esse; nam parum possunt proficere, si librum habeant et
historiam, quæ ad librum pertinet, ignorent. Ego dies atque noctes
(Deus scit) meditor et laboro in causa dilecti filii sui domini nostri
Jesuchristi et spero, gratos illi esse labores meos, quia eo instigante
a me suscipiantur. Commendo me reverenter pietati et caritati
Celsitudinis Vestræ. Dominus Jesus servet eam a malo cum tota
familia et regno.

Tubingæ XIX April 1554.

Vergerius.

11.

Verger an herzog Christoph.'
Stuttgart 26 Aug. 1554.

Nachrichten über den krieg in Italien, die ausbreitung des evangeliums in Locarno, den märtyrertod von Franziscus Gamba in Como
und Sleidans geschichte.

(Theilweise von Optasset bis pertinent gedruckt. Sattler III, 75.)

Illustrissime et excellentissime Princeps et Domine Domine gratiosissime!

Hodie ex Argentina accepi quædam nova, itaque putavi ea
communicanda Celsitudini Vestræ, quin ipsasmet litteras mittendas, quas d. Sleidanus ¹ ad me. Interpretor locum, ubi de Petro

Cum scholiis Athanasii; Athanasius, einer der verschiedenen pseudo-
nymen Vergers, s. Serap. s. 82. n. 60.

6 Wohl die Naumburger conferenz, zu der aber die württembergischen gesandten zu spät kamen, s. Kugler I, 335 f.

1 Der berühmte geschichtschreiber der reformation (1506 bis 1556);
sein werk de statu religionis et reipublicæ Carolo V Cæs. Commentar.
erschien Straßburg 1555. Verger kam oft mit ihm zusammen und
lieferte ihm materialien besonders aus seiner früheren diplomatischen
laufbahn; s. br. 12. 19. 21. 27. 50 a. 126.

Strozzio[2] mentionem fecit, nam aliunde audivi, eum fuisse captum
una cum comite Mirandulæ et comite Petiliano; suspicor autem,
eum sibi voluisse mortem consciscere, et Philippum patrem imitari,
qui quum arma pro liberanda Florentina patria sumpsisset neque
illi successisset, quin fuso ejus exercitu in hostium potestatem de-
venisset, mortis timorem morte fugavit (ut quidam poeta inquit)
se enim ipsum jugulavit. Sed utinam mea interpretatio falsa sit!
Celebrantur nunc comitia in Helvetia, metuo enim discordia inter
ipsos cantones, atque adeo propter religionis causam. Nam Locarnenses[3] jam non possunt amplius papales tenebras ferre, et niten-
tibus illis ad lucem evangelii errumpere resistunt quantum possunt
maxime aliquot cantones. Scribunt tamen ad me boni viri, spem
esse, ut hi cedant, et Locarni liberum cursum nostræ doctrinæ permittant, quod faxit Dominus. Comenses nuperime interfecerunt crudelissime Franciscum Gambum Brixiensem[4] propter evangelium
et propter Christum; eduxerunt e carcere lingua clavo confixa, ne
posset loqui, mox adductis tribus plaustris lapidum his primum inter-
fectus, deinde combustus, sed tanta constantia et hilaritate, ut desiderari nihil possit amplius. Benedictus dominus Deus noster, qui
tales spiritus et tales martyres hac ætate profert! Hoc martyrium
non prætereundum erit silentio in historia d. Sleidani, quin adornabit
eam velut gemma pretiosissima. De qua quidem nunc ad d. Brentium non pauca scribo; autor constituit proxima hieme prælo eam

*

2 Peter Strozzi, Sohn von Philipp Strozzi, tapferer soldat, der un-
versöhnliche feind des hauses Medici, geb. 1500, † 20 Juni 1558 vor
Thionville; er kommandierte 1554 als französischer Marschall die
französische armee in Italien. Bei Lucignano wurde er 2 August geschlagen, aber nicht gefangen, zog sich nach Siena und von dort nach
Montalcino zurück. Siena musste sich 21 April 1555 an die kaiserlichen ergeben. S. H. Martin l. c. VIII, 438 ff.; s. auch br. 16. 26.
27; sein vater Philipp war von Cosimo von Medici gefangen worden
und entleibte sich selbst, um diese schmach nicht zu überleben.

3 Die ersten anfänge des protestantismus in Lokarno reichen in
die jahre 1541 bis 42 zurück, aber häufige verfolgungen unterbrachen
den gedeihlichen fortgang; s. Meyer, die evangelische gemeinde in
Lokarno, bes. I, 162 ff.

4 Franz Gamba, geb. in der nähe von Brescia, war auf der rückreise von Genf in Graubünden gefangen, nach Como gebracht und
dort 21 Juli 1554 lebendig verbrannt worden; s. das nähere darüber
de Porta l. c. II, 258 ff.

committere et edere, quamquam ego conatus fuerim dissuadere et in tempora minus periculosa differendam, et adhuc non deero hoc agere. Optasset ille quidem Vestræ Celsitudini eam dicare, sed scio non facturum, ubi me audierit; nam brevi alicubi conveniemus, ut totam una percurramus et recognoscamus; tum ex me ipso autor homini futurus sum, ut Celsitudini Vestræ minime dicet, sed alteri cui voluerit. Ita enim sentio, ex animo non esse consultum, ut talis historia sub Vestro nomine prodeat. Sed profecto valde jucunda et valde utilis futura est, velut lux quædam hujus ætatis præcipue in his, quæ ad religionem pertinent. Ubi Celsitudo Vestra Stutgardiam redierit, cupio eam convenire, tum ob hanc historiam tum ob alias causas; afferam nova quædam scripta mea; nam profiteor me nulla editurum, quæ prius non ostendam et commendicem, ita ut sane decet. Laboro dies noctesque, et sum quotidie in ipsis laboribus fortior et hilarior Dei gratia. Commendo me reverenter Celsitudini Vestræ, quam rogo, ut Dominus diu servet incolumem ecclesiæ suæ sanctæ.

Stutgardiæ 26 Aug. 1554.

Servitor Vergerius.

12.

Verger an herzog Christoph.

Straßburg 23 October 1554.

Nachrichten über seine schriftstellerische thätigkeit und Sleidans geschichte, neuigkeiten aus Ferrara.

Theilweise gedruckt (Ago gratias bis tractaverim) Sattler III, 75.

Illustrissime et Excellentissime Princeps et Domine Domine Clementissime!

Ago gratias domino Deo patri per Jesum Christum, nam posteaquam discessi ab Italia, nunquam tam multa eodem tempore habui præ manibus, quæ agerem in ejus gloriam, quam nunc habeo. Principio recognosco totam historiam Sleidani et quædam curo mitiganda et moderanda, quemadmodum Vestra Celsitudo monuit, quædam vero addenda, quum non pauca publica negotia aliquando tractaverim[1]. Deinde dedi imprimendum librum Cardinalis Poli

*

1 S. br. 11.

Angli cum antidotis [1]. Dedi etiam librum illum, quem Celsitudini Vestræ ostendi, quum nuper esset in venatione in Sambach [2]. Hi magni futuri sunt. Sed mediocres etiam curo imprimendos: de Idolo Lauretano [3] latine, italice et germanice, præterea contra catalogum [4], quem etiam Vestræ Celsitudini ostendi cum responsione. Iterum ago gratias Deo, qui dignatur uti opella mea in his, quæ ad promovendam ejus doctrinam pertinent. Scio advenisse huc pecuniam missam pro Anglis exulibus. Laudetur Deus in Celsitudine Vestra.

Est legatus Venetus apud Cæsarem d. Marcus Antonius Mula [5], vir magna prudentia et eruditione et summus amicus meus; is ad me scribit, se mense proximo Novembri rediturum in patriam, quum vero per ducatum Vestrum iter facturus sit, valde se cupere mecum loqui. Quare cum velim ei morem gerere et quum fructum aliquem sperem evangelio ex ejus colloquio [6], constitui in ducatum redire infra 15 dies et dimittam hic hominem, qui pro me adsit typographis. Filius ducis Ferrariæ [7] rediit ex Gallia in Italiam et ad

---

1 Der titel lautet: Reginaldi Poli pro ecclesiasticæ unitatis defensione libri IV etc. Adjectum est etiam quorundam aliorum gravissimorum virorum de pontificis Romani primatu judicium 1555, s. Serap. s. 83. n. 66. s. br. n. 20.

2 Das schloss Einsiedel in der nähe von Tübingen, s. Stälin IV. 767.

3 Der titel der italiänischen ausgabe: Della camera et statua della Madonna chiamata di Loretto etc. 1554. Vorrede vom 15 October 1554. Lateinische übersetzung: De Idolo Lauretano. Tübingen 1554. s. Serap. s. 78. n. 55.

4 1549 war der erste index librorum prohibitorum erschienen. Verger begleitete ihn mit den beissendsten glossen und wiederholte diss verfahren beinahe bei jeder neuen ausgabe des index. Das hier gemeinte werk Vergers ist gegen die dritte ausgabe des index, veranstaltet von Archibald, erzbischof von Mailand 1554, gerichtet und trägt den titel: Catalogo del Arcimboldo etc. con une riposta etc. 1554. Serap. s. 82. n. 56.

5 Markus Antonius da Mula, gesandter in Madrid, dann in Rom von papst Pius IV zum bischof und cardinal erhoben.

6 Christophs antwort s. br. n. 13a. 14. 15.

7 S. br. n. 2. 9. 10. Über das folgende: König Heinrich II sandte den inquisitor dr. Oris mit einem eigenhändigen brief an die herzogin, worin er seinen tiefen schmerz darüber ausdrückt, dass seine einzige, hochgeliebte tante in dieses labyrinth von unseligen, verdammten irrlehren eingetreten sei. Oris war bevollmächtigt, der herzogin predigten zu halten, denen sie anwohnen musste; hälfen diese bekehrungs-

parentem. Nunc videbimus, si velit conficere nuptias Bavaricas. Præterea audio ducem ipsum conjecisse in carcerem ejus consortem, quia constantissime recusat missam audire. Si hoc factum fuerit, certe non erit sine consensu regis Gallorum; maritus enim non fuisset ausus hanc injuriam uxori inferre. Et si rex consensit, indicium est, illum velle omnino arctissimo fœdere se conjungere cum Papa, cujus rei multa habeo indicia. Rogandus Deus, ut dissipet talia consilia. Volui nudius tertius, qui erat dies dominicus, videre, quænam esset frequentia in ecclesiis papisticis, in tribus vero hora missæ numeravi XXX viros et circiter L femellas; sit nomen Domini benedictum.

Oro cœlestem patrem, ut Celsitudinem Tuam diu servet incolumem per Christum dominum nostrum. Commendo me illi reverenter.

Argentinæ 23 Oct. 1554.

Vergerius.

Sodann von des herzogs hand: Hore gern, das er dermaßen in gottes sachen arbaitte zu erbawung seiner kirchen; hab mir im Schenbach ain cathalogum hereticorum und papiste Somiamt[?] so zu Maylandt publiciert seye worden zu sehen geben, wolle mir copia darvon zukhommen lassen.

13.
Herzog Christoph an Verger.
Stuttgart 6 November 1554.
Antwort auf n. 12. Bittet um den Catalogus hæreticorum.
Dei gratia Christophorus Dux Vuirtenbergensis etc.

S. Quod tu in negotio Christi nostri [sc. domini] singulariter affectus, et ad promovendam ac plantandam ejus ecclesiam desudare soles, vir ornatissime, ex tuis litteris ad nos, quæ 23 Oc-

*

versuche nichts, so sollte man zu zwangsgraden schreiten. Die herzogin blieb standhaft; sie beichtete nicht, ging nicht zur messe; da schritt Herkules zu gewaltsmassregeln. 17 September 1554 ließ er seine gemahlin mit zwei ihrer frauen in das alte schloss Este bringen, das ihr als gefängniss dienen sollte; ihre töchter wurden von ihr getrennt und ganz abgeschlossen von denen, welche ihr stärkung bringen konnten, gab Renata nach und sandte 23 September nach einem katholischen priester; 1 December wurde sie wieder in ihren pallast zurückberufen. Herzog, Realencyklopädie, suppl. II, 631 f.

tobris Argentinæ datæ sunt, plane intelleximus, ac non ingrato animo
percepimus; super est, ut incessanter pergas, studium, quo decurris,
conficere. . Ceterum est quod petimus, ut s. catalogi illius hereticorum, qui a papistis confictus ac Mediolani divulgatus dicitur, quemadmodum nobis in silva Schonbuchica nuper ostendisti, copiam ad
nos transmittas, quo eundem peritius inspicere possimus, et facies
nobis rem pergratam, singulari animo et studio erga te compensandam. Vale etc. Datum Stutgardiæ. 6 Novembris Anno etc. 54.
    Concept.
    Hinten: Reverendo domino Petro Paulo Vergerio Nobis inpri-
mis caro.

13 a.
Herzog Christoph an B. von Gültlingen [1].
Nürtingen 1 December 1554.
Wegen des venezianischen gesandten.

Cristoff etc. u. g. z.,

Lieber getreuwer! Wir haben dein schreiben sambt des Vergerii
eingeschlossen zedel (so wir dir hiemit widerumb zusenden) alles
innhallts verlesen. Und dieweil wir dises legaten [2] kein kundtschaft
auch nit wissens haben, außer was ursachen er ombreitt und son-
derlich, wie geneigt und guthertzig er der waren religion sei, so
wissen wir disem begeren nit statt zegeben. Darumb wellest dasselbig ime Vergerio füeglicher weis, wie Du ze thon wol weisst, ab-
lainen und es dabei beruwen lassen. Daran hastu onnser gefellige
mainung. Datum Nürtingen den ersten Decb. ao etc. 54.

14.
Verger an herzog Christoph.
Göppingen 31 December 1554.
Zeigt an, dass er den venezianischen gesandten erwarte; schriftstellerische thätigkeit.

Illustrissime et Excellentissime Princeps et Domine Domine
Gratiosissime!

---

1 S. br. n. 12, anm. 5.
1 Gültlingen s. br. 10, anm.
2 S. br. n. 12.

Quum diu expectassem partim Stutgardiæ, partim Cansteti adventum oratoris Veneti [1], et jam defatigatus essem expectando Tubingamque rediissem, tandem audivi, quare tamdiu cunctaretur (certe ob gravissimam causam, quam coram dicam) venturum tamen brevi. Quare hodie Chepingam [2] veni expectaturus ejus reditum. Quod volui Celsitudini Tuæ, cui debeo rerum mearum omnium rationem reddere, significare. Dedi imprimendas indulgentias [3] Germanice, quas illustrissimæ matri Sabinæ [4] inscripsi, mitto primum folium, nam plura non erant impressa me discedente Tubinga. Dominus Jacobus Andreas pastor [5], apud quem sum, et ego clementiæ Vestræ Celsitudinis se ex animo commendamus. Perendie alia sumus misuri nempe de Gregorio [6], qui fuit seminarium multorum malorum in ecclesia, eum ego suscepi exagitandum latine, germanice atque italice et profecto si hoc propugnaculum dejicimus, non bene habiturus est Antichristus. Æternus pater domini nostri Jesu Christi servet Vestram Celsitudinem pro gloria ejus, amen.

Chepingæ XXXI Xbris 1554.

Vergerius.

＊

1 Antonius Mula, s. br. 12. 13 a.

2 Göppingen, freundliche stadt im Filsthal, nicht weit vom Hohenstaufen, bekannt durch seine mineralquellen und damals als badeort viel besucht, s. auch br. 127.

3 Titel: Unseres Herrn Jesu Christi des obersten priesters gnäden- und ablassbrief, s. Serap. s. 84. n. 67.

4 Sabine von Bayern, s. n. 9.

5 Jakob Andreä (genannt Fabri oder Schmidlin, weil sein vater schmid gewesen), geb. 25 März 1528, in streng lutherischer rechtgläubigkeit der nachfolger von Brenz, damals dekan in Göppingen, nahm 1561 theil am religionsgespräch in Poissy, 1562 professor der theologie, canzler und probst zu Tübingen, nahm u. a. theil an der abfassung der conkordienformel. † 7 Januar 1590. S. br. 17. 21. 83. 174.

6 Wahrscheinlich: Che cosa sieno le XXX messe chiamate di S. Gregorio, e quando prima incominciarono ad usarsi. 1555. Serap. s. 83. 68. Die übersetzung ins lateinische und deutsche wird in keinem bücherverzeichniss erwähnt, vergl. dagegen br. n. 17. 20.

1555.

15.

Verger- an herzog Christoph.

Göppingen 6 Januar 1555.

Verger berichtet über seine zusammenkunft mit dem venezianischen gesandten Antonius Mula, und theilt die über den kaiser Carl V, Philipp II, Ferdinand Gonzaga, England, Türkei u. s. w. erhaltenen nachrichten mit. Beginn der slavischen bibelübersetzung.

Theilweise (Tubingæ bis-Celsitudinis) schon gedruckt, Schnurrer, slavischer bücherdruck s. 15.

Illustrissime et Excellentissime Princeps et Domine, Domine Gratiosissime!

Ago humillimas gratias Vestræ Celsitudini, quod curaverit ad me mitti litteras ejus legati Veneti [1], quem dudum expectaveram. Statim acceptis conscendi equum et veni Geppingam, ubi illum inveni, sumque cum eo bis locutus fere per sex horas; nam in tota Italia non habui conjunctiorem amicum. Principio itaque cœpit me serio hortari, ut abjectis meis opinionibus christianis vellem in patriam redire, pollicebaturque ad id omnes suas facultates et omnem suam autoritatem. Ego contra cœpi verbo Dei urgere, ut doctrinam nostram amplecteretur; quantum profecerim nescio, scio me seminasse; Deus det incrementum; certe hactenus nostram causam non intelligit, sed non habet contra eam zelum amarum. Quæsivit a me diligenter de Celsitudine Vestra affirmavitque, Venetam rempublicam illam maximi facere, et optasse aliquando eam habere pro generali capitaneo; præcipue quæsivit, an ipsa Vestra Celsitudo revera habeat opiniones, quas Lutheranas vocant. Respondi, me mirari illum de hoc dubitare et constanter affirmavi, verum esse, quod Celsitudo Vestra ex animo susceperit, et promoveat in suo ducatu doctrinam evangelii domini nostri Jesu Christi, illam inquam, quæ est contraria papis, sed conformis voluntati Dei. Deinde hæc audivi ab eo. Ait Cæsarem mediocriter habere, quod ad valetudinem, tamen vix baculo sustentatum posse per cubiculum duntaxat se movere et ambulare per aliquot passus, convaluisse tamen ab asmo et hydropisi. Deinde ait, illum vix post duas septimanas solere negotia audire a regina

---

1 Marc. Anton. Mula, s. n. 12.

ejus sorore [1], quæ omnino summa rerum potitur, et ab Atrabatensi [2], sed ut plurimum otiari et quiescere, ex astrologorum vero adulatione promittere sibi vitam adhuc undecim annorum; nullo vero negotio nunc magis delectari quam anglico [3]. Præterea suam majestatem impendisse ingentem vim auri pro anglico ipso negotio; nam per quinque menses fuit coactus sustentare classem, qua filius ex Hispania veheretur, quæ in singulos dies exigebat sumptum octo millium coronatorum; sperasse vero se posse statim ex Anglia habere viginti centena millia, et vix tercenta millia habiusse; filius enim Philippus se excusat, quod pecunia fuit impendenda in mitigandis et alliciendis animis potentiorum. Subjunxitque is d. legatus, se scire Cæsarem revera pecunia valde carere, ita ut nunquam antea magis caruerit; corrasisse enim paucissimis annis ex Flandria quinquaginta tria centena millia, ut illic non possit corradere amplius. In summa ait suam majestatem sumpsisse pecuniam nunc a mercatoribus ad 32 pro centenario.

Quæsivi num toto hoc triennio, quo legatione sua functus est, potuerit unquam audire aliquid a sua majestate, quid de Germania sentiat, an scilicet cogitet adhuc de vexanda propter religionem aut alio nomine; respondit, multas incidisse occasiones, quibus se Cæsar aperuit, se abjecisse omnem cogitationem de vexanda amplius, imo illum dixisse, se aliquibus principibus dixisse, quod onerant eorum conscientiam, et ut ipsi cogitent, quomodo reddant rationem Deo.

Quæsivi de pace [4], an aliqua sit spes aut tractatio; respondit se nomine suæ reipublicæ Venetæ rogasse Cæsarem pro pace, Cæsarem vero respondisse, se eam valde optare, sed non sperare fore regis animum quietum. Deinde subdidit ipse legatus biduo ante quam discederet, Cæsarem ipsum misisse mandata oratori suo, qui Romæ est, et domino Francisco de Toledo, qui nunc Florentiæ degit, ut

*

1 Maria, wittwe von könig Ludwig II von Ungarn, statthalterin der Niederlande, geb. 1505, † 1558.

2 Anton von Perrenot Granvella, der berühmte staatsmann Carls V und Philipp II, geb. 1517, † 21 September 1586. Im jahr 1540 wurde er erzbischof von Arras.

3 Die heirath Philipps II mit Maria Tudor. 25 Juli 1554.

4 Der friede zwischen Spanien und Frankreich kam damals nicht zu stande, sondern nur der waffenstillstand zu Vaucelles. 5 Februar 1556. Vgl. br. n. 25.

hi duo agant de pace apud Papam, in Flandria vero nullum de ea
esse tractatum. Quæsivi, an speret futuram ipsam pacem, respondit:
ego quidem vix spero, quia animi mihi videntur nimis exacerbati.
Ego vero arbitror futuram [1].

Quæsivi, an conquestus fuerit nomine suæ reipublicæ, quod
Cæsar contra fidem promissam dederit Philippo filio ducatum Mediolani, respondit, rempublicam Venetam non posse fundare quærelam
suam, quia illa promissio non fuit scripta, sed Cæsarem oretenus
tantum dixisse similia verba : Non dabo meis et noluisse ut hoc deberet
referri inter pacta. Quo nomine nunc reprehenduntur tanquam ne-
gligentes duo oratores Veneti, qui Neapoli negotium tractarunt.

Non est ita, ut scribit ille ex Italia in litteris, quas Vestra Clementia nuper mihi dabat legendas, quod ille, qui haberet ducatum
Mediolani, non deberet habere regnum Neapoli. Sed negotium sic
habet: Nullum cæsarem posse obtinere regnum Neapolitanum, sed
Clementem septimum [2] dispensasse cum Carolo Quinto, dum singulis
annis solveret sex mille coronatorum. Itaque illos Philippus non
solvet, quia non est cæsar.

Quæsivi de Ferdinando Gonzaga [3], cujus causa in malo statu
est, et nunquam fuit deteriore, conjectus est nuper in carcerem
Bruxellis; Fanginus ejus locum tenens, Atrabatensis et dux Sabaudiæ [4] ipsum Gonzagam pessime oderunt et aperte infectantur, denique accusatur non modo, quod viginti centena millia expilarit, sed
quod egerit de occupando pro se ipso ducatu Mediolanensi. Legatus omnia hæc rescivit ab ipso Ferdinando et ab Atrabatensi,
imo addit Ferdinandum cogitare fugam, et dixisse legato, se Venetias velle ire.

De Anglia ait, nihil esse actum in parlamento de coronatione,
sed tantum de recipienda obedientia papatus, quæ (unico tantum

*

1 Zusatz von Verger.
2 Clemens VII, papst 1523 bis 1534.
3 Fernando Gonzaga, sohn von Markgraf Franz von Mantua, geb.
1507. Kaiserlicher statthalter in Mailand, 1555 abberufen, um sich
wegen seines verhaltens in Italien zu rechtfertigen, wurde zwar freigesprochen, aber nicht mehr in sein amt eingesetzt. † 15 November
1557 in Brüssel; s. Ranke, Ref.-Gesch. V, 315. Vgl. br. n. 28.
4 Philibert Emanuel, s. br. n. 4. 21.

discrepante) fuit recepta, cardinalem vero Polum [1] populum absolvisse a culpa et a pœna, quasi aliquando hæreticus fuerit, et factum
esse archiepiscopum Cantuariensem. Dominus confundat eum, nam
contra conscientiam illic agit, quicquid agit.

Ait præterea, unicum restare scrupulum, quod attinet ad ipsum
Angliæ regnum; nam fere decem millia hominum profugerant ex inferiori Germania et aliunde propter evangelium in Angliam, et quia
hi non habent, quo se recipiunt, et consentire papatui nolunt, timendumque est, ne hi concitent novum motum.

Is meus amicus legatus videtur multum timere a Turca, ne
scilicet hoc anno terra marique adoriatur Christianos, quin ait Cæsarem etiam id formidare et sperare, Germaniam juvaturam, ut illi
resistatur.

Postremo cum me rogaret, ut ubicunque essem futurus, conarer
persuadere hic in Germania, d. Venetos valde amare hanc nationem,
et cupere perpetuam concordiam cum ea servare, respondi, me non
defuturum, (quantuluscunque sim) sed hortari, ut interim abstineant
a persecutione contra Christianos; nam hac via conservabunt sibi
benevolentiam bonorum principum et Dei etiam; et promisit, se hoc
in senatu renuntiaturum.

Quum essem ab eo recessurus, et ille me amantissime complecteretur diceretque, se (si non amplius in hoc mundo) saltem in
paradiso me visurum, respondi: Utinam, opto enim tuam salutem,
si quispiam alius; sed affirmo, quod nisi tibi Dominus filium suum
manifestet et renovet cor spiritu suo, in cœlum (ubi certus sum me
ascensurum) non ascendes; sed ora, ut tibi manifestetur, et rogabo
ego etiam assidue. Atque ita invicem discessimus, sed oneravi illum
libris, imprimis dedi confessionem fidei Celsitudinis Vestræ et commendavi eum Domino.

Tubingæ pestis incepit progredi, quare cum illic nullam habeam
vocationem, quæ me cogat ibi manere in periculo, subsistam hic per
aliquot dies, et adornabo negotium de versione in linguam Slavicam [2], Deo juvante et caritate et clementia Vestræ Celsitudinis.

1 S. br. n. 10.

2 Von diesem zeitpunkt an beginnt Vergers thätigkeit bei der
übersetzung der bibel in die südslavische (slovenische und windische)
sprache. Vgl. br. n. 17.

Quam ipse Deus pater domini nostri Jesu Christi diu servet incolumem
ecclesiæ suæ sanctæ. Hoc perpetuo rogo.
Geppingæ VI Januari 1555.

Vergerius.

16.
Verger an herzog Christoph.
Göppingen 7 Januar 1555.
Nachrichten über den krieg in Italien.

Illustrissime Princeps et Domine Domine Gratiosissime!

Exercitus regis Gallorum cepit proditione Hypporegium, vulgo
Hyvream [1] appellant, et jam Mediolanum versus tendebat. Sic scribunt boni viri ad me ex Italia. Credibile est, exercitum, qui Senas [1]
obsidet, inde discessurum, ut Mediolano succurrat; credibile etiam
spem pacis, quam ego habui ex narratione legati, nullam fore. Commendo me humilline Vestræ Celsitudini. Deus eam servet a malo.
Gœppingæ VII Januarii 1555.

Vergerius.

17.
Verger an herzog Christoph.
Göppingen 15 Januar 1555.
Berichtet abermals über sein gespräch mit dem venezianischen
gesandten, bittet um des herzogs verwendung für 2 gefangene in Österreich und für einen gefangenen protestanten, Baldus von Albona in
Venedig. Über die bibelübersetzung ins Slavische.

Theilweise (Nunc nihil bis inveniri) gedruckt Sattler IV, 85, aber mit
dem falschen Datum 1556. S. Schnurrer, slavischer Bücherdruck 15 f.

Illustrissime et excellentissime Princeps et Domine Domine
gratiosissime!

Optavi mirum in modum reverenter alloqui hic Gœppingæ Vestram
Celsitudinem. Sed cum vidissem adesse Illustrissimum principem
Palatinum [2], putavi eam fore occupatam noctu cum illo, mane autem

*

1 Ivrea erobert vom marschall de Brissac. H. Martin VIII, 438.
2 S. br. n. 11.
3 Wahrscheinlich Wolfgang, Pfalzgraf bei Rhein, herzog von Zwei-

non tam cito discessuram. Sed voluntas Domini fiat! resarciam litteris. Prætermiseram scribere aliquid, quod a legato Veneto [1] audieram, ut coram referrem; est autem hujusmodi: Ait, Atrabatensem [2] ardere ingenti odio adversus religionem nostram, atque etiam adversus principes, qui eam susceperunt, solitum autem fuisse sæpe urgere et dicere: Cur vos Veneti non estis diligentiores in exstirpandis Lutheranis? cur non exuritis? an vultis pati, ut excrescant, sicut in Germania, unde vix unquam poterunt amplius exstirpari? de principibus vero solitum illum fuisse dicere, eos reliquisse veterem religionem et papatum, et novam suscepisse, tantum ut occuparent bona ecclesiarum, quibus bombardas conficerent, bella adornarent pacemque turbarent et quietem Cæsaris. Et certe, Illustrissime Princeps, is legatus jam imbiberat hanc opinionem ab Atrabatense et plane crediderat, esse veram atque ut veram renuntiasset Venetiis in senatu ducentorum, ubi legationes solent renuntiari, non sine aliqua nota religionis nostræ sanctissimæ et piorum principum Germaniæ; huc enim spectavit Atrabatensis, quum talia ingereret in auribus legati, nempe ut impelleret ad renuntianda hæc in auribus Venetorum. Verum Deus dedit mihi gratiam, ut potuerim mendacia diluere, et certo scio me diluisse et contrarium persuasisse, imo ut postea legatus mihi dixerit: Profecto timeo, ne etiam in aliis me deceperit ille episcopus, quando video me in hoc, quod tanti ponderis est, fuisse ab eo deceptum. In summa oravit me, ut scriberem ad eum aliquando et præcipue, ut monerem, si quid mihi videbitur occurere, in quo ipsi domini Veneti possint illustrissimis principibus Germaniæ morem gerere, quia libenter facerent; imo promisit mihi, quod respublica illa sit me habitura perpetuo pro fideli et caro subdito, etiam si me papa odio habeat.

Mitto memoriale ad d. Berum [3] in causa duorum adolescentum

---

brücken, geb. 1526, seit 1532 (resp. 1543) herzog; † 11 Juni 1569 bei Limoges als er den Hugenotten mit einem heer zu hülfe zog, s. br. n. 72. Herzog Christoph stand damals in lebhaften unterhandlungen mit den evangelischen fürsten und Ferdinand von Östreich wegen des Augsburger reichstags, auf welchem der bekannte religionsfriede geschlossen wurde.

1 S. br. n. 15.
2 Granvella, s. br. n. 15.
3 Dr Caspar Beer, einer von den vertrautesten räthen herzog Christophs, † 1556.

Verger   6

captivorum, pro quibus Celsitudo Vestra intercessit litteris apud serenissimum regem Romanum [1]. Atque etiam in causa fratris Baldi de
Albona [2], qui per duodecim annos patitur martyrium deterrimorum
carcerum apud Venetos ob confessionem Jesu Christi. Ipsa Vestra
Celsitudo dignata est sponte mihi dicere superiore anno Tubingæ,
se Augustæ acturam de eo cum legato Veneto, supplico autem per
Jesum Christum, ut velit id nunc agere; est enim membrum Christi,
et ipsimet Christo præstatur, quod illi captivo præstatur. Una cum
memoriali addidi exempla litterarum Vestræ Celsitudinis ad d.
ducem Venetum, et responsionis hujus. Si legatus Venetus, qui
nunc est apud regem Romanum, scripserit ad ducem Venetum,
Celsitudinem Vestram egisse cum eo, ille legatus amicus meus promisit mihi, quod velit diligenter rem promovere.

Mane accessi ad illustrissimum principem Palatinum, cui et libros
aliquot donavi, præcipue duos germanice »de Indulgentiis«, et »de
Idolo Lauretano« [3]. Visus est mihi clementissimus et valde pius;

1 Die beiden brüder hießen Julius und Darius Guardo von Capodistria, Vergers geburtsort, sie waren seit 7 jahren in östreichisch Neu-
stadt und in Graz gefangen; nach br. 239 waren sie und ihre eltern
von einem Spanier Mamsius des hochverraths angeklagt; Verger behauptet, es sei von demselben nur geschehen, um in den besitz ihrer
güter zu gelangen, s. auch br. n. 25. 26. 38. 41.

2 Dieser märtyrer des evangelischen glaubens hieß Baldus Lupetinus von Albona, einem städtchen in Istrien; er war gegen ende des
15 jahrhunderts geboren, aus edler familie stammend, trat, zum geistlichen stande bestimmt, frühe in ein Franziskanerkloster und wurde
provinzial seines ordens in Venedig; frühe neigte er sich der reformation zu, wurde aber auf betrieb des päpstlichen legaten 1544 oder
45 gefangen und in einen kerker, dessen boden mit der fluthöhe auf
gleichem niveau stand, eingesperrt; standhaft weigerte er sich, seinen
glauben abzuschwören; alle fürbitten herzog Christophs, der 1553 an
den dogen von Venedig geschrieben und Barth. Sylvius abgesandt
hatte, s. br. 5. 17 b, und anderer evangelischen fürsten halfen nichts.
Nach 20 jähriger gefangenschaft (also um 1563, genaues datum unbekannt) wurde sein process entschieden und er ertränkt, s. Mac Crie,
geschichte der reformation in Italien, übers. 92. 227. Verger hat gethan was er konnte, um diesen unglücklichen, der ihm als landsmann
schon bekannt sein mochte, zu befreien; wie ihm das schicksal der
evangelischen gemeinde in Venedig, die unter den verfolgungen allmählig erlosch, sehr am herzen lag, s. seine br. n. 5. 17 a. b. c. d. 29.
42. 103. 105. 123. 130. 147. 184. 199.

3 S. br. n. 12. 14.

attigi illi de neophito, idest, novo in fidem viro nuper, scilicet Judæo, cui cogitat tradere filium in disciplinam, gratiasque egit, ait se deliberaturum.

Vidi quum nuper essem Stutgardiæ, nam d. a Gultlingen et d. Brentius ostenderunt mihi novum quodam interim, si forte proponeretur (quod vix credo) sperare me posse in eo ostendere horribiles insidias; si quid autem hac in re aut alia Celsitudo Vestra putaverit opellam meam posse proficere, uno verbo vocet me et clanculum, hilariter curram pro gloria domini Dei mei.

Nunc nihil aliud cogito, quam de adornanda versione in linguam Slavonicam. Dei et Clementiæ Vestræ gratia, quæ provinciam juvit, et spero me brevi eam feliciter confecturum; cogor egomet intra quinque aut sex dies clanculum cum d. doctore Fabri non quidem Campidunum [1] usque sed vel Ulmam vel in proximum aliquem lo-

*

1 In Kempten war damals pfarrer Primus Truber, der reformator von Kärnthen und Krain, der begründer der südslavischen litteratur, einer der interessantesten männer jener epoche. Geb. 1508 zu Raschiza gelang es ihm trotz seiner armuth sich so viele kenntnisse zu erwerben, dass er, von den reformatorischen lehren frühe ergriffen, prediger und 1542 domherr in Laibach wurde. Seinem vorsatz, unter seinen landsleuten dem evangelium eine bahn zu bereiten, ist er mit der grössten hingebung und unter den vielfachsten verfolgungen bis an seinen tod treu geblieben. Der schmalkaldische krieg vertrieb ihn von seiner heimath, kurze zeit hielt er sich in Triest auf, durch Veit Dietrich von Nürnberg wurde er der evangelischen stadt Rothenburg an d. T. empfohlen und als geistlicher 1548 dort angestellt; hier beschäftigte er sich damit, die sprache seines landes in buchstaben und schrift zu fixiren, um seinen heimathgenossen das evangelium zugänglich zu machen. Mit deutschen lettern erschien anonym in Tübingen sein Abecedarium und sein katechismus in windischer (slowenischer) sprache. Später kam er nach Kempten und nach seinem bekanntwerden mit Verger und nachdem herzog Christoph für den plan einer bibelübersetzung gewonnen war, hielt sich Truber in Reutlingen und Urach auf, um die übersetzung zu betreiben und den druck zu leiten. Von 1561 an war er wieder in Krain als erster geistlicher des landes, aber 1565 musste er seine heimath für immer verlassen, die er nur kurz 1567 wieder sah. Herzog Christoph nahm ihn in sein land auf, er wurde pfarrer in Lauffen und später in Derendingen bei Tübingen, wo er 29 Juni 1586 starb. Ihm verdankt man die slowenische übersetzung des Matthäus (1555), der 3 andern evangelien und der apostelgeschichte (1557), des Römerbriefs (1560). An der durch Ungnad (s. br. n. 30) ge-

6 *

cum me conferre, ubi convenient illi, qui me sunt adjuvaturi in negotio hoc sancto, et spero me illos perducturum huc Gœppingam, ubi versio fiat. Certe non otior, Dei gratia, qui mihi spiritum atque alacritatem addit, addit etiam hunc doctorem Fabri, quo profecto pauci magis ferventes ubi de gloria Dei agitur, poterint inveniri; Deus itaque undique impellit et juvat, ut in ejus causa laborem.

Oro æternum patrem domini nostri Jesu Christi, ut Vestræ Celsitudini perpetuo adsit suo spiritu, nam omnes piorum ecclesiæ non aliunde nunc pendent, ne impiorum consiliis opprimantur, quam a Vestra pietate et prudentia, Commendo me reverenter.

Gœppingæ XV Januarii 1555.

Vergerius.

17a.

Verger an herzog Christoph.

Dieser brief ohne datum und unterschrift gehört in diesen zusammenhang.

Verger bittet um des herzogs verwendung für 2 gefangene in Österreich und für Baldus in Venedig.

Illustrissime Princeps et Domine Gratiosissime!

Dignetur Celsitudo Vestra pro sua clementia et vera in Deum pietate habere in memoria Augustæ causam infelicium illorum duorum adolescentum fratrum [1], qui jam tot annis captivi detinentur a serenissimo rege Romanorum ob falsam suggestionem illius Hispani. Nomen eorum est Julius et Darius ex familia Guardorum. Patri nomen fuit Sanctus. Arx, in qua fuerunt capti, et est solo æquata, appellabatur Castrum novum, eam nec reditus repetunt, non curant, sed tantum liberari ex tam diuturna et miserrima captivitate, quum tamen nihil mali egerint, erant enim illic a patre relicti. Vestra

*

gründeten bibelanstalt in Urach nahm er den lebendigsten antheil, s. über Truber: Herzog, realencyklopädie 21, 360 ff. Sillem, Primus Truber, Erlangen 1861. Kostrenčić, urkundliche beiträge zur geschichte der protestantischen litteratur der Südslaven in den jahren 1559 bis 1565. Wien 1874. S. br. n. 30. 31.

1 S. br. n. 17.

Celsitudo dignetur recordari, quod in supplicatione fuit scriptum, ipsam Celsitudinem Vestram novisse eorum patrem in Gallia.

Dignetur etiam recordari boni illius servi et membri Jesu Christi et martyris, qui per duodecim annos patitur deterrimos carceres ob confessionem evangelicæ veritatis; pro eo Celsitudo Vestra anno 1553 mense Julio ¹ suis litteris apud ducem Venetum intercessit. Hic erunt colligata exempla earum et etiam responsionis ipsius d. ducis. Agendum esset de hoc cum oratore Venetorum, quemadmodum Celsitudo Vestra pro sua clementia mihi dixit aliquando se facturam. Et quia ipse orator habet patrem, quo in tota republica Veneta nullus major existit, cui nomen Stephano Teupolo, dicendum erit oratori tale verbum: Scio si pater tuus voluerit, fore ut obtineam liberationem illius captivi etc. etc. Oro æternum patrem domini nostri Jesu Christi, ut spiritu suo adsit Celsitudini Vestræ tam sancta negotia tractanti. Amen.

17b.

Schreiben, das herzog Christoph 31 Juli 1553 von Tübingen an den Dogen von Venedig sandte.

Die freilassung von Baldus von Albona betreffend.

Exemplum litterarum illustrissimi principis Wirtembergensis ad d. ducem Venetiarum.

Primum gratulamur Dilectioni Vestræ, quæ post multos labores reipublicæ præstitos, et ob Vestra singularia in eam merita evecta sit in istum amplissimum dignitatis gradum; rogamusque Deum optimum maximum atque ejus dilectum filium Jesum Christum dominum nostrum, ut Dilectionem Vestram diutius servet incolumem et juvet in administranda republica, et ita juvet, ut inprimis gloria ejus, deinde patriæ Vestræ et totius Christiani orbis consequatur. In hac vero felicissima creatione Vestra quandoquidem sciamus multos solere gratias petere atque impetrare, nos etiam aliquid petere destinamus, et impetraturos esse speramus. Neque auderemus a Dilectione Vestra et ab ista eximia republica quippiam petere, nisi nobis conscii essemus, nos vicissim paratos esse morem gerere, si qua occasio aliquando incideret, qua possemus eidem Vestræ Dilectioni et reipublicæ

*

1 S. br. n. 17. 17b. und c.

inservire. Petimus igitur nunc rem aliquam, quæ vehementer nobis cordi est, freti nostra conscientia, nostra in Vos observantia et Vestra summa humanitate. Quod vero petimus hujusmodi est. Audimus fere ante decem annos conjectum fuisse in carceribus Vestris fratrem Baldum ordinis minorum de Albona, nempe propter religionem, et quia non poterat ferre et confiteri doctrinam pontificum Romanorum esse sinceram, quam ille corruptam esse putat, et audimus, etiam illum jam omnino esse senem et decrepitum, ita ut parum adhuc posse eum vivere sperandum sit. In summa rogamus et obsecramus Vestram Dilectionem, atque universam istam rempublicam excellentissimam, ut velit illum Baldum liberare et nobis donare, id est, paucissimos illos annos et forte menses aut etiam dies, quibus victurus sit. Quod sane donum tanti faciemus, quantum vix possemus verbis indicare, et profecto ex animo loquimur. Ille (si possumus, quod petimus, impetrare) non remanebit amplius in dominio Vestro neque in Italia, sed ad nos veniet, et apud nos vivet (si modo tantum vitæ illi superit, quo possit hujusque venire). Hanc unam ob causam non modo serio et ex animo scribimus, sed mittimus doctissimum virum, dilectum ac familiarem nostrum Bartholomeum Silvium [1], qui has nostras litteras Vestræ Dilectioni afferet, et cui mandavimus, ut hoc negotium omni diligentia nostro nomine apud Vos conficiat. Commendamus itaque illum, et benignum responsum expectamus, id est, Baldum ipsum, qui ad nos adducatur, pro quo officio et munere speramus fore, ut possimus aliquando aliis in rebus Dilectioni Vestræ, atque universæ isti reipublicæ (quam ex animo diligimus et observamus) inservire. Bene valeat ipsa Dilectio Vestra, cui nos ex animo commendamus. Datum in civitate nostra Tubinga, die ultimo Julii 1553.

17 c.
Marcus Antonius Trevisano, doge von Venedig, an herzog Christoph.
Venedig 9 September 1553.
Abschlägige antwort auf N. 17 b.

*

1 Bartholomæus Sylvius, pfarrer in Pontresina, cf. De Porta I, 231. Mac Crie 356.

Marcus Antonius Trivisano Dei gratia dux Venetorum etc. Illustrissimo Domino Christophoro Duci Wirtenbergensi etc. amico nostro carissimo salutem et sinceræ dilectionis affectum.

Litteras Excellentiæ Vestræ ultimo die Julii scriptas recepimus, quibus nobis et adeptam principatus dignitatem gratulatur, et eam ipsam Deus optimus maximus nobis et reipublicæ ut fortunet verbis amantissimis et honorificis precatur. Demumque petit, ut fratrem Baldum e carcere eductum dimittamus. Nobis vero Excellentiæ Vestræ, principis mutua cum republica nostra benevolentia iam pridem conjunctissimi, et gratulatio gratissima fuit et animus, quem ipsis litteris ostendit in nos, maxime propensus. Itaque facile in gratiam Vestræ Excellentiæ ea omnia facere in animum induceremus, quæ a nobis proficisci. Sed cum is fratrum minorum cœnobium multis abhinc annis ingressus, et tanquam male de religione sentiens, accusatus, in carcerem sit coniectus ab iis, qui talibus præsunt hominibus ac ejus generis causas disceptant, nostrum omnino non est, eorum decretum aliqua ex parte immutare. Quod si qua nobis alia oblata fuerit occasio, in qua Excellentiæ Vestræ morem gerere possimus, nihil nobis antiquius erit, quam ut maximam quidem certe, qua illustrissimæ Dominationis Vestræ prosequimur benevolentiam, ei ostendamus, quemadmodum Excellentiæ Vestræ ejus nuntius, cui hæc omnia coram exposuimus, uberius explicabit. Datæ in nostro ducali palatio, die VIIII Septembris, indictione XII MDLIII.

17 d.

Vergers bemerkungen zu n. 17 c.
Primum.

Homo pientissimus est, qui in carceribus detinetur Baldus nomine; a suis monachis invidia ac æmulatione accusatus, quod in concionibus hereticam doctrinam predicavit, cum evangelium ipsissimum semper auditoribus proposuerit; annos jam 15 in obscurissimis carceribus detinetur, calculo miserrime cruciatus; si veritatem abnegare voluisset, jam antea fuisset liberatus, at ipse in sententia constantissime perseverat.

Secundum.

Quod dux in sua responsione scribit, ad se negotium illud non pertinere, falsissimum est; nam causa tota religionis ad ducem Ve-

netum spectat, et ipse, cum Venetiis nullus esset magistratus inquisitioni (ut dicunt) præfectus. Ipse dux, ut inhiberet ecclesiasti-
corum insolentiam, constituit magistratum peculiarem, quod facere
non potuisset, nisi ejus esset religionis causa, et cum magistratus
ille ante sex annos Baldum comburendum decrevisset ob constantiam in vera religione, ipse dux facinus tam horrendum Venetiis
patrari noluit.

Tertium.

Stephanus Teupolus summus (præter ducem) in Veneta republica vir, ob maximam autoritatem maxime potest negotium promovere; is pater est oratoris.

Quartum.

Venetis abunde satisfactum videri posset, si Baldus ab illorum
ditione exularet, ac interim principi, ut illum in suo ducatu haberet,
gratificari possent.

18.

Verger an herzog Christoph.

Ulm 27 Januar 1555.

Nachrichten über die slavische bibelübersetzung, die religions-
streitigkeiten in Lokarno.

Theilweise. (Quum scriptura bis inflammare) gedruckt in Schnurrer,
slavischer bücherdruck s. 16.

Illustrissime Princeps et Domine Domine Gratiosissime!

Quum scriptura nos moneat, maledictum esse, qui facit opus
Dei negligenter, et quum mihi nunc incumbat onus vertendi Novum
Testamentum in linguam Slavicam, fuit omnino necesse, ut Ulmam
venirem, quo avocarem ad me pastorem Campidunensis ecclesiæ[1],
atque cum ipso coram conferrem. Veni itaque, contuli quæ volui,
atque hodie rursus Gœppingam redeo cum doctore Fabri, qui mecum est. Negotium versionis bene habet feliciterque procedet, Deo
gratia. Audivi ab eodem pastore Campidunensi, quinque illas provincias Austriæ multa habere evangelii semina; benedictus Deus.
Conversati sumus toto hoc triduo cum ministris hujusce Ulmensis
ecclesiæ, non sine fructu gloriæ Dei (ut spero); sunt enim adhuc

1 Truber s. n. 17.

juvenes, et profuit eos excitare atque inflammare.

Papa misit novum nuntium atque oratorem ad d. Helvetios, nempe episcopum Terracinæ[1] mihi iamdiu notum, imo non abhorrentem ab evangelio, ita ut a me petierit, ut ad eum mittam, si quem novum librum habeo, quin ait, se optare meum colloquium, sed me illi non credam, nam timeo Danaos.

D. Helvetii contendebant inter se in causa, inquam, religionis, et periculum erat, ne ad arma venirent. Causa aut origo contentionis erat, quia Locarnum oppidum maxima ex parte susceperat evangelium (qua in re Dominus usus fuit me ministro), Tigurum vero, Berna, Basilea, et Scaffusium Locarnenses tuebantur, reliqui cantones impugnabant; tandem in adventu nuntii papalis inita est concordia nimirum hæc: Ut Locarnenses, qui noluerint permanere in papistica religione, cogantur ex patria discedere, in vitam vero eorum ac neque in bona non fiat executio[2]. Deus eos sustentet suo spiritu, ne amore patriæ deserant amorem Christi et æternam patriam.

Quum essem Patavii paulo ante meum ex Italia discessum eo scilicet tempore, quo Deus obtulit oculis meis horribile illud spectaculum Francisci Spieræ[3] desperati, inter alios studiosos, qui mecum sæpe ad eum ventitabant, erat Gallus quidam, quem dominum de Sancto Laurentio[4] vocabant, certe magna pietate atque eruditione, quo nomine mihi erat carissimus, et ego illi. Nunc is ipse venit legatus Henrici II in Helvetiam, scripsitque ad me amantissime et omnino præ se fert, se esse constantem in tuenda atque amanda veritate; misi vicissim libros tum meos cum reliquorum inprimis

*

1 Octavianus Rovero aus Mailand, seit 1545 bischof in Terracina, im herbst 1554 nuntius des papstes bei der eidgenossenschaft.

2 Über die gewaltthätige vertreibung der protestanten von Lokarno vgl. Mac Crie s. 234 ff. und Meyer, die evangelische gemeinde von Lokarno bes. I, 269 ff.; s. br. n. 25.

3 1548. Über Franz Spiera, des unglücklichen advokaten zu Padua, der zur evangelischen kirche übergetreten war und dann widerrufen hatte und dem sein widerruf die grösten gewissensbisse machte, weil er glaubte, die sünde gegen den heiligen geist begangen zu haben, vgl. Sixt s. 125 ff.

4 Bernhardin Bochatel, abt von St Laurent, bei der eidgenossenschaft accreditiert 5 October 1554 und wiederum December 1556, blieb bis Mai 1558.

aliquot Brentii, quos petierat. Laudetur pater domini nostri Jesu Christi, qui ubique habet suos.

Redeo hodie Gœppingam (ut dixi) degamque illic apud eundem-met Fabri, cum quo mihi pulchre convenit. Nunc omnes meos labores convertam ad quærendas et scrutandas diligentissime omnes veteres novasque versiones bibliorum, ut quod melius fuerit imitemur in nostra versione.

Oro æternum patrem domini nostri Jesu Christi, ut Celsitudini Vestræ quotidie augeat fidem et spiritum ad tuendas ejus ecclesias et gloriam his turbulentis temporibus; commendo me reverenter atque humillime.

Ulmæ die XXVII Januarii 1555.

humilis Celsitudinis Vestræ servus

Vergerius.

19.

Verger an herzog Christoph.

Göppingen 3 Februar 1555.

Danksagungen der englischen flüchtlinge, die herzog Christoph unterstützt hatte. Nachrichten über die Schweiz, u. Sleidans geschichte.

Schon gedruckt: Le Bret II, 243 f.

Illustrissime et Excellentissime Princeps et Domine Domine Gratiosissime!

Quanquam puto Vestram Celsitudinem aliunde scivisse, quid agatur in misera illa Anglia, nihilominus mitto exemplum cujuspiam meæ epistolæ, quam scripsi nuper, complectens fere omnia, quæ ad me Angli exules scripserunt, illi scilicet, qui a clementia et pietate Vestra fuerunt adiuti et sustentati. Quo nomine agunt Celsitudini Vestræ immortales gratias; nam Argentinenses dispensarunt illos ducentos florenos. En qualis revera existit cardinalis ille Polus [1], nonne dicebam ego? nonne pingebam illum suis coloribus? Sed non est abbreviata manus Domini, qui et consolabitur fideles Anglos, et pœnas sumet de impiis.

Comes de Gruera [2] debebat ingentem pecuniam Bernensibus ac

---

1 Pole, s. br. n. 10.
2 Greiers im Saanethal.

Friburgensibus, itaque armata manu invaserunt atque arripuerunt sibi totum illum comitatum et confestim res in concordiam redacta est, nam acceptis decem millibus cessit bonis, et domini illi diviserunt inter se. Quare ea portio, quæ obtigit Bernensibus, suscepit concionatores evangelicos. Deus promoveat etiam alibi terminos regni sui.

Adhuc dego Gœppingæ, quia pestis progreditur Tubingæ. Agat Pater cœlestis, quod bonum est in oculis suis.

Scribit ad me d. Johannes Sleidanus [1], ex XXV libris, qui sunt in sua historia, jam esse impressos XX, et nunc magistratus nescio unde impulsus vetavit, ne evulgetur. Quis dubitet, Cæsarem hoc curasse? quia est sibi conscius nullumque honorem sperat, si ejus res gestæ in Germaniæ legantur. Voluissem ego, ut Genevæ vel alibi curasset excudi. Sed hic etiam non deerit Dominus; agitur enim de ipsius gloria.

Oro eum quotidie, ut perpetuo adsit suo spiritu Celsitudini Vestræ, in qua omnes piorum ecclesiæ post Deum maximopere confidunt. Commendo me reverenter.

Gœppingæ die 3 Februarii 1555.

Vergerius.

20.

Verger an herzog Christoph.
Göppingen 9. Februar 1555.

Nachrichten über die sendung des cardinals Morone zu dem reichstag in Augsburg; über die slavische bibelübersetzung und einige schriften Vergers, die könig Ferdinand in die hände kamen; über fernere schriftstellerische arbeiten.

Illustrissime et Excellentissime Princeps et Domine Domine Gratiosissime!

Habeo bonum virum, qui litteras meas Augustam [2] ferat, nempe doctorem Ehemum Vestræ Celsitudini observantissimum. Quare possum tuto scribere nonnulla, quæ habeo. Papa et cardinales, posteaquam viderunt sibi ad vota successisse omnia hucusque in Anglia, adiecerunt animum ad Germaniam in spemque venerunt, posse fieri,

---

1 S. br. n. 11.

2 Herzog Christoph war seit Februar beim reichstag dort.

ut in hac natione contingat nunc aliqua talis mutatio ac revolutio;
ideo instituerunt jubilæum, atque hortantur omnes, ut Deum rogent,
quo reliquis populis, qui desciverunt ab ecclesia Romana, donet illud
ipsum lumen, quod donavit Anglis. Deinde ex omnibus cardinalibus
elegerunt Moronem[1], qui ad Vestra comitia veniat; fuit enim aliquando nuntius apud regem Romanum (et mihi successit), sperant
itaque, quod favore suæ majestatis suaque astutia atque hypocrisi
debeat omnino aliquid agere. Vir est, qui omnino intelligit veritatem atque ejusdem farinæ cum cardinale Polo[2]; qui unum videt,
alterum videt, et certe pulchre posset imponere, si quis prius non
fuisset monitus, qualis sit. Inprimis vero est cæsarianus, ita ut
nihil supra, cæsarianissimi (ut ita dicam) hominis filius, patria Mediolanensis. In summa vulpecula eximia, quare omnia ejus facta
dictaque sunt suspecta habenda.

Scio (nam ita fratres ad me ex Italia scribunt) eum facturum
verba de celebrando concilio, non quidem quod cupiant celebrare,
sed ut moram injiciant, ne cogitetis de nationali, timent enim ab eo.
Sed non deerit Spiritus sanctus, qui Vestra consilia gubernet.

Quum a me, qui nuper fui Ulmæ (ut scripsi aliis litteris), discederet minister ecclesiæ Campidunensis[3], cum quo de versione Slavica
contuleram, dedi illi tria scripta latine mea manu; in uno contine-

*

1 Giovanni de Morone, einer der gewandtesten diplomaten Roms
im 16 jahrhundert, geb. 25 Januar 1509 in Mailand, vornehmer familie
entsprossen; 1536 wurde er bischof in Modena und noch in demselben
jahre gesandter bei könig Ferdinand; der erfolg seiner diplomatischen
thätigkeit trug ihm den cardinalshut ein, aber in seiner diöcese Modena
entfaltete er nun eine eigenthümliche reformatorische thätigkeit. Mit
Contarini stand er in verbindung, duldete lutherische predigten, lehrte
selbst die rechtfertigung, verbreitete das büchlein del beneficio di Giesu
und ähnliches. Aber mit dem jahr 1542 änderte auch er seine ansichten; der cardinalshut siegte über den reformatorischen geist. Er wurde
wieder zu diplomatischen missionen gebraucht, wie zum reichstag in
Augsburg, aber von Caraffa wurde ihm ketzerei vorgeworfen (Mai 1555)
und 1557 wurde er sogar mit dem bischof San Felicio von Cava eingekerkert. Erst Pauls IV tod (18 August 1559) öffnete sein gefängniss
und Pius IV bediente sich seiner bei den wichtigsten angelegenheiten;
er präsidierte eine zeitlang dem Tridentinum und schloss dessen letzte
sitzung. † 1 December 1580 in Rom. Vgl. br. n. 26 a. 68.

2 S. n. 10.

3 Truber, s. n. 17. 18.

batur una tantum ex fabulis Gregorii, illa scilicet, qua fuerunt institutæ XXX missæ Gregorianæ pro liberatione animarum ex purgatorio[1]; in alio erat descripta mutatio regni Angliæ, et quo modo in ea se gessisset cardinalis Polus (cuius exemplum scilicet ad Celsitudinem Vestram nuper misi), in tertio monebam illum ipsum ministrum, quo pacto procedere deberet in negotio versionis in linguam Slavicam, ut scilicet Martini Lutheri versionem sequeretur, donec conferemus cum aliis versionibus, item monebam, ut ex dominio ipsius regis duos alios ejusdem linguæ peritos ad me mitteret, postremo ut quosdam meos libros in patriam meam, atque ut esset constans, nihilque timeret serviendo Christo. Quid vero accidit? bonus pastor Campidunensis perdidit in via illa tria scripta. Quo autem pervenerunt? Audiat Vestra Celsitudo rem miram: ad manus regis ipsius, qui ea legit cum suis consiliariis; et profecto fuit id consilium Dei, ut ex tam multis viatoribus ille potissimum invenerit mea scripta, qui ad ejus majestatem perferet; quare non est quod ægre feram aut contrister; voluntas enim Domini sic fuit; nollem quidem pervenisse memoriale, sed quid agam? mea culpa non fuit. Mitto exemplum utriusque illius scripti, quod ipse rex legit, d. doctor Fabri hospes meus verterat in germanicum, id sciendum est, in fine ejus scripti, ubi de Anglia loquor, additum fuisse a me unam clausulam, quam cupio legi a Vestra Celsitudine.

Si a me quærat, unde sciverim scripta mea ad suam majestatem pervenisse, dicam: Minister Campidunensis scribit, se perdidisse in via, et doctor Ehemus narrat mihi, se Augustæ audivisse, quædam mea scripta in manus regis pervenisse procul dubio. Quare nulla alia possunt esse præter hæc.

Si forte ejus majestas vellet queri de me, posset illi responderi, me solere taxare tantum crassissimos quosdam errores, quos papæ aut introducere 'nunquam debuissent in ecclesiam Dei, aut tollere nunc, quum videant, usque adeo et merito reprehendi. Deinde si volo vertere novum testamentum in linguam Slavicam, hoc esse opus, quod ipsamet majestas regia deberet curare, quum tam multos habeat subditos Slavos. Quis scit, si commoveatur talia audiens a

---

1 S. den italiänischen titel, Serap. s. 88. n. 63. b. n. 14. Das buch über England vielleicht Reginaldi Poli libri IV, de defensione etc. s. br. n. 12.

Spiritu sancto per os alicujus servi Dei? is dirigat negotium.

Audivi Vestram Celsitudinem disputasse cum cardinali Augustano[1], quomodo patres appellarint missam sacrificium. Quare putavi adducendum esse illi in memoriam, talem articulum valde perspicue tractari in confessione fidei Celsitudinis Vestræ, quam ego ut verti italice, ita etiam sincere complector; hoc utinam rex sciret de mea fide! Si Vestra Celsitudo voluerit habere aliquot exemplaria aut confessionis ipsius aut descriptionis seu syntagmatis, petenda erunt ex domo d. doctoris Ebemi, habeo enim illic nonnulla.

Audio quendam Italum, cui nomen Vincentio Locadello Cremonensi, eum scilicet qui vendit quædam saccaro condita quærere conditionem apud Vestram Celsitudinem, ut ex Italia emat quædam; ego novi hominem, qui non est certæ fidei, vitandus ergo.

Adorno duo scripta haud exigui momenti, alterum in quo describo, quibus dolis Anglia nunc fuerit decepta et dementata, alterum ubi commemoro, quam turpia scripta papistæ ediderint; utrumque[2] mittam ad manus Celsitudinis Vestræ privatim; nihil vero dabo imprimendum (saltem cum meo nomine) durantibus comitiis. Commendo me reverenter Celsitudini Vestræ, pro cujus incolumitate, unde etiam ecclesiæ pax pendet, oro quotidie. Si cardinalis Moronius aliquid de concilio proponeret, ego clam venirem, quo mihi imperatum fuisset ad retegendas ejus fraudes; fraudibus enim utetur procul dubio, atque illæ sunt mihi notæ.

Gœppingæ VIIII. Februarii 1555.

Vergerius.

21.

Verger an herzog Christoph.
Göppingen 15 Februar 1555.

*

1 Otto Truchseß von Waldburg, geb. 26 Februar 1514; nach guten studien in Deutschland und Italien wurde er kaiserlicher rath, 1543 bischof in Augsburg, stieg zu den höchsten kirchlichen würden, 1570 cardinalbischof von Präneste, † 2 April 1573 in Rom; einer der eifrigsten und entschiedensten bekämpfer der reformation in Süddeutschland, gönner der Jesuiten, denen er 1563 ein collegium in Dillingen errichtete; s. Braun, geschichte der bischöffe von Augsburg III, 358 ff.

2 Es scheint nicht, dass die zweite der schriften gedruckt wurde; sie findet sich in keinem bücherverzeichniss Vergers.

Verger berichtet über eine unterredung mit dem Spanier Petrus Lasso, die sich auf seinen übertritt zum protestantismus und die religionsverhältnisse in Deutschland bezog. Neuigkeiten aus England; über Sleidans geschichtswerk.

Illustrissime et Excellentissime Princeps et Domine Domine Gratiosissime !

Quamdiu apud serenissimum Romanum regem vixi in legatione atque altera[1], nemo in tota illa aula erat mihi majore benevolentia et necessitudine conjunctus, quam d. Petrus Lasso Hispanus[2]. Nam antequam essem creatus episcopus[3], eram eques sancti Jacobi, ferebamque crucem rubeam sicut et ille, quare animi nostri erant conglutinati superstitione externae illius crucis. Contigit ut nunc ex Anglia rediens, ubi egit legatum regiae majestatis Romanae et Maximiliani Bohemiae regis, iter fecerit per Goeppingam. Spiritus autem Domini impulit me, ut accederem; accessi, et sum cum eo aliquandiu locutus satis amanter, et quidem praesente d. doctore Fabri[4]. Quoniam vero audivi nonnulla, quae mihi non indigna videntur, quae Vestra Celsitudo intelligat, ea nunc breviter scribam. Quum ego illi redderem rationem fidei meae, et cur discessissem a papatu (nam hoc statim a me petierat) dixit mihi, id sibi videri certum argumentum, nos minime esse in via veritatis, quia Augustenses non idem sentiunt, quod Ulmenses aut Argentinenses; quare ego affirmavi, eum valde errare, atque has tres civitates esse omnino conformes in dogmatibus, tum invicem, tum etiam toti ducatui Celsitudinis Vestrae. Tunc ille, certe in omnibus his locis feruntur anabaptistae passim et impune[5], at ego illi: Oro te, domine, per

*

1 Bei Ferdinand 1530 bis 34 und wieder 1585.

2 S. Maurenbrecher, Maximilian II in Sybel, histor. zeitschrift 32, 230.

3 5 Mai 1536 .wurde er zum bischof von Modrusch in Kroatien ernannt.

4 Andreä s. br. n. 14.

5 Dass die wiedertäufer, Schwenkfelder u. s. w. in Württemberg nicht geduldet werden sollten, befahlen edikte von herzog Ulrich 1536 und herzog Christoph 1554 und 1558; s. Paul Fried. Stälin, das rechtsverhältniss der religiösen gemeinschaften und der fremden religionsverwandten in Württemberg nach seiner geschichtlichen entwicklung, württemb. jahrbb. 1868. Dass man die wiedertäufer dulde, war ein beliebter vorwurf der katholiken gegen die evangelischen und desswegen wurden sie auch von den letzteren beinahe überall verfolgt.

nostram veterem amicitiam, hoc ne affirmes alibi, quia certissimum
est, neque ducem nostrum illustrissimum neque Augustenses neque
Ulmenses neque Argentinenses ferre anabaptistas, imo curare diligentissime, ut reprimantur (si qui modo sunt). Quum hic se repres-
sum videret: Certe, inquit, saltem Palatinus Rheni [1] et Landgra-
vius [2] fovet eos. Respondi constanter (modeste tamen) neque hoc
verum esse, et rursum oravi, ne id credat neve affirmet, eumque
injuriam facere illustrissimis principibus, verum pertinaciter conten-
debat, se scire pro certo, rem esse veram. Nihil autem dubito, quin
hoc suo regi inprimis, deinde aliis, apud quos versatur, sit affirma-
turus; novi enim hominem. Quare Celsitudo Vestra dispiciat, quid
agendum, ne illi duo illustrissimi principes hoc nomine diffamentur;
nescio unde iste hauserit tam malam opinionem.

Jactat, Cæsarem optime valere, fatetur tamen, eum abstinere a
tractatione consiliorum. Dé rege Angliæ mira atque hispanice id
est multis exclamationibus prædicat, præsertim de devotione populi
ad missas (ita loquitur); respondi libere, nihil illic voluntarium,
sed metu dissimulari religionem papæ, atque id minus posse esse
diuturnum.

Aliud verbum percepi, quod non est a me silendum. Ego (inquit) scio, Cæsarem constituisse, relinquere unicuique religionem
liberam, neque esse coacturum quemquam in Germania; sed id eum
male habet, quod tanta sit varietas opinionum et quod ferantur
anabaptistæ; respondi, minime ferri, deinde, minime esse inter nos
varietatem, et quotidie nos hoc inprimis curare, ut in nostris ecclesiis existat solida et sancta unitas, ut unanimes glorificemus patrem domini nostri Jesu Christi.

Addam et hoc; petivit a me, nunquid scirem regem Romanum
discedisse Augusta, propter quasdam nuptias, quæ fiunt in Saxonia,
unde timetur bellum; ajebat enim se id in via alicubi audivisse;
respondi me nihil aliud scire, quam regem Augustæ esse.

Vir est sexagenarius, vehitur lectica propter podagram, placet
sibi valde; habet enim luculentam barbam, neque ineloquens est
neque parum cautus, agit magistrum domus regis Bohemiæ, sed quam

---

1 Friedrich II, kurfürst 1544-1556.
2 Philipp, landgraf von Hessen, geb. 1504, † 1567, der eifrige för-
derer der reformation.

verum est, quod inquit Spiritus sanctus: Non cognovit mundus per sapientiam Deum. Bonus iste vir omnino nihil novit in vera religione, prorsus, inquam, cæcus est, ac ne suam quidem novit. Inter alia, ubi egregie ejus crassam ignorationem patefecit, hoc erat: putabat enim totum evangelium integre contineri in missali, ubi sunt tantum frustula quædam, addebatque nihil in regnis esse perniciosius, quam sinere, ut omnes possent illud intelligere. Hic vero cum ego illi moderate resisterem, et non pauca de nostra doctrina inculcarem, ille exorsus fabellam, quæ in Hispania accidisset. Erat (inquit) in carcere Maurus, de quo erat sumendum supplicium; accessit monachus Hispanus, ut eum ad fidem Christi converteret; tantæ vero fuit efficaciæ Maurus in dicendo, ut ipsum monachum in fidem Maurorum traxerit, ita et tu, Vergeri, dum cupio tibi persuadere, ut redeas ad nostros, fere me rapis ad vestros. Cui ego: Utinam possem! non solum enim verba, sed sanguinem et vitam profunderem. Et sic eum dimisi. Seminavi scilicet; si quidem erit ex electis, Deus educabit semen, sin minus, mea prædicatio illi erit in condemnationem; certe audivit sibi prædicari evangelium, ac forsan nunquam liberius, imo certe arbitror nunquam antea illum audivisse, qui libere explicaverit fidem nostram.

Hoc enim inter cetera dixi; petierat a me fere in hunc modum: Tu ergo prorsus consentis cum Lutheranis? atquin ego vidi te aliquando magnum hostem illorum. Ego vero respondi: Sic consentio et certo scio esse verissima, quæ Lutherus docuit et subscribo illi addebamque rationem, quia retentis articulis fidei et his, quæ in propheticis, evangelicis atque apostolicis scriptis continentur, reliqua cum his pugnantia repudiavit. Verum ille tum obstupescebat, quia animalis. Nos vero perpetuas gratias decet agere Deo semper, quod eligerit nos in salutem, in sanctificatione spiritus et in fide veritatis, in qua et vocavit nos per evangelium in acquisitionem gloriæ domini nostri Jesu Christi. 2 ad Thess. 2.

Commendo me Celsitudini Vestræ reverenter.

Goeppingæ XV Februarii 1555.

　　　Ejusdem Celsitudinis Vestræ humilis servus

　　　　　　　　　　　　　　　　　　Vergerius.

Postscripta.

Non dubito, quin Vestra Celsitudo audierit nova ex Anglia; tamen scribam, quæ nunc accepi ex litteris Anglorum, qui Argentinæ

Verger　　　　　　　　　　　　　　　　　　7

degunt. Certum est, dimissum esse conventum neque impetratam coronationem; sed spes data Philippo, ut posteaquam regina pepererit, eligatur in protectorem regni. Ferunt eum venturum in Flandriam Cæsár curavit, ut dux Sabaudiæ[1] duceret in uxorem Helizabetham, reginæ illius sororem, sed hæc recusavit. Cardinalis Polus[2] ex Londino profectus est Oxonium, ubi Thomas archiepiscopus Cantauriensis[3] in carcere degit, atque una alii quidam episcopi; timetur ne eos nunc morti adjudicet. Deus pater noster cœlestis det illis spiritum constantiæ per Jesum Christum.

Quum rediissem ex Argentina, attuli tantum quatuor Petrarchæ epistolas, quia plures non erant tunc impressæ; nunc quum omnes XVI sint absolutæ, mitto duo exemplaria. Audio Januam atque Aste tentatum fuisse proditione, nec successisse.

Argentinenses deliberant, num velint pati, ut historia Sleidani evulgetur; audio eos accepisse ea de re litteras, quibus monentur, ne evulgari permittant. Sed cujus sint litteræ, nescimus. Commendo me reverenter.

22.

Herzog Christoph an Verger.
Stuttgart 16 Februar 1555.

Antwort auf n. 20; mahnung zu größerer vorsicht und mäßigung. Vgl. n. 23. 25.

Schon gedruckt in Fischlin, memoria theologorum Wirtembergensium. Ulm 1709. Suppl. s. 115 f.

Christophorus etc.

Reverende fidelis dilecte amice!

Redditæ sunt nobis vestræ litteræ, ex quibus inter cetera cogno-

1 Philibert Emanuel heirathete nicht Elisabeth von England, sondern 20 Juni 1559 Margareta von Frankreich, tochter Heinrichs II.

2 S. br. n. 11.

3 Thomas Cranmer, geb. 2 Juli 1489, erzbischof von Canterbury, führte könig Heinrichs VIII scheidung von Catharina, die unabhängigkeit Englands von Rom und die reformation in England durch. Marias thronbesteigung brachte ihn 14 September 1553 in den Tower; seine erzbischöfliche würde wurde ihm genommen; um sein leben zu retten, liess er sich zu einem widerruf verleiten, erlitt aber doch den flammentod 21 März 1556; s. br. n. 24.

vimus, quædam in causa religionis vestra manu latine scripta a pastore Campidunensi, cui ante ea tradideratis, amissa ac intempestivo quodam casu ad sacram majestatem regiam delata esse. Quamvis vero non dubitamus, vos vero et pio studio in evangelio Christi propagando ferri, tamen ægre nec libenter accepimus, vos adhuc hisce in rebus tanta libertate passim uti, præsertim, cum hoc nihil proficere eamque ad rem ipsam parum facere vel ipse animadvertere potestis. Cuperemus itaque, vos in scriptis et sermonibus vestris (quoad ejus pie fieri potest) moderatiorem nonnihil et cautiorem esse, maxime hisce adhuc temporibus et in hoc rerum et ecclesiarum nostrarum difficili statu.

Ceterum cum nunc Gœppingæ degere vos intelligamus,- ubi, tanquam in loco celebriore, propter multorum ibidem varia et frequentissima itinera, vos (qui haud dubie a plurimis accuratius ac infensius observamini) non prorsus sine periculo versari judicamus, hortamur, ut inde secedentes in locum aliquem tutiorem hujus ducatus nostri commigretis.

Datæ Stutgardii 16° Februarii anno etc. 55°.

Reverendo fideli ac nobis dilecto amico Petro Paulo Vergerio etc. episcopo etc.

23.

Verger an herzog Christoph.
Göppingen 19 Februar 1555.

Entschuldigt sich wegen der in n. 20 und 22 erwähnten vorfälle, will Göppingen bald verlaasen und bittet, ihm einen sichern aufenthalt anzuweisen.

Illustrissime et Excellentissime Princeps ac Domine Domine Gratiosissime!

Accepi hodie et quidem sub noctem litteras Celsitudinis Vestræ datas die XVI. Hoc vero inprimis reverenter indicandum putavi, nam si prius accepissem, prius paruissem. Constitui enim velle audire vocem jussionemque ejusdem Vestræ Celsitudinis, quum sciam, eam spiritu Dei agi, utpote vocem ipsius domini Dei mei, qui per os Vestrum mihi demo[n]stret, quid me agere oporteat. Respondeo igitur ad utrumque caput, me hinc crastino die Nirtingam [1] dis-

---

1 Nürtingen, städtchen am Neckar, 6 stunden von Stuttgart.

7 *

cessurum, deinde a talibus scriptis, quæ possint sine fructu irritare, temperaturum.

Fiet utrumque, tum quia Vestra Celsitudo ita imperat, tum quia cogor dies noctesque in textu ipsius evangelii laborare, videlicet ut possim subministrare his, qui laborant vertendo Novum Testamentum in linguam Slavicam, ex multis eas versiones, quæ judicio piorum habentur meliores. Verum obtestor Celsitudinem Vestram per illum Deum, cui servimus omnes ejus filii, ut me patiatur pauca adhuc dicere de utroque capite. In mea patria cessavit pestis, illico vero papa misit novum genus sacrificulorum, qui se Jesuitas appellant, atque hi nihil aliud urgent, quam ut heredes mortuorum numerent pro missis Gregorianis, quare Deus ipse me impulit, ut meos caros compatriotas monerem, ne sinerent se decipi, utque patefacerem, quæ sit origo illarum XXX missarum Gregorianarum, hoc est, ex mera fabula. Obedivi ergo Spiritui sancto, volui mittere privatim epistolam mea manu scriptam ad meos, non placuit Deo; ea enim excidit e sinu ministri Campidunensis, pervenitque ad regem. Hic quæ mea culpa est! Eadem est ratio alterius scripti; nonnulli enim consanguinei norunt, justificari hominem sola fide, at nihilominus contaminant se illicitis cultibus, et ajunt id licere, quia sic ajat cardinalis Polus, a quo pendent libenter (nam libenter fugiunt crucem) tanquam ab apostolo quodam, volui itaque eos monere, quomodo se eorum apostolus gesserit nunc in Anglia. Scripsi ergo privatim, epistola alio pervenit. Quæ nam mea culpa est? Sed si nihilominus Celsitudo Vestra putat me peccasse, ego illi magis credam quam mihi, petoque humiliter, ut mihi ignoscat.

Quod ad alterum caput de habitatione attinet, testis est mihi dominus provincialis et d. Brentius, me ante tres dies scripsisse, me malle vivere in aliquo deserto loco (quam hic) et illos rogasse, ut me apud Celsitudinem Vestram juvarent, quo possem habitare (dum pestis grassatur Tubingæ) in Sindelphing [1], ubi scilicet d. Brentius aliquando degit, ubi possim Patrem cœlestem sine metu et sine turbis invocare, pascere animam meam cibo evangelii, atque etiam scriptis juvare meos fratres, quibus minime est concessa prædicatio evangelii. Dixi in tota causa. Nunc supplico Vestram Celsitudinem, ut dignetur mihi illum locum Sindelphing concedere, nam eo vocabo duos pau-

---

1 Sindelfingen, kleines städtchen, 4 stunden von Stuttgart entfernt.

peres fratres, qui laborabunt mecum in versione, cujus modo memini; subsistam Nirtingæ atque illic gratiosum responsum expectabo.
Judicia Dei abisus [?], ipse ita ab æterno statuerat, ut illa duo mea
scripta in regias manus pervenirent, ut redderet aliquot inexcusa-
biles, speremus quum simus filii Dei, patrem nostrum omnia ver-
surum in bonum.

Commendo me reverenter Celsitudini Vestræ. Gœppingæ XIX
Februarii 1555.

Ejusdem Celsitudinis Vestræ servitor

Vergerius.

24.

Verger an herzog Christoph.

Stuttgart 10 März 1555.

Warnt herzog Christoph vor dem ankauf italiänischer waaren.
Über einen angriff auf sein leben. Nachrichten aus England.

Illustrissime et Excellentissime Princeps ac Domine Domine
Gratiosissime!

Aliquis Italus magna autoritate et pietate vir scribit ad me,
perlatum fuisse in Italiam, Vestram Celsitudinem emisse nuper
Augustæ quasdam confectiones et reverenter monet, semel non fuisse
periculum, sed futurum maximum, si eadem Celsitudo Vestra per-
severaret emendo, quandoquidem Papa conaretur corrumpere aliquem mercatorem, qui confectiones veneno (more Romano) infectas
obtruderet.

Volui hoc monuisse; dicit quidem scriptura de electis et filiis
Dei: Et si mortiferum quid biberint, iis non nocebit; sed alia
scriptura simul monet, nos debere esse prudentes. Bone Deus, quam
exultaret antichristus et satan, si quid posset in hoc genere! avertat
sua divina majestas.

Si forte Vestra Celsitudo cuperet habere certum hominem, qui
ex Italia mitteret confectiones, sericum etc. inveniremus hominem
pium atque etiam divitem, qui libenter onus susciperet et bona fide
ageret.

Data est mihi domuncula, quæ ab una parte habet d. Brentium, ex altera hortum, quare sæpe fruor utroque magna cum animi
voluptate. Benedictus pater domini nostri Jesu Christi qui eripit

suos ex periculis collocatque in bono loco; hoc est, quod ait scriptura, electis omnia cooperari in bonum; certum est, illos tres nebalones [1] movisse animam Celsitudinis Vestræ, ut me huc mitteret, atque ita dum me venarentur ad mortem, fuerunt mihi causa boni.

Scribunt ad me Angli, quinque ex nostris fratribus combustos fuisse in Anglia, inter quos fuit unus episcopus, hoc est, Operus [2]; eos vero summa constantia summaque lætitia perpessos fuisse martyrium. Præterea scribunt, latam fuisse sententiam contra alios sex, qui mox erunt rapiendi ad flammas. O. crudelissimum cardinalem Polum [3]! At domini papistæ volunt conqueri de me et de aliis, si

*

1 Verger entgieng damals einer großen lebensgefahr; während eeines aufenthalts in Nürtingen lauerten 3 von den päpstlichen gedungene mörder auf ihn, um ihn beim spaziergang zu überfallen und nach Rom zu schleppen; zu seinem glück dehnte Verger seinen spaziergang nicht weit aus, die sache wurde ruchbar und der herzog gab energische befehle, Verger zu schützen und die 3 zu verhaften; siehe das eigenhändige concept des herzogs, von Tübingen aus datirt! Die im briefe genannten orte Zizishausen, Bettlingen, Nürtingen, Reutlingen sind alle auf dem weg von Göppingen nach Tübingen.

Lieber Getrewer. Wir geben dir gnädiger maynung zuvernemen, das deren, so den Petter Paulum Vergerium gedenckhen zu greyffen, drey seindt, der ain Hanss Dirr von Zizenhaussen, so von wegen allerhandt begangener mißhandlung, auch wildtbredt-schießes halber ausgetretten, der ander Hanss Glückh von Nürtingen, welcher ain todtschlag gethan und daromben sich endteussert, der dritt ist ain geraissiger und enthaltten sich alle drey zu Reittlingen, seindt verschinen dinstag zu roß mit ainem ledigen pfert zwischen ainem dorff Bettell [Bettlingen] und hie gehalten, vermaindt, gedachter sollte sich waß weitters als er spacieren gangen, hinauß begeben haben; daromben wollest dein khundtschafft in stille auff sye gehn Reittlingen auch machen, wa dem vogt alhie sein anschlag nit geriette, man doch die bueben bekhomen möchte; und wiewoll die von Reutlingen in unserem schutz und schirm, so wissen wir nit, ob auff unser recht anrueffen solliche uns zugestellt wurden; derwegen solches auch zu erwegen wolten wir dir etc. An Marschalkh. S. die beschreibung davon in seinem brief al signor Francesco Betti 1562. Serap. s. 98. n. 111. Meyer, die evangelische gemeinde I, 459.

2 Johann Hooper, bischof von Glocester und Worcester, einer der eifrigsten beförderer der reformation; von Maria Tudor deswegen zum feuertod verurtheilt, den er 9 Februar 1555 mit großer standhaftigkeit erlitt.

3 S. br. n. 10.

uno verbo eos tangimus, ipsi vero contra membra Jesu Christi et nostra membra igne atque ferro diabolice sæviunt. Væh illis, væh illis, nam sempiterno igne cito cruciabuntur!

Si iste cardinalis Moronus [1] legatus aliquod scriptum proferret in materia concilii, statim ubi legissem, possem patefacere insidias, neque enim sine insidiis proforet, sat scio.

Utinam Celsitudo Vestra dignaretur legere breve, sed horribilissimum scriptum, quod ante mensem fere misi d. Bero; pudet me quidem vel meminisse, ut Romanenses non pudet talia patrare. Deus illis meliorem mentem [det].

Oro æternum patrem domini nostri Jesu Christi, ut Celsitudinem Vestram suo spiritu regat et tueatur ad defensionem et gloriam sanctæ ejus ecclesiæ. Commendo me reverenter.

Stutgardiæ X Martii 1555.

Ejusdem Celsitudinis Vestræ servus

Vergerius.

25.

Verger an herzog Christoph.

Stuttgart 12 März 1555.

Fürbitte für die 2 gefangenen jünglinge, gefundene schriften. Nachrichten über die evangelische gemeinde in Lokarno.

Illustrissime et Excellentissime Princeps et Domine Domine Gratiosissime!

Extat clarissimum Christi verbum de suscipienda cura captivorum; promittit enim vitam æternam huic, qui tale testimonium dederit fidei suæ, ut captivorum curam et protectionem susceperit. Quum itaque Celsitudo Vestra habeat verbum ipsum Christi, a quo monetur sui officii, non conabor ego verbis meis eam stimulare, sed tantum causam indicare.

Vestra Celsitudo dignetur legere supplicationem annexam, ex qua percipiet, in quo statu sit causa eorum duorum adolescentum

*

1 S. br. n. 20.

captivorum, quorum protectionem dignata est suscipere [1]; mihi videtur magnam esse spem, fore, ut liberatio obtineatur.

Illæ meæ litteræ, quas ad me fuerat scriptum pervenisse ad manus regis [2], sunt inventæ; res certa est, vidi meis oculis, vidit d. Brentius; minister Campidunensis [3] reliquerat in quodam hospitio, aliquis fidelis invenit, et misit illi. Itaque sua majestas non conqueretur (ut spero) de me.

Helvetii cum Locarnensibus [4] convenerunt nempe in causa religionis, ut qui noluerint credere, sicuti fecerunt eorum parentes, discedant inde atque alio se conferant, non tamen priventur bonis. Quare inventi sunt ducenti viginti, neque est ita magnum oppidum, qui volunt relinquere patriam potiusque consentire iniquitati; Rhæti antem sive Grisones volunt eos suscipere. Benedictus pater domini nostri Jesu Christi, illic est viva fides, illic habitat atque urget spiritus Christi, illa erit fervens ecclesia ducentorum viginti filiorum Dei. Non potero me continere, quin post pascha curram ad eos; amo ut mea viscera, ego nutrivi primum lacte evangelii, certe hoc factum perfudit me incredibili lætitia. Jam misi nuntium ad ipsos, certe scio, quod omnes orabunt pro Celsitudine Vestra, dico ferventer. Commendo me reverenter Vestræ Sublimitati una cum miseris captivis.

Stutgardiæ XII Martii 1555.

Vergerius.

26.

Verger an herzog Christoph.
Stuttgart 18 März 1555.

Schickt eine zeitung aus Italien. Beilage n. 26a.

Illustrissime Princeps et Domine Domine Gratiosissime!

Dignetur Vestra Celsitudo diligenter legere inclusam scedam

*

1 S. br. n. 17. Die bittschrift liegt nicht bei den acten, wenn es nicht 17a ist.

2 S. br. n. 20.

3 Truber, s. br. n. 17.

4 S. br. n. 18. Die zahl der Evangelischen betrug nach Meyer, evangelische gemeinde I, 447, 204; davon zogen 3 März 93 aus, zuerst nach Roveredo, von dort verstärkt mit nachzüglern nach Zürich.

missam ad me ex Italia a viro prudente; est omnino aliquid in ea, quod erit habendum ob oculos durantibus his comitiis. Audio expectari ad litora Italiæ XL triremes regis Galliarum. Pax[1] adhuc tractatur, sed non magna spe.

Obtestor Celsitudinem Vestram per Jesum Christum, ut velit esse memor duorum captivorum innocentum[2]. Commendo me reverenter.

Stutgardiæ XVIII Martii 1555.

Vergerius.

26 a.

Beilage.

Zeitung aus Rom. Über die belagerung von Siena und den übrigen kriegsschauplatz in Italien.

Romæ die 19 Januarii 1555.

Cum decima et undecima Januarii octo bombardis positis inter portam ovilem et divum Franciscum marchio Marignanensis Senarum oppugnationem aggressus ésset, etiam 250 globos essét ejaculatus, die 12 expectabatur longe vehementior oppugnatio, et 25 aut 30 bombardas priori numero addendas putabatur. At bombardas nocte avectas et retro abductas versus exercitum animadverterunt Senenses, et inde postea versus castra ac munimenta magna celeritate progressas esse. Item exercitus ille, qui in campo suo tentoria habebat, in munimenta et castra se recepit, cujus certe reditus ac veluti fugæ nullam Senenses causam habebant exploratam.

Item ex Montalcino scribunt, Adrianum Baglionem cum suo præsidio in Lunigianam regionem profectum esse, et præter ingentem jumentorum prædam, hostes plurimum divexasse.

Item Aurelius Fregosius multos capitaneos constituerat, qui pedites multos colligerent; ex quo facile conjectari licet, expeditionem aliquam esse faciendam; potissimum vero cum Gallica classis ad Senensium portum, qui Herculis dicitur, in dies expectetur.

Item litteræ ex Neapoli Romam missæ nuntiant, 13 Januarii

*

1 Zwischen Spanien und Frankreich. Vgl. br. n. 15.
2 Vgl. br. n. 17.

11 triremes seu galeras ex Gaieta discessisse, quarum 7 ad regnum Neapolitanum pertinent et quatuor ad ducem Florentinum, quæ recta proficiscuntur, ut cum 25 triremibus Genuensibus jungantur.

Item summo studio curatur expeditio legati Moroni, qui in Germaniam ad comitia est destinatus. Et per dispositos equos monsignor Antonio Augustino auditor rotæ in Angliam mittetur.

27.

Verger an herzog Christoph.

Stuttgart 1 April 1555.

Über Sleidans geschichte. Ein italiänischer cardinal wolle sich an der bibelübersetzung ins slavische betheiligen. Verger unwohl.

Illustrissime et Excellentissime Princeps ac Domine Domine Gratiosissime!

D. Argentinenses post longam deliberationem tandem statuerunt, ut historia d. Sleidani [1] possit prodire, ac brevi mittam ego eam ad Celsitudinem Vestram, certe contra id, quod humana prudentia videbatur ferre, illi domini fecerunt opus ergo Dei.

Petrus Strozzius filium habet fere XVI annorum, qui cum filiis regis Gallorum vivit [2], admirabilis sane ingenii, sed nuper certo scimus, æternum Patrem manifestasse illi veritatem, ita ut pro ea quotidie disputet magno spiritu. Quis scit, quid velit operari Dominus per illum adolescentem? Magnus aliquis vir monuit me per litteras, ut ad illum primo quoque tempore mittam aliquot ex meis libris Italicis, quod lubens faciam; habeo enim, qui illi in manu tradet.

Amicus ille purpuratus scilicet, qui Romæ degit [3], (audiat Celsitudo Vestra aliud miraculum) significat mihi, se audivisse me nunc laborare in Novo Testamento in linguam Slavicam vertendo; mox addit, se quoque velle particem esse tam boni operis et conferre ali-

---

1 S. br. n. 11.

2 S. br. n. 11. Philipp Strozzi, geb. 1541; wegen der verwandtschaft mit Katharina von Medici wurde er mit den k. prinzen erzogen; den protestantismus nahm er aber nicht an; an den religionskriegen nahm er als tapferer soldat bedeutenden antheil; er fiel bei dem unglücklichen unternehmen gegen die Azoren 1582. S. H. Martin IX, 511.

3 Unbekannt, welcher cardinal hiemit gemeint ist; er kam natürlich nicht dazu.

quam partem pecuniæ; prob Dei omnipotentiam, qui cogit eos etiam, qui versantur in abominatione, ut juvent tale opus contra ipsam abominationem. Omnino sumus visuri mirabilia, quæ operabitur Dominus spiritu suo.

Ego aliquantum ægroto; affligitur corpus, ut corroboretur spiritus; fiat de me, quod bonum est in oculis ipsius cœlestis Patris, etiam si me velit ad se vocare. Utinam!

Eum rogo, ut perpetuo adsit Sublimitati Vestræ per Jesum Christum.

Stutgardiæ kalendis Aprilis MDLV.

Vergerius.

28.

Verger an herzog Christoph.

Stuttgart 10 April 1555.

Bittet um ein recept gegen den stein, um es dem herzog von Mantua zu schicken.

Illustrissime et Excellentissime Princeps et Domine Domine Gratiosissime!

Quum ante nonnullos menses dixissem Celsitudini Vestræ, d. ducem Mantuæ [1] calculo laborare, ea dedit mihi scriptum remedium, quod illi mitterem; misi, accidit vero, quod meæ litteræ perierint. Quod quum ad aures ejus illustrissimi domini pervenisset, scripsit nuper ad me nempe die 29 Martii, et primum mandat mihi, ut suo nomine agam gratias quam maximas Vestræ Celsitudini, quæ dignata est ægritudinis ejus curam habere, deinde ut diligenter orem pro remedio rursus mittendo; affirmat enim esse verissimum, quod eo morbo misere crucietur. Quamobrem quum sciam, Vestram Sublimitatem præditam esse vera Dei caritate atque omnibus cupere benefacere, præsertim tam nobili et magno principi, supplico, ut dignetur illi remedium illud communicare, quin putarem consultum et ad promovendum illius animum maxime conducere, si Vestra Celsitudo met ad illum mitteret et scriberet, me ejus nomine petiisse, aut si secus videtur, mittam ego; sed ad me mittatur necesse est, nullum enim

*

1 Wilhelm Gonzaga, geb. 1536, herzog von Mantua, 1550 bis 1578. Möglicherweise könnte auch Ferrante Gonzaga br. n. 15 gemeint sein.

habeo exemplum. Verum ob eam etiam causam forte esset melius, ut Vestra Celsitudo ex Augusta mitteret, quia citius ad eum perveniret, quam si esset mittendum prius ad me, et ego hinc deberem mittere. Sat autem fuerit, si inclusum fuerit litteris, litteræ vero istic dentur magistro postæ. Statim enim sic mittetur. Certe ille bonus princeps perpetuo servabit memoriam tanti benefecii; scribit, quod non solum ipse ita laboret, sed una mater ejus, neque hactenus potuisse ullum remedium invenire.

Commendo me reverenter illustrissimæ atque excellentissimæ Vestræ Dignitati, quam oro æternum patrem domini nostri Jesu Christi, ut quotidie magis suo spiritu corroboret; amen.

Stutgardiæ X Aprilis 1555.

Vergerius.

29.

Memoriale dem venezianischen gesandten zu übergeben.

Augsburg 20 April 1555.

Über die freilassung von Baldus de Albona.

Magnificus d. orator Venetus eorum meminerit, quæ illustrissimus d. princeps Christophorus dux Wirtembergæ et Teckiæ, comes Montispelligardi etc. novissime cum ejusdem magnificentia familiariter contulit ratione captivi fratris Baldi[1], ut qui annis jam quindecim diris carceribus detinetur. Cumque pro ejusdem liberatione sua celsitudo apud Venetiarum ducem amice et diligenter per litteras institit, responsum fuit datum, celsitudinis suæ omnino non esse, eorum (qui super hoc captivo fratre cognoverunt) decretum aliqua ex parte immutare. Ceterum postquam sua celsitudo plane confidit et illustrissimum ducem et status Venetiarum non solum in se propensos, verum etiam istam bonæ voluntatis declarandæ occasionem nullo modo neglecturos, quin potius id officii diligentissime præstituros, si quando sua celsitudo persuasum habet dictam liberationem in manibus vel ducis vel senatorum residere, ut quorum nutu et dicto etiam religionis causæ administrentur; licet enim in id peculiaris magistratus fuerit constitutus, is tamen nimirum superiorum jussu ac mandato potissimum nititur, quin et

*

1 S. br. n. 17.

ipse carcer et locus reipublicæ adeo commendatus, at etiam ipsa liberatio captivorum penes eandem sita. Adeoque cum illustrissimus princeps dux Christophorus intellexerit, vel magnifici d. oratoris per ejusdem dominum patrem virum in republica Veneta reverendum et magna autoritate pollentem in hoc negotio multum posse, et dubio pocul, ubi uterque, tum ducem tum senatores pro fratris Baldi liberatione acrius et sedulo comprehenderint, facile impetrari posse, ut hæc Baldi exigua reliquæ vitæ suæ pars suæ celsitudini donetur et tandem iste hoc difficili carcere quovismodo dimittatur, cujus sane officii rempublicam Venetam non pœnitebit, quin vehementissime factum olim probabit, neque quicquam in hac re reipublicæ verendum, quasi dimissus frater Baldus novas causas agere contendet; imo finibus se Venet[i]arum quam primum dimissus abdet, seque inde alio absque tumultu et insolentia conferet.

Quare magnificus d. orator hanc suam operam suæ celsitudini diligenter collocare et negotium supra dicto modo diligentissime promovere velit, quo facto respublica Veneta illustrissimam suam celsitudinem sibi reddet devinctam et orator eidem pergratum fecerit.

30.

Verger an herzog Christoph.

Stuttgart 13 Juli 1555.

Über einen brief des freiherrn Hans Ungnad und die slavische bibelübersetzung. Zusammenkunft mit Truber beabsichtigt. Prinz Eberhard.

Theilweise (Venit bis cœlestem Patrem) gedruckt Sattler IV, 89.

Illustrissime Princeps et Domine Domine Gratiosissime!

Venit ad me ante quatuor dies nuntius ex Carniola missus a multis nobilibus, inprimis a d. Joanne Ungnot [1], barone ac præ-

---

1 Hans Ungnad, freiherr von Sonnegg, geb. 1493 in Krain, ein vorzüglicher mann. Lange jahre stand er im dienste Österreichs, das ihm die wichtigsten stellen im krieg und frieden anvertraute; damals war er statthalter von Steiermark; seine hinneigung zum protestantismus, die sich schon bei den Augsburger reichstagen von 1530 und 1548 gezeigt und ihn zum haupt der evangelischen in Krain, Kärnthen, Steiermark gemacht hatte, bewog ihn, als Ferdinand immer strengere

fecto Styriæ, qui in summa agunt magnas gratias Celsitudini Vestræ, quæ dignata est collata pecunia juvare negotium versionis Slavicæ, offeruntque reverenter omnia eorum obsequia, præcipue preces apud cœlestem Patrem. Vere mihi videntur ardere in evangelio, et scribunt ad me, omnes eas provincias esse repletas viris piis, qui constituerint reformare illas ecclesias, etiam si facturi sint jacturam omnium facultatum atque simul vitæ. Urgent me, ut laborem in vertendo, pollicentur reliquum pecuniæ liberaliter, monent se velle habere versionem in propria eorum lingua, nec curare, ut admisceantur vocabula elegantiora, quæ ab omnibus Slavis ubique intelligantur, sed tantum ea, quæ illis sunt in communi usu, quanquam rudia aliis videri possint. Ille d. Ungnot valde est affectus Vestræ Celsitudini, cui se reverenter commendat.

Et quia debemus conferre cum pastore Campidunensi [1] totum Matthæum, qui jam versus est, neque ego audeo Campidunum ire, statuimus proxima septimana convenire Blopiræ [2], atque illic tridno aut quatriduo subsistere ad gloriam Dei.

Volumus vertere etiam catechismum d. Brentii et aliquot Psalmos; certe maximus fructus in ecclesia sancta Dei sperandus est ex hoc labore.

*

maßregeln gegen die reformation ergriff, lieber seine einflussreiche stellung, als seinen glauben aufzugeben; 1555 begab er sich nach Wittenberg, um die evangelische lehre dort gründlich kennen zu lernen, später hielt er sich in Leipzig auf; für das werk der bibelübertragung in das südslavische interessirte er sich aufs lebhafteste und als er 1557 in Württemberg eintraf, um hier auf des herzogs einladung seinen lebensabend zuzubringen, wies ihm Christoph den Mönchshof in Urach als wohnort, zugleich als sitz der druckerei und der ganzen bibelanstalt an, die unter seiner opferwilligen und energischen leitung zu ihrer höchsten blüthe gelangte. 27 December 1564 starb der würdige mann, der auch manche politisch-wichtige dienste dem herzog leistete, auf seinem schloß Wintriz in Böhmen; die stiftskirche in Tübingen zeigt heute noch sein grab. S. über ihn Stälin IV, 653, wo auch die litteratur über ihn, Kugler II, 318, Kostrenčić, beiträge zur geschichte der protestantischen litteratur der südslaven; die ungnadische thätigkeit bei der dalmatisch-illyrischen übersetzung ist hier in vielen briefen und urkunden dargestellt, s. br. n. 15. 17. 32. 33. 37. 72. 87. 117. 122 212. 213. 217. 236. 250. Sein sohn Ludwig br. n. 224.

1 S. br. n. 17.

2 Blaubeuren, kleine stadt, 3 stunden von Ulm entfernt.

Pransus sum et cœnavi aliquoties in eadem mensa cum illustri filio [1] Celsitudinis Vestræ, qui se mire accommodat, et in dies vere proficit discitque agere principem; maximopere laudandum est consilium, ut cito versetur in luce hominum, audiat gravia et sancta colloquia, unde possit mentem ad pietatem informare ac linguam ad eruditionem. Oro æternum patrem domini nostri Jesu Christi, ut illum tueatur regatque suo spiritu ad laudem et gloriam suam. Commendo me reverenter Celsitudini Vestræ.

Stutgardiæ XIII Julii 1555.

Vergerius.

31.

Verger an herzog Christoph.

Stuttgart 8 August 1555.

Zeigt seine abreise nach Reutlingen an, wo der druck der bibel beginnen sollte.

Theilweise (Quoniam bis corrigat) gedruckt bei Sattler IV, 90.

Illustrissime et Excellentissime Princeps et Domine Domine Gratiosissime !

Quoniam fratres, qui sunt in Carinthia, Caruiola atque Stiria magnopere urgent de Novo Testamento in linguam Slavicam vertendo, atque etiam de excudenda typis ea parte, quæ jam versa est, usus consilio d. provincialis [2] obtinui a Morrhardis typographis, ut e Tubinga, ubi plus solito pestis grassatur, transferrent typographiam Reuthlingam, atque ibi in nomine Domini inciperent Matthæum, quin jussi ad me venire ministrum ecclesiæ Campidunensis multo peritiorem me in ea lingua, qui corrigat. Atque ita hodie (Deo propitio) ambo se conferimus Reuthlingam tantum propter Slavica. Mitto tres novos libellos, latinos ex Argentina, germanicum ex Tubinga accepi, certe typographus Celsitudinis Vestræ habet nunc elegantissimos caracteres ac non modo germanicos (ut in hoc libello videre est), sed etiam latinos.

*

1 Eberhard, herzog Christophs ältester sohn, geb. 7 Januar 1545, † 2 Mai 1568, s. Kugler II, 625. Verger widmete ihm 1554: Lac spirituale, s. Serap. s. 83, n. 62 und die ausgabe der schrift seines ahnen: de nobilium puerorum educatione ib. s. 91. n. 99.

2 D. provincialis Andreä.

Oro æternum patrem domini nostri Jesu Christi, ut illustrissimam Dignitatem Tuam regat spiritu sancto in omnibus actionibus. Commendo me reverenter.

Stutgardiæ VIII Augusti 1555.

· Vergerius.

32.

Verger an herzog Christoph.

Reutlingen 18 August 1555.

Schickt dén ersten bogen des ins slavische übersetzten Matthäus; bittet um das buch von Soto.

Theilweise (Neminem bis Ungnot) gedruckt bei Sattler IV, 90.

Illustrissime et Excellentissime Princeps et Domine Domine Gratiosissime!

Neminem habeo, cui magis debeam reddere rationem omnium laborum meorum, quam Celsitudinem Tuam. Quare mitto primum folium Matthæi, qui jam Slavice loquitur, qua lingua nunquam antea usus fuit; quod maximum beneficium omnes populi, qui ea lingua utuntur, debebunt Tuæ pietati et liberalitati post Deum. Certe spero ex hac provincia et versione rediturum ingentem fructum ad ecclesiam Christi. Adorno una catechismum in eadem lingua;⁷ vix autem credi potest, quantopere urgeant me litteris et nuntiis boni illi fratres, ut cito mittam hæc omnia ad eos, inter quos maxime videtur ardere d. Joannes ille Ungnot [1]. Nescio, an allatus sit ex Frankfordia liber contra Asotum [2] typis excusus; supplico Celsitu-

*

1 s. n. 30.

2 Petrus de Soto, geb. in Cordova, wurde dominikaner, rath und beichtvater Carls V, durch den bischof Otto von Augsburg (s. br. 20) lehrer der theologie am jesuitenkollegium in Dillingen. Als erbitterter feind des evangeliums schrieb er gegen Brenz: Assertio catholicæ fidei circa articulos confessionis nomine ill. d. Würtembergiæ oblatæ concilio Tridentino. Antwerpen 1552. Brenz trat ihm entgegen mit: In apologiam confessionis domini Christophori prolegomena 1554. Soto antwortete mit Defensio catholicæ confessionis etc. Antw. 1557. An dem wieder eröffneten Tridentinum nahm er ebenfalls theil. † 20 April 1563, s. br. n. 33. 38. 41. 42. Die schrift Vergers ist nach den folgenden briefen unzweifelhaft: Prefatione alla tradottione d'un libro del Brentio contra Fra Pietro Asoto 1556. Serap. s. 85. n. 70.

dinem Vestram, ut dignetur ad me jubere mitti confestim, ubi advenerit; volo enim italice vertere, nam ita instantissime petunt a me frates Itali.

Oro æternum patrem domini nostri Jesu Christi, ut illustrissimam Dignitatem Tuam servet incolumem ecclesiæ suæ sanctæ, amen.

Reuthlingæ XVIII Augusti 1555.

Vergerius.

33.

Verger an herzog Christoph.

Reutlingen 12 November 1555.

Schickt die 3 bogen seiner übersetzung des brenzischen buches gegen Soto und berichtet über die slavische bibelübersetzung.

Gedruckt bei Sattler IV, beilage 33, s. 85.

Illustrissime Princeps et Domine Domine Gratiosissime!

Neminem habeo post Deum, cui debeam reddere rationem villicationis meæ, nisi Celsitudini Vestræ. Quare quum audierim illam rediisse domum (quod felix faustumque sit), volui nuntiare, quid nunc agam. Verti librum d. Brentii contra Asotum [1], et curo excudi. Mitto tria prima folia. Affirmo futurum Italiæ valde utilem ac fere necessarium, nam passim illic leguntur deliria Asoti (ut ad me scribunt fratres), quibus certe erat occurrendum. Spero, me intra duas aut tres septimanas absoluturum laborem hunc et Stutgardiam rediturum, habeo enim nonnulla cum Celsitudine Vestra conferenda.

D. Joannes Ungnod [2] misit ad me nuntium et versionem quatuor evangelistarum; certe valde afficitur gloria Dei bonus ille dominus. Dignetur Sublimitas Vestra legere illius litteras ad me scriptas, præsertim quia se illi reverenter commendat. Et tamen adhuc videtur timere suum regem, ita enim mihi ejus nuntius coram narrat. Deus eum confirmet! potest enim valde promovere evangelium sua autoritate, quod spero illum esse facturum. Illustrissime Dux! Vestra quidem Celsitudo non eget hortationibus, sed me urget

*

1 S. n. 32.
2 S. n. 30.

Verger   8

Spiritus, ut dicam, laborandum esse, laborandum sine intermissione
pro gloria domini Dei nostri, quem oro, ut Vestram Sublimitatem
conservet ecclesiæ suæ sanctæ ac magis quotidie ornet et ditescat
Spiritus sancti thesauro. Commendo me reverenter. Libro, quem
verti, d. Brentii nondum est appositus titulus nec mea præfatio,
apponetur postea. Dignetur Vestra Celsitudo conferre præfationem
sive epistolam præliminarem d. Brentii cum mea translatione ac vi-
debit, quod feliciter verterim.

Reuthlingæ XII Novembris 1555.

Vestræ Celsitudinis observantissimus

Vergerius.

34.

Herzog Christoph an Verger.

Stuttgart 14 November 1555.

Concept ohne unterschrift.

Antwort auf n. 82 und 33. Gedruckt bei Sattler IV, beilage n. 34.
s. 86.

Salutem dico. Quas litteras et chartas vestra dominatio ad nos
dedit, grato animo accepimus. Et laudamus ardens vestrum studium in promovenda et illustranda gloria nominis Christi ac speramus fore, ut Domino benedicente et incrementum liberaliter dante
labor vester non fiat inanis. Quod nostrarum est partium, sicut
arbitramur, nos hactenus divina clementia adjutos non defuisse nostro
officio, ita dabimus deinceps operam, quantum in nobis est; ne quid,
quod ad incitandum et juvandum cursum evangelii de filio Dei, unico
nostro mediatore et salvatore, et ad conservandam in ecclesia ejus
piam doctrinam utile ac necessarium cognoverimus, a nobis præ-
termittatur. Tametsi enim multa sunt obstacula, et magna est hu-
manorum consiliorum varietas, tamen filius Dei tanta est majestate
et potentia, ut non solum humana obstacula, verum etiam portas in-
ferorum perrumpat.

Benevolentia, quam erga nos amicus noster d. Joannes Ungnad,
liber baro in Sonnegg etc. in litteris ad vestram dominationem ostendit, pergrata nobis est perque jucunda; et precamur Deum, ut pium
animum ejus in vera cognitione evangelii filii Dei confirmet. Petimus autem, ut si quando vestra dominatio per occasionem ad eum

litteras dederit, salutem ei nostro nomine, diligenter adscribat, et ei vicissim nostra, quæ possumus, officia deferat. Bene ac feliciter valete. Stutgardiæ die 14 Novembris anno MDLV.

Reverendo amico nobis dilecto d. Petro Paulo Vergerio episcopo etc.

35.

Verger an herzog Christoph.

Reutlingen 23 November 1555.

Berichtet über den fortgang des bibeldruckes und über die übersetzung der württembergischen confession ins Slavische.

Theilweise (Cœpimus bis populis) gedruckt bei Sattler IV, s. 90.

Illustrissime Princeps ac Domine Domine Gratiosissime!

Ago Celsitudini Vestræ reverenter magnas gratias, quod dignata est nuper ad me scribere, ac d. Ungnad litteras remittere. Deus, qui est scrutator cordium, novit, me duntaxat ob ejus gloriam tam graves labores ferre (ut certe fero) tamen adhuc magis accendor et fio alacrior, quum video, meum hoc studium probari a Vestra Celsitudine. Sum in medio operis, vix adhuc duabus septimanis absolvetur reliqua pars, at quotidie spero majorem fructum ex hac versione; novi enim ingenia meorum Italorum. Cœpimus vertere in linguam Slavicam confessionem fidei Celsitudinis Vestræ[1]. Valde enim est accommodata ad introducendam et constabiliendam veram pietatem in populis. Feci latinam eam præfationem Italicam[2], quam cogito affigere versioni meæ. Mitto nunc eam ad d. Brentium; cupio, ut Celsitudo Vestra eam videat, antequam in publicum mittatur; multa enim attingo illic non levis momenti. Idem d. Brentius offeret etiam duas supplicationes[3] meo nomine, utrumque negotium ad pie-

---

1 Schnurrer, slavischer bücherdruck s. 18, bemerkt, es finde sich keine andeutung, dass die württembergische confession wirklich gedruckt wurde; es sei nur eine schmeichelei Vergers. Es ist auch in der that bis jetzt kein exemplar einer solchen übersetzung bekannt und allem nach ist die übersetzung, welche Verger ohne Trubers hülfe gar nicht zu stande bringen konnte, stecken geblieben. Die vermuthung von Weller, Serap. s. 100. n. 126, ist nach einer mittheilung von herrn pfarrer Elze in Venedig unbegründet.

2 S. n. 32.

3 Die eine davon ist br. 36; die andere, nach br. 37 für die beiden gefangenen brüder s. br. n. 17, liegt nicht mehr vor.

8*

tatem et Christum pertinet. Quare spero, me impetraturum. Oro
æternum patrem domini nostri Jesu Christi, ut Vestram Celsitudinem
cum tota familia et regno perpetuo regat suo spiritu, amen.
Reuthlingæ die XXIII Novembris 1555.

Vergerius.

36.

Verger an herzog Christoph.

Sine dato. November 1555.

Trägt die bitte des grafen Julius von Thiene um aufnahme in
Württemberg vor.

Supplicatio Vergerii pro generoso domino comite Julio a Thiene
Vincentino.

Illustrissime Princeps et Domine Domine Gratiosissime!

Est in Italia celebris civitas sub ditione Venetorum, cui nomen Vincentia; hic inter alias illustres familias est familia d.
comitum, qui vocantur de Thiene[1], ex hac unus est, cui nomen
Julio, vir quinquaginta annorum; hoc anno mortua est illi uxor, ex
qua septem liberos habet, sed maximus natu non excedit undecimum
annum. Est mediocriter dives, et certe magno in pretio et honore
habetur in magna parte Italiæ non modo propter splendorem familiæ
et propter opes, sed propter multas egregias virtutes ejus. Jam is
ante XX annos cœpit cognoscere veram pietatem et ita eam promovere, ut certe nemo in tota Italia magis promoverit. Ante omnia
mundus est ab omni labe sectariorum et sincerissime, si quis alius
qui vivat, complectitur doctrinam confessionis Augustanæ, præterea
ducit vitam pacificam et inculpatam ac nihil aliud unquam cogitat,
quam de promovendo evangelio. Hoc testimonium præbeo huic d.

*

1 Mit diesem italiänischen flüchtling, der um seines protestantischen
glaubens willen seine vaterstadt Vicenza verließ, hatte Verger viel zu
verkehren, besonders weil der graf seinen aufenthalt in Württemberg
nehmen wollte. Er muste deswegen ein glaubensbekenntnis übergeben, das aber den herzog Christoph in der abendmahlslehre nicht vollständig befriedigte. Er ließ sich in Straßburg nieder und verheirathete
sich dort zum zweiten mal, s. br. n. 113. Verger widmete ihm sein
buch: Le proposte di due nuncii del papa. S. Serap. s. 93. n. 101;
vgl. br. n. 37. 38. 39. 40. 41. 42. 49. 50. 73. 81. 92. 92a. 112. 113.
118b. 119. 120. 137.

comiti coram Deo et Vestra Celsitudine. Ad rem, is ante XX dies in propria persona ad me ex Italia huc Reuthlingam clanculum venit, quia optasset reverenter convenire Celsitudinem Vestram suamque supplicationem ipsemet offerre, sed quum aliquot dies expectasset, et eadem Celsitudo Vestra differret reditum suum ex conventu aliorum principum, rediens ipse in patriam me rogavit, ut ego supplicarem pro illo. Quod lubens facio, quia non est alius in tota Italia, quem tanti faciam, et cui sim conjunctus majore caritate. In summa, ille videt se usque adeo diffamatum esse pro Lutherano, præsertim in auribus Papæ ac Venetorum, ut nullo modo speret, se posse evadere sine omnium facultatum atque adeo vitæ periculo, nisi se submoveat ex Italia. Quare jam vendidit magnam partem suorum bonorum et omnino constituit deserere patriam, et una cum suis septem filiis se conferre in ea loca, ubi tuto possit per omnem vitam suam confiteri dominum nostrum Jesum Christum et familiam suam in vera religione instituere. Præcipue vero optat venire in ducatum Vestræ Celsitudinis et vivere de suo sub umbra et protectione Vestra. Nihil, inquam, aliud petit, nisi consensum et protectionem, ac promittit, (et ego pro eo confidenter promitto) quod juvante Deo non sit futurus dedecori neque evangelio filii Dei neque Celsitudini Vestræ, cui reverenter supplico, ut dignetur mihi gratiosum responsum superinde mittere. Certe Pater meus coelestis valde consolabitur me in hoc meo exilio, si licebit huic optimo fratri meo in Vestrum ducatum venire, ubi possim frui ejus pia et sancta conversatione, imo nihil carius potuisset mihi contingere in tota vita mea; oro æternum patrem domini nostri Jesu Christi, ut spiritu suo moveat clementiam et pietatem Vestræ Celsitudinis, ita ut mihi hæc supplicanti gratiose annuat.

Vestræ Celsitudinis observantissimus

Vergerius.

37.

Herzog Christoph an Balthasar von Gültlingen.

Böblingen 25 November 1555.

Über den grafen von Thiene, die 2 gefangenen in Österreich und die vorrede zu dem buche von Brenz gegen Soto.

Von Gottes gnaden Christoff Hertzog zu Wirttemberg etc.

Unsern grus zuvor lieber getreuwer [1]!

Wir haben beigethone Vergerii schreiben und mitgesanndte supplicationen von wegen graven Julii a Thiene Vincentino [2], so in unser fürstenthumb begertt zu ziehen, unnd für die zwen gefanngne [3], auch den prologum in Brentii buch contra Asotum [4] gelesen.

Unnd sovil den graven belangt, wellest du sambt andern erwegen, waß deswegen zuthun, unnd künde nit schaden, das bei dem Gribaldo [5] seins thuns unnd wesenns nachfrag gehabt wurde,

Sodann belangt die zwen gefanngne, were die gebetten furschrifft an Hansen Ungnad [6] mitzutheillen, auch weß wir hievor der romisch kuniglichen Majestät [7], unserm allergnedigsten herrn, irthalben fürbittlich geschrieben, copias mitzuschicken.

*

1 Gültlingen, s. n. 10.

2 S. br. n. 36.

3 S. br. n. 17.

4 S. n. 32.

5 Matthäus Gribaldi in Chiera in Piemont geboren, seit 1548 professor der rechtsgelehrsamkeit in Padua; der neuen lehre blieb er nicht lange fremd und der verzweiflungskampf des unglücklichen Spiera, den er mit ansah, erschütterte ihn aufs tiefste; doch gelang es ihm lange, sein evangelisches bekenntnis geheim zu halten, bis er April 1555 Padua für immer verlassen muste. Verger, mit welchem er schon länger bekannt war, erwartete ihn in Zürich und führte ihn als ausgezeichneten juristen nach Tübingen (Mai), trotzdem dass ihm seine antitrinitarische richtung nicht unbekannt war. Aber das gerücht von der ketzerei des fremden professors drang auch nach Württemberg; Verger schlug das gewissen, er fürchtete in seinen sturz mit verwickelt zu werden und so beging er die schändlichkeit, ihn beim herzog zu denuncieren. Der herzog zögerte lange, ehe er Gribaldi zur verantwortung vorlud »wegen erschröckenlicher, abscheulicher und unchristlicher errores.« Der untersuchung entging der verdächtigte durch eilige flucht, sommer 1557. Er floh in die Schweiz, von wo er 8 August 1557 ein würdiges schreiben nach Tübingen erließ. In Farges hatte er ein gut und nachdem er seine irrlehren widerrufen, wurde ihm der aufenthalt dort gestattet. September 1564 starb er. S. Trechsel, die protestantischen antitrinitarier besonders II, 54 ff. 287 ff. Württembergische jahrbücher 1872. II, 49. br. n. 39. 40. 61a. 69. 122. 171.

6 S. br. n. 30. Die fürbitte Ungnads für die gefangenen nicht erhalten.

7 Der brief an Ferdinand nicht vorhanden.

Wir haben auch deß ermelten prologi [1] halben kein bedenncken, sonder were unsers erachtens also furgeen zu lassen, welches alles du doch mit den andern vieren räthen auch erwegen, unnd unns euwer bedenncken, sambt concept, welcher gestallt ermeltem Hansen Ungnaden unnd Vergerio zu schreiben sein möcht (mit widersendung diser schrifften, und der copien Hansen Ungnaden einzuschliessen) zu schicken. Dess geschieht unnser meinung. Datum Böblingen den 25ten Novembris anno etc. 55.

Cristoff Herzog zu Wirtemberg etc.

38.

Herzog Christoph an Matthäus Gribaldus.

Stuttgart 25 November 1555.

Verlangt von ihm auskunft über den grafen Julius von Thiene.

Dei gratia Christophorus Dux Württembergensis et Tegkensis Comes Montisbeligardi etc.

Salutem doctissime nobis dilecte ac fidelis!

Commendatus est nobis quidam Julius a Vincentia, civitate Venetorum, ex familia comitum de Thiene etc. eo nomine ut ipsum tanquam membrum veræ ecclesiæ Christi atque ideo in Italia summis tam vitæ quam facultatum periculis expositum, in ducatum nostrum suscipere, ac ibidem ei sub protectione nostra locum tutius vivendi concedere dignaremur.

Etsi autem erga homines pios et propter evangelium Christi periclitantes animum gerimus sane propensum ac benignum, tamen dicto Julio comiti de Thiene non duximus gratificandum, nisi prius aliquanto certius edoceremur, quisnam ille, et qualis sit conditio rerum ipsius.

Itaque clementer cupimus a vobis quam primum certiores fieri, quis ille dictus comes Julius, ex quali familia oriundus, et cujus religionis sit, nec non quæ ratio vitæ ipsius hactenus actæ fuerit, et quid omnino vobis de illo constet, ut eo commodius, quid nobis hac in re sit faciendum, decernere ac statuere possimus. Datæ Stutgardiæ. 25 mensis Novembris anno Domini etc. LV.

Doctissimo nobis dilecto ac fideli consiliario nostro Matheo Gribaldo juris utriusque doctori ac Tubingensis nostræ academiæ professori ordinario.

1 S. br. n. 82.

39.

Matthäus Gribaldus an herzog Christoph.

27 November 1555.

Antwort auf n. 38. Über den grafen von Thiene.

Illustrissime atque Inclitissime Princeps!

Acceptis qua decuit reverentia litteris per Celsitudinem Vestram .ad me transmissis, quibus dignata est, per me certior fieri de genere, conditione et qualitatibus nobilis viri et comitis Julii Athenæi Vincentini, ut brevibus satisfaciam. Ego quidem, Princeps Inclitissime, vere de illo attestari possum, utpote quem ex diutina consuetudine de facie, moribus, religione et (ut dici solet) intus et in cute novi exploratumque habui virum certe pium, probum et vere christianum, qui pro evangelica veritate multa pertulit, nobilem genere et animo, ex præclara Athenæorum familia, inter Vincentinas præcipua, oriundum, honestissima coniuge (nunc annus agitur) non sine gravi totius suæ familiæ jactura Deo sic volente privatum. Is vero (ut ex ipso, cum una Patavi essemus, persæpe audivi) semper in animo habuit, Italiam superstitiosis periculis plenam prorsus relinquere et in alia loca, veram religionem ac pietatem foventia, commigrare. Atque inde effectum puto, ut Celsitudini Vestræ supplices libellos dederit, quibus pro innata ejus clementia se facile impetraturum confidit, ut in ditione sua liceat eidem cum familia sua tuto commorari. Ego vero, ut id ei feliciter et pro voto succedat, et Deum imprimis et Celsitudinem Vestram suppliciter rogo, quam Altissimus augeat et conservet.

Ex Bachena [1] XXVII Novembris 1555. Ejusdem Celsitudinis Vestræ

deditissimum mancipium
Matthæus Gribaldus.

40.

Die vier räthe an den herzog Christoph.

Stuttgart 2 December 1555.

Ihre ansicht über die vorrede Vergers zu dem buch von Brenz

*

1 Backnang? die universität war wegen der pest verlegt.

gegen Soto ; über die aufnahme des grafen Julius von Thiene und über die 2 gefangenen in Wien.

.Durchleuchtiger Hochgeborner Fürst! E. F. Gn. seyenn in schuldiger gehorsam unnser underthenig willig diennst jederzeit zuvor!

Gnediger fürst 'unnd herr, auff E. F. Gn. gnedigenn bevelch ann deren landhoffmeister unnd darinnen bestimbte räth, nachvolgende sachenn unnd punncten belanngend, haben wir in abwesen ermelts herrn landhofmeisters, so seiner kraunckeit halber dabey nicht sein können, die sachenn in unndertheniigkeyt unnder hannd genommen, mit vleiß verlesen unnd darbey volgennde underthenige bedenncken :

Unnd anfenglichenn deß hern Vergerii uber deß Brentii ausganngen apologiam gesteldt prefation unnd prologum [1] betreffendt, haben über dess Brentii hintzuverzeichnete correction wir auch kein fernner bedencken, sonnder verhoffenn, solch ganntz werckh unnd version soll nach dem willen unnd guedigem gedeyhenn deß Allmechtigen bey diser nation nicht one frucht abgen werdenn.

Sovil aber zum andern ermelts Vergerii underthenig annsuchen, graff Julii Vincentini [2] unnd deßelbigenn siben sön oder kinnder, welche vonn wegenn.seiner christlichen confession in Italien allerhannd gefar, beschwernuß unnd verfolgung underworffen, auch zu abwendung oder fürkommung derselbigen bey E. F. Gn. zuflucht, unnderschleuff und protection, Joch allein auff iren costenn und pfenning unnd one einich E. F. Gn. beschwernus zu suchenn unnd zu haben begern, unnd ob E. F. Gn. thunlich sein welle, inn deren fürstenthumb solche frembde unnd außlendische einnistern zu laßen, betreffen will, inn dem bedencken wir gleichwoll, daß diß ein rechter warer von Got bevolner unnd allen waren christen aufferlegter bevelch unnd Gottes dienst ist, das auch nebenn Gottes bevelch die christliche brüederliche lieb solchs erfordere, unnd ein rechts offennbares werck der barmhertzigkeit sey, den vervolgendten, niedergetrucktenn unnd betrangten christen nicht allein allen trost, lieb unnd befürderung, sonnder auch ungescheuchten underschlaiff, handhabung, schutz unnd schirmb zu ertzeigen unnd zu beweisenn, unnd das solchs Ewer F. Gn. unnd andern hohen potentaten unnd fürsten

*

1 S. br. n. 32.
2 S. br. n. 36.

sovil destermehr vor Gott gepüren wöll, sovil dieselben andern christen inn diser wellt mit zeitlicher hochheit vorgestellt seyenn, dabey insonderheit neben Gottes bevelch auch zu hertzenn füeren
sollen, was demnach E. F. Gn. hernn unnd vatter hochseeliger unnd
loblicher gedechtnus, in deren hoher betrangnus unnd widerwertig-
keyt, desgleichenn E. F. Gn. selbs inn derou gottlob glücklich über-
standnen beschwernus für freundtschafft, fürschub unnd underschleüff
von frembden uationen erzeigt unnd bewisen sein möchte, unnd
dann daß diser graff allein unnd ledig sein pfenning inn E. F.
Gn. fürstenthumb one einich beschwernus oder anhenng zu ver-
tzeren begert, so hetten wir obertzelter unnd anderer mehr ursachenn halben bey unns dester weniger bedenncken, daß vom
E. F. Gn. ausser christennlicher brüederlicher lieb ime hierinnen
gnedigliche wilfarung geschehenn möchte. Da wir aber hiebey auch
inn schuldiger unndertthenigkeit sollen erwegen unnd unns fürbilden,
was nicht allein E. F. Gn., sonnder auch dem gemeinen vatterland
teutscher nation (da die sachen anders, dann wie die unnder dem
schein der christlichen religion fürgeben, gemeint oder gesucht
wolten werden) darus für unnrath, weiterung unnd beschwernus im
gemein unnd E. F. Gn. privatim, desgleichenn deren unndertbanen,
auch inn vill weeg außer disem gutherzigem christenlichem underschlaiff für annhange ervolgen und erwachßen möchte, inn dem unns
auch die exempell veterum fürstellen, da solche gest mit guten
fugen unnd one schadenn nicht woll mehr abtzuschaffen gewesen
unnd wie gesagt würdt: turpius ejicitur quam non admittitur hospes,
uund dannocht E. F. Gn. hierinnen Ir fürstlich unnd christlich ge-
müth nicht allein mit getreuwem unnderschlaiff, sonder auch milter
unnd fürstlicher unnderhaltung etlicher vertribner unnd vervolgter
christenn mit dem werck bißher christlich ertzeügt unnd bewisenn,
unnd E. F. Gn. je nicht meniglichem in disem faal zu statten zu
kommen wißen, so hetten wir inn schuldiger underthenigkeyt neben
dem ertzelten auch anndere mehr ansehennliche ursachenn, warumb
E. F. Gn. wir solche auffnemung insonderheit, da eß nicht ein person, sonder vattern mit siben künder unnd zuversichtlich mererm
annhang will belangen, inn unndertthenigkeyt nicht zu raten wissten.
Aber dieweil eß ain bevolhen werck Gottes unnd der brüederlichen
lieb ist, über welchem der güettig Gott allß seinem wort, bevelch
unnd werck sein hannd selbs würt halten unnd E. F. Gn. daß zu

keinen unnstatten gerathen laßen unnd dannocht der Vergerius unnd
Gribaldus disem geschlecht unnd altem guthertzigem unndertruckten
christen ein solch lobliche zeugung unnd testimonia gebenn, unnd
der nicht anderß dann von dem seinen de suo inn E. F. Gn. fürstenthumb zu lebenn, unnd allso allein seinen pfenning zu zeren begert, so stett zu E. F. Gn. gnedigem gefallen, ime solchenn unnderschlaiff dergestalt sampt seinen kündern zu bewilligen, das sie inn
E. F. Gn. fürstenthumb iren teglichen pfenning zeren; deren schutzs
und schirmes sich dergestallt getrösten möchten: da sich waß zwischen inen unnd E. F. Gn. oder deren unnderthauen begeben unnd
zutragen wurde, daß sie jederzeit E. F. Gn. bevelch unnd gebür-
licher erkantnuß unnd bescheids gewertig unnd deßelbigenn gesettigt
sein wolten, unnd daß E. F. Gn. jederzeit frey stehn solte, inen
solchenn unnderschlaiff, schutz unnd schirmb abtzukündten, daruff sie
auch one einiche beschwernus E. F. Gn., deren unnderthanen und
fürstenthumb ziehen, daß raumen unnd verlaßen sollten, mit andern
mehr clausulis, wie die gelegennheit unnd tractation solchs möchte
mitbringen etc. Zum dritten, sovil die zwen gefangnen zu Wien [1],
derenhalben ermelter Vergerius bey E. F. Gn. auch underthenig-
lichen angesucht hat, belanngt, dieweil wir nicht wissenn mögen,
worauff die sachen über alle zu Augspurg durch licentiat Eyss-
lingern [2] gepflogne handlung diser zeit beruwen, unnd zuversicht-
lichen ermelter Eyßlinger nun mehr alle tag heruff kommen möchte,
so haben wir diser zeit nichts schließlichs oder sats daruff fürnem-
men mögen, sonder bedacht, die sachenn biß zu ankunfft licentiat
Eysslingers einzustellen sein, welches E. F. Gn. auff deren gnedig
begern wir gehorsamlich berichten sollen, unnd thun derselbigenn
unns zu gnaden undertheniglichenn bevelhen. Datum Stutgarten denn
2 Decembris anno 55.

    E. F. G. unnderthenige gehorsame diener

        hoffmeister, cantzler unnd räth zu Stutgarten.

Die entschließung von des herzogs eigener hand:

    »Den prologum belanngendt hatt es sein weg; sovill uber den

<hr/>

1 S. br. n. 17.

2 Balthasar Eißlinger, aus Speier gebürtig, leibarzt in Mömpelgard,
licentiat der rechte, ein ausgezeichneter geschäftsmann und herzog
Christophs treuer rath, in allen möglichen verhandlungen gebraucht;
er war damals beim reichstag in Augsburg.

graffen belangdt, laß ich mir der rätte bedenckhen auch gefallen, das ime solches nit abzuschlagen seye; dieweil aber der Ittalianer art unnd natur ist, das sye pratickhanten sindt, solte er nur under dem schein des evangelii wider die kay. und kun. Mt. in meinem lande practicieren wollen, das were nit zu passieren; darombeu sollen die rätte dem Vergerio laut ieres bedeuckhe[n]s zuschreiben, mit dem anbang, das er sich wessenlichen welle halten, nicht wider ir beide Mt. handlen, schreiben oder practicieren welle.«

41.
Die räthe zu Stuttgart an herzog Christoph.
Stuttgart 7 December 1555.

Legen das lateinische concept des erlasses an Verger vor.

Durchleuchtiger Hochgebornner Fürst! E. F. Gn. seyen unnser underthenig schuldig und verpflücht willig dienust jeder zeit zuvor!

Gnediger Fürst und Her, uff E. F. Gn. decretierten gnedigen bevelch haben wir hiebeyligend lateinisch concept [1] begreiffen lassen, welchermassen dem Vergerio uff sein underthenig ansuchen graf Julii Vincentini halbenn widerumb ze schreiben sein möcht, ob nun E. F. Gn. daselb in dero namen also fürgehen oder dasselb endern und inn uuser der reth namen außgeen lassen wellen, das steet zu E. F. Gn. gnedigem gefallen, thun derselben unnß gehorsamlich bevelben. Datum denn 7 decembris anno etc. 55.

E. F. G. underthenige gehorsame diener

reth zu Stutgarten.

41a.
Die räthe an Verger.
Stuttgart 11 December 1555.

Die entscheidung des herzogs über die aufnahme des grafen Julius von Thiene und über Vergers vorrede zu Brenzs buch gegen Soto.

Reverendissime in Christo domine amice observande!

Redditæ sunt illustrissimo principi nostro litteræ paternitatis vestræ. quibus celsitudini suæ comitem Julium Vicentinum, cum aliis de

---

1 S. n. 41a.

causis, tum maxime omnium pietatis nomine diligenter commendas, petens, ut, cum is tanquam verum membrum ecclesiæ Christi propter sinceram evangelii professionem in Italia tam vitæ quam fortunarum summis quibusque periculis sit. expositus atque eam ob causam inde in hunc celsitudinis suæ ducatum, (ubi se cum suis tutiorem fore sperat) migrare cupiat, eum clementer admittere eique sub sua protectione securiorem propriis nimirum sumptibus vivendi locum concedere dignaretur etc.

Quamvis vero suæ celsitudini hanc vestram petitionem diligentius discutienti et perpendenti non leves causæ occurrerint, quapropter in hoc præcipue rerum statu visum est neque suæ celsitudini satis tutum de hospitio dicti comitis aliquid certi statuere, neque ipsi comiti consultum fore, hanc profectionem suscipere, tamen adducta vestris commendationibus cum propter ipsius ac familiæ ejus honestatem, tum potissimum veram evangelii doctrinam et cognitionem filii Dei confessionemque nominis et gloriæ ipsius, propter quam magis foris exul quam domi magnifice vitam cum suis degere cupiat ac præterea a Domino salvatore nostro omnibus christianis non tantum sit mandatum, sed etiam caritas christiana et fraterna conjunctio hoc exigat, ut præsertim veræ ecclesiæ membra, sicubi necessitas postulat, tam hospitio quam protectione benignius suscipiantur ac in hoc ærumnoso sæculo promoveantur, noluit sua celsitudo huic vestræ petitioni renuere. Quare si pro vestro erga dictum comitem amore et studio statuere potueritis, hospitium in hoc ducatu Württembergensi hujusque provinciæ mores illi non fore ingratos, haud recusat sua celsitudo, quin illi suo nomine significetis, suam celsitudinem, qua debet christiana benevolentia, ipsum cum suis mediocri tamen familia stipatum libenter et benevolo animo suscepturam, ea autem conditione, ut (sicut ducatus hujus fert communis lex et consuetudo) de suo et propriis sumptibus in aliquo certo ad illius placitum, quantum fieri poterit, illi destinando loco cum sua familia vivat, eamque ut hospes celsitudini suæ et subditis ejus modestiam et observantiam exhibeat, ne sua celsitudo a suis subditis justa de causa querelis contra ipsum vel suos gravetur. Et si quid inter ipsum et eos omnes, qui familiæ ipsius conjuncti fuerint, inter se invicem vel etiam contra subditos Württembergenses discordiæ, dissidiæ vel litium in hoc ducatu, dum in eo egerit, forte exorietur, ut in his omnibus cognitioni et dijudicationi dicti illustri[ssi]mi principis nostri se cum suis submittat suæque celsitudinis desuper datis cognitionibus tranquille et pacifice vivat et acquiescat. Et si fortassis vel temporum ratio vel aliarum causarum necessitas ita ferat, ut suæ celsitudini aut minus consultum aut gravius esse velit, ipsi cum suis in hoc ducatu suo diutius hospitium præbere, ut tunc admonitus absque recusatione locum mutet, in quo tamen casu eam celsitudinis suæ sentiet benignitatem et animi promptitudinem, ne quid christiano principe et suæ celsitudinis protectione indignum sibi a celsitudine ejus contigisse justis de causis conqueri possit. At quidem sua celsitudo ex vestris commendationibus sibi vicissim de illo certam spem facit, eam comitis et totius familiæ ipsius fore modestiam, ut leges hospitii non sit transgressurus et ita neque clanculum neque ex professo publice vel quovis alio modo, quod puræ et sinceræ confessioni fidei et Christi adversetur, sit amplexarus, vel etiam sub specie et prætextu verbi Dei quidquam moliturus, quod vel universæ patriæ vel huic ducatui vel etiam cæsareæ et regiæ Majestati, quibus omnibus sua celsitudo, ut æquum est, certa religione et observantia devincta est, in despectum, periculum, vel quovis alio modo detrimentum sit proventurum vel recusurum, sed (ut summatim dicatur) ipsum ita cum suis hic victurum, ut vita, moribus, exemplo et professione ab omnibus aperte conspici possit. eam (quam præ se fert) veram exilii sui esse causam. Ceterum quantum in celsitudine sua erit quantumque communes leges patriæ ferent, in his sua celsitudo pollicetur illi suum studium et eam protectionem, quam quivis confessor Christi confratri suo præstare tenetur.

Quod vero ad prologum attinet, quem apologiæ Brentii Italico sermone versioni vestræ præmittere statuistis, in eo præter id, quod dictus Brentius assignavit, celsitudo sua etiam nihil desiderat, sed poterit paternitas vestra ad propagandam et illustrandam gloriam filii Dei, unici mediatoris et redemptoris nostri, eo quo hactenus studio et zelo progredi, Deum optimum maximum ex animo orantes, ut paternitatem vestram in hoc vero christiano et episcopali officio sancto suo spiritu gubernet diuque ecclesiæ suæ salvum et incolumem conservet. Quæ omnia ex mandato illustrissimi principis nostri paternitati vestræ, cui . . . . libenter gratificamur significare debuimus.

Datæ Studgarda 11 Decembris anno etc. 55.

1556.

42.

Verger an herzog Christoph.

Reutlingen den 20 Mai 1556.

Verger rüstet sich zu einer reise nach Preußen und Polen und bittet um verwendung des herzogs für seinen in Venedig gefangenen neffen Aurelius.

Schon gedruckt bei Lebret III, 548 f.

Illustrissime Princeps et Domine Domine Gratiosissime!

Quum e Spira Tubingam rediissem vidissemque pestilentiam invaluisse, subduxi me e periculo Reutblingam veniens, nempe ut me reservarem ad novos labores, ad quos sentio me a Domino vocari. Hic autem tamdiu subsistam, dum sciero, secretarium Prussiæ[1] in ducatum rediisse; nam Augustam iverat. Interea non sum otiosus, sed paro quædam scripta, quæ mihi videntur utilia futura Poloniæ regno.

D. Gasparus a Nidbruck[2] scribit ad me, regem Bohemiæ libenter legere mea scripta urgetque, ut sæpe mittam, multa interim prædicans de crescente illius fide et pietate, quare misi nunc catalogum[3] cum annotationibus, ut videat ingentem numerum militum Jesu Christi, tum alios quoque libros misi.

Illustrissime Princeps! Ante meum discessum duo cupio a Vestra pietate ac clementia impetrare, alterum est, ut quod Spiræ petivi et Celsitudo Vestra visa est clementer annuere, jubeat mihi dari duos mediocres equos, quos spero me reducturum (si Dominus voluerit, ut possim ego salvus redire, ut spero). Alterum est mihi vehementer cordi, quod est hujusmodi. Veneti[4] crudelissime sæviunt in toto eorum dominio ac præsertim in mea patria contra evangelium præcipue contra meos cognatos, quorum sex coacti sunt, uno die Ter-

*

1 Der sekretär hieß Timotheus, s. br. n. 45.

2 Caspar v. Nidbruck dr. jur., Maximilians II vertrauter rath, viel verwendet zu diplomatischen verhandlungen, s. Lebret IX, 1.

3 Der titel: Catalogus hæreticorum de commissione tribunalis sanctissimæ inquisitionis; cum annotationibus Athanasii. 1556. s. Serap. s. 85, n. 73.

4 Über die verhältnisse der protestanten in Venedig s. n. 17. 66.

gestum profugere, tres conjecti in carcerem, ex his unus meus nepos, quem hinc miseram, ut negotia illic mea conficeret, nomine
Aurelium [1]; si Vestra Celsitudo dignaretur mandare suis legatis ad
comitia profecturis, ut dumtaxat illum unum ab oratore Veneto peterent, nihil mihi gratius posset contingere, et non est dubium, quin
Veneti sint concessuri, quia est laicus et ex aula Vestra, quum mihi
serviat et fuerit duobus annis mecum in ducatu; alioquin vereor, ne
illum comburant, quia constanter se gerit et confitetur Christum.
Spero, me hæc duo a Vestra Celsitudine impetraturum, unde hilari
animo suscipiam hunc laborem in senectute mea. Si audiero, secretarium Prussiæ istic esse, ego quoque statim accedam, ut simul
cum illo accipiam Celsitudinis Vestræ mandata et consilia, quæ
ad unguem sequar in hac profectione. Aeternus pater domini nostri
Jesu Christi servet Celsitudinem Vestram diu incolumem ecclesiæ suæ.

Reuthlingæ die XX Mai 1556.

Vergerius.

43.

Verger an herzog Christoph.
Stuttgart 7 Juni 1556.

Kündigt seine abreise nach Polen an; schickt noch einige bücher.
Gedruckt bei Lebret III, 549.

Illustrissime Princeps et Domine Domine Gratiosissime!

Cras (si Dominus voluerit) discedam Stutgardia et recta Francfordiam ibo, inde sequar meum iter; supplico Celsitudinem Vestram,
uti verum membrum Jesu Christi, ut dignetur pro me orare æternum
patrem domini nostri Jesu Christi, nam scio, mihi esse propositos
in hac profectione labores, difficultates et pericula, sed libenter feram
etiam mortem pro gloria Christi. Dixi coram, me curasse imprimi
aliquot exemplaria, talia qualia mitto, censerem mittenda Ratisponam.
Commendo me reverenter Vestræ Celsitudini, Dominus servet a malo,
hoc est a papatu, et sibi, hoc est ecclesiæ sanctæ conservet. Datum Stutgardiæ septima Junii anno MDLVI.

Celsitudinis Tuæ observantissimus

Vergerius.

*

1 Vgl. n. 5. 48. 91.

44.

Verger an herzog Christoph.

Frankfurt 12 Juni 1556.

Nachrichten über die reformation in Polen.

Schon gedruckt bei Lebret III, 550.

Illustrissime Princeps et Domine Domine Gratiosissime!

Quum venissem Francfordiam, inveni peculiarem d. a Lasco [1] nuntium, qui e Polonia redierat; quare quum aliquid inde afferat, quod mihi videatur Vestra Celsitudine dignum, id putavi, a me scribi oportere. Rex [2] ille misit suos legatos Romam, nuntiatum, sitne ulla spes de universali concilio; nam si spes sit, se velle illius decisionem exspectare, si vero non sit, se cogi provinciale in

*

[1] Johann von Lasco geb. 1499 aus vornehmer polnischer familie stammend; schon frühe zeigte er hinneigung zum protestantismus, wurde auch mit Zwingli bekannt, trat aber mit seinem bekenntnis nicht offen hervor. 1536 verließ er sein vaterland, trat öffentlich zur evangelischen lehre über, entsagte seinen geistlichen würden und verheirathete sich 1540 in Löwen. In Ostfriesland führte er die reformation siegreich durch und erlangte dadurch einen solchen namen, daß Albrecht von Preußen ihn in sein land berief; Lasco lehnte ab und ging 1548 nach England. Maria Tudors regierungsantritt vertrieb auch ihn, er begab sich nach Deutschland und gründete eine englisch-evangelische gemeinde in Frankfurt. 22 Mai 1556 kam er, von herzog Christoph geladen, nach Stuttgart, wo Brenz in gegenwart von dem herzog, Gültlingen, Hans Dietrich Plieninger eine besprechung mit ihm hatte. Die nichtübereinstimmung in der abendmahlslehre, (Brenz fand calvinische ansichten) bestimmte den herzog, ihn nicht bei sich zu behalten. Lasco kehrte hierauf nach Polen zurück, wo er die reformation eifrigst beförderte. Verger trat gegen ihn auf, als Lasco die böhmischen brüder bewegen wollte, ihre confession in calvinischem sinne zu ändern; s. den wichtigen brief Vergers an Stanislaus Ostrorog, den 1 Januar 1558, in Fontes rerum Austriacarum Abth. II, bd 19: Quellen zur geschichte der böhmischen brüder s. 224 ff. Lasco starb 13 Januar 1560. Gindely, Geschichte der böhmischen brüder I, 403 ff. Bartels, Johann von Lasco. 8. br. 61 a. 63.

[2] Sigismund II (oder August I) geb. 1 August 1520, könig von Polen 1548, † 1 Juni 1572; seine damalige (dritte) frau, Katharina von Österreich, Vergers pathenkind. Über die kirchlichen verhältnisse, besonders über den wunsch des adels nach einem nationalconcil s. Krasinski, geschichte der reformation in Polen, bes. s. 96. 111 ff.

Verger 9

Polonia celebrare, ad quod Papam hortatur, ut suos theologos ad Bartholomei festum mittat; tunc enim celebranda erunt regni comitia. Barones et nobiles, quia de universali desperant et nationale sperant concilium, accersunt in Poloniam d. a Lasco et d. Calvinum. Interea rex videtur resistere potius, quam favere reformationibus, quæ tentantur in civitatibus ad se pertinentibus, imo regina etiam frigidior est, quam aliqui nuntiabant. Verum barones ac nobiles in eorum arcibus, oppidis et pagis strenue agunt, suntque jam reformatæ XXXVI ecclesiæ. Spero me in tempore affuturum; recta enim ibo nunc in Prussiam, faciam illic, quæ Dominus voluerit, at circiter Bartholomæi in Poloniam me conferam. Pauca hæc habui, quæ Vestræ Celsitudini indicarem, cui me reverenter commendo.

Frankfordiæ XII Junii 1556.

Vergerius.

45.

Verger an herzog Christoph.

Königsberg 20 Juli 1556.

Verger berichtet über seine reise nach Preußen, den dortigen herzog, die kirchlichen verhältnisse in Preußen und Polen, über streitigkeiten zwischen Polen und Livland.

Schon gedruckt bei Lebret III, 550, aber unter dem datum vom 29 Juli.

Illustrissime Princeps et Domine Domine Clementissime!

Perveni tandem in Prussiam, Dei gratia, triginta quatuor dierum itinere; labores non mediocres, in magnis præsertim caloribus et per mala plerumque hospitia, sed Dominus conservavit me sospitem atque hilarem. Wittembergæ multa contuli cum d. Melanthone, qui visus est non mediocriter lætatus adventu meo (quæ ejus fuit humanitas); suspirat ad concordiam ecclesiarum aitque, se jam nihil aliud cupere in hac vita; sperat autem ex conventu, qui futurus est (si modo futurus est) aliquid boni. Quum Montem Regium advenissem, illustrissimus princeps[1], ut est profecto summa clementia

1 Albrecht, markgraf von Brandenburg, erster herzog von Preußen, geb. 17 Mai 1490; 1511 wurde er hochmeister des deutschen ordens, führte 1525 die reformation ein und verwandelte sein geistliches fürstenthum in ein weltliches; obgleich er vasall des katholischen Polens war,

et virtute, excepit me honorifice atque amantissime, ut nihil amplius desiderare possim, Deus illi retribuat! Libentissime ac sæpe interrogat me de Celsitudine Vestra, de illustrissima Vestra conthorali ac de liberis, de Vestris ecclesiis ac de toto ducatu, aitque, se quidem nunquam vidisse Celsitudinem Vestram, sed vehementer amare, non modo propter arctissimam affinitatem, sed propter virtutem ac præcipue propter ardens studium religionis. Senex quidem est princeps, excessit enim sexagesimum sextum annum, sed robustus admodum, imprimis lætissimus semper ac jucundissimus. Mirum, quam non solum congrue, sed culte latine loquatur, quam habeat in promptu multa scripturæ loca multaque reliquorum scriptorum, et quam valeat memoria. Non dissimulat, se propterea vocasse me ad se, quia sperabat, fore ut in his ecclesiis apud suam celsitudinem degerem, et adhuc sperat; respondi, me habere vocationem Dei, ut serviam theatro Italiæ, itaque cupere me in ducatum Celsitudinis Vestræ redire, ut profecto faciam, si Dominus voluerit, mense Octobri aut Novembri; istic enim video, me posse nonnihil promovere, quantuluscunque sim, causam domini Dei mei, certe multo magis quam hic.

Quidquid alii aut scripserint aut retulerint, adhuc causa illa permolesta Osiandrica[1] non est sopita; sunt miræ acerbitates ani-

*

führte er doch die reformation glücklich in seinem lande durch; theologische streitigkeiten an der von ihm gegründeten universität Königsberg, besonders der osiandrische streit, machten ihm viele widerwärtigkeiten, und der einfluss, den der betrüger Scalichius auf ihn ausübte, trübte den abend seines lebens; er starb 20 März 1568. Eine reihe von briefen zwischen ihm und Verger hat Sixt als beilage seines buches von s. 531 an veröffentlicht. Das württembergische regentenhaus war mit dem brandenburgischen mehrfach verwandt; herzog Christoph hatte Anna Maria von Ansbach, die nichte von Albrecht geheirathet.

[1] Andreas Osiander, geb. 19 December 1498 in Gunzenhausen, † October 1552 in Königsberg, prediger in Nürnberg, eifriger vorkämpfer der reformation; das Interim vertrieb ihn von dort, er folgte einem ruf des herzogs Albrecht nach Königsberg; dort entspann sich unter den theologen ein heftiger streit über die rechtfertigungslehre, der über Osianders tod hinauswährte und seinem namen eine traurige berühmtheit gegeben hat; sein hauptgegner war Staphylus; Osianders schwiegersohn, Johannes Funk, der als hofprediger großen einfluß auf den alternden herzog hatte, setzte den streit fort und trug ihn auf das politische gebiet über, was eine polnische intervention herbeiführte,

9*

morum atque odiorum in plerisque, et quod summe dolendum est,
in ipsa familia, in ipsis consiliariis aliisque ministris illustrissimi
principis, neque eos invitat aut monet ad concordiam summa clementia et patientia, qua hactenus usus est clementissimus princeps.
Quid multis? quispiam e nobilibus aulicis est in arresto constructus
in quodam hospitio, propterea quod sunt deprehensæ ejus ad Illyri-
cum [1] litteræ, quibus illum urgebat missa etiam summa sexaginta
florenorum, ut contra principem scriberet confessusque est disserte,
aliquot ex consiliariis contribuisse ad ejus pecuniæ summam. Consideret Vestra Celsitudo, quomodo suimet istum optimum principem
tractent. Durat ergo discordia, durant simultates, Deus suo spiritu
dignetur placare et mitigare omnia ista incommoda per Christum
dominum nostrum. Ego quidquid forte conferre potero tenuitate
mea, conferam, aut si aliud non potero, saltem meas preces ad cœlestem Patrem pro hac odiorum mitigatione et concordia. Verum
non in hoc solo incommodo versatur nunc illustrissimus is princeps,
sed aliud habet longe majus, de quo scribam ego quoque, quamvis
sciam, celsitudinem ejus quoque scripsisse et petiisse etiam aliquid.
Res sic habet. Frater suæ celsitudinis, nemque Willelmus Rigensis
archiepiscopus [2] agebat de assumendo sibi in coadjutorem fratrem

*

die ihm 1566 den tod durch das schwert brachte, s. Dorner, entwick-
lungsgeschichte der lehre von der person Christi b. II. Dem fortgang der
reformation in Polen haben diese streitigkeiten unendlich geschadet.
S. br. n. 47. 48. 89 a.

1 Matthias Flacius Illyricus, geb. 7 März 1520 in Albona in Istrien;
sein verwandter Baldus (s. n. 17) rieth ihm, statt ins kloster nach
Deutschland zu gehen, um dort zu studieren; er folgte diesem rath,
wurde mit Luther und Melanchthon bekannt, als professor in Wittenberg und Jena eine der hauptstützen der streng lutherischen richtung;
einer der streitbarsten oder streitsüchtigsten theologen, war er in alle
die theologischen händel, welche das zeitalter nach der reformation
kennzeichnen, verwickelt; besonders kam er mit Melanchthon über das
Interim in die heftigste fehde; wegen des verdammenden urtheils, das
er über dasselbe fällte, muste er sich nach Magdeburg flüchten, wo er
dann auch den plan zur herausgabe der centurien faßte. Er starb
11 März 1575 in Frankfurt; siehe Preger, M. Flacius Illyricus, 1. 2. Erlangen 1859-61.

2 Wilhelm, markgraf von Brandenburg, bruder herzog Albrechts,
erzbischof von Riga 1539 bis 4 Febr. 1563. Im jahr 1555 ernannte er
den herzog Sigismund August von Mecklenburg, der von Polen be-

illius ducis Mechelburgensis, qui duxit filiam hujus illustrissimi ducis. Res interceptis litteris est patefacta; Livonienses aegerrime ferentes, qui nolunt principes regnare super eos, sumptis armis archiepiscopum cum eo, qui futurus erat coadjutor, in quadam ejus arce obsederunt. Rex Poloniae misit suum legatum, qui de pace ageret, legatus cum omnibus suis famulis ac comitibus a Livoniensibus est trucidatus. Alium quoque rex statim legatum episcopum misit, qui auditus quidem a Livoniensibus fuit, sed nihil omnino impetravit. Rex mandavit, ut aliquot equitum millia ex Lituania et Schytia ad fines Livoniensium accedant, ut Livonienses deterrerent atque ab obsidione abducerent; accesserunt equites, sed Livonienses nihilominus pertinaces perseverarunt, donec arce expugnata archiepiscopum una cum eo, qui erat futurus coadjutor, ceperunt atque in alias arces abduxerunt. In hoc statu res est; is princeps illustrissimus nunc militem colligit, subsidia ab rege Polonorum, Danorum atque ex Germania petit. Rationem consilii ignoro, velitne tantum tueri suos fines, an vero fratrem suum et sui generi fratrem [1] liberare. Illud scio, principem metuere, ne in hac occasione papistae ejus adversarii se exserant et cum Livoniensibus conjungant. Sic ego, qui speravi me venturum, ut in pace agerem de concordia ecclesiarum, incidi in magnas turbas ac magna bella non sedatis tamen seditionibus domesticis; verum non despondi animum, adhuc non despero, bella posse sopiri, contentiones domesticas componi quoque. Venit, postquam haec scripsissem, ab rege Polonorum, qui est nunc Vilnae in Lituania, ad principem legatus; rescivi, Livonienses ad regem Poloniae legatos misisse et jactare, se pacem cupere, postquam quae libido suggessit, fecere (si modo etiam ex animo pacem nunc petant); suam regiam majestatem velle ducem nostrum, si Willelmus non restituatur, armis juvare, quin dedisse mandatum, ut ad hoc bellum equites describantur.

*

günstigt war, zu seinem coadjutor, obgleich er erst 17 jahre alt war. Der livländische zweig des deutschordens, der den einfluss Polens fürchtete, protestierte dagegen, es kam zum eigentlichen krieg zwischen dem erzbischof und den ordensmeistern Heinrich von Galen (1551 bis 30 Mai 1557) und dessen nachfolger Fürstenberg; Polen mischte sich ein und zwang den deutschorden zum nachgeben. Sept. 1557.

1 Anna Sophie, tochter von Albrecht von Preußen, seit 24 Febr. 1555 verheirathet mit Johann Albert I, herzog von Mecklenburg.

Causa religionis in regno Poloniæ est iu eodem, in quo erat statu, nempe quod nobiles, barones ac palatini omnino velint invectum evangelium, acerrime resistentibus episcopis; dictus est dies ad Bartholomæi propter comitia celebranda, quæ cum nationalis concilii vim sint habitura, spero me interfuturum, postea inde (si Dominus voluerit) sub umbram ac protectionem Celsitudinis Vestræ rediturum.

Reliqua coram aliquando commemorabo, neque enim omnia sunt litteris committenda. Commendo me reverenter Vestræ Celsitudini. Oro æternum patrem domini nostri Jesu Christi, ut eam diutissime servet nobis incolumem propter pacem et augmentum ecclesiarum. Amen.

E Monte Regio XX Julii 1556.

Celsitudinis Vestræ observantissimus

Vergerius.

Quum hactenus scripsissem, illustrissimus dux constituit mittere eundem secretarium d. Timotheum, qui me huc comitatus est, non solum Coburgum, sed Stutgardiam quoque ad Vestram Celsitudinem; ita mihi hodie dixit sua illustrissima dominatio. A Timotheo itaque tum de bello, tum de statu harum ecclesiarum Vestra Celsitudo plane omnia intelliget; de bello hoc ego addo: quum Livoniensium legati sint apud regem Polonorum, inde sciemus, quid in hac causa futurum sit, forsan sua majestas autoritate sua perficiet aliquid, quo bella compescantur, inde ergo pendemus. De turbis ecclesiarum addo quoque, nuper Functium scripsisse ad quendam Norembergensem acerbissimas atque atrocissimas, quas ego vidi, contra reliquos concionatores suos collegas litteras, quæ a quodam Norembergensi huc fuerunt missæ; in summa, mire exacerbarunt animos omnium. Videretur omnino is Functius utpote turbulentus homo allegandus, verum hoc quoque vix potest sine periculo fieri; nam quum populari quadam facundia sibi devinxerit animos vulgi, verendum esset, ne hoc tumultuaretur, si ille dimitteretur. Deus dives in misericordia sua inveniat medicinam huic malo.

Vergerius.

46.

Postscript zu n. 45.

Königsberg 21 Juli 1556.

Über den briefwechsel von Lipomani und Radzivil.

Schon gedruckt bei Lebret III, 555.

Post scripta. Vidi hic episcopi Veronensis[1], nuntii papalis in Polonia, ad d. palatinum Vilnensem[2] litteras, quibus illum fautorem hæreticorum vocat, et vicissim vidi ipsius palatini ad nuntium litteras, in quibus illi objicit, quod in Polonia spargat, debere regem aliquot ex primoribus, qui causæ nostræ, capite plectere, alias suam regiam majestatem pacem non habituram, sed magnam regni turbationem. Caput illarum litterarum mitto descriptum, in quo du-

*

1 Aloysio Lipomani aus Venedig, päpstlicher nuntius bei Karl V, in gleicher Eigenschaft in Portugal, seit 1548 bischof in Verona, später in Bergamo. † 15 August 1559 in Rom.

2 Nikolaus Radzivil IV. mit dem beinamen Czarny, der schwarze, Fürst von Olyka, Woiwode von Litthauen, einer der bedeutendsten und einflussreichsten männer des damaligen Polens, hervorragend als staatsmann und feldherr. Die ideen der reformation hatte er in seiner jugend auf reisen kennen gelernt; 1553 trat er offen mit seiner familie zum reformirten glaubensbekenntniss über, blieb zeitlebens einer der eifrigsten gönner und beförderer der reformation, der er auf seinen ausgebreiteten besitzungen eingang verschaffte; für den litthauischen adel war sein beispiel vielfach der antrieb zu gleicher gesinnung. Auf seine veranlassung wurde die bibel ins polnische übersetzt 1563 und ein exemplar herzog Christoph, mit dem er seit 1552 in lebhafter correspondenz stand, überreicht; er starb 28 Mai 1565. S. Lukaszewicz, geschichte der reformirten kirche in Litthauen. Leipzig 1848. I, 6 ff. Moser, neues patriotisches Archiv, 2, 1 bis 74, wo sein briefwechsel mit herzog Christoph, der schon vom jahr 1552 datiert.

Wie Verger mit ihm bekannt geworden, findet sich nicht in der correspondenz; er widmete ihm seinen Catalogus hereticorum, Serap. s. 85. n. 73. S. br. n. 48. 76. 85. 90. 93. 93a. 94. 95. 96. 147. 177. Im jahr 1563 sandte er seinen ältesten sohn Nikolaus Christoph, »Sierotk« genannt, nach Straßburg, um dort zu studieren; wegen der pest flüchtete er sich September 1564 nach Tübingen, s. br. n. 187. 190. 193. 212. 213. 214. 215. 216. 217. 218. 219. 228. Verger widmete ihm ebenfalls die schrift Lac spirituale, s. Serap. s. 83. n. 62. Die beiden briefe vom 21 Februar und 1 September 1556 hat Verger nachher herausgegeben: Duæ epistolæ altera Lipomani, altera Radzivili cum P. P. Vergerii præfatione. Serap. s. 86. n. 74.

riora quoque atque atrociora sunt, nempe quod idem nuntius se
jactavit in Polonia, se dedisse consilium Cæsaris majestati et regiæ
Romanorum, quod deberent truncare electorem Saxoniæ et Landgra-
vium, quum essent captivi, si vellent sopire hæreses, sed suas majestates
noluisse hoc facere. Consultum puto, ut ista mittantur ad legatos
Vestræ Celsitudinis Ratisponam, qui aliis communicent legatis, ut
passim intelligatur, quæ demum consilia subministrent regibus isti
legati sathanici.

E Monte Regio XXI Julii 1556.

Vergerius.

Postscripta.

Venit nunc e Vilna, ubi rex Polonorum adhuc degit, d. Georgius Sabinus [1], Melanthonis gener, legatus illustrissimi electoris Bran-
deburgensis; is mecum multa contulit, ait in summa, in illo regno
invalescere Arrianismum et quosdam Pichardos [2], qui fere alterum
monachatum cum juramento etiam instituerunt. Præterea dedit mihi
pessimum libellum, cui titulus: de filio Dei homine Christo Jesu,
ubi Arrianismus omnino renovatur; dolendum profecto, et orandus
Deus, ut illud regnum sublevet.

47.

Verger an herzog Christoph.
Königsberg 24 August 1556.

Verger berichtet über seine bemühungen zur beilegung des osiandrischen streits und seine reise zu Radzivil.

Gedruckt bei Lebret III, 557.

Illustrissime Princeps et Domine Domine Gratiosissime!

Incidi in tabellarium istuc venientem, quare pauca quædam ad
Vestram Celsitudinem volui scribere. Fui hic jam fere sex septi-

---

1 Georg Sabinus heirathete Anna, die älteste tochter Melanchthons,
wurde professor in Frankfurt a./O., und war damals rektor in Königsberg,
† 2 December 1560; vergl. Vita Georgii Sabini a Petro Albino, denuo
ed. Theodor Crusius, Lignicii 1724.

2 Pikarden, auch Waldenser nennt Verger die böhmischen brüder,
die nach dem schmalkaldischen krieg von Ferdinand aus Böhmen vertrieben, nach Preußen und von dort nach Polen einwanderten, s. Gindely, geschichte der böhmischen brüder l. 2. Von seinem ungünstigen
urtheil ist Verger vollständig zurückgekommen, s. brief n. 56.

manis, quibus manibus pedibusque laboravi pro concordia hujus ecclesiæ cum nostris ecclesiis Germaniæ; ante omnia liberrime locutus cum illustrissimo hoc principe ac dixi, debere suam celsitudinem abjicere illud dogma Osiandricum [1], quod tantam vastationem peperit in hac ecclesia atque schola, quæ omnino desolata est; quale responsum tulerim, quæ sit spes sarciendæ concordiæ, non est tutum litteris committere, quare reservo me, ut coram narrem. Stat sententia de redeundo mense Novembri, Octobri conficiam iter, si Dominus voluerit.

Puto, Vestram Celsitudinem audiisse nomen illustrissimi ducis in Olica, palatini Vilnensis [2], summæ autoritatis in regno Poloniæ ac præcipue post regem, is avidissime complexus est evangelium, et quidem palam sciente rege, ac promovet, quantum potest; misit ad me nuper peculiarem e Vilna nuntium rogatum, ut ad se accedam, quod velit quædam conferre pro bono ecclesiarum; promittit vero securitatem etiam autoritate regia. Quare ire constitui omnino, quando scilicet erit mihi hinc abeundum, ut per minorem Poloniam redeam, quum per majorem venerim, non dubito, quin velit me ante regem et reginam collocare. Sed hæc apud Vestram Celsitudinem. Valeo pulchre, laboro, exerceo hic quoque typographos, paro aliquid, quod regiæ majestati offeram. Bellum cum Livoniensibus [3] extrahitur extra instantem hiemem; forsan interea Deus ostendet viam pacis, et sunt quidem tractationes; fuerunt enim hic legati ducum Pomeraniæ tres viri certe prudentes ac profecti sunt ad Livonienses. Oro æternum patrem domini nostri Jesu Christi, ut Celsitudinem Vestram cum' tota familia et toto regno servet diu incolumem ad laudem ejus.

Regiomonti 24 Augusti 1556.

Servus Vergerius.

48.

Verger an herzog Christoph.

Königsberg 14 October 1556.

*

1 S. n. 45, anm.
2 Radzivil s. n. 46.
3 Über diesen krieg s. br. 45.

Verger berichtet über seine baldige heimkehr, seine litterarische thätigkeit in Preußen; bittet für seinen neffen Aurelius. Über den briefwechsel zwischen Lipomani und Radzivil.

Gedruckt bei Lebret II, 249.

Illustrissime Princeps ac Domine Domine Clementissime!

Quid actum sit in turbulenta ista causa Osiandrica [1], quæ spes sit componendi tam perniciosi dissidii, spero me coram narraturum Vestræ Illustrissimæ Celsitudini; constitui enim hac ipsa hieme domum redire, si Dominus voluerit. E Lituania atque Polonia spero ex hac mea peregrinatione non mediocrem fructum, quem etiam malo coram, quam per litteras narrare; res certe multo felicius succedunt, quam initio speravi. Vestra Celsitudo dignetur legere, quam mitto epistolam, et lætabitur, sat scio, ubi viderit tantum principem tam egregiam confessionem suæ fidei edidisse. Is Celsitudinem Vestram ex animo diligit, colit, veneratur et valde cupit numerari in numero Vestrorum amicorum et servitorum intimorum (sic enim ipse loquitur). Cupit etiam excudi facere hic Regiomonti confessionem Vestræ Celsitudinis et suam addere in eodem libro ac per Lituaniam et Poloniam spargere. De rege et regina habeo etiam multo meliora nova et certiora, quam initio habuerim; sed cum tam cito sperem redire, supersedeo, omnia litteris explicare. Possum ita tuto nunc in Polonicis ecclesiis versari, sicuti in ecclesiis Vestri ducatus. Nam illustrissimus palatinus Vilnensis [2] et primores totius regni susceperunt protectionem meam, qui certe in gratiam Vestræ Illustrissimæ Celsitudinis, sub cujus umbra sciunt me venire, libenter me vident et rebus in omnibus tuentur.

Illustrissime Princeps! miser meus nepos [3], quem dixi Vestræ Celsitudini esse Venetiis propter evangelium in carceres horribiles (in odium meum) conjectum, adhuc est in illa miseria, quia, cum serenissimus Romanorum rex ad comitia non venerit, nec legatus Venetus venit, atque ita legati Vestri non potuerunt cum illo agere. Nunc per Christum oro, ut Celsitudo Vestra dignetur illis mandare, ut tale negotium cordi habeant.

Legatus Papæ, qui est in Polonia, deprehensus est, dedisse

*

1 Vgl. n. 45.
2 Vgl. n. 47.
3 Vgl. n. 42.

consilium[1] illi serenissimo regi de truncandis octo aut decem ex
præcipuis nobilibus, qui evangelio favent, imo se jactavit dedisse
consilium Cæsari et regi Romanorum, cum anno 1548 legatus esset in
Germania, ut capite plecteret Johannem Fredericum Saxonem et
Landtgravium Hessiæ; et verissima sunt ista. Nam illustrissimus
d. dux Olicæ, palatinus Vilnensis, non objecisset (ut objecit) illi tam
nefarium scelus in sua epistola impressa, nisi scivisset esse verum.
In hoc exemplo manuscripto, quod mitto, omnia hæc continentur,
proderit, si Germania noverit hæc consilia sanguinaria; forsan Vestra
Celsitudo mittet hoc exemplum ad suos legatos, qui sunt in comitiis. Aliud misi ad illustrissimum electorem Palatinum, ad neminem præterea.

Commendo me reverenter Vestræ Illustrissimæ Celsitudini, quam
dominus noster Jesus Christus diu servet incolumem ecclesiæ suæ sanctæ.

Regiomonti in Prussia die 14 Octobris 1556.

Vestræ Illustrissimæ Celsitudinis observantissimus

Vergerius.

1557.

49.

Verger an herzog Christoph.
Tübingen 17 Juni 1557.

Verger berichtet über seine reise nach Graubünden, sein zusammentreffen mit Beza und Farel, über den grafen Julius von Thiene;
klagt Gribaldi der ketzerei an und bittet um geld; über die übersetzung
des neuen testaments ins Slavische.

Schon gedruckt bei Lebret II, 251, mit dem falschen datum 17 Januar 1557.

Illustrissime Princeps et Domine Domine Clementissime!

Tandem redii Tubingam hodie (gratia Dei). Misi fidelissimum
hominem Ferrarium[3], quem in horas exspecto; re vera civitas illa
fuit tentata proditione opera cardinalis Tridentini[4], quare si quæ

---

1 In der schon erwähnten schrift Duæ epistolæ, altera Lipomani,
altera Radzivili. S. br. n. 46.

2 Ottheinrich, geb. 1502, seit 1556 kurfürst von der Pfalz. †
12 Februar 1559.

3 S. br. n. 2.

4 Christoph Maddruccio, geb. 1512 in Trient, aus angesehener

mora aut difficultas in alloquenda ducissa fuerit, totum erit propter arctissimas custodias, quæ nunc fiunt ante portas Ferrariæ, ut vix ullus peregrinus admittatur.

Incidi in Farellum et Bezam [1], qui magno certe animi ardore prædicant clementiam Vestræ Celsitudinis cum summa pietate conjunctam, id quod incomparabili mea cum voluptate audivi ob multas gravissimas causas. Ipsi quidem fecerunt, quantum in illis fuit, ut quatuor evangelicæ ecclesiæ Helvetiorum mitterent aliquot ex suis ad conventum Francfordiensem [2]; sed non credo esse missuras ob certas causas, quas coram narrabo, et nihilominus scio, illas esse cupidissimas, ut articulus de cœna Domini in concordiam redigatur.

„Basileæ monui dextere mandatu Vestræ Illustrissimæ Dominationis illos dominos, ut diligentiam adhibeant, ne mali libri apud se excudantur. Qua ex re non mediocrem fructum spero, magno quidem cum fremitu malorum quorundam hominum, qui nullo freno

*

familie stammend, studierte in Bologna. 1539 bischof in seiner vaterstadt, später von Brixen, von Paul III zum cardinal erhoben, von Karl V, Ferdinand I und Philipp II mit den wichtigsten stellen und geschäften betraut, präsidierte den ersten sitzungen des Tridentinums, war 1555 beim reichstag in Augsburg, 1556 bis 7 gouverneur von Mailand; ein edler, liebenswürdiger mann, der während seines aufenthaltes in Deutschland sich auch die achtung der evangelischen fürsten erworben hatte, wegen seiner tugend und gelehrsamkeit der Cato des cardinalscollegium genannt. † 5 Juli 1578. S. br. n. 108. 180.

1 Theodor Beza, der college, freund und nachfolger Calvins, geb. 24 Juli 1519 in Vezelay in Burgund, † 13 October 1605 in Genf, als diplomat und theologe durch wort und that tief eingreifend in die religiösen und politischen verhältnisse der Schweiz, noch mehr des französischen protestantismus. Wilhelm Farel, geb. 1489 zu Gap in der Dauphiné, seit 1521 protestant, der unermüdliche missionar des evangeliums in Murten, Neuenburg, Genf; mit dem württembergischen fürstenhause war er durch seinen aufenthalt in Mömpelgard, wohin ihn 1524 herzog Ulrich berufen, bekannt. † 13 September 1565 in Neuenburg. Damals waren die beiden theologen nach Deutschland gereist, um den schutz der evangelischen fürsten für die verfolgten Waldenser von Agrogna und Luserna anzuflehen. 13 Mai hatten sie bei herzog Christoph zu Göppingen audienz gehabt.

2 Der protestantische fürstentag in Frankfurt, wo Christoph jene waldenserangelegenheit vorbrachte; die verwendung der evangelischen war aber umsonst; die 4 städte waren: Bern, Zürich, Schaffhausen, Basel.

vellent coerceri, sed rursus magna cum lætitia bonorum, qui nollent ecclesiam Christi infici pravis opinionibus atque libris.

Non dubito, quin Celsitudo Vestra meminerit, me ante unum annum petiisse ab ea et impetrasse etiam, ut dignaretur admittere in ejus ducatum ac suscipere in protectionem d. Julium comitem a Thiene Vicentinum [1], qui prævidebat, se tandem non posse in Italia consistere salva conscientia et vita; nam aut neganda fuisset propter tyrannidem Papæ vera Jesu Christi doctrina, aut moriendum in carcere aut forte etiam in igne. Nunc itaque reverenter significo Celsitudini Vestræ, ipsum d. comitem advenisse, atque esse apud me in meis ædibus, virum procul dubio singulari pietate et constantia. Optat mirum in modum osculari manum Illustrissimæ Dominationis Vestræ, quare aut hic exspectabit magno cum desiderio Vestrum reditum, aut forte etiam istuc mecum veniet, si advocabor; interea commendat se reverenter.

Illustrissime Princeps! urget me conscientia, ut libere dicam, me in hoc itinere multa novisse de d. Gribaldo [2], quæ ignorabam et quæ me plane confirmarunt, illum esse aliquibus pessimis opinionibus infectum, quemadmodum die XI præteriti mensis memini, me Celsitudini Vestræ Chepingæ in horto dixisse; coram pluribus agam, nunc tantum dixerim, plurimos clamare et queri contra illum et verissimum esse, verissimum inquam, quod novas et perniciosissimas opiniones alat; amicus Plato, amicus Socrates, magis amica veritas. Ideo non potui nunc parcere amico meo. Monueram etiam ante annum d. Brentium ea de re, deinde etiam Beurlinum [3]; neque enim placent mihi isti, qui intra certas metas a sanctis ecclesiis constitutas consistere recusant.

Sustineo nimis graves (meis quidem humeris) sumptus, postquam e Polonia redii; sunt enim mihi VII equi domi, quos alo, et

1 Vgl. n. 36.

2 S. br. n. 38.

3 Jakob Beurlin, geb. 1522 in Dornstetten (Schwarzwald), seit 1555 doctor und professor der theologie in Tübingen, 1561 propst und canzler daselbst, bedeutender theologe, von herzog Christoph vielfach zu gesandtschaften, nach Trient, Worms 1557, Erfurt 1561 und Poissy 1561, verwendet; herzog Christoph nannte den ausgezeichneten mann nur seinen lieben, getreuen herrn. † 28 October 1561 in Paris an der pest, auf der reise zum colloquium nach Poissy. S. Fischlin, mem. theol. Wirtemb. I, 82 ff. Baum, Beza II, 420 ff.

fere totidem famuli. Exonerassem me statim tali onere, sed ferendum putavi, quia Vestra Celsitudo mihi scribere dignata fuerat, me esse remittendum in Poloniam. Quare nunc supplico, ut dignetur scribere, quando mihi istuc veniendum sit, ut recta e Francfordia accingam me itineri, quemadmodum memini, Vestram Illustrissimam Celsitudinem mihi dixisse, se esse facturam; aut si forte mutata fuisset sententia de legatione mittenda atque de me mittendo, dignetur etiam me certiorem reddere, nam me hoc sumptu liberarem.

Impendi circiter quinquaginta taleros in hoc, quod nunc in Rhætiam confeci, itinere et simul in mittendo homine equite Ferrariam. Legatus illustrissimi d. Johannis Federici Saxoniæ ducis[1] qui nuper Chepingam venerat, nullam prorsus mihi pecuniam dedit. Nescio quænam sit Celsitudinis Vestræ voluntas; debeamne ab illo per litteras petere, an a ministris vestris? Quod Vestra Celsitudo dignabitur mandare, faciam.

Est nunc sub prelo Novum Testamentum slavice[2], absolvetur intra duos menses. Interea dum ego abfui, d. Primus Truberus, qui vertit, dedit imprimendam præfationem germanice, quam mitto. Illustrissima Vestra Dominatio dignetur legere, nam si quid in ea corrigendum esset, adhuc tempus est. Commendo me reverenter. Deus pater noster perpetue adsit omnibus actionibus Vestris.

Libenter adessem in conventu, ubi de religione tractandum fuerit. Saltem orarem pro felici successu, dum reliquos viderem laborantes.

Tubingæ XVII Junii 1557.

Vestræ Illustrissimæ Celsitudinis observantissimus

Vergerius.

49 a.

Herzog Christoph an Verger.

Concept ohne datum.

Antwort auf n. 49.

1 Lucas Thangel, von den sächsischen herzogen häufig zu gesandtschaften verwendet; damals war er zu Verger gesandt, um den heirathsversuch Johann Friedrichs des mittleren mit Lucretia von Ferrara zu erneuern. S. Beck II, 253.

2 S. br. 17.

Dei gratia Christophorus Dux Wîrtembergæ et Tecciæ Comes Montisbelligardi etc.·

Redditæ nobis dominationis tuæ sunt litteræ, ex quibus tuum ex Rhætia reditum intelleximus. Quodque eadem Julium comitem a Thiene Vicentinum Tubingæ in suas ædes susceperit, boni consulimus, quem dominatio tua usque ad adventum nostrum secum retinere poterit.

Contulimus quoque cum electore Palatino, domino ac fratre nostro, super legatione ad regem Poloniæ[1]. Cum vero incertum sit, quam brevi hinc abituri simus, vel etiam dominatio tua satis in tempore advenire possit, consultum nobis visum, ut interim Tubingæ tam diu expectet, donec nos domum redeamus. Deinde post Heidelbergam dominationem tuam cum deputato nostro transmittemus, ut una simul super instructione et legatione atque discessu vestro deliberetis, ne diutius hoc negotium et iter vestrum differatur.

Quod sumptus absoluti tui in Rhætiam itineris attinet, cogitamus eosdem dominationi tuæ de mensa nostra restituere.

Quæ ad dominationis tuæ litteras (ut cui bene cupimus) respondere voluimus.

50.

Verger an herzog Christoph.

Tübingen 24 August 1557.

Nachrichten über den krieg in Italien.

Gedruckt bei Lebret II, 254.

Das original im archiv nicht mehr aufzufinden.

Illustrissime Princeps et Domine Domine Clementissime!

Accepi ab Italia litteras, quibus aliquis bonus vir scribit, Papam post acceptum nuntium de strage suorum[2] correptum fuisse febre et periculose decumbere. Deus tollat ex orbe terrarum illam tantam pestem, nam quamvis omnes papæ sint mali, ille certe reliquos iniquitate et crudelitate superat. Septem vexilla Helvetiorum

---

1 Zu dieser gesandtschaft Christophs und Ottheinrichs ist es nicht gekommen. S. br. 53.

2 Die Päpstlichen und Franzosen wurden Juli 1557 in einem kleinen treffen bei Palliano von den Spaniern unter Marco Antonio Colonna geschlagen; die päpstlichen anführer waren Giulio Ursino und des papstes jüngster neffe, marggraf von Montbello. S. br. 74 a.

et quatuor Italorum et quingenti equites fuerunt profligati et cæsi. Ducebantur a Julio Ursino et marchione Montisbelli, nepote antichristi. Prior est lethaliter vulneratus et captus, alter nec vivus nec mortuus inveniebatur. Si quid Vestra Celsitudo audivit de progressu Marci Antonii Columnæ (nempe ad urbem Romam) dignetur mihi pro sua clementia significare.

Mitto aliquot libellos, non novos, tamen istis generosis dominis comitibus, quos in exspectatione cervi, dum ex silva exeat, legant.

Generosus d. Julius a Thiene [1] una mecum se reverenter Vestræ Celsitudini commendat.

Certe pro illa assidue oramus æternum patrem domini nostri Jesu Christi, ut fidem et spiritum sanctum illi augeat.

Vestræ Illustrissimæ Celsitudinis observantissimus

Vergerius.

Tubingæ 24 Aug. 1557.

50a.

Herzog Christoph an den rath zu Straßburg.

Stuttgart 14 September 1557.

Erbittet sich aus der verlassenschaft Sleidans die bücher, welche Verger gehören.

Christoff etc.

Fürsichtigen ersamen und weysen lieben besondern, uns hat der ehrwürdig unser rhat und lieber getrewer Petrus Paulus Vergerius underthenig zu erkhennen geben, wie das er verschinner zeit weylundt Johanni Sleidano [2] zu mehrung der beschribnen historien etliche schrifften und buechlein, deren ains thails latinisch, und ains thails welsch, darzu etliche derselben eingebunden, etliche aber oncingebunden seien, vertrewlichen vertrawt und zugestelt, welcher hernacher, als er Vergerius ins landt zu Poln verritten gewest, verstorben, und ime solche seine schrifften auch uber bescheenes erfordern von seinen testamentariis und bevelchhabern bißher vorgehalten worden, und uns derwegen underthenig gebetten, ime mit unser gnedigen fürschrifft (deren er sich bey euch nit wenig zu-

*

1 S. n. 36.
2 S. n. 11.

genießen getröst) an euch zu erscheinen. Dieweil wir denn genanttem unserm rath mit sondern gnaden genaigt, auch an ime selbs billich ist, das ainem jeden das seine, so ime von rechtswegen zusteet und gehörig ist, vervolgen solle, so haben wir ime die gebettne fürschrifften nit waigern mögen, und ist demnach unser gnedigs begern an euch, ir wöllet mit vilgenants Sleidani testamentariis und bevelchhabern guetlich verschaffen, ob gemeltem unserm rath solche seine schrifften (die seines vermainens bey einander uf ainem puschel, und von wegen der welschen schrifften, so darunder, leichtlich zu finden und zu erkhennen sein werden) one weitern uftzuge uf sein ansuechen widerumb zu geben und volgen zu lassen, wie uns dann gar nit zweifelt, ir werdet das als ein billiches für euch selbs zu verordnen genaigt sein, daran thut ir uns angenembs gnedigs gefallen, in gnaden gegen euch wider zu erkhennen. Datum Stutgartten den 14 Septembris anno etc. 57.

51.
Verger an herzog Christoph.
Tübingen 5 October 1557.
Verger dankt für eine hirschkeule.

Illustrissime Princeps et Domine Domine Gratiosissime!

Obtuli nomine Celsitudinis Vestræ cervam matronæ pientissimæ hospiti meæ [1]. Quæ humiles gratias agit, agnoscens se indignam, cujus tantus princeps meminerit. Recordabitur ipsa assidue Illustrissimæ Dominationis Vestræ in suis orationibus, quam etiam summo desiderio exspectat, ut Tubingam veniat, nam se cupit offerre atque faciem Vestram intueri. Interim parat se ad thermas aquarum acidarum, seque humillime una mecum commendat.

Tubingæ 5 Octobris 1557.

> Observantissimus
> Vergerius.

*

1 Wahrscheinlich ist der gast, den Verger beherbergt, die br. 52 erwähnte Isabella Manriquez; am 8 October war sie schon bei Verger, wie aus seinem brief an Maximilian II zu entnehmen; s. Lebret IX, s. 108. br. n. 56a.

Verger 10

52.

Verger an herzog Christoph.
Stuttgart 23 October 1557.

Verger bittet um die erlaubnis zu heirathen und frägt an wegen des aufenthalts von Isabella Manriquez.

Gedruckt bei Sattler IV, beil. 26. s. 66.

Das original nicht mehr im archiv anfzufinden.

Illustrissime Princeps et Domine Domine Gratiosissime!

Veneram Stutgardiam, quo putavi Vestram Celsitudinem rediisse, ut quædam reverenter conferrem. Cum eam minime invenerim, Tubingam redeo; nam typographus habet sub prelo meam versionem italice epistolæ d. Brentii [1]; sine me vero nibil posset, in Italicis diço. Quare famulum meum cum his litteris mitto.

Quanto magis Deum rogo, magis sentio me inspirari, ut illam [2] in uxorem ducam, quam coram dixi: puto Patrem cœlestem in domum meam duxisse, ut ducam illam. Qua in re supplico a Vestra Illustrissima Celsitudine ac per Christum rogo, ut dignetur mihi concedere. Alterum est, ut mecum dispenset, ne cogar accedere in publicum ad ecclesiam, ubi conciones, quæ fiunt de matrimonio, non intelligimus, sed ut possim in domum meam vocare pastores, qui eam mihi conjungant coram theologis. Aut accedam ad præsentiam Vestram privatim (nollem enim publicas nuptias, nollem publica convivia aut choreas) et coram Celsitudine Vestra et coram matrona, hospita mea, quæ adesset loco matris, desponsarem eam mihi. Utrum ex his duobus Celsitudo Vestra vocaverit, faciam, tantum dignetur significare ejus voluntatem, nam quid jusserit, faciam, atque etiam ad ecclesiam publice ducam, sed si possim, libenter, quod petivi, impetrarem. Alterum est, Illustrissime Princeps, quando quidem accipiam hanc, quæ nullam aliam dotem habet, nisi pietatem (nam hanc profecto habet) dignetur clementia Vestra amore domini nostri Jesu Christi me juvare, hoc est, cum ab initio, quando in Vestrum ducatum veni, fuerit mihi mandato Celsitudinis Vestræ ordinatus victus pro mea persona, ut pro educanda uxore et susten-

*

1 Der titel ist: Al illustrissimo principe e signor Christophoro duca di Virtemberga. Epistola di M. Giov. Brentio, tradotto dal Vergerio. s. Serap. s. 88. u. 79.

2 Die heirath mit der ganz unbekannten Italiänerin kam nicht zu stande, s. Sixt 510 ff.

tando onere matrimonii aliquid mihi addatur singulis annis mandare. Hoc, per Christum inquam (quid enim possim dicere majus!)
oro atque obtestor, non tam pro meo commodo, quam ut reliqui
pii lætentur, cum Vestram liberalitatem in pios ac profugos audierint.
Fuerunt pro me sustentando ordinata ea, quæ continentur in sceda
inclusa his litteris; Illustrissima Celsitudo Vestra jubeat, ut addatur, quidquid velit; nam cum ingenti actione gratiarum accipiam;
parum vitæ spero mihi superesse. Vestra Celsitudo hoc modico
dignetur me liberare molestia et sollicitudine de parando victu, ut
possim toto animo laborare in vinea Domini.

Offendi matronæ hospitæ meæ [1] litteras d. Sebastiani Cocceji ad
me, quibus nomine illustrissimæ dominæ principis illi agit gratias pro
munusculo. Lætata est matrona gratissimumque illi fuit hoc officium.
Verum in magna tentatione ac tribulatione ea nunc est; venit enim
ad eam quispiam missus a Tigurina ecclesia, rogatum ut ad illam
velit se conferre, tanquam ad mundiorem in doctrina (sic enim dixit). Contendi ego acerrime, negavi mundiorem ullam esse nostra
ecclesia, sed fateor, matronam titubare; tanta est diaboli potentia,
qui cum videat eam potuisse egredi ex papatu, vellet nunc Tigurum
ducere, quasi illic sit inclusa salus. Celsitudo Vestra potest huic
tentationi succurrere, nempe si ad me scripserit, ut matronæ dicam,
ut sit bono animo; si forte non libenter Tubingæ maneat, Vestram
Celsitudinem curaturam, ut Stutgardiæ illi inveniantur ædes, ubi
minus ibi erit timendum, imo ut omnino velit saltem hac hieme
Stutgardiæ se continere. Succurrendum est membris Christi afflictis,
compatiendum sexui, præsertim in hac fuga; si ita Vestra Illustrissima

---

[1] Isabella oder Catharina Manriquez aus Bresegna, eine vornehme
Spanierin, schwester (oder schwägerin?) von Alonso Manriquez, erzbischof von Sevilla und cardinalinquisitor von Spanien; in Neapel war
sie mit ihrem landsmann Valdes und seinem kreise (Vittoria Colonna,
Julia Gonzagua) bekannt und dadurch für die reformation gewonnen
worden; ihre familie blieb katholisch, sie selbst musste in die Schweiz
flüchten, wo sie mit Occhino und Peter Martyr zusammentraf. Eine zeitlang dachte sie daran, sich in Stuttgart oder Wien niederzulassen,
aber sie kehrte doch wieder in die Schweiz zurück. Herzog Christoph
correspondierte mit Maximilian über sie, s. Lebret IX, 118 ff. Curio
widmete ihr die erste Ausgabe der briefe von Olympia Morata. S.
Gerdes, Mc. Crie, Meyer, die evangelische gemeinde in Lokarno II, 152.
Vgl. br. n. 56 a. 57.

Dominatio ad me scripserit, si per hiemem Stutgardiæ manserit, lucrifaciemus eam.

Vellem illam in arcem Tubingensem ducere, ut recrearet animum videndo ædificia illa et leones. Utinam Celsitudo Vestra scribat præfecto, ut per mediam horam nos ad spectandum admittat.

Cum sit abstemia, nihil interim comedit avidius, quam acetum optimum; hoc cum Tubingæ non inveniatur (dico ex optimo genere) sciam autem in arce optimum esse, Vestra Cesitudo dignetur suis ministris mandare, ut aliquot mensuras dent matronæ, nam negarunt mihi petenti. Parvæ hæc sunt ad consolandum animum perturbatum, sed verbo Dei sæpe soleo consolari; prædico enim domi italice, quo accedunt aliquot studiosi Itali et ferme collegi Italicam ecclesiam ad laudem Dei.

Commendo me reverenter Illustrissimæ Celsitudini Vestræ, quam Deus optimus maximus servet incolumem ecclesiæ snæ sanctæ.

Stutgardiæ XXIII Oct. 1557.

Vergerius.

Die eigenhändig von dem herzog auf den rand dieses bittschreibens geschriebenen resolutionen sind diese [1]:

Exordium hab 3 schreiben von ime erhalten und von wegen fürgefallner geschefft und andere impedimenta ime nit eher zu antwurten wissen; waß nun versionem Brentii epistolæ belangendt, das hat sein weg.

Sovil sein heurat belangdt, wünsche ich ime fil glückhs; das aber sein bitt, das er die zusamengebung und vermehlung in dem hauß solle haben, das wolle bedenckhlich fallen, wie woll meinethalber es nit nott, aber ime und der gutten matronen, die jetzundt bey ime wonet, allerhand nachred gebären würde, so khan er solliche vermehlung oder kirchengang woll dermassen anschicken, das es in beysein etzlicher ime familiares morgens früe in diluculo diei bescheche oder auff ainem nechstgelegnen dorff, daß dann nit fill zulauffs seye, so bedarff auch solches weder mit saitenspill oder andern solenniteten beschechen.

Sovil sein underhaltung belangd, wolle ich ime laut der addition hiebey weitters verordnen.

*

1 S. br. n. 55.

Die eingelegte scheda des Vergerii:	Des herzogs resolution:
fuderam vini.	additio: 1 fueder Wein.
XII clouteras lignorum.	8 klaffter holtz.
XX modicos avenæ.	20 malther habern.
ducentos florenos in numerato.	30 malther dinckhel.

Das die matrona, so jetzt bei ime wonet, gedenckh gen Zürch zu ziehen, das stebet zu irer gelegenheit. Es wurdet aber gespürt, das sye noch nicht recht in dem glauben confirmiert seye. Wie er aber vermynt, das die alher gehn Stuckhgarten solle ziehen, ist solches nit geratten; dan sye allerhandt mer ungelegenheit alhie, dann zu Tübingen hatt, darzu ir .ehe insidias alhie, dann dort zugericht mochten werden, als in ainer statt, dahin vil volckhs webernt.

Das sye das schloss zu Tübingen sehen mag, lass ich mich gefallen, schicke ime ain schreiben an den præfectum, das er sye einlasse.

53.

Verger an herzog Christoph.

Tübingen 31 October 1557.

Verger schickt einige exemplare eines buches von Brenz und bittet um mittheilung des reichstagsabschieds von Regensburg.

Gedruckt bei Lebret III, 558.

Das original nicht mehr im archiv aufzufinden.

Illustrissime Dux et Domine Domine Gratiosissime!

Mitto sex exemplaria epistolæ d. Brentii [1] hic impressæ, si forte Vestra Celsitudo velit dare illustrissimo sororio marchioni Brandenburgensi, qui in patriam ferat. Propediem absolvetur etiam ea versio ejusdem epistolæ in Italicum, a qua non exiguum fructum spero in mea Italia. Accepi commodato Soti [2] novum librum, qui non est negligendus. Multa certe magna astutia corrumpuntur. Ego unam partem suscipiam confutandam, qualem Celsitudo Vestra voluerit. Exspecto, ut jubeat ad me mitti exemplar, si advenit ex Francofordia.

*

1 S. n. 52.
2 S. n. 32.

Utinam Illustrissima Dominatio Vestra mandaret, ut mitteretur ad me decretum diætæ Ratisponensis postremæ, illud scilicet, quod confirmat decreta Augustanæ diætæ, quibus actum est de religione et de pace servanda usque ad concilium. Est mihi valde opus eo decreto propter libellum, quem nunc adorno contra ipsum Sotum.

Venissem egomet nunc ad Celsitudinem Vestram, sed non bene habeo, atque est animi quædam ægritudo et mœstitia, quæ me torquet, non corporis; quænam ea sit, dicam aliquando.

Commendo me reverenter Illustrissimæ Dominationi Vestræ, quam Deus optimus maximus diu incolumem servet ecclesiæ suæ sanctæ per Christum dominum nostrum.

Tubingæ pridie kal. Novembris 1557.

Vergerius.

Von des herzogs eigner hand stand auf dem rande [1]:

Wenn die theologi von Worms werden kommen, alsdann gedenke ich die verordnung zu thun, damit Asoto wieder geantwortet werde.

Den reichsabschied findet er zu Tübingen gedruckt, er wolle aber derwegen nichts in druck ausgehen lassen, ehe ich solches gesehen und erwogen habe. Denn in dem reichsabschied allerhand sachen sind, die nicht nach dem buchstaben allein verstanden könnten werden, wann nicht einer der präcedentien zuvor wissenschaft hat.

54.

Verger an herzog Christoph.
Tübingen 4 November 1557.

Verger bittet um nachricht über die reise des cardinals von Trient; erbietet sich zu einer gesandtschaft nach Frankreich.

Gedruckt bei Lebret III, 559 ohne angabe des datums.

Illustrissime Princeps et Domine Domine Clementissime!

Audio cardinalem Tridentinum [2] esse in via, ut ad regem Philippum in Belgium eat; transiturum vero per ducatum Celsitudinis Vestræ. Intercessit mihi cum eo aliquando arctissima familiaritas, quare cuperem eum alloqui, atque admonere sui officii, nec dubito,

*

1 S. n. 55.
2 Vgl. n. 49.

quin libenter sit me auditurus. Oro itaque Vestram Celsitudinem supplex, ut cum primum et audierit cardinalem ipsum esse in finibus (scio non venire per equos dispositos)' dignetur mandare alicui ex suis, ut me de eo certiorem faciat, nam statim accurrerem.

Farellus, Beza et collegæ[1] significarunt mihi per litteras, quid agant in eorum legatione. Quare volui uno verbo Celsitudini Vestræ indicare, me paratum esse laborem illum in Galliam pro membris Christi proficiscendi, si modo idoneus videor et consultum videatur Vestræ Celsitudini, ut ego ista legatione fungar. Sum notus regi, habeo amicos illic minime impios, nec paucos. Si sum idoneus, inquam, labores non detrecto, nam puto evanuisse occasionem Polonicæ legationis[2]. Commendo me reverenter Vestræ Celsitudini.

Tubingæ 4 Novembris 1557.

Vergerius.

55.

Herzog Christoph an Verger.

Stuttgart 8 November 1557.

Antwort auf n. 52. 53. 54.

Dei gratia Christophorus Dux Württembergensis.

Salutem. Reverende nobis dilecte ac fidelis!

Superioribus diebus accepimus ternas litteras, a vobis diversis temporibus scriptas. Ad quas citius respondissemus, nisi multitudo negotiorum aliaque impedimenta obstitissent. Ad quarum singula capita jam paucis hæc accipite.

Primum quantum ad sponsalia vestra attinet, gratulamur vobis illa, verum quod petitis vobis licere, ut ritus conjunctionis domi vestræ atque ita privatim celebretur, in eo multa inconvenientia nobis consideranda veniunt, propter quæ minus hoc probare possumus.

*

1 Vgl. n. 49. Beza, Farel, Carmel und Budäus waren wegen der entsetzlichen verfolgung, welche die Evangelischen Frankreichs im September durch einen auflauf in der straße St. Jacques getroffen hatte, abermals nach Deutschland gereist, hatten 8 October in Worms ihre anliegen um verwendung vorgebracht. Bei herzog Christoph hatten sie ende October in Wildbad audienz und wurden von ihm aufs freundlichste empfangen.

2 S. n. 49 a.

Etsi enim per nos hoc facile vobis integrum esset, tamen vos in eo
et vestri et vestræ sponsæ rationem habere decet, quibus utrisque
inde non parum præjudicii et tacitarum reprehensionum passim
eventurum esset. Judicamus autem, hanc vestram conjunctionem ita
commodius institui posse, nempe ut hæc matutino diluculo in præsentia aliquorum vestrorum familiarium aut (si vobis magis videtur)
in vicino aliquo pago, (ubi etiam interdiu minor est concursus
vulgi) absque instrumentis musicis aliisque pompis et solemnitati-
bus fiat.

Secundo, quod pertinet ad vestrum victum, quem vobis in posterum largius præberi oratis, mandabimus ad priora adhuc addi,
vini fuderam unam, præterea lignorum claffteras (quas ita vulgo
appellant) octo, item avenæ modios viginti atque speltæ modios
triginta.

Tertio, quæ scribitis de matrona hospite vestra, quæ avocata
Tigurum abire parat, eam relinquimus ipsius arbitrio et commodi-
tati; ac apparet, eam in fide nondum satis esse confirmatam.

Quod autem censetis, ipsi hic Stutgardiæ diverticulum præben-
dum esse, hoc minime nobis consultum videtur, quippe quæ hic
plura quam Tubingæ incommoda habitura, ipsique majores insidiæ
timendæ gravioraque pericula exspectanda essent, utpote in loco po-
puloso et ubi subinde omnis generis homines peregre advenire et
divertere solent.

Sed ut videat arcem nostram Tubingensem, hoc non tantum
non impedimus, verum etiam hisce adjunctis litteris præfecto ejusdem arcis nostræ inscriptis mandamus, ut in eam intromittamini.

Ceterum, quod in secunda vestra epistola scribitis de Asoto,
nos curabimus, ut cum theologi nostri Wormatia redierint, ipsi re-
spondeatur.

Decretum Ratisponense postremum reperire est Tubingæ typis
excussum. Versiones tamen vestras atque ea scripta, quæ juxta hoc
decretum dirigere vultis, nolumus a vobis edi, quam nos ea prius
viderimus et approbaverimus. Nam in eo ipso decreto Ratispouensi
plures et variæ res tractantur, quæ non perpetuo secundum sim-
plicem dumtaxat verborum tenorem atque phrasein communem sunt
accipiendæ intelligendæque, sed opus est, ut quis alia multa præ-
cedentia et prius acta bene perspecta et cognita habeat.

Cardinalis tridentinus, cujus alloquium in tertia vestra epistola expetitis, jam transiit ducatum nostrum, et accepimus, eum et de vobis et de alio quodam Hannibale episcopo quæsivisse, at niholominus (pro horum more et ingenio) vos, ut qui defeceritis a catholica ecclesia, conviciis incessivisse.

Postremo, quod legationem ad regem Gallorum vobis demandari cupitis, nolumus vos ignorare, quod res scriptis et non internuntiis agetur. Legatis enim difficiliter ad regem aditus in hisce præsertim infestis tumultibus futurus esset.

Hæc breviter scriptis vestris volumus respondere. Datæ Stutgardiæ octava die mensis Novembris anno LVII.

56.

Verger an herzog Christoph.

Tübingen 3 December 1557.

Verger schickt einen brief des herzogs von Ferrara an Christoph; seine litterarischen arbeiten.

Beigedruckt das italiänische original jenes briefs.

Illustrissime Princeps et Domine Domine Clementissime!

Mitto autenticum et versionem [1] de verbo ad verbum. Res non parva est, quam dux Ferrariæ [2] petit, quare miror litteras tam sero venisse; scriptæ enim sunt ultima Octobris et miror non petiisse, hoc quod petit, per hominem missum per dispositos equos.

Forsan qui tulit litteras, habuit rationem equi, quem audivi dono attulisse.

Crediderim, Vestram Celsitudinem non posse, quod dux Ferrariæ petit, concedere, scilicet propter regem Angliæ, quare reverenter dicam meum consilium. Consultum videretur, ut Vestra Celsitudo vel sola vel adjunctis sibi aliquibus principibus intercederet pro pace in hac causa; nam Christus ait: Beati pacifici, hoc est qui pacem faciunt. Certe Vestra Celsitudo devinciret sibi perpetuo totam familiam Estensem, quæ est ducum Ferrariæ, et magnam in tota Italia sibi compararet laudem.

Imo suspicor ducem Ferrariæ hoc magis voluisse petere intercessionem scilicet, quam vexilla militum.

*

1 Die übersetzung ist nicht mehr vorhanden.
2 S. br. n. 2.

Aut Vestra Celsitudo respondens petat ab illo (si videtur) an velit, ut intercedatur pro pace.

Sunt in litteris quædam verba, quæ italice habent emphasim et magnam quandam vim, verbi gratia ubi dicit, se velle reducere in memoriam Vestræ Celsitudini, quod cupiat illi facere servitium; ego ita interpretor, quod velit in memoriam adducere, quod iam facta fuerint verba de danda filia sua filio Vestro; certe verba sunt plena affectu.

Si forte Celsitudo Vestra voluerit italice respondere, jubeat: veniam, quo illa dignabitur mandare. Cuperem meas litteras adjungere, saltem ad ducissam.

Adorno epistolam in Poloniam, ut eos fratres adhorter, ne patiantur sibi mutari confessionem. Sed non mittam neque excudam, nisi Vestra Celsitudo videat prius; magnum enim est negotium.

Interea mitto folium in Poloniam (hic etiam mitto) ut videant, me non damnasse (ut Laschus sparsit) confessionem Valdensium [1], imo magnopere laudasse, ut etiam videant, quæ testimonia ea confessio habeat et sint constantes.

Nec tamen desisto certare cum malo illo Soto [2]; imo progredior Dei gratia. Commendo me reverenter Vestræ Illustrissimæ Celsitudini, Deus eam servet a malo.

Tubingæ 3 Decembris 1557.

                             Vergerius.

Original der beilage zum vorhergehenden schreiben:

Illustrissimo et eccellentissimo senior! Tornandosene, un soldato della mia guardia, esbibitor della presente, nel stato di Vostra Signoria Illustrissima, mi seria parso mancar alla molta affectione, ch'io le porto, se non l'hauessi con questa occasione visitata, come faccio, et rinfrescatoli nella memoria il desiderio, che è in 'me di farle ogni

*

1 Brief und blatt sind schwerlich gedruckt worden; dagegen gab Verger die confession, welche die böhmischen brüder am 14 November 1535 dem könig Ferdinand in Wien überreicht hatten (s. Gindely, geschichte der böhmischen brüder I, 233 ff.), neu heraus: Confessio fidei ac religionis baronum Bohemiæ. Serap. s. 89, 88. Sie kam anfang 1558 heraus in 400 abzügen; s. Fontes rerum austriacarum II, 19. 214. Vgl. auch br. 44. 45.

2 S. br. n. 32.

servitio, la prego ad accettare questo ufficio con quella amorevolezza, con la quale vien fatto, et esser certa, che trovera sempre in me tal prontezza di bona volonta nel seruirla, che nò harra causa di restar mal satisfatta di me, et con questo fine prego Dio, che doni a Vostra Signoria Illustrissima longa et felice vita col compimento de suoi desiderii.

    Da Ferrara alli 31 Octobre 1557.

Bon fratello et amico de Vostra Eccellenza

il duca de Ferrara.

    Postscript.

Vostra Eccellenza deve haver inteso il duca di Parma essere entrato nel stato mio con grossa troppa di gente inimica et cerca dannegiarlo in tutto quel che puote, onde desiderarei per la inclinatione et fede, che ho sempre hauuta nella valorosa natione allemana, valermi di qualche insegna di p^{lt}. natione in questo mio gran bisogno, pero quando con buona satisfattione di Vostra Eccellenza potessi leuarne qualcuna nel stato di lei, mi saria molto caro et glie ne restarti con obligo infinito, et contentandosi compiacermi prego Vostra Eccellenza avisarmi quanto prima quel che io habbi a fare et come mi ho a governare per farle condurre di qua sicuramente.

56 a.

Maximilian an Verger.

Wien 4 December 1557.

Maximilian dankt für die überschickten bücher und ladet Verger ein, zu ihm zu kommen; über Isabella Manriquez.

    Gedruckt bei Lebret IX, 107 ff.

    Maximilian von Gottes Gnaden König zu Böhmen, Erzherzog zu Österreich etc. etc.

    Ehrwürdiger, hochgelehrter, besonder lieber!

    Wir haben euer schreiben, so ihr uns aus Tübingen vom 8 October gethan, allererst auf den letzten November jetztvergangen, nicht ohne verwundrung, wo doch dasselbe so lange verblieben, empfangen, und seines innhalts nach längs gnediglich verstanden und vernommen, nehmen solches samt eurem getreuherzigen gemüth und willen, so wir daraus gegen uns spüren und befinden, und dann die bücher, so ihr uns übersebickt, zu ganz gnädigem gefallen und dank an, mit gnädigem begehren, was ihr hinfürter noch von solchen nützlichen büchern bekommt, uns gleicherweise damit zu versehen.

Soviel dann die polnische handlung belangt, ist nicht ohne, daß uns hievor durch den Ungnaden [1] euer schreiben zugekommen, dieweil aber dieselbige handlung an ihr selbst wichtig und guter vorbetrachtung wohl würdig, so haben wir darinn nicht eilen wollen. So ihr dann in jetzigem eurem schreiben selbst zu uns zu kommen und euch mit uns zu bereden begehrt, seyn wir dessen gantz wohl zufrieden und möget euch derhalben auf nächstkünftige weihnachten hieher verfügen [2], dann die römisch königliche majestät, unser gnädigster liebster herr und vater, innerhalb 14 tagen in die krone Böhmen verrucken wird, daß also solche eure herkunft zur selbigen zeit ganz wohl und füglich beschehen mag, und alsdann wollen wir uns dieser sachen halben allerdings mit euch nothdürftiglich berathschlagen und unterreden, euch auch wiederum an eure gewarsame und sicherheit befördern.

Von wegen der donna Isabella [3] wären wir insonders wohl geneigt gewesen, ihr mit der begehrten beförderung zu begegnen; dieweil uns aber angeregt euer jetziges schreiben so spät und langsam zugekommen, seyn wir inzwischen berichtet worden, wie dass sie allbereit schon von unserm freundlichen lieben vetter und gevatter, dem herzog von Wirtemberg wiederum verruckt sey, darum wir derselben beförderung für unnoth geachtet. Wann uns aber solches euer schreiben ehender behändiget worden, oder sie noch der orten vorhanden, wollten wir uns, wie gehört, wohl haben wissen zu halten. Und das haben wir auch auf euer schreiben zu antwort gnädiger meinung nicht bergen mögen. Seyn euch daneben mit gnade und gutem zu erscheinen wohl geneigt.

Gegeben zu Wien den 4 December 1557.

P. S. Übersenden wir euch hierinn ein verzeichnis dieser bücher, so uns von euch zugekommen, damit ihr euch zu ersehen, ob es dieselben alle oder aber deren noch mehr gewesen seyen, dann

*

1 S. n. 30.
2 Verger reiste in folge dieser einladung anfang 1558 nach Wien, s. n. 57· ff.
3 S. n. 52.

wir wollen euch gleichwol nicht verhalten, daß das paquet etwas übel verwahrt gewesen. Actum ut supra.

1558.

57.

Verger an herzog Christoph.

Tübingen 1 Januar 1558.

Verger bittet, dass Isabella Manriquez ihren aufenthalt in Württemberg nehmen dürfe; kündigt seine abreise nach Wien an; litterarische neuigkeiten.

Gedruckt bei Lebret III, 560 ff.

Original im archiv nicht mehr aufzufinden.

Illustrissime Princeps Domine Domine Gratiosissime!

Dixi Vestræ Celsitudini, matronam illam [1], quæ in ducatum Vestrum ante paucos menses venerat, hospitam meam, profectam fuisse ad fines Italiæ, ut colloqueretur cum marito, cum fratre atque filiis, a quibus obnixe, ut id faceret, rogabatur. Deinde dixi, eam omnibus auditis permansisse constantem et respondisse in summa, se nunquam velle in papatum amplius redire. Nunc aliud, quod de ea dicam, habeo. Tandem maritum, fratrem et filios ab ea petiisse, ut, si extra Italiam atque extra papatum velit degere, saltem ne alibi degat, quam in ducatu Vestræ Celsitudinis; matrem vero respondisse, se ita esse facturam et huc redituram, si Celsitudo Vestra consenserit volueritque illi protectionem dumtaxat concedere. Hæc omnia mihi per peculiarem nuntium significarunt petieruntque, ut velim Vestræ Celsitudini supplicare, ut dignetur contenta esse, ut in Vestrum ducatum atque in Vestram protectionem cum sua familia redeat et vivat de suo. Cum ergo noverim, ista fieri et supplicari sincere et christiane, nihilque esse hic Vestræ Celsitudini metuendum, a Celsitudine Vestra reverenter peto, ut dignetur ad me rescribere, an sit contenta, ut illa domina redeat sub protectionem Vestram, quod ut faciat, etiam atque etiam supplex oro.

Statim accepto hoc Celsitudinis Vestræ responso, quod ad illam possim mittere ante meum discessum, ego cum jam paraverim, quæ

*

1 Vgl. n. 52. 55.

volo, iter ingrediar Viennam versus [1], quo certe proficiscor magna cum alacritate magnaque spe alicujus fructus pro gloria Dei.

Mitto exemplum desumtum ex libris Zwinglii [2], qui paganos in paradiso collocat cum Christo, cum matre ejus et cum apostolis. Utinam ista tam prava doctrina palam esset cognita! nam paucis certe nota est, profecto multorum animos commoveret, ne aliis in rebus Zwinglio crederent. Tigurini ergo pro eorum interesse defenderunt apud Basileenses librum Coelii Secundi [3] de numero sal-

*

1 S. n. 56 a.

2 In: Christianæ fidei brevis explicatio a Zuinglio paulo ante mortem ejus ad regem christianum (Franz I von Frankreich) scripta, s. in der ausgabe von Schuler und Schulthess vol. IV. s. 42 ff., vgl. br. n. 244.

3 Cölius Secundus Curio, geb. 1 Mai 1503 in der nähe von Turin, aus angesehener familie stammend; er widmete sich humanistischen studien, wurde schon frühe eifriger anhänger der evangelischen lehre und trat in Pavia, Ferrara, Venedig, Lucca offen für sie auf; zweimal eingekerkert entrann er auf fast wunderbare weise glücklich allen verfolgungen. Der verfolgungssturm von 1542 zwang ihn, sich über die Alpen in die freie Schweiz zu flüchten, wo er in seinem gastfreundlichen hause viele flüchtlinge aufnahm, unter andern auch Verger. In Bern, Zürich, Lausanne, Basel hielt er sich auf, hochgeschätzt wegen seiner humanistischen kenntnisse, an letzterem ort starb er 24 November 1569, s. die treffliche lebensskizze über ihn von dr. C. Schmidt, in der zeitschrift für die historische theologie 1860, 571 ff. Seine hauptschrift gegen das papstthum ist Pasquillus ecstaticus 1544. Mit Verger stand er in vielfacher verbindung, aber die berührung war nicht immer eine freundliche. Die beiden landsleute und schicksalsgenossen hatten manches an einander auszusetzen; Curio nannte Verger einen mann, der die bischofsmütze noch nicht abgelegt habe, nannte ihn eitel, ehr- und geldgeizig, machte sich lustig über seine furcht vor der pest u. s. w. (s. das keineswegs schmeichelhafte bild, das er von ihm entwirft Baum, Beza II, 382 f.) und Verger hat ihm wohl in gleicher münze heimgezahlt. Eine zeitlang scheint eine versöhnlichere stimmung platz gegriffen zu haben, da schuf das buch Curios: De amplitudine beati regni Dei dialogi sive libri duo, s. l. et a. eine kluft zwischen beiden, die nicht mehr überbrückt wurde. Curio hatte troz der warnungen wohlwollender freunde September 1554 das genannte buch herausgegeben. Verger hatte wahrscheinlich durch Julius von Mailand schon während des druckes von dem inhalt des buches gehört, trat als offener gegner gegen die latitudinarischen ansichten Curios beim herzog Christoph und in der Schweiz auf, brachte es auch wirklich dahin, daß Curio sich vor den Basler censoren ver-

vandorum atque ideo Basileenses dissimulant, nec voluerunt quidem
reprehendere Cœlium, ipsi viderint. Commendo me reverenter Vestræ
Illustrissimæ Celsitudini, cui Pater cœlestis augeat suos thesauros,
spiritum scilicet et fidem.

Tubingæ 1 Januarii 1558.

Vergerius.

58.

Verger an herzog Christoph.

Wien 19 Februar 1558.

**Nachrichten über seinen aufenthalt in Wien und den gesandten,
welchen Maximilian zu herzog Christoph schickt.**

Illustrissime Princeps et Domine Domine Clementissime!

Quandoquidem spero me propediem ad Vestram Illustrissimam
Celsitudinem rediturum, non est opus, ut prolixis litteris agam. Sed
reservo me, ut coram exponam, quæ opus fuerint. Credo me hinc
discessurum intra octo dies. Nam animadverti, serenissimum Bohemorum regem non esse nunc ejus intentionis, ut me velit in Poloniam mittere, quare ut dixi, Tubingam redibo. Operæ pretium
puto, ut Vestra Celsitudo a me intelligat, quisnam sit iste, qui hujus
serenissimi regis legatione fungitur. Nobilis est Silesita, qui diu
bonis litteris dedit operam Vittembergæ, præsertim juri civili, in
quo valde profecit, ut inter bonos doctores (licet non sit doctor)
connumerari possit. Serenissimus rex nuper ascivit eum in consiliarium et valde carum habet. Magna est ingenii dexteritate
magnaque prudentia, sed imprimis singulari pietate atque innocen-
tia vitæ. Talem profecto novi in quotidiano convictu, cum me in
ipsiusmet hospitio regis mandato susceperit. Dignissimum in summa
existimo, quem Illustrissima Celsitudo Vestra suo favore et gratia
complectatur, cui me reverenter etiam atque etiam commendo.

Viennæ XIX Februarii 1558.

Illustrissimæ Celsitudinis Vestræ observantissimus

Vergerius.

*

antworten muste, aber er wuste sich gut zu rechtfertigen; s. den
ganzen process Schelhorn, amœnitates XII, 592 ff. 1562 wurde merk-
würdigerweise die sache noch einmal erneuert, s. br. n. 171. 244.

1 Der gesandte hieß Nikolaus von Warnsdorff, s. Lebret IX, 116.

59.

Verger an herzog Christoph.

Wien 20 Februar 1558.

Verger giebt den grund an, warum er nicht als gesandter nach Polen geschickt werde.

Illustrissime Princeps!

Scriptis jam alteris litteris serenissimus rex dixit isti suo legato causam, quare non putet consultum, ut sua regia celsitudo adjungat mihi aliquem ex suis atque ad serenissimum Poloniæ regem mittat. Eam igitur causam ipse legatus coram narrabit. Ego debeo hodie de ea cum serenissimo rege conferre. Utinam possem et ejus consilium mutare! nam interea audio, quod d. a Lascho[1] in Polonia nihil remittit diligentiæ in sua de eucharistia sententia promovenda, et quod multa sunt illic ob eam rem scandala et turbationes, et quod tamen illi, qui sunt in majore Polonia (paucis exceptis) maneant constantes.

Illustrissime Princeps! Animadverto hunc serenissimum regem velle in longum protrahere negotium, dum possit de tota hac causa, cum Vestra Celsitudine et cum aliis illustrissimis principibus coram conferre. Sed interea animadverto etiam, quod perit causa aut certe valde deterior redditur. Quare per Jesum Christum oro, ut Celsitudo Vestra ejus curam suscipiat, præsertim si Franckfordiæ cum aliis principibus futura est. Dico iterum, causam male habere et periclitari. Polonia enim se cum Helvetiis conjunget, nisi Vestræ Celsitudines providerint.

Volo aperire mysterium: serenissimus rex male sentit de confessione Valdensium[2], ideo non putat illam promovendam aut tolerandam, et tamen Vestra Celsitudo eam vidit in venatione et probavit, et multi præterea doctissimi viri probant. Sic res est. Sua serenitas male de illa confessione sentit, nec possum abstrahere ab hac sententia.

Commendo me reverenter Vestræ Celsitudini.

Viennæ XX Februarii 1558.

Vergerius.

*

1 Vgl. n. 44.

2 Vgl. br. n. 56. Nach Gindely, geschichte der böhmischen brüder. I, 420 f. 471, hielt Maximilian die brüder für fälscher der bibel, warf ihnen auch verbindung mit den wiedertäufern vor; s. auch br. 170.

60.

Verger an herzog Christoph.

Wien 29 (?) Februar 1558.

Sein bericht über die polnische angelegenheit.
Gedruckt bei Sattler IV, beil. 43. s. 126 ff.
Original nicht mehr im archiv zu finden.

Illustrissime Princeps et Domine Clementissime!

Quamvis sperem, me intra quatriduum hinc discessurum, ut ad Clementissimam Celsitudinem Vestram redeam, tamen præmitto has litteras. Causa est, quia tarde veniam, quum jam viæ incipiant valde deteriores esse, quum vehar curru et quum utar valetudine parum prospera; consultum autem existimavi, ut Celsitudo Vestra intelligat, quid hic fecerim et quo in statu sit negotium Polonicum [1], propter quod huc veni, si forte voluerit illud communicare aliquibus ex principibus, qui sunt Francfordiæ et aliquid superinde deliberare et statuere.

Res ergo sic habet. Vestra Celsitudo discedenti mihi dixerat, quod consultum sibi visum fuisset, si serenissimus Bohemiæ rex mihi aliquem ex suis adjunxisset atque in Poloniam misisset, ut scilicet serenissimo regi et reliquis primoribus persuaderemus, ne adjungerent se Zwinglianis, a quibus sollicitantur, sed constantes manerent in confessione Valdensium [2], quam susceperunt, utpote conformi confessioni Augustanæ. Dixi ergo hoc Vestrum judicium atque consilium ejus serenitati regiæ. Nam licet sim non modo senex, verum etiam ægrotus, non recusassem subire talem laborem pro gloria Dei atque ut Celsitudini Vestræ, domino meo clementissimo, obedirem. Verum sua regia serenitas quum negotii magnitudinem pro sua profecto summa ingenii perspicacia animadvertisset atque perpendisset

*

1 S. br. n. 58. 59. 72. 73.
2 S. br. 56. Die confession hatte nach form und inhalt große verwandtschaft mit der Augustana; übrigens war diese »Waldenser confession« nie von allen Evangelischen Polens angenommen worden; nur die Reformierten Kleinpolens hatten sie eine zeit lang angenommen, aber bald wieder verworfen; s. Koniecki, geschichte der reformation in Polen, 101. Vergers wunsch war, daß sie als gemeinsames bekenntniß von allen Evangelischen angenommen würde, und diesen wunsch stellt er als frühere thatsache dar.

Verger   11

dinque pro sua gravitate et prudentia secum deliberasset, mihi respondit, nihil esse tam difficile atque arduum, quod facere recusatura sit, ubi agitur de promovenda doctrina evangelii atque ecclesia et gloria filii Dei, verum se dubitare, an debeat nunc talem legationem in Poloniam mittere, quum nondum sciat, quænam sit in ea re mens atque intentio reliquorum illustrissimorum principum Germaniæ, qui evangelio nomen dederunt. Ubi autem sciverit, illustrissimas eorum dominationes probaturas et consensuras, ut talis legatio adornetur, se minime defuturum suo officio.

Atque ut rem clarius exponam, regia celsitudo sua visa est mihi. id mirari, nempe quum illustrissimi principes amplectantur atque tueantur confessionem Augustanam, cur Celsitudo Vestra quæreret nobis adjungere regnum Poloniæ, quod ante sex aut septem annos suscepit non Augustanam confessionem, sed Valdensium. Suspicatur enim sua serenitas, diversam esse doctrinam confessionis Augustanæ a doctrina confessionis Valdensium.

Quare quantum potui conatus sum persuadere, non esse diversam doctrinam, sed eandem atque ideo probatam fuisse a Luthero, a Melanthone atque ab aliis magnis et bonis viris, eam inquam doctrinam non esse diversam, sed fuisse a piissimis et doctissimis probatam, quæ continetur in ea confessione, quæ fuit oblata serenissimo Romano regi anno 1535. Quod si alia forte reperiatur confessio sub nomine Valdensium aut Piccardorum, me de illa non intelligere nec putare esse Polonis commendandam. Quin et illud addidi. Si regnum Poloniæ nullam hactenus confessionem suscepisset, sed adhuc hæreret in principiis, nullam aliam debuisse illi a principibus evangelicis commendari præter Augustanam. Sed quum ante septem annos jam susceperit Valdensium confessionem atque in ea assueverit et profecerit, ideo istam tolerari et laudari debere, non modo, quia revera conformis est Augustanæ, sed præsertim, quia Helvetii mirabilibus practicis stimulant atque urgent d. Polonos, ut abjiciant Valdensium, quam sentiunt sibi esse contrariam, atque accipiant Zwinglianam.

Debere igitur nos d. Polonos monere, ut in ea, quam susceperunt, constanter maneant, nam si quid videbitur in ea corrigendum aut mutandum, facile id fieri poterit, postquam eos ad nos traxerimus et a Zwinglianis disjunxerimus.

Nunc id imprimis esse curandum, ut ab his eos disjungamus.

In summa laboravi pro virili, ut sua regia celsitudo intelligeret, eandem revera doctrinam esse, quæ continetur in Valdensium confessione, exhibita serenissimo Romano regi anno 1535, quæ est in Augustana præsertim in articulo de eucharistia, et omnibus nervis enitendum, ne d. Poloni illa confessione deserta adjungant se Zwinglianæ.

Hæc egi apud hunc optimum regem, qui clementissime me audivit multaque mecum contulit, quæ ad promovendam veram pietatem pertinent atque ea coram a me dicentur. Id nunc præmitto, suam regiam celsitudinem esse jam prorsus radicatam in vera pietate, ardere amore Jesu Christi et minime curaturam summas difficultates, quas video ego illi esse propositas, dum possit promovere verum cultum Dei. Illud imprimis in sua serenitate vehementer laudo, quod sollicitum video, ut evangelium pariat in nobis fructus dignos pœnitentia veramque vitæ reformationem et mortificationem; præcipue vero sollicitam video, ut inter illustrissimos principes imperii sarciatur vera concordia sublatis simultatibus atque odiis, quas esse cogitationes et curas dignas vero christiano rege, quis non videt? In summa animadverto illum gubernari a Spiritu sancto.

Si Vestra Celsitudo forte velit intelligere, quid sentiam porro esse faciendum in hac causa, quum in ea diu fuerim versatus habeamque illam satis perspectam, paucis dicam. Quæ mihi videretur, Vestram Celsitudinem debere nunc cum aliquibus ex principibus, qui Francfordia futuri sunt, agere, quanti momenti sit ista causa, declarare, deliberare ac statuere, an legatio sit in Poloniam mittenda. Si consenserint et serenissimus Bohemiæ rex de eorum consensione certior factus fuerit, non est dubium, quin sua serenitas regia, etiam legatione palam missa, sit juvatura hanc causam atque interea etiam non desistit juvare aliis rationibus; scio enim, ad palatinum Vilnensem de ea accurate scripsisse neque defuturam, quacunque ratione poterit. Ego hinc recta me in Poloniam contulissem, atque eo prorsus animo Viennam descenderam, sed non debui in illud regnum sine glypeo alicujus legationis atque omnino privatus ingredi; nam summum periculum fuisset, ne potentes Papistæ me oppressissent.

Interea amici inde ad me scribunt, d. a Lascho [1] non desistere urgere, ut confessio Zwingliana, ejecta Valdensium atque contempta Augustana, ab universo regno suscipiatur. Multos jam consensisse

*

1 S. br. n. 44.

11 *

et nuper celebratam fuisse cœnam Domini in domo d. castellani Voinicensis prorsus secundum usum et cæremoniam ecclesiæ Tigurinæ.

Deinde mihi scribunt aliquid boni, nempe serenissimum Poloniæ regem concessisse iu civitate Vilnensi in Lituania ecclesiam sancti Nicolai, in qua nostri fratres possint habere concionatorem. Postremo addunt, ejus majestatem esse nunc occupatam in stabilienda pace cum Moscovita, quam si firmare potuerit, venturam Cracoviam circiter festum Pentecostes; futurum enim eo tempore conventum, in quo de religione agatur. Reliqua coram dicam Vestræ Celsitudini ac dabo operam, ut quantum potero, citius revertam. Cui me reverenter commendo atque oro æternum Patrem, dominum nostrum, ut eidem atque omnibus augeat spiritum sanctum et fidem.

Viennæ Austriæ die XXIX Febr. 1558.

Vestræ Illustrissimæ Celsitudinis observantissimus

Vergerius.

61.

Verger an herzog Christoph.

Tübingen 20 April 1558.

Verger zeigt seine rückkehr aus Wien an.

Illustrissime Princeps et Domine Domine Clementissime!

Tandem Tubingam heri[1] vesperi redii, Deo gratiæ, sed non sine magnis laboribus et nonnullis difficultatibus, nam in via cœpi ægrotare. Quæ ægritudo, cum me nondum deseruerit, facit, ut non recta et statim potuerim ad Illustrissimam Celsitudinem Vestram accedere. Supplico, ut dignetur pro ejus clementia boni consulere. Statim enim ubi paulo melius habuero, comparebo plenus rerum bonarum (ut spero). Interea me Illustrissimæ Dignitati Vestræ reverenter commendo. Deus optimus maximus eam diutius servet ecclesiæ filii sui.

Tubingæ die XX Aprilis MDLVIII.

Vestræ Illustrissimæ Celsitudinis observantissimus

Vergerius.

•

1 Die rückkehr hatte sich verzögert, da Verger nach einer notiz in einem brief herzog Christophs an Maximilian »in den windischen ländern« gewesen war, s. Lebret IX, 117. S. br. 66.

61 a.

Summa earum rerum, quæ Vergerius ex Austria rediens,
Christophoro duci renuntiavit.

1558.

Gedruckt bei Fischlin, memoria theologorum Wirtembergensium.
Ulm 1710. suppl. 122. Das datum 1556 muss 1558 heißen.

Omnia, quæ de rebus Austriacis narravi [1], eo potissimum ten-
dunt, ut Vestra Illustrissima Celsitudo intelligat, Papam nullum tempus
intermittere, quo per suos jesuitas aliaque instrumenta et practicas
non anxie quærat subvertere bene cœptas reformationes ecclesiarum,
præsertim vero serenissimi Maximiliani pium animum, hunc tamen
manere constantem, Deo gratiæ.

Dixi imprimis, nuntium apostolicum Maximiliano dixisse Papam
(ut ulcisceretur Philippum, Angliæ regem) se velle illustrissimis Germaniæ principibus liberam relinquere religionem, dummodo una
cum ipso Papa caperent arma contra Carolum Quintum atque ipsum
Philippum; ipsumque Papæ nuntium se jactasse, quod Papa jam
traxisset Albertum Brandeburgensem in suas partes.

Deinde dixi, Papam, facta pace cum Philippo, misisse secretarium ad Ferdinandum sub persona seu larva jesuitæ, qui primum
conquereretur, ipsum Ferdinandum nimis favisse colloquio Vorma-
ciensi, ita ut ipsum colloquium procedere potuisset, nisi collocutores
catholici fuissent diligentes et secretarius ille diserte dixit, quod
Papæ valde carum fuerit, quod dicti collocutores colloquium inter-
turbaverint.

Dixi etiam de hoc secretario jesuita, quod dixerit Ferdinando,
Papam conqueri, quod Philippus pauciores jam comburit propter
confessionem nostræ fidei, quam rex Gallorum.

Dixi, Maximilianum noluisse ad se admittere secretarium illum,
qui tertio tentavit suam regiam celsitudinem accedere, adjutus etiam
a Martino de Guzman, sed fuisse spretum et contemptum.

Addidi, eundem Maximilianum solere graviter objurgare et vexare
Jonam vicecancellarium, quando eum audit laudare Papam et Romanam ecclesiam.

*

1 Verger war von herzog Christoph veranlasst worden, den inhalt
einer unterredung, worin er seinen reisebericht erstattete, zu papier zu
bringen, er holte weiter aus und gieng auch auf frühere zeiten zurück.

Dixi de gravissimis contentionibus, quæ fuerunt inter Ferdinandum et Phauserum, prædicatorem Maximiliani [1], et de litteris invicem scriptis, ac de gravissimis atque ignominiosissimis verbis, quibus Ferdinandus ipsum Phauserum oneravit, suam indignationem ac mortem etiam minando, nisi desisteret a nostra doctrina prædicanda, imo multa gravia verba pronuntiando contra omnes, qui sequuntur nostram piam doctrinam et præcipue contra Vos Illustrissimos Germaniæ principes, ita in summa, ut affirmari possit, Ferdinandum nunquam fuisse tam acerbo animo atque amaro zelo contra nostram religionem, ut nunc est.

Præcipua causa est, quod sua Majestas videat Maximilianum (quem pater excepta religionis causa plus quam dici possit, amat,) plane accessisse ad partes nostras, atque una cum eo maximam partem hominum, qui sunt in ditionibus suæ Majestatis. Est itaque inflammato animo, quod videt se non potuisse tanta diligentia, qua usus est per multos annos, retinere cursum nostræ doctrinæ.

Dixi, quomodo sua Majestas tentaverit collocare filios Maximiliani sub institutione et disciplina alicujus jesuitæ, Maximilianum vero viriliter restitisse.

Dixi, Ferdinandum [2] cum Francfordiam venturus esset, eo animo fuisse, ut (si pro consequenda dignitate imperii necesse esse videret) libenter juraturus fuisset, se non molestum futurum nostræ religioni;

*

1 Johann Sebastian Pfauser, geb. 1520 in Markelfingen bei Constanz, zuerst als prediger in den diensten Ferdinands, dann bei Maximilian, dessen evangelischer hofprediger er längere zeit war; Ferdinand, der die evangelischen sympathieen seines sohnes besonders dem einfluss Pfausers zuschrieb, verbannte ihn schon 1555, verfolgte ihn auch später und erzwang es endlich, daß Maximilian den ausgezeichneten prediger und warmen fürsprecher der evangelischen bestrebungen in Böhmen und den übrigen ländern der österreichischen monarchie 1560 entlassen mußte; aber noch lange zeit blieb er mit ihm in correspondenz. Pfauser starb 6 Juni 1569 als geistlicher in Lauingen; vgl. Raupach, evangelisches Österreich II, 54, wo auch sein bild. Gindely, geschichte der böhmischen brüder 1, 426 und Fontes rer. austriac. II, 19, 125 ff. Lebret IX, 180 f. Reimann, die religiöse entwicklung Maximilians II. Sybel, historische zeitschrift XV, 1 ff. Maurenbrecher, zur geschichte Maximilians II, ebend. XXXII, 221 ff. Vgl. n. 66. 74. 101.

2 24 Februar 1558 kam Ferdinand nach Frankfurt a./M. und wurde dort 14 März zum kaiser erhoben.

nam Papa absolutionem ei fuisset daturus a juramento, si illud non servasset.

Dixi deinde, Maximilianum met solere conqueri, quod sit tamquam puer, qui visitet scholas, ideo necesse habere, ut informetur adhuc de his, quæ ad nostram religionem pertinent; revera enim neque sua regia celsitudo neque qui illi assistunt, sunt bene in hac causa exercitati, putant enim, se posse dissimulare et missis interesse, se posse accipere cœnam sub utraque specie ex manibus sacrificuli papistici atque alia hujusmodi. Dixi ergo, tum regem tum reliquos, qui illic videntur amare evangelium, esse juvandos, regemque ipsum et reliquos hoc petere, ut juventur, præcipue vero nobiles, qui sunt in ipsa Austria, Stiria, Carinthia et Carniola, qui gratissimam habuere versionem Novi Testamenti in linguam Slavicam [1], petuntque sibi adornari versionem Veteris Testamenti et alios selectos aliquot libros mitti, quibus possint proficere.

Inprimis petunt, ut Vestra Celsitudo velit eos habere commendatos, primum apud Maximilianum, apud quem omnes jam norunt, Celsitudinem Vestram plurimum valere gratia et autoritate, deinde in comitiis, quæ proxime celebrabuntur. Nam in animo habent, mittere legatos et experiri, an possent a suo domino per Vestram intercessionem obtinere libertatem reformandarum ecclesiarum ad normam evangelii.

Hæc sunt præcipua capita, quæ de statu Maximiliani et statu rerum Austriacarum dixi.

Addidi de Moravia, quod ea abundet Anabaptistis [2] magis quam unquam antea, et quod nuper eo confluxerint circiter XXX profugi ex Italia, nec non, quod illi Anabaptistæ nuper susceperint et cœperint defendere articulum illum de trinitate, propter quem Gribaldus fuit condemnatus.

*

1 S. br. n. 17.
2 Seit 1526 waren wiedertäufer nach Mähren eingewandert und hatten dort trotz manchfacher verfolgungen sich sehr ausgebreitet; adelige gutsbesitzer, welche ihre betriebsamkeit und sparsamkeit hoch schätzten, gaben ihnen gerne unterkunft; damals zählten sie 60 gemeinden, besonders deutschredende; s. Gindely, geschichte der böhmischen brüder I, 213 f. II, 19 f.

De Bohemia dixi, quod Valdenses[1] cum eorum confessione valde illic proficiunt, confirmantur enim et augetur numerus quotidie. Maximilianum vero pessime sensisse de illis atque existimasse, esse malos viros cum mala doctrina[2]; me autem sperare, quod suæ regiæ celsitudini talem opinionem atque errorem ademerim, quod magni momenti existit, nam si sua regia dignitas pervenisset ad administrationem regni, antequam illo errore exutus fuisset, aliquid profecto durius in bonos Valdenses statuisset.

De rebus Polonicis dixi, Laschum[3] sperasse, quod potuerit trahere in suam de eucharistia sententiam, imo se jactasse, quod jam traxisset magnificum d. Jacobum ab Ostrorogum[4], quod si verum fuisset, Laschus totam Poloniam sibi lucrifecisset. At ostendi litteras Vestræ Celsitudini, quas ad me scripsit unus ex concionatoribus ejusdem magnifici d. Jacobi, qui affirmat, dominum suum nihil voluisse immutari in confessione Valdensium, sed in ea constantem velle manere.

Addidi et lectis eisdem litteris ostendi, quod theologi Helvetii scripserunt et miserunt in Poloniam censuras[5] et reprehensionem in confessionem Valdensium suadontes, ut ista confessio atque Augustana ejecta, suscipiatur illic Helvetica confessio.

Quare cum Helvetii non desistant sollicitare Polonos, ut a confessione nostra discedant, reverenter consului, quod sit talibus practicis aut missa (quando comitia illic celebrabuntur) legatione aut alio modo occurendum. Qua de re tunc pluribus agam, cum palatini Vilnensis litteræ ea de re advenerint.

*

1 Die lage der böhmischen brüder war um jene zeit verhältnismäßig besser; zwar waren ihre häupter Augusta und Jakob noch gefangen, aber dass die auswanderung aufgehört, wies doch auf größere duldung hin, s. Gindely I, 430.

2 S. br. n. 59. 170.

3 S. br. n. 44.

4 Jakob von Ostrorog, dem höchsten adel Polens angehörig, der bedeutendste gönner der böhmischen brüder; vgl. die merkwürdige art, wie er für sie gewonnen wurde, in Koniecki, geschichte der reformation in Polen, s. 54.

5 Lasco hatte 1557 die brüderconfession in die Schweiz geschickt zur begutachtung; ende des jahres liefen von Calvin, Bullinger, Viret u. s. w. gutachten ein, die in einzelnen lehren, besonders vom h. abendmahl, die confession tadelten; daher Lascos bestreben, die confession zu ändern. S. Gindely I, 403. Br. n. 63.

62.

Verger an herzog Christoph.

Tübingen 1 Mai 1558.

Verger überschickt eine denkschrift über das concil; berichtet über ein buch von Staphylus und kündigt seine abreise nach Wildbad an.

Illustrissime Princeps et Domine Domine Clementissime!

Mitto scriptum, quod nuper a Celsitudine Vestra discedens promisi me missurum. Prodest anticipare et versari in his gravissimis argumentis, ut cum primum indictio concilii [1] fuerit, evulgata habeamus in promptu consilia, ad quæ recurramus.

Legi Staphili [2] libellum venenatissimum, si alium unquam legi (est ejusdem fere argumenti, cujus sunt etiam tabulæ hæreticorum), legi præterea responsionem Philippi Melanchthonis, quæ mihi visa est jejuna et exilis; majorem machinam oportuit adhibitam ad depellendas et prosternendas tam multas et tam graves Staphili nebulonis calumnias. Utinam Austria, Stiria, Carinthia et Carniola me non usque adeo occuparent, experirer profecto, quid contra Staphilum possem.

Post triduum iturus sum ad Thermas ferinas (si Dominus voluerit), si quid forte acciderit, in quo mea opera usui esse possit, illic inveniar. Imprimis supplico, ut mihi significetur, si ex Prussia aliquis nuntius advenerit. Commendo me reverenter Vestræ Illu-

*

1 Das Tridentinum, seit 28 April 1552 vertagt, sollte wieder erneuert werden; die indiktionsbulle aber erließ Pius IV erst 29 November 1560. Die schrift Vergers folgt n. 62a.

2 Friedrich Staphylus, geb. 17 August 1512 in Osnabrück, studierte unter Melanchthon evangelische theologie, wurde von herzog Albrecht nach Königsberg berufen 1546. Der streitsüchtige mann kam bald in fehde mit Osiander, so daß er 1549 Königsberg verließ, um enthebung von seiner stelle bat und zum katholicismus übertrat, dem er in Österreich und Bayern großen vorschub leistete. † 5 März 1564 in Ingolstadt. Veranlaßt durch das Wormser colloquium gab Staphylus eine schmähschrift gegen die Evangelischen heraus: Theologiæ Lutheri trimembris epitome. Melanchthon antwortete mit: Responsiones ad criminationes Staphyli. Gegen die Defensio von Staphylus trat Melanchthon nicht mehr auf. S. auch br. 66. 88.

strissimæ Celsitudini, quam Deus pater cœlestis diu servet incolumem ecclesiæ suæ per Jesum Christum.

Tubingæ calendis May MDLVIII.

Vestræ Illustrissimæ Celsitudinis observantissimus

Vergerius.

62 a.

Die denkschrift Vergers, wie man einen krieg vermeiden könne,
der beim ausschreiben des concils wahrscheinlich ausbrechen
werde.

Illud imprimis existimo debere statui pro certissimo atque indubitatissimo, quod Papa dies noctesque verset in animo, qua ratione quave injuria possit Germaniam gravissimo bello [1] primo quoque tempore adoriri.

Pro certissimo atque indubitatissimo puto etiam debere statui,
quod novus Cæsar Papam (quantum poterit) instigabit de eo bello
suscipiendo, neque enim dubium est, quod sua cæsarea Majestas
nunc majore odio nostram religionem prosequatur, quam unquam
fecerit.

Verum neque Cæsar neque Papa putabit rem statim armis
aggrediendam, sed procul dubio præmittendam cognitionem, hoc est
concilium.

Quo utcumque peracto tunc demum capient arma, ut cogant
(si potuerint) illustrissimos principes protestantes ad executionem
atque ad obedientiam.

Non est etiam dubium, quin omni studio curaturi sint, ut ad
rem tantam perficiendam adjungant sibi vires, quotcumque potuerint
regum et principum, imo quod sibi Turcam quoque et ipsum Sa-
tanam corporaliter essent vocaturi in subsidium, dummodo possent.

Quare cum multum diuque cogitaverim, qua ratione posset im-
pediri, ne tota Europa tam periculoso bello se involveret atque
parceretur tot cædibus, tot incendiis, tot calamitatibus, tot vasta-
tionibus atque miseriis, quæ ex tanto bello nascerentur, in summa
sentio, Deum mihi hoc consilium inspirasse.   .

*

1 Diese kriegsbefürchtungen, die auch andere personen theilten,
wiederholten sich von zeit zu zeit; s. Stälin IV, 595. Verger kommt
sehr oft auf seine prophezeiung eines krieges zurück.

Affirmo quod principes, qui degunt in Italia, quotquot sunt, Veneti, dux Ferrariæ, dux Florentiæ, dux Urbini, dux Mantuæ, dux Parmæ et Placentiæ et reliqui domicelli persuasum habent, si concilium celebrandum sit, fore ut celebretur christianum et liberum, qualia legimus aliquot fuisse celebrata aliquando in ecclesia Dei, in quibus pastores atque alii boni viri, pietate et doctrina præstantes, liberi imprimis ab omni vinculo juramenti, quo papis astringerentur, et vacui ab omni passione, omnibus diligenter auditis, qui voluissent accedere, pronunciabant libere, quod sentiebant.

Tale inquam concilium principes Italiæ (quod certissime scio) persuaserunt sibi, Papam velle celebrare, atque ideo si nihil aliud intelligant, facillime patientur sibi ab ipso Papa persuaderi, ut pro talis concilii executione arma capiant; nam justissima illis videbitur causa belli, neque poterunt se excusare, ne capiant.

Iterum dico, quod affirmo, principes Italiæ esse, ita ut dico, persuasos, crediderim autem non aliter persuasos esse, regem Gallorum, regem Hispaniarum, regem Lusitaniæ, regem Poloniæ.

Cum primum igitur Papa evulgaverit indictionem concilii, in qua procul dubio apparebit, illum velle iniquissimum concilium celebrare, tunc statim putarem adornandas ab illustrissimis principibus, qui evangelio nomen dederunt, gravissimas legationes tam ad reges, quam ad principes Italiæ et illis esse significandum, Papam evulgasse indictionem concilii, in qua aperte se prodit, velle ipsummet judicem esse in causa propria, et per suos conjuratos episcopos statuere, quicquid sibi placuerit, quod est inquissimum atque absurdissimum. Quare principes protestantes rogare, ut diligenter rem expendant, an æquum videatur, ut qui tot annis accusatur proditæ christianæ religionis, idem spretis reliquorum judiciis debeat nunc esse solus judex. Imprimis vero expendant, an christiani reges et principes debeant postea arma sumere pro executione tam tyrannici concilii totumque terrarum orbem bello perturbare et vastare; cogitent potius, Papam monere de alia concilii forma et ratione ineunda, quæ justa sit et tolerabilis; principes enim Germaniæ non defugere cognitionem, modo sit honesta; etc. in hanc sententiam, quæ poterunt dici plurima.

Si tales legationes gravissimorum hominum etiam comitum et baronum mittantur, qui diligentissime aperiant, quale concilium Papa velit celebrare, ego spero, quod si non omnes, saltem magna pars

regum et principum commovebitur atque aget cum Papa monebit-
que, ut de alio genere concilii cogitet, alioquin se non posse salva
conscientia executionem armis juvare.

Sperarem, inquam, quod ex regibus atque ex principibus aliqui
invenirentur, qui audita legatione, hoc est, quam iniquum concilium
Papa in animo habeat celebrare, ita essent, cum illo acturi, ac aliquid profecturi, ut dixi. Non enim libenter in hac causa arma caperent, saltem Itali principes, quare lætarentur sibi offerri istam excusationem, qua se a sumptibus, ab incommodis et a periculis li-
berarent.

Prodesset etiam eodem tempore, quo legationes mitterentur,
publicare in omnibus linguis libellos, quibus describeretur iniquitas
et tyrannis concilii, quod Papa per suam indictionem ostendisset se
velle celebrare, et omnino hinc quoque aliquid lucri facturi essemus.

Hoc ego certe multo melius existimo quam sinere, ut Papa suo
modo concilium celebret, deinde ut etiam suos exercitus adornet, et
tunc parare se ad defensionem.

Lucrum et commodum, quod possumus sperare ex hoc consilio,
maximum est; quare non putarem hoc consilium negligendum, sed
tentandum potius, præsertim cum tentari facillime possit.

Certe hoc consilio tentato faciemus causam nostram tum apud
homines favorabiliorem.

63.

Verger an herzog Christoph.
Wildbad 11. Mai 1558.

Nachrichten über die inquisition in Frankreich, die umtriebe der
Calvinisten in Polen, das buch des Musculus über den wucher und
seine eigene schrift über Spiera.

Illustrissime Princeps et Domine Domine Clementissime!

Ago Vestræ Illustrissimæ Celsitudini ingentes gratias pro responso, quod dignata est dare meis litteris die 5 hujus mensis.

Accepi amici alicujus, qui Lugduni degit, litteras, qui mihi
nuntiat, Gallorum regem tandem victum importunitate cardinalis Lo-
theringiæ admississe in suum regnum deterrimam illam carnificinam[1],

*

1 Die versuche der curie, die inquisition förmlich in Frankreich

nempe inquisitionem hispanicam, qua nihil potest crudelius et sceleratius excogitari. Tanto ergo rigore procedetur nunc contra eos, qui usum aquæ sanctæ (ut appellant) negaverint, quanto contra eos, qui messiam (ut Marani faciunt) venisse negaverint. Nunc aliquis tumultus nascetur in Gallia procul dubio. Germani mercatores impetrarunt, ne tam iniquæ et diabolicæ inquisitioni subjaceant, alioquin minabantur fugam.

Ostendi nuper Vestræ Illustrissimæ Celsitudini litteras, quibus ad me ex Polonia scribebatur, doctores Helveticos scripsisse censuras in confessionem Valdensium et curasse, eas per Poloniam spargi. Nunc de eisdem censuris ibidem sparsis iterum audivi; sed audio simul per opportunum antidotum fuisse, quod ego jam sparseram, eandem confessionem testimonio Lutheri [1], Philippi, Buceri et Musculi disertissime confirmatam et comprobatam. Habeo etiam aliud antidotum adversus easdem censuras, nempe litteras eorundemcmet censorum, quibus ante triennium laudarunt eam confessionem, antequam scilicet d. Laschus [2] in Poloniam commigrasset atque istam camerinam movisset. Oportebit me eas litteras spargere.

Serenissimus Bohemiæ rex atque una concionator ejus [3] monuerant me, ut aliquid adversus usuras scriberem ac mitterem ad illos. Non fuit mihi otium scribere de meo, quare curavi recudendum Musculi [4] libellum, qui mihi severius agere in hac materia videtur; non est dubium, quin corrupta valde sint nostra tempora tali peste. Mitto unum exemplum duntaxat, ut Vestra Illustrissima Celsitudo

einzuführen, gelangen nicht vollständig, sondern führten nur zu dem edikt von Compiègne 24 Juli 1557, welches zwar strenge strafen gegen die Evangelischen aussprach, aber wesentlich von der inquisition abwich; s. Polenz, geschichte des französischen Calvinismus I, 366 ff. Soldan I, 251 f.

1 S. br. 60. 61a. In der vorrede zu der 1538 gedruckten, etwas veränderten confession hatte Luther die brüder und ihren glauben gelobt; s. Gindely, geschichte der böhmischen brüder I, 240, vgl. auch den brief Vergers an Ostrorog, Fontes rer. austr. II, 19. 214 ff., wo die namen und lobenden äußerungen der reformierten theologen angeführt werden.

2 S. br. n. 44.

3 Pfauser, s. br. n. 61a.

4 Titel: De usuris ex verbo Dei appendix ex libro, quem Wolfg. Musculus scripsit in Psalmos 1558, mit einer vorrede von Verger; s. Serap. s. 88. n. 84.

intelligat Tubingæ haberi ad octingenta. Mittam in Austriam, cum e Thermis rediero, si eidem Celsitudini Vestræ Illustrissimæ videbitur.

Dedi recudendam historiam Francisci Spieræ [1] illius, qui in miserrimam inciderat desperationem ob negatam veritatem agnitam; nam ea valde commovebit multos in Austria, ubi permulti dissimulant atque negant. Serenissimus rex nihil adhuc de ea audierat et dixit, se eam a me exspectare.

Nescio quo modo contigerit, ut Thermarum præfectus nullas habuerit litteras, nullum mandatum, ut mei rationem habeat; utinam adhuc haberet! sunt enim hic varia hominum genera, Hispanum etiam vidi mendicantem; sum quidem in privatis ædibus, non in publico diversorio, at consultum putarem, si multi viderent, præfectam habere aliquam curam meæ personæ.

Commendo me reverenter Vestræ Illustrissimæ Celsitudini, quam Pater cœlestis nobis diu incolumem servet per Christum dominum nostrum.

Ex Thermis ferinis die XI Maii 1558.

Vestræ Illustrissimæ Celsitudinis observantissimus

Vergerius.

64.
Verger an herzog Christoph.
Tübingen 31 Mai 1858.

Verger empfiehlt einen evangelischen prediger, Ambrosius Ziegler, der in Württemberg gerne eine stelle annehmen würde. Litterarische neuigkeiten.

Illustrissime Princeps et Domine Domine Clementissime!

Agam paucis, cum aliquot capita habeam, quæ scribam; quia decumbo jam XV diebus, nam Thermæ ferinæ, quæ tam multis prosunt, mihi vero non profuerunt. Laudetur Dominus, spero tamen intra aliquot dies melius me habiturum.

Venit ad Celsitudinem Vestram doctor Paulus Scalicius [2], co-

---

1 Über Spiera s. Vergers leben; von den verschiedenen ausgaben ist dies nach Serap. s. 69. n. 10 die dritte.

2 Paulus Scalichius, geb. 1534. Er behauptete aus dem vornehmen Veroneser hause der Scaliger abzustammen; unterstützt durch gute

mes Hunnorum etc. adducitque secum egregium sane virum[1], patria Constantiensem, sed quem inveni nuper Viennæ agentem parochum in suburbio atque ita pie et libere concionantem, ut magnam de se apud omnes bonos spem excitarit, quin ut serenissimus quoque Bohemorum rex voluerit aliquoties ipsum audire in cœtu octo aut decem millium hominum. Mihi est familiariter notus et spero in summa, illum in non mediocrem verbi Dei concionatorem evasurum. Jam eodem tempore, quo d. Scalicius et ego Vienna discessimus, discessit quoque idem Ambrosius litteris commendaticiis ejusdem serenissimi regis ad præfectum Constantiensem instructus, ut patriam et reliquos suos inviseret. Nunc quum in animo haberet, redire Viennam, cœpit cogitare, quod serenissimus Cæsar Ferdinandus vix eum patietur, postquam ita libere (ut dixi) sua cæsarea Majestate absente, coram serenissimo filio et tota Vienna fuerit concionatus.

Quare idem Ambrosius sensit sibi a Domino hoc consilium in-

*

naturanlagen verstand er, sich in das vertrauen der verschiedensten fürsten einzuschwindeln, wobei er nach bedürfnis den katholiken oder protestanten spielte. Papst Julius III empfahl ihn als treuen sohn der kirche an könig Ferdinand, dieser ernannte ihn zum coadjutor in Laibach. Dort entpuppte er sich bei vorlesungen als evangelisch und in folge davon ging er 1557, mit empfehlungsbriefen von Maximilian an Christoph vesehen (s. Lebret IX, 113) nach Tübingen, dort kam er mit dem pfarrer Gangolf von Lustnau in heftigen streit, indem derselbe die oben erwähnte abstammung als falsch angriff; thörichterweise ließ sich auch Verger in denselben hineinziehen, was ihm viele bittere stunden kostete und ernste vorstellungen von seiten des herzogs zuzog. 1561 ging Scalichius nach Preußen, schrieb dort ein buch voll schwerer schmähungen gegen Verger und richtete auch dort große verwirrung an. 1575 starb er in Danzig als vagabond; s. Raupach, evangelisch. Österreich II, 123 ff. (Voigt stand mir nicht zu gebot.) Vgl. br. n. 97. 100. 106. 107. 108. 110. 161. 162. 177. 182 a. 250.

[1] Der mann hieß Ambrosius Ziegler. Herzog Christoph nahm sich seiner freundlich an und als die freilich falsche nachricht kam, er sei bei der rückreise nach Österreich gefangen und nach Passau geführt worden, schrieb er an Maximilian, Lebret IX, 125 f. Maximilians antwort, dass Ziegler sich auf freiem fuße befinde; ebend. s. 135. Herzog Christoph stellte ihn als geistlichen in Backnang an; 1570 wurde er mit bewilligung herzog Ludwigs nach Klagenfurt als geistlicher berufen, 1576 pfarrer in Herrenals in Niederösterreich, † 1578; s. Raupach, Presbyterologia austriaca s. 209 f. (Die angabe, daß er ein Württemberger, ist falsch.)

spiratum, nempe, ut aliquamdiu in ducatu Vestro consisteret, dum videret, si forte Deus vellet suo spiritu mitigare Cæsaris animum. Ac ne interea idem Ambrosius ulli esset oneri et panem frustra consumeret otiosus, aperuit se mihi, quod libenter accepturus esset a Vestra Celsitudine conditionem aliquam ecclesiasticam, in qua talentum exerceret. Et cum me orasset, ut egomet ob eam causam ad Illustrissimam Celsitudinem Vestram accederem neque possem ob adversam valetudinem, scribo reverenter et commendo hominem, quem spero futurum honori Celsitudini Vestræ Vestrisque ecclesiis.

Reverenter gratias ago pro monitione Vestræ Dominationis Illustrissimæ, nempe ut abstineam ab edendis libris eorum autorum, qui non sunt nostræ confessionis. Parebo sine ulla exceptione, ut me decet.

Historia Francisci Spieræ est sub prelo. Tractatus de usuris supprimetur [1].

Magnificus d. Sigismundus a Dietristan, baro in Carniola (Celsitudinis Vestræ observantissimus, si quispiam alius) scripsit hunc libellum, quem mitto de missa, cuperet dari imprimendum, sine ejus nomine tamen. Quamvis autem d. Beurlinus [2] et d. Snepphius [3] theologi viderint et probarint, tamen putavi mittendum ad Celsitudinis quoque Vestræ censuram. Nihil vidi ego in eo suspectum et bona multa, unde spero futurum utilem illis novitiis ecclesiis. Exspectabo Vestrum consilium et mandatum ea de re.

D. Veneti decreverunt honorificam legationem ad Cæsarem, futura est centum equitum et ultra. Volunt placare, nam non paucis injuriis illum non multo ante affecerunt, præsertim cum oppidum, cui nomen Marrano [4], juxta mare munitissimum, illi ademerunt et adhuc retinent.

Commendo me reverenter Vestræ Illustrissimæ Dominationi. Ago gratias Deo pro benedictione domini, qua donavit tertium heredem,

*

1 S. n. 63.
2 S. n. 50.
3 Dietrich Schnepf, geb. in Wimpfen 1 November 1525, sohn des württembergischen reformators Erhard Schnepf, damals professor der theologie in Tübingen, nahm am gespräch in Worms 1557, in Maulbronn 1564 theil; fruchtbarer theologischer schriftsteller. † 9 November 1586. S. n. 111. 159.
4 Maruno auf einer halbinsel bei Udine.

Deus det illi spiritum sapientiæ et fortitudinis! Amen.

Tubingæ postridie Pentecostes 1558 [d. h. 31 Mai].

Vestræ Illustrissimæ Celsitudinis observantissimus

Vergerius.

65.

Verger an herzog Christoph.

Tübingen 9 Juni 1558.

Nachrichten über den frieden, der in aussicht stehen solle, die streitigkeiten zwischen Genf und Bern. Verger noch krank.

Illustrissime Princeps et Domine Domine Clementissime!

Heri venit ad me amicus e Lugduno, qui ait, tum Lugduni tum in tota Helvetia se audivisse, magnam esse practicam et spem de pace [1]. Quin quod Lugduni rex mandarat, ut celebrarentur circuitus aut processiones et funderentur preces ad Deum pro pace impetranda; et amicus idem meus ait, se processiones vidisse ante IX dies Lugduni. Faciat Dominus, quod bonum est in oculis suis! Sed certe pax ista (si successerit) multas res novas allatura est et magnas. In Italia valde exercetur persecutio in filios Dei.

In ecclesia Genevensi cœpit controversia satis gravis de trinitate [2], quare aliqui ex fratribus discessere, et timetur, ne magna aliqua vastitas succedat.

Composito priore dissidio inter d. Bernenses et Genevenses aliud non mediocre subortum est. Tandem credo, quod Berna mulctabit Genevam. Bernenses omnium dissidiorum culpam transferunt in Calvinum.

Adhuc decumbo, licet meliuscule habeam. Domini voluntas fiat, qui nos ita exercet variis crucibus. Commendo me reverenter Illustrissimæ Celsitudini Vestræ. Tubingæ die nono Junii 1558.

Vestræ Illustrissimæ Celsitudinis observantissimus

Vergerius.

*

1 Es währte noch bis 3 April 1559, bis in Cateau-Cambrésis der frieden zwischen Spanien und Frankreich geschlossen wurde.

2 Gribaldis (s. br. 38) ansichten hatten in der italiänischen gemeinde Genfs ziemlich starke wurzel gefasst. S. Trechsel, die protestantischen antitrinitarier II, 302.

Verger   12

66.

Verger an herzog Christoph.

Tübingen 16 Juni 1558.

Fragt an wegen bücher, die nach Österreich bestellt sind. Nachrichten über die lage der Evangelischen in Kärnthen, die aufnahme zweier kärnthnischer jünglinge in das seminar zu Tübingen, die verfolgung der protestanten in Italien; bittet um einen geleitsbrief für seinen neffen.

Illustrissime Princeps et Domine Domine Clementissime!

Tandem (Dei beneficio) emersi ex lectulo, ubi aliquot septimanas decubui. Fiat voluntas Domini! Sic nos solet sub cruce modo hac, modo illa exercere cœlestis Pater. Certe videor mihi nunc sentire fructum atque éxcitationem aut etiam augmentum spiritus. Accepi a d. Phausero [1], serenissimi Bohemorum regis concionatore, litteras, qui scripsit, nondum comparuisse libros, quos Illustrissima Celsitudo Vestra Francfordiæ jussit comparari et Viennam mitti. Deinde urget me, ut quanto possim citius, aliquot ei comparem atque mittam, quod faciam. Scribit etiam, sibi uni fuisse parsum, (quamquam clanculum sentit sibi parari gravissimas insidias a Staphilo [2], quem ait esse in magna autoritate, atque a jesuitis) reliquos autem concionatores, qui erant in Austria et veritatem videbantur nosse, fuisse magna insolentia profligatos atque exturbatos, ut nunquam gravior fuerit illic in nostros persecutio. Accepi deinde ex Carniola litteras, quibus mihi significatur, magnam fuisse inter omnes pios lætitiam excitatam, ubi ex litteris meis intellexerunt, Vestram Celsitudinem jussisse, ut duobus Carniolanis pueris daretur locus in stipendio Tubingæ, atque omnes uno ore agere gratias et orare Deum pro ea; etiam pueri advenerunt, et sunt in stipendio.

Celebratus fuit conventus provinciarum Stiriæ, Carinthiæ, Carniolæ etc., ubi communibus omnium votis statutum est de iterum urgendo et supplicando apud Cæsarem, et de adjungenda etiam sibi in ea re illustrissimorum Germaniæ principum intercessione, ut liceat illis reformare ad normam evangelii eorum ecclesias. Præterea publico decreto statuerunt de conferenda pecunia in versionem bi-

*

1 Vgl. n. 61 a.
2 Vgl. n. 62.

bliorum in linguam Slavicam[1]. Non est dubium, quin in illis provinciis sint magna initia veræ pietatis; illud vero imprimis laudo,
quod omnes (quantum potui brevi tempore videre) sunt concordes
in omnibus articulis, neque ulli sectarii apparent. Deus eos in tali
statu conservet. D. Volphangus, baro ab Auspergen, migravit, bona
confessione edita, ad Dominum.

Nusquam·fuit unquam tanta in pios persecutio, quanta nunc est
in Istria, patria mea et in Foro Julio, nempe in ditione d. Venetorum. Quid multis? Rapiuntur in carcerem consanguinei atque
alii mei amici, duntaxat quia voluerunt me invisere, cum nuper
essem in illis confinibus. Deus reprimat illam tantam Venetorum
rabiem, quæ tamen non esset tanta, si non a Papa accenderetur.

Exspecto, ut Illustrissima Celsitudo Vestra dignetur mandare, ut
remittatur mihi libellus manu scriptus de missa autore d. Sigismundo
barone a Dietristan[2], quem ante aliquot dies misi una cum judicio
ejusdem Celsitudini Vestræ. Nam si videbitur dignus, qui imprimatur, bene quidem, sin minus, dimittam.

D. Phauserus, serenissimi regis Maximiliani .concionator, se reverenter Vestræ Illustrissimæ Celsitudini commendat. Quod facit
quoque d. Scalichius[3], ad quem idem serenissimus rex nuper dedit
litteras gratiosissimas, imo misit etiam pensionem, hoc est 300 florenos, quos ipsi discedenti promiserat. Certe videtur eum amare.

Mitto meum nepotem ad aulam, tantum ut videat, an Illustrissima Celsitudo Vestra dignetur concedere id, quod in inclusa supplicatione continetur. Certissime affirmo, nullum alium futurum
usum talium litterarum patentium, quam ut eximat se a magno aliquo vitæ periculo, quod propter religionem forte incurreret. Spero
enim hunc meum nepotem esse fidelem et probum, addo etiam prudentem, quantum ætas patitur. Commendo me reverenter Vestræ
Dominationi Illustrissimæ.

Tubingæ die 16 Junii anno 1558.

Celsitudinis Vestræ Illustrissimæ observantissimus

Vergerius.

*

1 Vgl. n. 15.
2 Vgl. n. 64.
3 Vgl. n. 64.

12 *

67.

Verger an herzog Christoph.

Tübingen 1 Juli 1558.

Schickt die übersetzung eines spanischen briefes und empfiehlt seinen neffen für des herzogs hof.

Illustrissime Princeps et Domine Domine Clementissime!

Mitto versionem[1], quam a me Vestræ Celsitudinis nomine petivit minor præfectus. Ne autem arrogem mihi, id quod revera nescio, ego hispanicam linguam non novi, ideo ego non verti, sed nepos meus, quem apud me habeo, qui est satis bene in ea lingua peritus; præterquam quod eleganter dictat italicas litteras, novit latine et nonnihil gallice, et præterea est satis cordatus, si mittendus esset aliquando (ut solet contingere) per Italiam.

Quare si Vestra Celsitudo voluerit habere aliquando aliquem in sua aula in istis linguis peritum, et qui etiam germanice sciat, ut iste scit, hunc ergo Vestræ Celsitudini offero in servitorem, et promitto pro eo, quod sit fidelis et nobilis genere, ut est etiam pius. Omnino necesse est, ut Celsitudo Vestra aliquem talem in aula habeat propter multos casus, qui possunt contingere, non modo propter ornamentum. Interea dum vel meum nepotem vel alium recipiat, dignetur mea opera uti; nam nihil unquam facio lubentius, quam cum Vestræ Celsitudini inservio.

D. vicecancellarius discessit heri lætus et bene contentus, quia vidit se a Celsitudine Vestra et ab omnibus fuisse honorifice exceptum. Commendo me reverenter. Deus servet Vestram Celsitudinem a malo.

Tubingæ calendis Julii 1558.

Illustrissimæ Dominationis Vestræ observantissimus

Vergerius.

68.

Verger an herzog Christoph.

Tübingen 5 August 1558.

*

1 Ein Spanier Antonius Quierque Salazar aus Valladolid hatte den herzog gebeten, ihn in seine dienste aufzunehmen.

2 S. n. 66.

Schickt einige bücher; nachrichten aus Polen.

Illustrissime Princeps et Domine Domine Clementissime!

Venissem ante duas aut tres septimanas in conspectum Vestræ Illustrissimæ Celsitudinis. Sed id me retinuit, quod semper speravi illam propius esse venturam vel in Fulingen [1] vel etiam Tubingam. Cum vero viderem, ejusdem Celsitudinis Vestræ adventum differri, volui saltem meum nepotem mittere, qui aliquem libellum in Vestram venationem ferat; nam etiam in silvis et saltibus decet audire verbum Dei.

Mitto igitur F. Spieræ historiam [2] germanice pro his, qui forte latine non intelligunt. Mitto articulos, qui sunt oppositi cardinali Morono [3] adhuc carcerato. Spero brevi me alia quoque missurum vel daturum. Quotidie experior, quod hi parvi libelli non mediocrem fructum ferunt; statim enim leguntur aut vorantur potius, et statim possunt longe mitti, quod de magnis libris fieri non potest. In his edendis semper usus sum theologorum professorum judicio, maxime Isenmanni [4].

Pulchre convalui tum ex pedibus, tum ex toto corpore, et spero me strenue in meis studiis laborare, Deo gratiæ.

Ex Polonia habeo litteras, nempe ab ipsomet d. Stanislao Ostrorogo [5], qui scribit dominum a Lascho fuisse in majori Polonia et fere nihil obtinuisse, tantum seruisse discordiam. Reliqua coram dicam.

Duo imprimis cupio scire: an meus Papa adhuc sit in ea opinione, quod nolit agnoscere Ferdinandum pro Cæsare [6], et an venerit

*

1 Pfullingen, städtchen, 3 stunden von Tübingen.

2 S. n. 63.

3 S. n. 20. Titel: Articuli contra Moronem de Lutheranismo accusatum et in carcerem conjectum, cum scholiis V. Serap. s. 89. n. 86.

4 Johannes Eisenmann, geb. in schwäbisch Hall, college von Brenz, trat nach dem Interim in den württembergischen kirchendienst und erhielt bald wichtige stellen; 1558 war er superintendent des evangelischen seminars, wo Verger wohnte; am frankfurter tag und wormser religionsgespräch 1557 nahm er auch antheil. † 1574 in Tübingen.

5 Vgl. br. n. 61 a.

6 Papst Paul IV hatte den gesandten Ferdinands, Martin de Guzmann, der ihm seine ernennung zum kaiser anzeigen sollte, nicht empfangen, weil Karl V seine krone nicht in die hände des papstes niedergelegt hatte.

aliquis nuntius ex Prussia? Satis erit unum verbum de his meo nepoti dixisse. Ego si intelligerem, Vestram Illustrissimam Celsitudinem non esse cito huc prope venturam, venirem statim ad eam. Interea me reverenter commendo et Deum oro, ut eidem Illustrissimæ Celsitudini Vestræ omnia prospera largiatur, imprimis ut spiritum et fidem augeat.

Tubingæ V Augusti 1558.

Vestræ Illustrissimæ Celsitudinis observantissimus

Vergerius.

69.

Verger an herzog Christoph.

Tübingen 11 August 1558.

Über Georg Tzurzschick von Mitterburg, der Verger geld schuldete und über eine schrift von Gribaldi.

Illustrissime Princeps et Domine Domine Clementissime!

Vidi litteras serenissimi regis Maximiliani [1]. Totum negotium intelligo, utpote quod ad me pertinet, est autem hujusmodi: superiori anno mense Majo e Cheppinga, ubi tunc Vestra Illustrissima Dominatio lavabat, misi peculiarem nuntium, cui nomen Georgio de Pisino aut de Mitterburg in patriam meam cum meis litteris ad amicos, et patentibus litteris Vestræ Celsitudinis, quibus eadem dignabatur testari, eundem Georgium esse famulum et ministrum Vergerii, sui consiliarii; dedi præterea eidem Georgio florenos quinquaginta, quibus duceret ad me duos famulos ex mea patria, qui scirent slavice; nam cum putarem superiore anno mihi redeundum esse in Poloniam, habebam opus talibus famulis. Discessit Georgius e

*

1 Wie aus dem briefe und aus den verhandlungen zwischen kaiser Maximilian und herzog Christoph, Lebret IX, 128 ff., hervorgeht, hatte Verger einem gewissen Georg Tzurzschick von Mitterburg in Istrien geld (50 fl.) und briefe an einen handelsmann, Anton Forest in Laibach, mitgegeben und argwöhnisch, wie er in geldsachen war, gemeint, dieselben seien nicht überliefert worden; er hatte nun bei Maximilian deswegen klage erhoben; dieser ließ Georg von Mitterburg in seiner heimath festnehmen, aber gegen eine bürgschaft von 100 dukaten frei, da derselbe nachweisen konnte, dass er das anvertraute abgeliefert habe. Maximilian fragte bei Christoph an, ob man ihn der bürgschaft entledigen sollte, was natürlich sogleich zugestanden wurde. S. br. 189.

Cheppinga XIII die Maii, et nihil postea de illo audivi fere per annum. Quare cum merito suspicatus essem, illum aufugisse cum pecunia, et litteras meas forsan dedisse papistis, cum ossem mense Martio proximo apud serenissimum Bohemiae regem, supplicavi, ut sua regia dignitas dignaretur scribere ad magistratum, qui est in Pisino vel in Mitterburg, ut inquireret, an ille Georgius esset in sua patria, et si esset, ut cogeret ad reddendam pecuniam, meas litteras et patentes litteras Vestrae Celsitudinis. Ista autem meo ipsius privato nomine, pro meo ipsius interesse supplicavi. Dignitas sua regia scripsit (pro sua clementia) ut supplicavi; inventus fuit ille Georgius et coactus fuit, dare sponsionem aut fidejussionem pro centum ducatis. Cum ergo ministri serenissimi regis debuissent ad me scribere, quid fuerit factum, scripserunt ad Celsitudinem Vestram et significarunt, Georgium illum fuisse captum et dedisse fidejussionem. Non erat opus, ut in tali negotio, quod erat facile, ut nemini tales litterae, quales mihi sunt concessae, negari potuerint, usus fuissem nomine et autoritate Vestrae Celsitudinis. Ideo non sum usus, sed meo privato, et certe in hoc erravit cancellarius aut scriba, quod putarunt Vestrae Celsitudini dirigendas litteras et negotii mei rationem reddendam. Verum reverenter significo Vestrae Illustrissimae Dominationi, me nuper accepisse litteras a meis amicis ex patria, qui ad me scribunt, quod ille Georgius tandem reddidit illis pecuniam et litteras omnes. Quare si quid Vestra Celsitudo voluerit hac de re respondere, dignabitur scribere, quod sponsor seu fidejussor, qui datus est pro summa centum ducatorum, potest liberari, quia ego recuperavi meam pecuniam et litteras. Imo scribo egomet quoque ad d. vicecancellarium de tota re et peto, ut fidejussor liberetur, quin etiam, ne quid mali fiat ipsi Georgio (licet parum fideliter se gessit). Sed forsan fuit impeditus aegritudine vel alio (ut fit) incommodo.

 Remitto scriptum d. Gribaldi [1], qui mihi valde suspectus est, quod in sua confessione describenda noluerit dicere, quod accipiat symbola, et sic includere Athanasii quoque. Sed dicit, se symbolum acceptare apostolicum et intelligit parvum symbolum. Nostri sic semper locuti sunt, quod acceptarint symbola. Non est sincerus nec veniet, licet habuerit salvum conductum.

*

1 S. n. 87.

Commendo me reverenter Vestræ Illustrissimæ Celsitudini.
Tubingæ XI. Augsti 1558.

Illustrissimæ Celsitudinis Vestræ observantissimus

Vergerius.

70.

Herzog Christoph an den kurfürsten Ottheinrich von der Pfalz.

Tübingen 2 December 1558.

Geleitsbrief für Verger zu seiner reise in die Pfalz.

Hochgebornner fürst, freundlich lieber vetter unnd bruder!

Unnß hat Petter Pauluß Vergeriuß angezeigt, das er willenß
seie, sich zu E. L. zubegeben unnd dieselbige zu bittenn der translation halber der bibel, so er in die windisch sprach, damit die
Winden, Polacken und anndere derselben sprach kundig auch möchten zu dem wort gottes gebracht und damit erleucht werden, bringen
unnd außgeen lassen wollt, auch mit hilff unnd förderung zu erscheinen mit bitt, ime deßhalben unser schreiben an E. L. mitze-
thailen.

Dieweil dann solhes ain cristlichs unnd Gott wolgefelligs
werckh ist, auch wir hievor darzu geholffen, das das neuw testament in ermelte sprach transferiert und im truckh außgangen ist,
auch wir jetzo daz unnser zu solber vorhabenden translation auch
thon wellen, so haben wir ime ditz sein bitt nit zu wegern gewisst.

Und ist hierauf an E. L. unnser sonder freundlich bitt, die wellen
zu diesem cristenlichen vorhaben auch behilfflich und fürderlich sein,
wie unns nit zweiffelt, E. L. solhes one das mit begierden gern
thon werden.

Daran beweisen E. L. Gott dem herrnn ain angenem gutt
werckh, der auch E. L. solhes one vergollten nit lassen wurdt,
sonder on allen zweiffel reichlich widergellten. Wir seien auch
der trostlichen zuversicht, solche translation werde rechtgeschaffen

*

1 Nach einem briefe Vergers an die königin Elisabeth von England am 14 December 1558 von Heidelberg aus hat er diese reise ausgeführt. Calend. of State Papers. Foreign 1558 bis 59. s. 32.

und dermassen gemacht, daß es zu erbauwung gottes glori und eer ganntz förderlich und erschiesslich sein werde.

Wollten wir E. L. auf sein Vergerii underthenig bitt und beger freundlicher und cristenlicher wolmainung nit bergen, und seind deren daneben mit freundlichem und bruederlichem willen zdienen wolgenaigt.

Datum Tübingen den 2 December anno 58.

71.

Verger an herzog Christoph.
Tübingen 30 December 1558.

Nachrichten aus Polen.

Illustrissime Princeps et Domine Domine Clementissime!

Dignetur Celsitudo legere has, quas mitto litteras, quibus intelliget de statu Poloniæ. Nobilis, qui attulit, affirmat, utramque reginam Poloniæ [1] scilicet et Ungariæ [2] vivere. Orandus Deus, ut adsit suo spiritu d. Polonis. Cum rex nihil scripserit, ut promiserat, de tempore celebrandæ dietæ, crediderim scripturam, ut saltem Vestra Celsitudo ad colloquium mittat; ita olfacio ex aliis amicorum litteris. Commendo me reverenter Vestræ Illustrissimæ Celsitudini.

Tubingæ XXX Decembris 1558.

Vestræ Illustrissimæ Celsitudinis observantissimus

Vergerius.

71a.

Herzog Christophs antwort auf n. 71.

Christophorus u. s. w.

Salutem dico. Reverende, singulariter nobis dilecte! Quas litteras regii secretarii de statu regni Polonici nobis legendas misistis, non fuerunt nobis lectu injucundæ. Etsi autem cogitamus, prædictum regium secretarium metiri aliorum animos e suo ingenio, et polliceri sibi pro sui cordis desiderio felicem eventum comitiorum Poloniæ, quare fortassis longe alias erit exitus, quam sperat, tamen in præsentia et hoc rerum statu non possumus aliam opem afferre,

*

1 Katharina, tochter Ferdinands I, geb. 1533, † 1572.
2 Maria von Ungarn, Ferdinands I schwester, † 18 Oct. 1558.

nisi ut conjungamus cum ipsis nostras preces et invocemus Deum patrem domini nostri Jesu Christi, ut gubernet mentes eorum, qui in illis comitiis convenient, et inflectat eos ad salutaria ecclesiæ Dei et gloriæ nominis ejus consilia. Rex multa habet impedimenta, quæ obstant, quominus doctrinam nostrarum ecclesiarum agnoscat Orandum igitur est, ut Deus ista obstacula e medio tollat et patefaciat regi viam, qua recta ad cognitionem veritatis perveniat. Bene et feliciter valete.

1559.

72.

Verger an herzog Christoph.

Tübingen 5 Februar 1559.

Schickt einige bücher; erinnert an eine bittschrift bei Maximilian. Illustrissime Princeps et Domine Domine Clementissime!

Mitto aliquot libellos partim latinos, partim germanicos, si forte viderentur Celsitudini Vestræ non indigni, qui cum vita Pauli III ad illustrissimum Bipontinum [1] mitterentur. Supplico per Jesum Christum, ut Illustrissima Dominatio Vestra dignetur meminisse ejus supplicationis, quam nomine aliquorum fratrum mittendam ad serenissimum Bohemiæ regem dedi [2].

Prodesset causæ, quod d. Ungnad [3], quem scio istic esse, impulsu Celsitudinis Vestræ ad d. Ludovicum, ejus filium, eadem de re scriberet, ut scilicet procuraret negotium; audio eum statim ex Stutgardia missurum esse proprium hominem in Austriam. Convalui ex podagra celebroque bacchanalia inter meos libros et cum domino nostro Jesu Christo, Deo gratia.

Commendo me reverenter Illustrissimæ Celsitudini Vestræ.

Tubingæ quinta Februarii 1559.

Illustrissimæ Celsitudinis Vestræ observantissimus

Vergerius.

•

1 S. br. n. 17.

2 Es ist nicht ganz klar, auf welche bitte Vergers sich diss bezieht; in Lebret IX, 156 schreibt Maximilian, er habe das schreiben Christophs vom 5 Februar in betreff der armen, vertriebenen Christen aus Italien erhalten und es stehe ihnen frei, sich ungehindert in seinem reich niederzulassen.

3 Vgl. n. 30.

73.

Verger an herzog Christoph.

Tübingen 24 Februar 1559.

Neuigkeiten aus England und Polen, ob die lutherische oder hel-
vetische lehre siege. Über seine litterarische thätigkeit.

Illustrissime Princeps et Domine Domine Clementissime!

Mitto nova quædam ex Italia. Spero meum nepotem proxima
septimana rediturum ex Anglia[1]; sunt enim quatuor et viginti dies,
quibus discessit; ubi redierit, statim cum eo ad Celsitudinem Vestram
veniam. Audio illic magnas et acres esse concertationes, aliis scilicet
suadentibus, ut papismus adhuc retineatur, aliis, ut eo projecto confessio Augustana, aliis, ut Helvetica suscipiatur; spero, quod nepos
meus in tempore cum meis litteris supervenerit retardaveritque
plurimum, ne aliis regina adhæreat. Utinam ivissem egomet! multo
certe magis in re tanti momenti profecissem, sed postea ibo (si
Dominus voluerit) neque ullos labores recuso subire pro gloria domini Dei mei. Idem prorsus est regni Poloniæ[2], quo ad religionem,
qui est Angliæ, status: in Polonia enim eodem modo, eadem de re
contenditur, et parum propter dissensiones proficitur. Audio venturam ad Cæsarem Polonicam legationem et forte venturum palatinum Vilnensem[3].

Si descripta sunt duo illa scripta, alterum latine de vita Pauli III[4]
germanicum alterum, quæ Celsitudo Vestra constituerat ad illustrissimum d. Bipontinum mittere, dignetur mandare, ut mihi remittan-
tur, nam opus habeo. Versor nunc in argumento, quod spero Vestræ
Celsitudini placiturum; communicabo, cum venero. Dialogi mei, statim post librum germanicum Vestræ Celsitudinis nomine typographo
datum[5] procudentur tandem; per me non stetit, quominus exiissent

＊

1 S. den lebensabriss.
2 S. br. n. 63.
3 S. br. n. 46.
4 S. br. n. 72.
5 Das lateinische buch: Dialogi quatuor de libro, quem St. Osius
contra Brentium et Vergerium edidit. Serap. s. 90. n. 93. Das deutsche buch vielleicht: Athanasii sendbrief von dem traktat von reichung
der sacramenten. Tübingen 1559. Serap. s. 90. n. 91.

in proximis nundinis. Accepi litteras a d. Ostrorogo [1], qui se Illustrissimæ Dominationi Vestræ ex animo commendat, idem facit d. comes Julius a Thiene [2]. Idem ego quoque admodum reverenter facio.

Pater cœlestis omnium augeat suos divinos thesauros per Jesum Christum dominum nostrum.

Tubingæ die 24 Februarii 1559.

Illustrissimæ Celsitudinis Vestræ observantissimus

Vergerius.

73 a.
Heinrich Killigrew an Verger.
Straßburg 24 Januar 1559.

Über das zwischen England und den evangelischen fürsten Deutschlands zu schließende bündnis. Vgl. n. 73.

Abgeschrieben aus dem schweizerischen museum 1788. 4 jahrgang, s. 485 ff., da das original im k. archiv in Stuttgart nicht mehr aufzufinden war.

Mi domine observandissime!

Mitto litteras, quas mihi dederas Basileam ferendas. Audio enim, eum hominem, qui mihi illic erat conveniendus, inde discessisse. Quare oportet me per Lotharingiam iter suscipere atque inde in Angliam, ubi spero, me futurum die decimo futuri mensis; interea commendo me atque omnes res meas in manus tuas, domine.

Scripsi hinc, quid hactenus perfecerimus.

Deinde, quod ad reliqua attinet, remisi me ad litteras tuæ dominationis; quæ, si quid habuerit dignum, quod scribatur, antequam vel veniatis vel mittatis in Angliam, poteritis ad me scribere, mittere autem litteras Argentinam ad manus domini Joannis Abel, mercatoris Angliæ.

Audio hodie, per Argentinam iter facturos dominos Marilach et Burdilom [1] magno comitatu Augustam versus.

*

1 S. br. n. 61 a.
2 S. n. 36.

1 Carl Marillac (geb. 1510 in Rom, 1550 bischof in Vannes, 1557 erzbischof von Vienne, einer der bedeutendsten diplomaten Frankreichs, lange gesandter bei Karl V, der reformation nicht feindlich gesinnt, † 2 December 1560) und Imbert de la Platière, herr von Bourdillon, giengen damals als französische gesandte zum reichstag nach Augsburg.

Dominatio tua meminerit mei; non dico' amplius. Nunquam potui intelligere, quoquam revera profectus esset illustrissimus dux vester. Cum essem Etingæ, audivi pro certo, eum fuisse Badæ, sed ubicumque fuerit, rogabo Dominum pro sua excellentia.

Non est opus, domine Paule, ut vobis cogar amplius persuadere et commendare hanc causam, quam in manibus vestris collocavi, quandoquidem mihi videtur, quod vos, qui deseruistis bona et commoda hujus mundi, ut pro virili augeretis gloriam Christi et suæ ecclesiæ, non possetis optare pulchriorem occasionem intrandi in apertum campum et explicandi vexilla contra Antichristum suasque practicas, eo potissimum tempore, quo ipse sperabat, auxilio suorum confœderatorum posse debellare illustrissimos principes Germaniæ.

Sed laudandus Deus, qui suas consolatus est magnopere ista Angliæ mutatione, qua ostendit viam principibus protestantibus, qua possint se munire contra suos adversarios.

Quod ad me attinet, vobis affirmo, domine Paule: quod si regina Elisabeth non fiet cum suo regno ex toto christiana et confœderata protestantium, non potero culpam conferre nisi in principes et status Germaniæ, qui recusaverint suscipere oblationem, quam Deus illis fecit.

Sed mihi videtur, quod aliquis mihi posset illud objicere, sus Minervam docet. Ignoscat mihi dominatio vestra, quia rapior zelo, sed non humano; credatis mihi.

Supplico tuæ dominationi, ut si voluerit scribere vel mittere in Angliam, digneris non modo significare, quid successum fuerit, postquam rem totam detuleris ad illustrissimum ducem vestrum, sed scribere etiam aliquas instructiones, quibus nostri possint se gubernare in confœderatione ista promovenda, qua in re vester princeps plurimum potest efficere; quia non satis est velle, sed oportet scire, quomodo agendum et exsequendum sit.

Quamquam ego nihil dubitem, quin ista practica sit successura, tamen nonnihil timeo, ne ista legatio Gallicana, quæ ad comitia Augustana mittitur, sit nobis aliquo impedimento.

Quare volui monuisse, ut ab ea caveatur. Pergite feliciter in opere cœpto ad gloriam Dei et suæ ecclesiæ, ad honorem et consolationem vestrarum dominationum et amicorum vestrorum. Rogabo Dominum, ut vos confirmet et corroboret in hac causa importantissima. Spero autem, quod non deerit suæ causæ et sibi.

Osculor valde humiliter manus vestræ dominationis reverendissimæ.

Argentinæ die XXIIII Januarii 1559.

Dominationis vestræ reverendissimæ deditissimus amicus et servitor in Christo

Henricus Chillegrevus.

Postscriptum.

Revera non fuit possibile, quod potuerim redire per istam viam et valde laboravi, ut possem per istam redire. Sed ratio meorum negotiorum non est passa, ut potuerim. Quum confidam in vestra dominatione, nihil sum sollicitus. Audistis a me voluntatem nostrorum.

Quare remitto et colloco totum negotium in vestris manibus. Confidimus vobis. Utinam veniretis in tempore, quo possemus una esse Antverpiæ! Scitis, ad quam domum Antverpiæ debeatis accedere, aut nos aut alium, quem mitteretis. Obsecro! Facite meas humiles commendationes illustrissimo domino duci, cui dicatis, quam molestum mihi fuerit, quod non potuerim illi coram facere reverentiam.

Bene valete. Sitis constans et diligens in hoc maximi momenti negotio.

Dominationis vestræ reverendissimæ amantissimus

Henricus Chillegrevus.

73 b.

Verger an die königin Elisabeth von England.

Stuttgart 30 Januar 1559.

Ohne unterschrift.

Wegen des bündnisses zwischen den protestantischen fürsten Deutschlands und Elisabeth.

Abgeschrieben aus schweiz. museum 1788, 483 ff., da das original im k. archiv in Stuttgart nicht mehr aufzufinden war.

Serenissima Regina!

Cum fuerit apud me dominus Heinricus Chillegrevus, ego, quidquid ab eo intellexi, illustrissimo principi meo statim litteris (erat enim a ducatu suo absens) communicavi. Deinde hodie primum licuit facie ad faciem omnia cum ipsius celsitudine conferre.

Quare visum est mihi, meum nepotem statim mittere, ut ea, quæ mihi videntur digna, quæ Vestræ Majestati nuntiarentur, adferret.

Quacunque in re illustrissimus princeps meus poterit Majestati Vestræ suoque regno commodo et honori esse ad propagandam gloriam et honorem Dei, possum affirmare, quia sensum ejus novi, suam celsitudinem non defuturam. Christianus sum, neque affirmarem, quod non esset mihi compertissimum. Nunc ait, quod ad confœderationem in causa religionis faciendam attinet, oportere rem tantam ad reliquos principes protestantes deferre; solum aut cum uno atque altero principe nihil posse. Quare se dedisse in mandatis suis legatis, quos ad comitia Augustana misit, ut cum aliis principibus ea de re agerent, dum ipse postea supervenerit.

Deinde mihi dixit, se sperare, quod illustrissimi principes et status Germaniæ, qui evangelio nomen dederunt, non sint recusaturi (quantum ipse existimat), quin velint suo consilio suaque opera in causa religionis promovenda Majestatem Vestram serio juvare. De hoc, inquam, non dubitat, sed vix putat, posse fieri, ut talis confœderatio ineatur, qualis solet fieri in tuendis rebus profanis, defensiva scilicet atque etiam offensiva.

Deinde ait illustrissimus dominus princeps meus, sibi consultum videri, ut Majestas Vestra mittat suos ad comitia legatos, qui illic de his gravissimis rebus cum principibus, qui adfuturi sunt, dextere acturi sunt.

Postremo mihi dixit, se audivisse, tum Cæsarem, tum Hispaniarum regem satis claris verbis dixisse, si Vestra Majestas nollet amplecti papisticam, (quam ipsi catholicam religionem nominant,) se magis posse pati, si in regno Majestatis Vestræ recepta fuerit doctrina in Augustana confessione contenta. Magnum verbum et bene expendendum.

Hæc mihi illustrissimus meus princeps clementer atque confidenter dixit, et cum scio, posse eum pati, ut a me pro gloria Dei scribantur, scribenda nunc putavi.

Nunc aliquid de meo reverenter dicam.

Serenissima Regina!

Quum de tuenda religione agatur, non putarim, opus esse alia amicitia aut confœderatione, quam ea, quam illustrissimus princeps meus laudat, nempe ut hinc promittatur consilium atque opera. Hoc satis puto in tali causa. Alia confœderationis forma, offensiva scilicet et defensiva, præterquam difficulter hinc obtineretur et forte non obtineretur, maximas secum traheret suspiciones et forsan aliquando incommoda.

Quare reverenter dico, satis futurum, si Majestas Vestra contenta fuerit ea, quæ promittatur, consilium et opera.

Deinde addo, me in animo habuisse, postam conscendere et quod nunc scripsi, egomet ad Majestatem Vestram adferre, sed sequutum consilium illustrissimi domini principis mei, domi mansisse et constituisse, nepotem meum Ludovicum Vergerium, præsentium exhibitorem mittere. Sed ubi primum Vestra Majestas dignata fuerit, mihi significare, se non ægre laturam, ut egomet accedam, ego nullis laboribus (licet senex sum) parcam et libentissime veniam.

Cum Deus in manu Vestra tale et tantum regnum collocavit, eum dies noctesque rogo, ut talem spiritum talemque sapientiam Majestati Vestræ inspiret, qua gloria ejus promoveatur.

Commendo me reverendissime.

Stuttgardiæ die XXX Januarii 1559.

73 c.

Wilhelm Cecil an Verger.

Westmünster 2 März 1559.

Antwort auf n. 73 b. wegen des genannten bündnisses.

Abgeschrieben aus schweiz. museum 1788, 488, da das original im k. archiv in Stuttgart nicht mehr vorlag.

Reverendo et præclaro viro d. Petro Paulo Vergerio amico præclaro!

Quod ex Kylligrevo nostro accepisti, id te dicis in litteris tuis, datis tricesimo Januarii, illustrissimo principi domino tuo universum communicavisse. Atque studium hoc tuum voluntatemque a serenissima regina nostra, scito, magnopere sane laudari.

Quum serenissimus princeps tuus, quacunque in re excellentissimæ reginæ nostræ aut ejus regno ulli vel commodo vel honori esse possit in propaganda gloria et honore Dei, non videatur defuturus, illa sane hanc ejus et pietatem in Deum vehementer laudat, et voluntatem erga majestatem suam cum summis etiam gratiis maxime complectitur; quarum te quoque ejus nomine nuntium esse

rogat, quod ita existimet, confœderationem in causa religionis faciendam (quoniam res sit magni momenti) ad reliquos principes protestantes oportere deferri, et propterea oratoribus suis, quos ad
Augustana comitia legavit, in mandatis dederit, ut hanc causam
agerent cum reliquis principibus.

Vix tamen putet, posse fieri, ut talis confœderatio ineatur,
qualis solet fieri in rebus profanis, defensiva scilicet atque etiam
offensiva.

Hanc illa singularem animi propensionem, quam illustrissimus
princeps vester erga majestatem illius ostendit, æquissime interpretatur. Hoc tamen tibi a me voluit significari: Majestati illius
nunquam in animo fuisse, principem tuum ad eam causam isto allicere modo, ut hanc rem ab illo postulare, utcunque tamen petita
sit, aut a voluntate quadam vestra erga principem vestrum aut a
studio aliquo in vos quorundam nostrorum profectam esse, interpretari. Etenim cum nulli suorum majestas illius mandaverit, ut
hanc rem sic exponerent, audierit tamen ex tuis et rationibus quibusdam et prioribus etiam litteris, valde te scire velle, quomodo
legatio a principibus protestantibus, si quæ forte mitteretur, qua
ad promovendum evangelium incitaretur, majestati suæ probari posset,
cupere etiam, te inter ceteros oratorem ad nos venire.

Consiliariis tum quibusdam illius, qui hoc negotium cum illius
majestate eo tempore tractarunt (quibus ego tum intereram), quam
libenter horum principum studia et voluntates complecteretur, aperte
ostendit.

Et tamen anteaquam ad ea quid certo statueret, responderi
voluit, et principes ipsos, qui legatos mitterent et quot numero
essent, et ipsa legatio, quid sequi aut quo spectare posset, scire
valde cupiebat.

Quarum rerum quum esset illius majestas facta certior, mature
tum respondere velle, perspicue nobis significabat. Præter hæc nihil
certe majestas illius in hac causa respondit.

Et tamen, quum hæc res aliquanto longius progressa sit, sicut
ex litteris tuis, jam postremo per nepotem tuum huc missis, manifeste intelligi potest, voluit majestas sua, ut ejus nomine tibi significarem, singulari cuidam desiderio vestro illustrandi evangelium
servatoris nostri Jesu Christi omnino se hoc tribuere, cui tantopere

Verger   13

se debere agnoscit, ut speret, etiam fore per ejus gratiam, ut animo in ea re neque tardo neque vecordi reperiatur.

Id quod vobis etiam et vestro principi valde utile, persuaderi.

Quod attinet ad eorum consilium, qui confessionem Augustanam et recipi a nobis et probari cupiunt, hoc serenissima majestas sua voluit me tibi testificari, non cogitare, se discedere ab illa christianarum ecclesiarum mutua consensione, ad quam Augustana illa confessio proxime videtur accedere.

Hæc sunt, quæ majestas ejus ad tuis litteris respondendum me tibi voluit significare.

Ego vero ipse (ut plane dicam, quod sentio) quum nihil in his laboribus meis magis sequar, nec ullam mihi operæ meæ jucundiorem mercedem aut pollicear aut sperem, quam frui et gaudere hac ecclesia Christi purgata denuo et pristino nitori restituto, claris verbis tibi affirmo, me quamvis eruditione et scientia vel exigua vel nulla certe sim, labore tamen et diligentia optimo cuique operario in hac vinea Domini nihilo fore inferiorem.

Ecclesiam Christi, quæ apud nos est, nunc rursus ab summis et miserandis afflictionibus incredibili Dei benignitate respirantem tuis et curis et orationibus unice commendo; cui juvandæ nullam occasionem prætermittes, qua adversarii intelligere possint, illustrissimos principes vestros evangelici fœderis eandem hujus nostræ rationem curamque gerere, quam ipsorum propriæ ecclesiæ essent habituri, in eaque tuenda non minorem ipsos strenuitatem ostendere, quam, adversarii ad defendendam suam audaciam adferunt.

Optime vale.

Ex aula regia Westmonasterii 2 Martii 1559.

Guilielmus Cecilius.

73 d.

Anton Cook an Verger.

London 5 März 1559.

Über die religiösen wirren in England.

Abgeschrieben aus dem schweiz. museum 1788, 491, da das original im k. archiv in Stuttgart nicht mehr vorlag.

De rebus nostris, quo in loco sint, ex litteris domini Cecilii secretarii, quas nepoti tuo tradidit, intelliges. Promovemur lento nimis gradu, me judice, neque tamen mirer nostram cunctationem, quum et domestici non desint, qui opus Domini impediant, et externi multi sint potentes, qui ab incepto deterrere conantur, pauci vel nulli potius, qui ad strenuam rem gerendam hortantur et instigent. Quis rerum exitus futurus sit, in tanta negligentia tam bonæ occasionis timere licet, ominari non libet.

Optarim reginæ nostræ mentem tam solide divino uiti præsidio, ut homines neque tardos operantes (timeat) nec præcedentibus instare sollicita sit. Dominus noster Jesus Christus ecclesiam suam liberet et conservet! qui quum sit sapientia Patris ac potentia, solus et novit et potest hostes suos profligare.

Bene vale et antichristi tyrannidi perge resistere.

Datum Londini 5 Martii 1559.

Tuus in Domino frater amantissimus Antonius Cookus.

74.

Verger an herzog Christoph.

Tübingen 6 März 1559.

Überschickt briefe, meldet dass die Züricher über seine bemühungen wegen der annahme der Augustana in England sehr erzürnt seien; bittet für einen gefangenen buchdrucker in Augsburg; berichtet über einen in Tübingen erstochenen Polen Saletzkhi und die versuche du Bellays, ihn zum papstthum zurückzubringen.

Herzog Christophs antwort n. 75.

Illustrissime Princeps et Domine Domine Clementissime!

Ad litteras Vestræ Illustrissimæ Celsitudinis diei 25 Februarii, quas reverenter accepi, nullo responso opus est. Exspectabo, ut Clementia Vestra mandet mihi de jugero provideri pro commodo reipublicæ; jam habeo, quod plantem.

Nicolaus a Warendorf[1], serenissimi Bohemiæ regis in comitiis legatus, misit ad me has, quas mitto litteras, Vestræ Celsitudinis nomini inscriptas, quas ait a Pfhausero[2] ad se missas. Suspicor eas, quæ sunt inclusæ, ad me pertinere, sed cum non licuerit mihi

*

1 Nikolaus Warnsdorff war Maximilians gesandter auf dem reichstag in Augsburg. S. Lebret IX, 154.

2 Vgl. n. 61 a.

13*

experiri, ut viderem, num ad me pertineant, mitto integras, sperans, fore ut Celsitudo Vestra jubeat ad me mitti, si viderit ad me pertinere.

Audio pro certo, Galliarum regis legatum, qui Augustæ est. dixisse, quod regina Angliæ velit suscipere confessionem Augustanam. Idemque scio, scripsisse ex Anglia ad Tigurinos quendam et graviter conquestum esse de me[1], quasi ego sim, qui reginam ea de re sollicitaverim; ita in summa, ut Tigurini mihi valde sint irati et machinentur, nescio quid contra me.

Certiora sciemus a nepote, quem in horas (ut scripsi aliis litteris) exspecto[2], statimque cum eo veniam ad Celsitudinem Vestram. Monueram meis litteris pastores Augustanos, ne remisse agerent, sed mascule, ut solidos Christianos decet, quare ex amicorum litteris intellexi, eos viriliter certe agere et constituisse ad me mittere concionem in latinum versam, quam Mechardi[3] filius, qui diaconus est, habuit de exsequiis et de purgatorio.

Cogor impulsu amicorum, quos Augustæ habeo, commendare Vestræ Illustrissimæ Celsitudini causam non satis mihi perspectam. Scribunt, quendam typographum[4] in carcerem illic fuisse conjectum, quia aliquid excuderit sibi a nescio quo datum, ignorans quid id sit; suspicantur, esse aliquid, quod ad Celsitudinem Vestram pertineat, (ita ad me scribunt) orantque supplices per Christum, ut ea pro sua magna clementia velit ignoscere et mandare suis legatis, ut dicant, quod, quantum ad Vestram Celsitudinem attinet, ea non vult vindictam in persona illius pauperis, qui per ignorantiam peccavit; clementia est non modo heroica virtus, sed cumprimis christiana.

De Polono studioso miserabiliter interfecto[5] nihil scribo, cum sciam ab aliis abunde scriptum; reliqui Poloni erant valde perterrefacti, sed spero, me eos sustentasse et consolatum fuisse.

Cardinalis Bellaius[6] usque eo dementiæ pervenit, ut non pa-

*

1 Vgl. n. 73 a, über die sache selbst n. 73 b und c.
2 Vgl. n. 73 b und c.
3 unbekannt.
4 Vgl. n. 75.
5 Der Pole hieß Michael Saletzki. Vgl. n. 77.
6 Wahrscheinlich Jean du Bellay, geb. 1492, bischof von Bayonne, seit 1532 erzbischof von Paris, bei vielen wichtigen staatsgeschäften verwendet, vereinigte noch mehrere andere kirchliche würden. 1535

duerit eum, me litteris hortari, ut velim pati, quo me reconciliet tandem suo Papæ. Deus illum cum suo cardinalium collegio cumque suo antichristo perdat, amen amen, et vivat Christus!

Commendo me reverenter Vestræ Illustrissimæ Celsitudini, quam Deus optimus maximus nobis conservet.

Tubingæ die 6 Martii 1559.

Illustrissimæ Celsitudinis Vestræ servitor

Vergerius.

74a.

Neuigkeiten aus Italien.

Über die ungnade der neffen Pauls IV und die verfolgung des evangeliums in Rom.

Papa machinatur nescio quid contra serenissimum Bohemiæ regem, cogitat eum excommunicare tanquam Lutheranum.

Cum Papa tres nepotes habeat, quorum unum cardinalem, alium ducem, alium marchionem crearat cumque uteretur horum potissimum opera in gubernando toto papatu, nuper sua sanctitas (ut ajunt) removit omnes tres ab omni administratione jussitque, ut in spatio tridui discedant ab urbe [1]; causa est propter nefarias libidines, propter expilationes atque rapinas.

Cardinalis Moronus [2] dicitur degradatus, et in quandam civitatem deportatus seu relegatus, præstita fidejussione, quod indè non sit abiturus.

Plurimi sunt Romæ in carcerem propter evangelium conjecti pluresque Romæ, quam in alia urbe Italiæ.

Totus est in hoc Papa, ut cursum evangelii cohibeat: nam et

*

cardinal. 1551 legte er seine pariser stelle nieder zu gunsten seines verwandten Eustachius du Bellay und gieng nach Rom, wo er 1560 starb. S. br. n. 75.

1 Paul IV Caraffa hatte seine 3 neffen, den einen Carl zum cardinal, den andern zum herzog von Palliano, den jüngsten zum marchesen von Montebello ernannt; als er ihre ausschweifungen und verbrechen erfuhr, nahm er ihnen in einem consistorium 27 Januar 1559 ihre würden ab und verwies sie in entfernte ortschaften. Vgl. Ranke, völker und fürsten u. s. w. II, 304.

2 Vgl. n. 20.

libros quotidie damnat et quacunque ratione potest, cavet, ne alli
libri contra suam doctrinam in Italiam inferantur.

Domini Veneti adornant classem maritimam, quod est certissimum signum, quod sciant, Turcam magnos apparatus facere.

75.

Herzog Christoph an Verger.

Nürtingen 7 März 1559.

Antwort auf n. 74.

Christophorus Dei gratia Dux Wirttempergensis et Theki etc.
Reverende et nobis dilecte!

Accepimus litteras tuas, in quibus imprimis tibi provideri cupis
agrum, cui pro reipublicæ commodo, quæ habes semina, mandare
possis. Curavimus igitur per has litteras tuis inclusas, ut certus
quidam locus plantationi accomodus ab ecclesiastico nostro ad-
ministratore tibi demonstretur, ad quem dictas litteras quam primum mittere poteris.

Litteræ a Pfhausero nobis inscriptæ ad nos tantum pertinent,
nullæ vero, quæ ad te spectant, his vel adjunctæ vel inclusæ sunt.

Utinam porro quod de regina Angliæ ad nos scribis, non aliter
se haberet, ac præ ceteris omnibus solam, quam vocant, Augustanam
confessionem, in suo regno propagari curaret! Sed exspectandus
est nepos.

Quod ad typographum Augustæ in carcerem coujectum attinet,
audimus propter excusos quosdam libellos anabaptisticos, Schwenck-
feldianos atque Zwinglianos cum suo collega in vinculis detineri,
autorem vero libelli anabaptistam auffugisse; quod ad nos spectat,
nobis cum eo quidquam negotii est, aut contra nos ab eo aliquod
delictum nescimus, ut verisimile plane sit, eos qui suo nomine ad
te ejusmodi, quæ scribis, detulerunt, suæ sectæ quoque assertores
et asseclas esse.

Denique cardinalem Bellaium, de quo postremo mentionem fa-
cis, hominem prorsus ἄθεον, impium, inconstantem atque mendacem
agnoscimus, a quo merito omnes boni et pii sibi summopere cavere
debeant, hæc breviter litteris tuis respondere voluimus; vale. Datæ
Nürtingæ 7 Martii anno 1559.

76.

Verger an herzog Christoph.

Tübingen 15 März 1559.

Berichtet über den preußischen gesandten, der zu ihm gekommen, über herzog Albrechts wunsch, er solle gegen Hosius schreiben, das lange ausbleiben seines neffen Ludwig.

Illustrissime Princeps et Domine Domine Clementissime!

Cum illustrissimi domini ducis Prussiæ ad me venisset nuntius [1], qui apud Celsitudinem Vestram fuit, suscepi eum et detinui, quam diu pararem responsum ad litteras valde prolixas suæ illustrissimæ dominationis. Cum vero dimitterem, narravit mihi, se ob quædam infortunia fuisse in via multo plus quam debuisset, ut metuat, in summa, ne viaticum sibi a principe datum sufficiat, dum possit in Prussiam usque redire. Oravit me, ut hoc scriberem; scribo reverenter.

Illustrissimus ille dux videtur esse pio et forti animo; scribit se fuisse excitatum ab ægritudine, ut paret se atque componat ad mortem, quodque eam intrepide exspectet atque optet.

Urget me valde, ut contra Osium [2] scribam; ait enim, papistas

*

1 Wahrscheinlich Ahasverus Brandt, der gesandte, von welchem Verger in seinem brief vom 13 August 1559 an Albrecht von Preußen redet. S. Sixt S. 536.

2 Stanislaus Hosius, geb. Krakau 5 Mai 1504, studierte rechtswissenschaft, wurde auf seinen reisen in Italien unter anderen auch mit Pole bekannt, trat dann, in seine heimath zurückgekehrt, in den geistlichen stand über und wurde einer der ersten würdenträger der katholischen kirche in Polen. In allen seinen stellen, als bischof von Culm, Ermeland, nuntius in Wien (1559), cardinal (1561), vorsitzender des Tridentinums war sein hauptbestreben darauf gerichtet, die katholische kirche in Polen zu stärken; mit seltener energie und mit sichtbarem erfolge setzte er dies fort bis zu seinem tode († Rom 15 August 1579), darum gründete er 1565 ein jesuitenkollegium in Braunsberg und leitete von Rom aus, wohin er sich 1569 begab, die kirchlichen angelegenheiten seines vaterlandes. Sein wahlspruch war non stylo, sed sceptro magistratuum coërcendos esse hæreticos. Als Soto, s. br. n. 32, gegen die württembergische confession schrieb und Lipomani auf dem reichstag in Warschau die disputation mit Verger nicht annahm, fühlte sich Hosius gedrungen, auch litterarisch gegen Brenz aufzutreten und schrieb: Confutatio prologomenon Brentii; herbst 1557 wurde das buch als ma-

in illis finibus exsultare et triumphare pro illius sycophantæ libro. Non ante pascha habiturus sum hic prelum venum; fiat voluntas Domini.

Summe miror, cur tam diu remoretur meus nepos; magna causa sit oportet; scio enim illum esse prudentem, alias fuisse in Anglia, bonos præterea habere amicos, qui illum juvent. Celebratur nunc parlamentum illic; forsan inde exspectat aliquid, jussu reginæ. Non dubito, quin statim sit affuturus, veniamque cum eo recta ad Thermas [1].

Cum in dialogis quædam addiderim, habeo in animo ire Stutgardiam, ut cum d. Brentio conferam. Commendo me reverenter Vestræ Illustrissimæ Celsitudini. Gratia et pax domini nostri Jesu Christi cum ea. Amen.

Tubingæ XV- Martii 1559.

Illustrissimæ Celsitudinis Vestræ servitor

Vergerius.

77.

Herzog Christoph an die 4 räthe.

Wildbad 26 März 1559.

Die bücher des in Tübingen ermordeten Polen Michael Saletzky seien in beschlag zu nehmen.

Cristoph etc.

Unsern gruess zuvor. Lieben getreuwenn!

Auf gestern ist Vergerius alher zu unns komen und beigethon buechlein (welches hinder dem Polackhen Michael Saletzkhi [2], so neuwlich zu Tübingen erstochen, gefunden worden ist) uberanntwort und dabei weitter vermeldet, das ein Polackh mit namen Thomas Droievius (der auch noch ain bruder zu Tübingen studieren hab)

*

nuscript dem könig von Polen überschickt und erst 1558 gedruckt. Verger schrieb dagegen: Dialogi quatuor de libro, quem Hosius contra Brentium et Vergerium edidit. S. Serap. s. 90. n. 93. S. Eichhorn, der ermländische bischof und cardinal St. Hosius. Mainz 1854. I, 290 und passim.

1 Ludwig Verger kam anfangs April aus England zurück und überbrachte die briefe n. 73 c und d.

2 S. n. 74.

zu ime komen unnd solches ime uberanptwort auch angezeigt, das
gemelter Polackh vor wenig tagen seines entleibens zu ime und
anndern Polacken, so noch zu Tübingen studieren, gesagt, das were
der recht grund und die warheit des ewanngelii, unnd was ad margines verzeichnet, das were sein haundtschrifft, deßgleichen was
unnderstrichen, das hette er mit seiner hanndt auch getban und
darauff begert, ine zu berichten, ob es jusst und sinsserus auch
der rechten wahrheit gemeß were, oder nit. So seie auch der Polackh willens gewesen, sollichen verfierischen irrthumb unnd greuwel
in truckh zu geben und außgeen zu lassen, aber es hetts kbein
truckher thon noch annemen wellen. Er hab auch innerbalb 10
tagen nach seiner entleibung zu Tübingen hinweg in Polen zu seinem vettern (der des kunigs schatzmeister seie) ziehen unnd aldü
unndersteen wellen, diese verfierischen irrthumb in dem kunigreich
allenthalben zu publicieren und außzubraitten.

Wiewol nun seine hinderlassne buecher durch die universitet
zu Tübingen inventiert, so seien doch zweiffells one solche buecher
in der eil nit nottürfftiglich besichtigt worden, unnd wie gedachter
Vergerius uns bericht, so vermainen sie, die Polacken, selbst es,
werden zuversichtlich und one allen zweiffel von solcher schwermerei
mer schrifften under solchen buechern vorhannden sein.

Darumb so ist unnser gnediger bevelch, ir wellendt allsobald
gedachter unser universitet solches zuschreiben unnd inen auferlegen,
das sie onnverzogenlich d. Dietriechen Schnepffen [1] und Jacob Peur-
lin [2] neben sonst einem vom senatu schole verordnen, die da nit
allein ermelte buecher, sonnder auch alle seine schreiben und
episteln, so ime, dem entleibten, hin und wieder zugeschrieben worden sein möchten, mit vleiß durchsehen unnd ubergeen, auch was
sie allso (es sei wenig oder vil) von diser greuwlichen gotzleste-
rung und schwermerei finden werden, das sie unns dasselbig den
nechsten wol verwartter zu aigen hannden zuschicken wellen.

Unnd nachdem sich solche schwermerei ie lenger ie mer und
sonnderlich zu Tübingen bei den frembden studiosis einreissen will,
so wellennt erwegen, ob nit angeregte Polacken, sonnderlich aber
ir preceptor unnd di eltesten unter inen desbalber sollten zu exami-

*

1 S. n. 64.
2 S. n. 49.

nieren sein, auch wie und durch was mittel und weg angeregter
schwermerei bei zeitten gesteuert unnd dieselbige undergetruckht
werden möcht. Waß nun allso euer bedenken hierauf sein wurdt,
das wellendt unß oneverzogenlich zusenden, verlassen wir unß gnediglich.

Datum Wildtbad den 26 Martii anno 59.

Cedula.

Unnd nachdem Vergerius unnß solches alles angezeigt, auch
ime die Polacken bekannt seien, so hetten wir darfür, er sollte
neben den beeden gemelten theologen von der universitet wegen
zusolcher besichtigung der buecher zu verordnen sein, wo nun euch
solliches fur gut ansechte, so wellendt inen von der universitet
zuschreiben, das es allso geschehe, verlassen wir unß. Actum ut in
litteris.

Altera Cedula.

Es hatt unß auch ermelter Vergeriuß bericht, wiewol die buecher, wie gemelt, von der universitet inventiert worden seien, so
sollen doch gedachte Polacken den schlüssel zu der cammer oder
zimmer, darinnen sie steend, haben, auch der enden auß- und ein-
geen, welches ir der universitet auch zuschreiben sollen, solches
allsobald abzuschaffen. Verlassen wir unß. Actum ut in litteris.

78.

Herzog Christoph an die 4 räthe.

Wildbad 3 April 1559.

Gibt ihnen briefe aus England an Verger zur erwägung.

Christoph etc.

Lieben getrewen!

Was der kunigin von Engellandt cantzler [1] insonderheit an Vergerium, deßgleichen irer kuniglichen wirde sekretarius, an ine auch geschrieben, das werden ir hiebei underschiedlich zu verleßen finden,

Dieweil dann eben ain lanndtag und die lanndtstend des kunig-
reichs beisamen gewesen, alls des Vergerii nechst schreiben hinein-
komen, so ist sollich schreiben von der kunigin ermelten stenden
zu erwegen uberantwort worden und darauff die anntwort von dem

*

1 S. br. n. 78 c. d.

secretario aus bevelch der kunigin und der landtstend ime, Vergerio, wider zugeschrieben worden.

Demnach so ist unnser gnediger bevelh, ir wellendt (neben dem brobst h. Johan Brentio) erwegen und bedenncken, was ime Vergerio hinwider darauff zu schreiben, zu rathen sein möcht, und euch mit solchem ewerm bedencken biß zu unser ankunfft dermassen verfasst machen, das ir unß auf nechstkünftigen montag gewißlich derwegen relation thun kennden, verlassen wir unnß gnediglich.

Datum Wildtbad den 3 Appril anno 59.

79.

Verger an herzog Christoph.

Lauingen 20 April 1559.

Über seine Zusammenkunft mit Marillac und dem englischen gesandten Mundt.

Illustrissime Princeps et Domine Domine Clementissime!

Venit reverendissimus dominus archiepiscopus Viennensis [1] (ut condixerat) Laoingam et fere per integrum diem contulimus de statu religionis, quæ diligenter scribam, si forte Vestræ Celsitudini videbitur, non esse mihi Augustam accedendum. Hoc nunc scribendum putavi, hunc non esse Bajonensem episcopum [2] aut Fraxineum, sed summa gravitate, magnoque zelo in nostras ecclesias tantaque rerum nostrarum cognitione atque experientia, ut vix putem, esse in Galliis sui similem. Scio quod non decipior; quæ vero contulerimus, Vestra Celsitudo brevi a me intelliget aut litteris aut coram, ut dixi.

Secretarius reginæ Angliæ [3] hodie promisit meo nepoti, se huc venturum; exspectabo atque cum eo quoque conferam. Sed audio, illum nullum habere mandatum de rebus, quæ ad religionem attinent. Polonicus etiam nuntius mecum est, de quo habeo quod scribam,

*

1 Marillac, s. br. n. 73a. 80. 92.

2 S. br. n. 4, wo ein ganz anderes urtheil über diesen mann steht.

3 D. Christoph Mundt, von Elisabeth als gesandter zum reichstag nach Augsburg geschickt; vgl. br. n. 73. 80. 81. Seinen bericht über diese zusammenkunft s. Calend. of State Papers, Foreign 1558 bis 59. s. 225.

verum ipsemet feret litteras crastina die. Commendo me Vestræ
Illustrissimæ Dominationi reverenter. Laoingæ die XX. Aprilis 1559.

Illustrissimæ Celsitudinis Vestræ observantissimus

Vergerius.

80.

Verger an herzog Christoph.

Lauingen 21 April 1559.

Über seine unterredung mit dem englischen gesandten.

Illustrissime Princeps et Domine Domine Clementissime!

Fuit mecum is, qui pro serenissima Angliæ regina negotia agit
per Germaniam. Christophorus scilicet Montius [1]; contulimus de Anglia multa, et in summa video, illum nihil scire de negotio, de quo
ad me Cecilius secretarius scripsit [2]. Atque utinam non fuissem
cunctatus tamdiu, sed ante aliquot dies misissem in Angliam litteras
et recessum et confessiones; sed mitto nunc saltem ad Celsitudinem
Vestram, quæ curet per postas Antverpiam deferri; si magistro
postæ, qui Augustæ est, sub autoritate Vestri nominis, traditus fuerit
fascis, nullum puto esse periculum, ut intercipiatur. Si loco latinæ
inscriptionis videretur germanica reponenda, agat Vestra Celsitudo,
ut lubet. Discedo hodie ex Laoinga, Tubingam rediens; causam
Anglicam Vestræ pietati commendó ex animo. Quædam quæ omnino
oportet Celsitudinem Vestram scire de colloquio meo cum legato Gallico [3],
scribam e Tubinga; hic non possum, cum multa sint, sed mittam
statim. Hoc commodi videor mihi ex colloquio istius Montii assecutus, quod suis litteris hortabitur reginam, ne alteri quam Augustanæ confessioni adhæreat, quod alias fortassis non fecisset.

Commendo me reverenter Celsitudini Vestræ. Laoingæ die XXI
Aprilis 1559.

Illustrissimæ Dominationis

servitor Vergerius..

*

1 Vgl. n. 79.
2 Vgl. n. 73 c.
3 Vgl. n. 79. N. 81 Vergers bericht.

81.

Verger an herzog Christoph.

Tübingen 25 April 1559.

Berichtet seine verhandlungen mit Marillac, die sich besonders auf die aussichten des protestantismus in Frankreich bezogen; ebenso dass er vertraulich mit dem gesandten über die schuld Frankreichs an Württemberg gesprochen, ferner dass viele Italiäner von Genf nach Württemberg einwandern und die augsburgische confession annehmen wollen.

Die antwort herzog Christophs s. n. 82.

Illustrissime Princeps et Domine Domine Clementissime!

Accepi hodie Vestræ Celsitudinis litteras, quibus mandat, ut quæ negotia cum d. legato Gallico tractaverim [1], debeam illico significare. Quæ, cum mihi minime contemnenda videantur, eram mea sponte cras per peculiarem nuntium significaturus; sed cum advenerit tabellarius, per eundem rescribo. In summa, cum legatus sit vere pius, sit prudens, et ex secreto regis consilio, petivit mecum conferre ob gravissimam et sanctissimam causam, nempe, ut intelligeret, qua ratione possint nostris ecclesiis favere nonnulli pii, qui apud suum regem [2] in magna existimatione degunt. Ecquid potest esse optatius? sunt enim illic non pauci neque parvæ autoritatis, qui promotum cupiunt renascens Christi evangelium, et hi cupiunt se·(quantum possunt) objicere papistarum conatibus, habita nobiscum prudenti intelligentia. Sic res est; Vestra Celsitudo non dubitet, sed cum paucissimis dignetur communicare. Quo circa cum a me petiisset, quid nam hoc tempore meo judicio facere deberent pro commodo nostrarum ecclesiarum, ipsi pii, qui sunt apud regem in existimatione, respondi ex improviso. Cum in pace nuper facta [3]

*

1 Vgl. n. 79. 80.

2 Heinrich II, könig seit 1547, † 10 Juli 1559; unter den vornehmen, welche den protestantismus besonders begünstigten, waren die Chatillons, Coligny mit seinem bruder Andelot, sowie der Prinz von Condé die bedeutendsten, damals schien auch Anton von Bourbon sich der reformation zuzuneigen.

3 Der frieden von Cateau-Cambrésis, 3 April 1559; weit mehr als von diesem artikel sprach man von einer geheimen vereinigung Frankreichs und Spaniens zur unterdrückung des protestantismus.

sit unus ex articulis, quod reges debeant procurare universale concilium, ut ipsi pii omni studio laborent, ne sub prætextu concilii universalis et non liberi neque christiani opprimatur veritas, in hoc monui, ut laborent atque ut interea perficiant, ut rex aliquibus litteris scriptis debeat nostras ecclesias consolari et profiteri, se nullum aliud concilium procuraturum neque in ullum consensurum, quod non liberum atque christianum futurum sit. Tunc legatus respondit: Sine me facere, nam spero, te aliquid hujusmodi propediem auditurum de talibus litteris præsertim, postea de re ipsa. Illustrissime Princeps, ista est practica nullo modo contemnenda, imo alenda et promovenda omni studio. Multa simul in hoc genere mecum contulit de rege, de regina [1], de delphino [2], de regina Scotiæ [3], de sorore regis [4], deque aliis primoribus, aperuitque, quinam faveant revera nostræ causæ, et qui non, quantus sit in Gallia præsertim Parisiis numerus eorum, qui bene sentiunt, et quam speret, non posse amplius retineri evangelium, ne perrumpat atque vincat. Idem legatus primo aspectu videtur junior, verum attigit quadragesimum nonum annum; valde est in legationibus exercitatus, est doctus latine et græce neminemque habet ex suis familiaribus, qui non agnoscat Jesum Christum. Collega autem ejus [5], alioque bonus dominus, est amarissimo in nostram religionem zelo et olfacio, datum esse opera cardinalis Lotheringi [6], veluti custodem archiepiscopi, cum suspicaretur, eum esse ex nostris. Video, Celsitudinem Vestram scribere, non esse tutum neque consultum, ut egomet Augustam nunc accedam propter metum pharisœorum. Non contendo, quandoquidem video Vestræ sapientiæ sic videri, manebo domi, sed meam sententiam dicam, si potuissem Augustæ nunc esse (etiamsi debuissem me domi continere, illud nihil moratus fuissem), profecto sperassem non exiguum fructum. Cum enim iste videatur mihi confidere, plura adhuc

*

1 Katherina von Medici, die nach dem tode ihres gemahls während der regierung ihrer 3 söhne den grösten einfluss auf die geschäfte ausübte. S. n. 142. 176.

2 Franz II, könig 10 Juli 1559, † 5 December 1560. S. n. 106.

3 Maria Stuart, gemahlin von Franz II.

4 Margaretha von Valois an den herzog Philibert von Savoyen vermählt. S. n. 123.

5 Bourdillon.

6 Karl Guise, erzbischof von Rheims und cardinal von Lothringen, großer gegner der protestanten. S. n. 177.

mihi aperuisset, facta inter nos majore familiaritate. Iterum atque iterum et millies affirmo, cum bene velle nostris ecclesiis, et cupere illis prodesse, et talem esse, qui possit prodesse. Supervenit etiam aliud negotium, propter quod mihi videbatur consultum, ut possem cito cum Vestra Celsitudine conferre, atque id est hujusmodi. Ea potest meminisse, d. comitem Julium a Thiene[1] Italum, qui apud me erat proximo superiori anno, dedisse confessionem suæ fidei, quam Celsitudo Vestra non improbavit. Cum ergo Genevam venisset, ubi fere quingenti exules ex Italia degunt, nempe, ut filiam nuptui traderet et ipse uxorem duceret, persuasit multis ex illis, ut Geneva discedentes peterent sedem in ducatu Vestro. Quare multi et nobiles et divites me orant, ut cum Celsitudine Vestra agam, quo liceat illis sub illius umbra et protectione vivere, quod ad magnam Christi gloriam cederet; nam in articulo de coena Domini ajunt, se velle eam confessionem sequi, quam in d. comite prædicto Vestra Celsitudo probavit. Hoc inquam est negotium, de quo optassem coram conferre, quod non potest moram pati ob certas causas, sed tamen, cum Vestræ Celsitudini non videatur neque consultum neque tutum, ut istuc veniam, domi (ut dixi) me continebo. Mitto recessum, quem legatus legit, non lectum prius, lætatusque fuit, talem concordiam vidisse, ut possit tum suo regi, tum aliis in Gallia testari, mitto etiam catalogum eorum, qui consenserunt. Non dubito, quin Celsitudo Vestra a Montio[2], secretario reginæ, acceperit fasciculum in Angliam mittendum, dedi enim Laoingæ die XXI hujus mensis. Commendo me eidem Celsitudini Vestræ reverenter oroque Dominum, ut in istis tractationibus augeat illi spiritum sapientiæ et donum fidei. Amen.

    Tubingæ die XXV Aprilis MDLIX.

        Celsitudinis Vestræ servitor humillimus

                          Vergerius.

    Postscriptum.

    Ego ex me legato dextere dixi, quod mirarer, regem suum videri non adeo magnam rationem habere Celsitudini Vestræ, cum illi denegarit solvere, quæ debet[3]; ex me, inquam, dixi et dextere;

*

1 S. br. n. 36.

2 S. n. 79.

3 Die ansprüche herzog Christophs an die französische regierung wegen früher geleisteter dienste und einer vorgestreckten geldsumme

miratus fuit legatus dixitque, se nullum verbum de ea re unquam audivisse; postridie autem petivit a me, an de hoc deberet suo regi quippiam referre; respondi, me scire, quod Celsitudo Vestra constituerit nolle amplius ea de re verbum facere, et quod magno redimeret, non petiisse; cum tale responsum retulerit, quale non exspectasset, qua re nullo modo debere eum referre regi quasi, voluntate Vestra ego ejus rei mentionem fecerim, sed si voluerit referre, quod a me, tanquam ex me, audierit talem historiam in familiari colloquio, agat de hoc ut velit, me non impedire: quia non est mihi sub silentio concredita, et visus est mihi hoc negotium non parvi fecisse, ut est profecto prudens, imo gratias egit, quod communicaverim. Certo sciat Celsitudo Vestra, me clarissimis verbis dixisse, quod non facerem mentionem nisi ex me, et addidisse, quod Celsitudo Vestra constituerit, non petere amplius, cum tale responsum retulerit, quale non putasset; si forte peccassem in facienda hujus rei mentione, Vestra Celsitudo mihi ignoscat, feci pro bono, nimirum, ut concordiam sererem, ut me decet.

82.
Herzog Christoph an Verger.
Stuttgart 1 Mai 1559.

Antwort auf n. 81.

Reverende nobis dilecte!

Redditæ nobis vestræ sunt litteræ, ex quibus summam tractationis vestræ, quam cum legato Gallico habuistis, abunde satis cognovimus.

Cumque idem legatus hujus rei apud nos quoque mentionem fecerit, longe aliter de eodem nobis persuademus et plane confidimus, hunc potissimum explorandi, quam animo ecclesiam Christi propagandi super negotio religionis vobiscum contulisse. Ea enim hujus gentis astutia et dissimulatio. Porro expeditis jam Galli legati uterque novissimis hisce diebus Augusta discessit, ea propter non est, quod horum nomine non absque periculo et frustra huc contendatis.

*

betrugen 59,610 kronen, sie sind ihm weder damals, noch später ersetzt worden. S. Stälin, IV, 487.

Quod ad tertium scripti vestri caput attinet, non recordamur confessionis fidei, quam a comite Julio de Thiene Italo nobis exhibitam scribitis. Qua prius non visa et cognita, vestram ad petitionem minus respondere potuimus. Datæ 1 Maii anno 59.

83.

Verger an herzog Christoph.

Tübingen 1 Mai 1559.

Einige bücherneuigkeiten, wünscht nach Augsburg reisen zu dürfen.

Illustrissime Princeps et Domine Domine Clementissime!

Venit ad me ille, quem Vestræ Celsitudini dixi me exspectare, qui vellet me in Suetiam ducere. Respondi, me nolle quidquam statuere, nisi prius totam rem conferam cum Vestra Celsitudine; dimisi hominem, qui dixit, se ad me rediturum pro responso. Cardinalis Augustanus [1] librum edidit suo nomine stultissimum, scheda inclusa continebit unum ex capitibus; liber est impressus Dilingæ hoc ipso anno, titulus est »Tractatus de celebratione missarum« etc. Fuit hic doctor Jacobus Andreas Faber [2], cui dedi, ut exornet suam præfationem in duas conciones, quarum altera est de cœna Domini.

Iterum peto, ut liceat mihi, saltem per tres duntaxat dies Augustæ esse clanculum. Faciam tamen, quod Vestra Illustrissima Celsitudo jusserit; pro nullo meo commodo desidero venire, sed pro gloria Dei.

Commendo me ejdem reverenter.

Tubingæ calendis Maii 1559.

Vergerius.

84.

Verger an herzog Christoph.

Tübingen 2 Mai 1559.

Neuigkeiten aus England und Tübingen. Beschwert sich über den langsamen druck seines buches gegen Hosius.

*

1 S. br. n. 20.
2 S. n. 14.

Verger 14

Illustrissime Princeps et Domine Domine Clementissime!

Scripsi heri ad Vestram Celsitudinem Illustrissimam et cogor nunc iterum ob certas causas; boni consulat, si videbor obtundere et nimis molestus esse meis litteris.

Ex Argentina scribitur mihi, habitam esse de religione disputationem in Anglia, et coniectos fuisse in carcerem duos episcopos inter alios, qui paulo insolentius locuti sunt contra delegatos a regina.

Præterea jactant se Helvetii, quod idem status religionis futurus sit in Anglia, qui fuit sub Eduardo. Vellem trajecisse in illud regnum, sed fiat voluntas Domini. Ibo tamen aliquando (si illi placuerit).

Habemus novum rectorem scholæ papisticum, scilicet d. Gebhardum [1], quem hodie probe monui, auditus fui patienter. Mortuus est hodie professor linguæ Græcæ Illyricus Garbitius [2], interfui funeri. Nisi clementissimus pater noster Deus misertus fuerit in ultima hora ejus, cum papista fuerit, metuo de ejus salute.

Postremo, nisi Illustrissima Celsitudo Vestra interposuerit suam autoritatem, mei dialogi contra Osium [3], pestilentissimum scriptorem, vix absolventur hoc anno, nec fiet, quod heri scripsi, me sperare, ut in comitiis possim spargere; alium enim librum dicit Georgius typographus se habere XX foliorum, quem velit interponere, hoc est, vix post mensem procedet in meis (scio enim, quam lente procedat) et sic vix-post quinquaginta dies absolvet. Ego me exonero, si neque in præteritis nundinis dialogi exierunt, neque in comitiis exibunt, per me non stetit.

Commendo me reverenter Vestræ Illustrissimæ Celsitudini, quam oro, ut Pater cœlestis spiritu suo repleat per Christum dominum nostrum.

*

1 Gebhard Brastberger von Urach, professor juris, resignirte 1560; man hatte ihm vorgeworfen, dass er in den zeiten des interims die messe besucht habe.

2 Matthias Garbitius von Illyrien, aus niederem stande, kam frühe nach Deutschland, wurde Luthers tischgenosse in Wittenberg und von Melanchthon und Camerarius empfohlen, wurde er 1537 professor der griechischen sprache in Tübingen; der bescheidene mann wurde in religiöser hinsicht manchfach verkannt; 1559 traf ihn der schlag bei der erklärung von Joh. 14, 1.

3 S. n. 76.

Tübingæ die 2 Maii 1559.

Illustrissimæ Celsitudinis Vestræ servitor

Vergerius.

85.

Verger an herzog Christoph.

Tübingen 11. Mai 1559.

Berichtet, er werde gegen den eben erschienenen catalogus hæreticorum schreiben. In betreff der slavischen bibelübersetzung habe er
einen mann gefunden, der die bibel schon ganz in diese sprache übersetzt habe und nur die druckkosten nicht aufwenden könne; herzog
Christoph möge dieselben übernehmen.

Illustrissime Princeps et Domine Domine Clementissime!

Habui ab urbe Roma catalogum hæreticorum [1], nuper a Papa
editum, qui est quinque foliorum; mirabilia in eo scripta sunt, confessio Vestræ Illustrissimæ Celsitudinis nominatim pro hæretica ab illo
antichristo condemnata est, et nominatim illustrissimus d. Nicolaus
Radzivilus [2], palatinus Vilnensis, quod libenter vidi. Nam tanto
magis sua illustrissima celsitudo pro Christo animabitur. Quare
multæ sunt causæ, cur non debeam aliter facere, quam arripere ca-
lamum et primo quoque tempore quædam scribere contra tam su-
perbum, tam blasphemum et tam abominandum catalogum, quid pluribus? condemnat omnia prorsus opera Erasmi, et prohibet, ne Vetus
et Novum Testamentum lingua vernacula legatur in Italia, quod scio
nunquam antea in Italia factum fuisse. Audio d. Venetos nolle obedire. Quare per aliquot dies (vix per tres septimanas) Osius [3] et
reliqua mea studia quiescent, et dabo me totum isti maledicto catalogo, quem pro dignitate excipiam.

Aliud est, Illustrissime Princeps, non parvi momenti, ad quod
Vestræ Celsitudini supplico, ut diligenter attendat. Deus videtur omnino velle, ut Celsitudo Vestra habeat hunc honorem in omnibus

*

1 Das buch, das Verger dagegen schrieb, führt den titel: Postremus catalogus hæreticorum Romæ conflatus, 1559, continens alios
quatuor, qui post decennium — fuerunt editi. Cum annotationibus;
in Pforsheim gedruckt. S. Serap. s. 90. n. 92. S. br. n. 240.

2 S. n. 46.

3 S. n. 76.

14*

ecclesiis filii sui, apud omnem posteritatem, scilicet de integris bibliis in Slavicam illam linguam [1], quæ communior est evulgandis. Nam interea dum misi in Slavoniam ad quærendos homines idoneos ad faciendum versionem, ecce mei amici invenerunt ipsa biblia jam conversa a quodam linguæ Slavicæ peritissimo et pio viro, qui nesciens, ubi nam posset dare imprimenda, motus a Spiritu sancto traduxerat integra, et spero, quod bene traduxerit. Ille igitur cupit Vestræ Illustrissimæ Celsitudini offerre tales suos labores, et suam etiam operam in corrigendo, dum imprimetur, atque ita multo minor sumptus futurus est et multo citius fiet, quam si fuissent alendi homines, qui huc venissent et ipsa biblia vertissent a principio usque ad finem, quod certe et vix biennio, et vix fortasse millibus florenis factum fuisset. Nunc solum opus erit solvere Vestro typographo circiter quadringentos florenos, dare mensam in stipendio autori versionis, qui intersit correctioni, postea aliquod honorarium mediocre; nam donarentur illi aliquot exemplaria, quæ in suum commodum distraheret. Deus, inquam, misit hanc occasionem, quæ sine ejus injuria non potest negligi, tanto magis, quod nullum credo principem esse futurum, qui tam sanctum opus amplectetur, nisi Vestra Illustrissima Dominatio amplectatur, quod, ne amplecti prætermittat, etiam atque etiam per Jesum Christum rogo. Cum ergo amici mei ad me scribant, illum bonum virum statim esse venturum ex Dalmatia ad præsentiam Celsitudinis Vestræ et offerre ipsemet suam versionem, supplico, ut eadem Celsitudo Vestra dignetur, mihi rescribere, an sit contenta, ut scribam, quod veniat in nomine Domini, et jubeam illi dari viaticum Vestro nomine; nam darent illic mei amici. Et ne dubitet Illustrissima Dominatio Vestra, quin bene correcta futura sit talis versio, et fontibus bene conformis, ne possit carpi ab æmulis, hoc in me recipio. Dico tertio, quod Deus illum hominem moverit, ut talem versionem adornaret, in qua multos annos audio illum consumpsisse, ut auxilio Vestræ Illustrissimæ Dominationis

*

1 S. n. 17. In Schnurrer, slavischer bücherdruck s. 19 f. findet sich, dass ein Dalmate nach Tübingen gekommen sei, der eine ganze slavische bibel in der handschrift mitbrachte, die er 1547 angefangen und 1554 vollendet habe; allein derselbe habe seine bibel nicht drucken lassen wollen und sei nach 4 tagen wieder abgereist, so dass Verger und Truber abermals auf sich angewiesen waren. Ob aber dieser unbekannte derselbe, wie der hier erwähnte ist, ist nicht ganz gewiß.

ad gloriam Dei et utilitatem proximi posset publicari. Si denuo fuissent vertenda biblia per certos homines, qui huc venissent, et magni sumptus fuissent faciendi, fuissent quoque requirendi alii principes, qui contribuerent; ob quam causam accesseram ego ad electorem Palatinum defunctum; sed cum vix tertia pars ejus sumptus facienda nunc sit, spero, Vestram Illustrissimam Celsitudinem pro sua magna pietate non recusaturam, velle solam tale onus sustinére, ad gloriam ejus, qui pro nobis mortem sustinuit. Commendo me reverenter Illustrissimæ Dominationi Vestræ, Deus augeat illi spiritum et fidem per Christum dominum nostrum.

Tubingæ die XI Maii anno 59.

Celsitudinis Vestræ Illustrissimæ servitor

Vergerius.

86.

Verger an herzog Christoph.

Tübingen 1 September 1559.

Fürbitte für einen in Görtz gefangenen Italiäner; die züricher theologen seien sehr erbost auf ihn, weil er die königin von England zur annahme der Augustana bewegen wolle.

Illustrissime Princeps et Domine Domine Clementissime!

Vestra Illustrissima Celsitudo dignata fuit, proximis præteritis mensibus ad serenissimum regem Bohemiæ intercedere, ut vellet pati, quo aliquis insignis Christianus amicus meus ex Italia profugus[1] in Istria consisteret, et ecce, interea dum exspectat responsum, in excelsam turrim Goritiæ conjicitur. Crediderim fuisse cæsareæ Majestatis opus. Illustrissima Celsitudo Vestra inspiciat, quod mitto memoriale. Supplico per Jesum Christum, ne permittat (quantum in se est) ut bonus ille vir aut in Venetorum aut in Papæ manus transmittatur, hoc esset dare lupis devorandum filium Dei, Vestrum membrum.

»Quod uni ex minimis meis feceritis, mihi feceritis«, ait veritas.

Ceterum ex Tiguro habeo aliquid novi. Illi clamant contra me iratissimi, sed me, inquam, petunt, cum Illustrissimam Celsitudinem

*

1 Der Italiäner hieß Franziscus Stella, sonst unbekannt.

Vestram non audeant. Ajunt, me misisse ad reginam Angliæ[1] exemplum recessus Francfordiensis, hortatum fuisse suam majestatem, ut cum illo consentiat et cum Illustrissimis Dominationibus Vestris; illos me damnasse nominatim (quod tamen minime feci) in auribus reginæ, quare eorum causam factam esse difficiliorem, et minantur in summa, quod velint ulcisci.

Ego nondum rescripsi, sed ostendam prius Vestræ Illustrissimæ Celsitudini, quid respondere in animo habeam. Res enim est non parvi momenti; fremunt, nollent factam illam declarationem.

Exspecto meas in catalogum annotationes[2], corrigam, quidquid Vestra Illustrissima Dominatio mandaverit, cui me reverenter commendo.

Tubingæ calendis Septembris 1559.

Illustrissimæ Celsitudinis Vestræ observantissimus

Vergerius.

Die resolution von des herzogs eigener hand lautet:

Soll dem künig von Behem geschriben und in meliori forma gebetten werden, das sein küniglich wirde umb erledigung diß gefangnen beholffen wolte sein, soll ime auch inligender bericht in originali zugeschickht werden.

87.

Verger an herzog Christoph.
Tübingen 27 September 1559.

Schickt die übersetzung eines italiänischen schreibens; theilt seine baldige abreise nach Polen mit.

Illustrissime Princeps et Domine Domine Clementissime!

Accepi heri noctu reverenter et remitto hodie scripta a serenissimo Bohemiæ rege missa. Miror, suam majestatem intelligere potuisse, certe vix puto assecutum, cum ad hunc modum miserit; sunt enim a puero rerum et litterarum rudi conscripta. Vix potui ad sensum aliquibus in rebus verti epistolam, quæ videtur ex inferno a Paulo IV ad nepotem scripta; ea mihi visa est lepida, ut vera quoque, prodesset (ut arbitror) cum Roma veniat, per Ger-

*

1 S. n. 73 b.
2 S. n. 85.

maniam jn linguam popularem esse sparsam, ut omnes intelligant paparum artes, papistæ quoque. Rhytmorum quorundam sententiam saltem converti quoque, verum turpissima quædam missa feci, neque enim attingere ausus fuissem. Hæc affert meus nepos Lodovicus. Misi heri famulum Augustam, qui mihi meum currum, qui illic est, reducat. Ubi redierit, quod brevi fiet, arripiam iter [1], si Dominus voluerit; veniam tamen ad Illustrissimam Celsitudinem Vestram prius, ut aliquibus de rebus adhuc conferam, litterasque atque alia quædam accipiam necessaria. Cui me reverenter commendo; accedam, inquam, ante meum discessum.

Scriptis his litteris, supervenit medicus; ago Vestræ Celsitudini immensas gratias; corrigam omnia prorsus loca, deinde d. Brentio ostendam (si videtur Celsitudini Vestræ) satisfaciamque, quod nullo negotio possum, facilis est enim correctio homini non pertinaci, nam ab hoc titulo plane abherreo. Rogavit me per litteras d. Ungnad[2], ut exspectem ejus ex Heidelberga reditum, vix potero, Domini voluntas fiat.

Tubingæ die 27 Septembris 1559.

Servitor Vergerius.

*

1 Verger hatte sich zu einer reise nach Polen entschlossen, wie es scheint auf ergangene einladung hin, s. den brief Radzivils an ihn vom 21 Juli 1559, in Müller entdecktes staatskabinet III, 128. Neben den religiösen angelegenheiten handelte es sich besonders um die vermählung deutscher fürsten und polnischer prinzessinnen. Sigismund August hätte gerne seine schwester Katharina oder Anna an einen deutschen fürsten vermählt und Verger und mit ihm manche andere hofften davon eine wesentliche beförderung des evangelischen glaubens. Schon 1553 war Johann Wilhelm von Sachsen, der sohn von Johann Friedrich, dazu vorgeschlagen worden. 1556 und 1559 wurde es durch Verger und Thangel erneuert. Aber die sache scheiterte, denn Johann Wilhelm hatte sich im geheimen mit Dorothea Susanna, tochter von Friedrich III von der Pfalz, verlobt und führte sie 10 December 1560 heim; s. Beck, Johann Friedrich der mittlere I, 234. Doch suchte man, wie br. 93 b. zeigt, noch im jahr 1560 noch andere evangelische fürsten für die beiden Polinnen, aber ohne erfolg. Katharina heirathete 1562 Johann, könig von Schweden († 1583) und Anna, obgleich schon 60jährig, Stephan Bathory, den fürsten von Siebenbürgen und brachte ihm wirklich die krone Polens zu; sie starb 1596; s. über das ganze Müller und brief n. 88. 89. 89 a. 90. 90 a. b. 93. 94. 108.

2 S. br. n. 30.

Postscriptum.

Mitto quædam Germanica ex nundinis allata, alterum latine, alterum italice habeo.

88.

Verger an herzog Christoph.
Erfelt 2 November 1559.

Berichtet über seine bisherige reise und über ein neues buch des Staphylus.

Illustrissime Princeps et Domine Domine Clementissime!

Vix XL milliaria confeci novem diebus [1], quod curru utor, quod viæ ineptæ, quod Haidelbergæ habui, quod agerem, deinceps conficiam, spero, plura. Cum incidissem in hunc ab illustrissimo domino duce Brunsvicensi tabellarium, putavi reverenter aliquid de me scribendum esse. Spero me rediturum ad pascha, si Dominus voluerit. Iterum relegi in via noctu universum Staphyli [2] novum libellum seditiosissimum; sathan suscitavit nunc istum, nihil Ecchius [3], nihil Cocleus [4], nihil etiam Osius [5] ad hunc; summus hic in papatu tyrannus atque acerbissimus; absolvam responsum, ut spero in via, daboque in Prussia imprimendum. Commendo me Illustrissimæ Celsitudini Vestræ reverenter. Pater coelestis augeat illi suos divinos thesauros, spiritum et fidem per Christum dominum nostrum. Credo olim meum Mantuæ cardinalem [6] futurum papam; optarem illi me-

*

1 Verger war 20 October von Stuttgart mit 3 begleitern aufgebrochen.

2 Vgl. n. 62. Wahrscheinlich die n. 62, anm. 2 erwähnte schrift von Staphylus: Defensio etc, welche nach dieser notiz schon ende 1559 erschienen wäre. Eine gegenschrift Vergers findet sich im Serap. nicht angeführt.

3 Eck, der bekannte gegner Luthers, geb. 1486, † 1543.

4 Johannes Cochläus, einer der bedeutendsten vertheidiger der katholischen kirche in Deutschland während der reformation, er faßte die ganze reformation als streit zwischen Dominikanern und Augustinern. † 1552.

5 Hosius s. n. 76.

6 Herkules Gonzaga, cardinal von Mantua, legat des papstes beim Tridentinum, dem er eine zeitlang präsidirte. † 2 März 1563. Freund Vergers, s. br. n. 94. 118. 125. 153. 177. Übrigens täuschte sich Verger über die papstwahl. Paul IV war 18 August gestorben, sein nachfolger wurde Angelo Medici als Pius IV.

liora, nihil fuit nobis conjunctius, hausit a me evangelium.
Datum Erfelt die Novembris 2 1559.

Illustrissimæ Celsitudinis Vestræ observantissimus
Vergerius.

89.

Verger an herzog Christoph.

Stettin 25 November 1559.

Berichtet über seinen aufenthalt beim herzog von Mecklenburg.

Illustrissime Princeps et Domine Domine Clementissime!

Posteaquam Tubinga discessi, litteras ad Vestram Celsitudinem dedi ex Haidelberga atque ex Vinaria sive Jena. Nunc ex Stetino pauca. Veni tandem ad illustrissimum Mechelburgensem[1], qui me ob Celsitudinis Vestræ commendaticias litteras summa clementia suscepit; detinuit enim me reluctantem sex apud se diebus, nullum prætermittens genus officii, quo me posset honorare; pollet certe admirabilibus virtutibus atque donis. Longius autem latiusque patet ejus ditio, quam putassem; est enim in longitudine fere XX milliarium, quæ ego sum iter faciendo emetitus. Mandavit mihi, ut scribam, se Celsitudinem Vestram ex animo diligere seque illi plurimum commendare. Tractantur nuptiæ cum ejus formosissima ac pientissima sorore atque illustrissimo Saxoniæ duce Willelmo[2], quod secreto dico. Spero me ante pascha (si Deus voluerit) Tubingam rediturum. Illustrissimus Prussiæ dux pulcherrime valet, quod a quodam ejus secretario rescivi mihi obviam facto. Commendo me Celsitudini Vestræ reverenter. Pater cœlestis augeat illi suos divinos thesauros, spiritum et fidem per Christum dominum nostrum.

Datum Stetini die XXV Novembris 1559.

Illustrissimæ Celsitudinis Vestræ observantissimus
Vergerius.

*

1 Johann Albert I, herzog zu Mecklenburg, geb. 1525, herzog 1547, † 1576, seine gemahlin Anna Sophie, tochter von Albert von Preußen 1555, † 1591. Seine schwester hieß Anna, geb. 1533 und heirathete 1566 Gerhard, herzog von Kurland, † 1602.

2 S. n. 87.

89 a.

Verger an herzog Christoph.

Königsberg, weihnachten 1560.

(Muß nothwendig 1559 heißen, da Verger 15 December 1560 und
18 Januar 1561 in Tübingen war; zu seiner im jahr 1559 nach Preußen
unternommenen reise paßt aber dieser brief.)

Nachrichten über Preußen, Polen, Livland.

Illustrissime Princeps et Domine Domine Clementissime!

Tandem Regiomontem veni Dei gratia, sed itinere fere duorum
mensium ob pessimas vias et dies brevissimos, sed perveni Dei beneficio. Illustrissimum principem[1] cum tota familia, aula atque ecclesia incolumem inveni, nisi quod pridie illius diei, quo huc veneram, suus medicus Andreas Aurifaber[2] improvisa morte, cum
mane esset in aula, correptus concidit, eo potissimum tempore, quo
hic celebrabatur conventus ex toto ducatu, adessetque tota nobilitas;
venerat, inquam in aulam sanus atque fortis, et ecce ex improviso
concidit in loco celebriore, ut nec verbum ullum unquam postea
fecerit; de quo satis. Livonia[3] proxima valde est sollicita, ne in
hac summa hieme redeat Moschovita, qui eam iterum devastet: solet
enim id genus per glacies perque nives ex remotissimis regionibus
centum millibus equitibus et amplius irrumpere. Assecutus sum
exemplum pactorum inter ipsam Livoniam et serenissimum Poloniæ

*

1 Albrecht von Preußen.

2 Andreas Aurifaber, mediciner und philologe, leibarzt des herzogs,
schwiegersohn Osianders und als solcher tief verflochten in jene streitigkeiten; er besonders hatte den herzog für Osiander einzunehmen
gewußt. 12 December 1559 starb er plötzlich an einem schlag im vor-
zimmer des herzogs, der ihn mit einem brief an den könig von Polen
schicken wollte.

3 Schon im Januar 1558 hatte das russische heer die livländische
grenze überschritten, 11 Mai Narwa, Juli Dorpat erobert. Januar 1559
rückten die Russen bis Riga. Der livländische hochmeister Kettler
stellte sich unter polnischen schutz, aber derselbe wurde so schwach
geleistet, dass 25 Mai 1559 die Deutschen vollständig von den Russen
geschlagen wurden. Um sich vor den greueln der russischen eroberer
zu schützen, ging Livland November 1561 auf die einverleibung mit
Polen ein und Kettler wurde herzog und gouverneur unter polnischer
oberherrschaft. S. br. n. 147.

regem; ita illa trepidat, ut dederit regi oppida, villas, regiones pro
sexcentis florenis millibus, ut a sua majestate defendatur, quæ præter
defensionem promisit quoque, quod velit Livoniæ confessionis Augustanæ fidem sua potentia custodire. Unus ex quatuor episcopis
Livoniam prodidit Moschovitæ, qui una cum exercitu profugiens,
factus erat in ea gente primus in religione, at non multo post in
vincula conjectus est tanquam proditor, cui minime fidunt. Tota
Prussia totaque Polonia minor in retinenda confessione Augustana
constantem se præbet, quod affirmo, sola ea pars, quæ prope Cracoviam est, d. a Lasco[1] sequitur, cum tamen non desint sectarii
quoque. Pestis grassatur non modo in majore Polonia illic prope
Cracoviam, sed non nihil in Lituania atque in aliquibus Prussiæ locis, et profecto metuendum est, ne fiat atrocior, nisi a magnis fri-
goribus comprimatur.

Audieram, d. a Lasco traxisse in suam sententiam fere omnes
Valdensium aut Picardorum seu Bohemorum ecclesias, quarum ducatus Prussiæ habet quattuor, Polonia vero minor multo plures, sed
veritas est, quod fuerint valde tentatæ atque oppugnatæ, et quod
tandem constantes manserint, quod affirmo; vidi enim et multæ ad
me legatos miserunt.

Osii[2] episcopi Varmiensis ecclesia et diocesis est hic in finibus.
Abest enim vix diei itinere, multi in ea sunt insolentes, multi bene
sentientes, Elbingenses imprimis, qui me amanter susceptum per
terram Varmiensem conduxerunt, servaruntque ab injuria; non de-
sum hic meo officio spargens scilicet, quidquid possum librorum.

Spero, me discessurum hinc Februario mense ac Martio domi
futurum, si Dominus voluerit, spero me apportaturum non pauca,
quæ cum Vestra Illustrissima Celsitudine reverenter communicem, neque attinet ea scribere nunc; tametsi sperem litteras tuto perferen-
das. Mea negotia conficiam (ut spero) non infeliciter. Quin ex me
cum illustrissimo palatino Vilnense[3], qui ad me de nuptiis scripserat,
agam omnino aliquid ex me, inquam, et curabo de illustrissimi d.
Bipontini nepote dextre servata ejus existimatione, saltem potero
certissima renuntiare. Rex Poloniæ non videtur ad Cæsarem ac-

*

1 S. br. n. 44.
2 S. br. n. 76.
3 Radzivil, s. br. n. 87.

cessurus; hæret enim in sua Lituania; sed archiepiscopum Gnesnensem, olim vicecancellarium, legatum ad suam Majestatem destinavit, quasi acturum de bonis reginæ mortuæ, quæ sunt in regno Neapolitano, sed revera ut vias inveniat, quibus futura comitia regni Poloniæ impediantur, sperabatur enim ex illis reformatio.

Erant futuræ nuptiæ inter regem Daniæ[1] et Cæsaris filiam, de quibus ante decem dies in conventu Mariæburgensi hic admodum prope actum fuit, sed propterea turbatæ ac prorsus impeditæ fuere, quod Danus rex noluerit Cæsaris filiæ papismum, ut apud se retineret una cum missa, permittere, sancte fecit, laudanda constantia.

Urgente doctore Aurifabro, mortuo, missus fuerat ad d. Brentium libellus germanice magistri Fogelii[2] contra Merlinum, qui Tubingæ excuderetur, continens nimirum Osiandri causam, multi hic ex præcipuis, d. cancellarius imprimis me rogavit, ut scriberem, nisi admodum necessarius videatur liber, qui in lucem hoc tempore edatur, ne edatur, ne majores turbæ concitentur, quos certe Aurifaber minime videbatur metuere. Vestra Illustrissima Celsitudo agat cum d. Brentio, ut videtur, prudens est, non faciet, quod non opus fuerit. Commendo me eidem Illustrissimæ Celsitudini Vestræ reverenter. Pater cœlestis augeat illi suos divinos thesauros, spiritum et fidem per Christum dominum nostrum.

Regiomonti postridie natalis Domini MDLX.

Illustrissimæ Celsitudinis Vestræ observantissimus

Vergerius.

*

1 König von Dänemark war Friedrich II von 1559 bis 1588. Die heirath mit einer tochter Ferdinands kam nicht zu stande.

2 Matthäus Vogel, geb. 7 September 1519 in Nürnberg, prediger in Nürnberg; wegen des interims flüchtete er sich nach Preußen und wurde professor in Königsberg; 12 jahre lehrte er dort mit großem erfolg, dann zwangen ihn die osiandrischen streitigkeiten, Preußen zu verlassen; herzog Christoph nahm ihn freundlich auf und übertrug ihm die pfarrstelle von Hornberg; er starb 3 December 1591 als abt von Alpirsbach. Die hier angeführte schrift führt den titel: Dialogus von der rechtfertigung deß glaubens samt einem bedencken von dem zwispalt über solchen artikul und antwort auf d. Johann Mörlins sendbrieff und apologiam. S. Fischlin, mem. I, 64 ff.

1560.

90.

Verger an herzog Christoph.

Ohne ort und datum; muß ende April 1560 geschrieben sein, da
der brief 4 Mai in Wildbad präsentirt wurde.

Kündigt seine baldige ankunft in Württemberg an.

Illustrissime Princeps et Domine Domine Clementissime!

Sum in via rediens ad Illustrissimam Celsitudinem Vestram (per
Dei gratiam) spero autem, me non inane neque infructuosum pro
evangelio iter fecisse. Fero enim non levia negotia mihi ab ipsomet Polonorum rege [1] demandata una cum suæ majestatis ad Vestram
Celsitudinem litteris non modo illustrissimi palatini Vilnensis [2], cujus
habeo mecum eundem legatum [3], qui proxima superiore æstate in
Germaniam venerat cum mandatis et muneribus ad Vestram Illustrissimam Celsitudinem, quin habeo illustrissimi quoque ducis Prussiæ legatum. Has præmitto per equitem Vinariam usque, unde, ut
spero, mittentur. Ego non possum celerare non modo propter impedimenta [4], quæ mecum veho homo senex, sed quia habeo ad quosdam illustrissimos Germaniæ principes ab eodem serenissimo Polonorum rege mandata. Commendo me Illustrissimæ Celsitudini Vestræ
reverenter. Pater cœlestis augeat illi et toti sanctæ familiæ suos
divinos thesauros, spiritum et fidem per Christum dominum nostrum.

Ejusdem Illustrissimæ Celsitudinis Vestræ servitor ex animo

Vergerius.

91.

Verger an herzog Christoph.

Ohne datum und ort; muß anfangs Mai 1560 geschrieben sein, da
er im Mai in Wildbad präsentirt wurde.

Verger bittet um eine empfehlung für seinen neffen Aurelius an
den könig von Böhmen, damit er in Wien studieren könne.

*

1 S. br. n. 87.
2 S. br. n. 47. Verger war bei Radzivil in Wilna gewesen.
3 Balthasar Lewald.
4 Verger brachte dem herzog bedeutende geschenke mit, s. br. 93.

Illustrissime Princeps et Domine Domine Clementissime!

Habeo inter alios nepotes ex mea familia unum, cui nomen Aurelio[1]; is est juris civilis studiosus fuitque eorum studiorum causa Paduæ aliquamdiu, sed cum propter verbum Dei, cui est addictus, fuerit in carcerem conjectus multaque illic passus, lata est demum sententia contra eum, ne in aliqua schola aut academia, quæ Romanæ ecclesiæ doctrinam non complecteretur, studiis operam daret (metuebant enim inquisitores, ne recta ad me veniret Tubingam) addita pœna, quod si ad scholam Lutheranam (ut appellant) venisset, tunc deberet incurrere in perpetuum exilium a tota Venetorum ditione et confiscationem bonorum. Quare cuperet idem meus nepos Aurelius, quamdiu posset et patriæ libertatem et bona sibi conservare, paratus tamen omnia amittere, potius quam in alia religione vivere, quam in evangelica; jam, si nollit in Italia permanere, nullibi posset commodius suis studiis operam dare, quam Viennæ Austriæ; nam neque exilium neque confiscationem bonorum incurreret, si illic studeret. Quapropter supplico Illustrissimæ Celsitudini Vestræ, ut eum serenissimo Bohemiæ regi dignetur commendare; quamvis enim nepos meus adhuc habeat, unde sibi vestes et libros comparet, non habet tamen, unde se extra suam patriam sustentet, cum in sua captivitate magnam partem sui patrimonii consumpserit. Quare opus haberet, ut duobus aut tribus annis stipendio aliquo in gymnasio Viennensi aleretur atque sustentaretur. Nam hoc spatio temporis peracto sperat, se posse sumere doctoratus insignia, et suæ regiæ dignitati serviturum (si opus habuerit). Collegia illa, quæ Viennæ sunt, non libenter intraret, qui enim nobilis est et jam proximus doctoratui, aliam vitam aliamque studiorum rationem sequi debet. Oro æternum patrem domini nostri Jesu Christi, ut tum Illustrissimam Celsitudinem Vestram, tum serenissimam ejus dignitatem regiam suo spiritu permoveat ad succurrendum huic meo nepoti, qui multas ærumnas propter evangelium passus est.

Illustrissimæ Celsitudinis Vestræ obsequentissimus

Vergerius.

*

1 Vgl. n. 5. 42. 92.

92.

Verger an herzog Christoph.

Tübingen 10 Mai 1560.

Schickt das glaubensbekenntniß des grafen Julius von Thiene und erneuert die bitte um verwendung für seinen neffen Aurelius.

Illustrissime Princeps et Domine Domine Clementissime!

Accepi reverenter Vestræ Illustrissimæ Celsitudinis litteras, quæ duo capita continebant, alterum erat de legato gallico [1], quem illa putat simulare, quod nostræ religioni bene velit, alterum de confessione fidei, quam d. comes Julius a Thiene [2] Illustrissimæ Celsitudini Vestræ exhibuit. Quod ad primum, nihil est quod respondeam; cedo, non putassem, homines esse tam malos; væ illi, si simulat in re tanta, adhuc volo sperare aliquid boni. Ipsa autem dies veritatem·manifestabit, an revera iste simulet. Quod ad confessionem attinet, mitto exemplum; dixerat tunc Vestra Illustrissima Dominatio, eam non sibi displicere[ ] (considerata qualitate personæ). Est enim indocti. hominis confessio, sed discerni potest, eum a Vestra confessione non abhorrere. Hanc certe multi exules partim Itali, partim Galli, qui diu Genevæ substiterunt, libenter acciperent, atque inde abirent (ut audio ex litteris d. comitis). Esset agendum cum illis peculiariter, facie ad faciem, et eorum sententiam diligenter exquirere. Quis scit, si Dominus per hoc medium velit nobis concedere illam concordiam in ecclesiis, quam optamus. Dignetur Vestra Celsitudo cogitare et orare, cum sit negotium Christi.

Nuper in Thermis feriis supplicavi aliquid pro uno ex meis nepotibus [3], et Vestra Illustrissima Celsitudo dignata est, mihi clementer respondere, ut darem sibi ea de re memoriale, quod nunc tandem mitto. Utinam ea primo quoque tempore ad serenissimum Bohemiæ·regem [ ] mittat atque intercedat aliqua efficaciore verborum forma, ne neget, quod petitur. Quod per Christum rogo. Commendo me reverenter Vestræ Illustrissimæ Celsitudini, Deus illi adsit suo spiritu. Ego domi libenter manens saltem precibus do operam, ut

*

1 Marillac, mit dem Verger in Lauingen zusammengetroffen war. S. br. n. 79 und 80.

2 S. br. n. 36.

3 S. br. n. 91.

possim causam Christi juvare, etsi non desint alii labores.

Tubingæ die X Maii anno MDLX.

Illustrissimæ Celsitudinis Vestræ observantissimus

Vergerius.

a Eigenhändige entschliessung des herzogs: »soll ime geantwurttet werden, wie hiebey ich es decretiert hab.«

b »Er schreibe selbst dem kunig in Behem, schickhe mir die brief, will ich darneben ir kuniglich wirden auch in meliori forma schreiben.« S. br. 91.

92 a.

Confessio generosi comitis d. Julii a Thiene Vicentini.

Credo, quod confessio Augustana et confessio illustrissimi domini ducis Vuirtembergensis contineat bonam et sanam doctrinam; dico iterum, quod, in quantum se extendit mea intelligentia, habeo illam pro doctrina sana et bona. Quantum autem attinet ad articulum eucharistiæ, audieram, quod in his ecclesiis tenebatur, quod corpus Christi veniret ad includendum se intus in illo pane; ideo ut satisfacerem meæ conscientiæ, volui clare loqui atque addere, quod ego illud non credebam, sed quod credebam, me manducare in coena dentibus fidei et spiritus verum corpus filii Dei, nati in mundo, mortui in cruce et resuscitati pro me, et bibere suum sanguinem, sed de modo, quo manducarem corpus Christi et biberem ejus sanguinem, quod nesciebam, sed me ita credere, quia Christus mihi dixit, quod comedo corpus et bibo sanguinem ejus.

Nunc autem addo amplius et me declaro, dico enim, me credere, quod qui comedit panem et bibit vinum in coena, non comedit neque sumit nuda tantum signa, sed ut dixi. Hæc est summa meæ confessionis et fidei, paratusque sum doceri et acceptare, si quis melius me docuerit.

Darunter von des herzogs hand: »sye ist nit lucida und clar, daromben er auch nit lenger in meinem landt beleiben wellen.«

93.

Nicolaus Radzivil an herzog Christoph.

Wilna 4 März 1560.

Präsentirt Wildbad 15 Mai 1560.

Empfiehlt einige Polen, welche der studien halber Tübingen besuchen wollen; die polnische heirath.

Schon gedruckt bei Moser, neues patriotisches archiv II, 48 ff.

Illustrissime et Excellentissime Princeps et Domine Domine cum observantia Colendissime!

Commendo addicta studia et officia mea [1] ac omne genus observantiæ in Illustrissimæ Celsitudinis Vestræ singularem gratiam et benevolentiam. Cum hic esset apud me reverendissimus et clarissimus vir d. Petrus Paulus Vergerius, Illustrissimæ Celsitudinis Vestræ alumnus et consiliarius, non satis a me dici potest, quam suavis quamque jucunda mihi cum illo fuit consuetudo, qui me colloquiis suis non minus disertis quam sapientibus de reipublicæ deque religionis statu per Germaniam ac per alia regna et provincias in dies magis ac magis informabat; novit enim ejus generis permulta, usu didicit ac etiamnum discit plurima, faciem ecclesiarum tam præsentium quam paulo superiorum temporum si quisquam alius a propinquo inspexit, et non interfuit modo, sed et præfuit negotiis et certaminibus his, quæ fatali quadam necessitate in hæc nostra tempora de re omnium maxima et maximi momenti inciderunt; quæ tametsi non usque adeo longum neque diuturnum explent aut constituunt sæculum, tamen magna est in his paucis annis religionis et reipublicæ in universo terrarum orbe mutatio; quæ res equidem nobis est et esse debet magnæ consolationi, orbem Christianum, maxime vero ecclesiam quamquam duriter concuti et conquassari, tamen veritatem et lucem magis ac magis in dies in mentibus hominum accendi, et erumpere flammam ignis cœlestis, profligari tenebras superstitionum, et paparum infinitas idolomanias proteri; idque præsidio, defensione et patrocinio illustrissimorum principum Germaniæ, nutriciorum ecclesiæ Dei, qui huic Lazaro pleno morbis et ulceribus ante fores divitum et præpotentum paparum et pontificum multis sæculis jacenti hospitium præbuerunt; inter quos cum Illustrissimam Celsitudinem Vestram non ultimas neque medias, sed facile primas partes obtinere intelligerem cum sæpe ante alias, tum præcipue nunc ex clarissimo d. Petro Paulo Vergerio, dici nequit, Illustrissime Prin-

*

1 S. br. 47. Unter demselben datum hatte auch k. Sigismund wegen der gleichen angelegenheit an herzog Christoph geschrieben, s. neues patriotisches archiv von Moser II, 45 f.

Verger 15

cepa, quanto studio quantave veneratione et observantia in nomen Illustrissimæ Celsitudinis Vestræ ferar. In ea tamen declaranda longus esse nolo, verum eas partes ad eundem d. Vergerium relego, qui mihi mea sponte in observantiam nominis Illustrissimæ Celsitudinis Vestræ ferenti calcar addidit, incendit et inflammavit; ineundæ autem amplioris gratiæ et testandæ qualiscunque observantiæ meæ in Illustrissimam Celsitudinem Vestram, mitto illi ungaricum currum (Kotczi vulgo vocant) una cum quatuor equis, ad perferendos labores et magna celeritate itinera conficienda maxime idoneos, mitto et hominem Scytam seu Tartarum servum et mancipium etc. Ceterum spectabilis et magnificus d. Eustachius Wolowitz, consiliarius et marschalkus majestatis regiæ in Mohilow et Miednyki capitaneus, cum intelligeret litterarum et pietatis studia in schola Tubingensi Illustrissimæ Celsitudinis Vestræ florere, mittit eo nepotes et consanguineos suos: Joannem et Josephum Wolowitz, Joannem et Petrum Wiesiolowfski et Corsacum Poloczanin, quibus se alii duo majores natu et jam grandiusculi adjunxerunt Stanislaus Rmitha et Fredericus Skumin, marschalkorum et consiliariorum majestatis regiæ filii, honestissimo loco in claris familiis nobilitatis Lituanicæ nati, ut scilicet istic virtutem et studia litterarum capessant, linguam utramque Latinam et Germanicam usu discant, imprimis vero ut a teneris sinceram religionem et pietatem Christianam tamquam cum lacte imbibant, quo in posterum utiles, frugi et salutares cives hujus reipublicæ esse possint. His est in præceptorem et inspectorem adjunctus Georgius Zaboloczki, vir bonus, pius et non ineruditus; istos itaque omnes Illustrissimæ Celsitudini Vestræ ita commendo, ita in tutelam et patrocinium do, ut neque fide nec diligentia possim majore. Intercedit enim mihi cum patribus et amicis istorum non solum amicitia, sed et arctior familiorque benevolentiæ usus et consuetudo, ac isti forte sola benignitate, tutela et patrocinio Illustrissimæ Celsitudinis Vestræ contenti erunt. Sed Martinus, advocati Kawnensis filius, qui una cum his et cum d. Vergerio istic proficiscitur, beneficentia et liberalitate si non in toto, saltim in parte Illustrissimæ Celsitudinis Vestræ indigebit, quem etiam illi commendo; quidquid autem in istum, sicut et in illos benignitatis et beneficii sui contulerit, pertinebit hoc ad gloriam Dei et ecclesiæ Dei salutem, olim per istos in his nostris septentrionalibus regionibus promovendam et propagandam, pertinebit ad laudem, ad gloriam et celebritatem nominis Illustrissimæ Celsitudinis Vestræ, tamquam singularis præcipui et eximii ecclesiæ Dei, litterarum et pietatis nutricii, patroni et defensoris.

Inter hæc autem privata, domestica et scholastica negotia commendo et alia duo civilia et politica magni momenti ad gloriam Dei et ad tranquillitatem reipublicæ magnopere pertinentia, causam scilicet nuptiarum serenissimarum Poloniæ infantum [1], deinde causam feudi ducatus Prussiæ, quæ non minus ad ipsum illustrissimum Prussiæ ducem, quam ad majestatem regiam, dominum meum clementissimum, pertinet. Non est autem opus de singulis his materiis longa scriptione, quandoquidem dominus Vergerius coram latius, fusius et disertius Illustrissimæ Celsitudini Vestræ explicabit, quem una cum hoc servitore meo Balthasaro Lehwaldt auctoritate, promotione et consilio suo juvare dignabitur, ut illa quidem tanto citius ad effectum perducatur, ista vero ita tractetur, ita alto sapientique consilio illius ac auctoritate moderetur, ne quid inde ad rempublicam et ad communem tranquillitatem perturbandam redundare possit detrimenti. Quod restat, oro dominum Deum, quo Illustrissimæ Celsitudini Vestræ diuturnam incolumitatem esse velit et omnium bonarum felicitatum participem faciat. Datæ Vilnæ IIII Martii anno Domini MDLX.

Illustrissimæ Celsitudinis Vestræ servitor observantissimus

Nicolaus Radzivil

manu sua.

·

93 a.

Herzog Christoph an Nikolaus Radzivil.

Stuttgart 20 Juni 1560.

Antwort auf n. 93.

Abgeschrieben aus Moser, neues patriotisches archiv II, 54.

Die minute auf dem k. archiv in Stuttgart.

Illustris princeps et amice nobis dilecte!

Etsi antea sæpenumero audiverimus et ex multis indiciis cognoverimus, quo animo quantaque pietate Vestra Dilectio veram et sinceram doctrinam religionis amplectatur, tamen nunc clarior ex Vestræ

*

1 S. br. n. 87.

15 *

Dilectionis litteris ad nos scriptis eximium quendam et ardentem principeque christiano dignissimum zelum perspeximus. Hunc enim Vestra Dilectio valde illustri argumento testatum facit, dum magnopere gaudet et ex animo gratulatur nostris et aliorum principum ecclesiis, quod in illis sonat sincera prædicatio verbi Dei, ab infinitis superstitionibus repurgati, ingenti ac ineffabili Dei beneficio, quem precamur, ut lucem verbi sui apud nos exstingui non sinat ac Vestram Dilectionem sicut hactenus spiritu suo regat, ut omni conatu et studio idem verbum Dei in regno Poloniæ promoveat, quo radii divinæ lucis passim nunc accensi et clare micantes etiam in illis septentrionalibus regionibus spargantur ad gloriam sanctissimi nominis Dei et multorum miserorum hominum adhuc in tenebris versantium salutem. Nos quidquid operæ hactenus in fovenda ecclesia Christi et dilatando verbo Dei præstitimus, id divina assistente gratia usque ad extremum spiritum præstabimus. Hoc enim officium et hunc cultum præ ceteris omnibus Deo nos debere agnoscimus, ut omnes nostros conatus ad juvandam veram ecclesiam filii Dei pro virili nostra conferamus.

Porro honoraria illa munera, quibus nos et duos nostros filios Dilectio Vestra honoravit, currus videlicet Ungaricus, equi celeres et servus Tartarus (qui tamen in itinere e vita excessit) nobis fuerunt gratissima, non solum ob novitatem et raritatem apud nos, sed multo magis, quia profecta sunt a Vestra Dilectione, nobis ob pietatis ardens studium aliarumque virtutum ornamenta carissima. Itaque Vestræ Dilectioni amicissimas et studiosissimas gratias agimus ac ita ferente occasione promptissima remuneratione nos gratos testabimur, omnibus, quibuscunque poterimus, modis declaraturi, Vestram Dilectionem a nobis singulariter amari, donaque illa nobis non vulgariter grata acceptaque fuisse. In præsentia pro grati animi testimonio mittimus Dilectioni Vestræ duos equos, duas bombardas, gladium venatorium, cornu venatorium, ensem ad apros jugulandos aptum, duo ferra, quæ venabulis præfiguntur et cultrum venatorium, quæ arma omnia more in his regionibus consueto gestari atque in re venatoria usurpari solent.

Ceterum quantum ad nobiles adolescentes Polonos attinet, quos nobis Vestra Dilectio commendavit, ita illos commendatione apud scholam nostram Tubingensem promovimus et prospeximus, ut procul dubio omnes illius scholæ ordines erga ipsos humanissimi æquissimi-

que futuri sint. Speramus insuper, ipsos ex schola hac nostra magna
pietatis et eruditionis ornamenta in patriam allaturos, quibus aliquando et respublica et ecclesia mirifice juvari possit. Præterea
Martino, Cannensis advocati filio, etiam clementer ac benigne prospeximus, ut in nostra schola religionis et litterarum studiis operam
navare possit.

Quæ vero ad causam matrimonialem Polonicam et negotium
Borrusicum spectant, ea omnia Vestra Dilectio plene et copiose ex
reverendo Petro Paulo Vergerio cognoscet, qui ex nostro mandato
Dilectioni Vestræ illa fideliter exponet.

Hisce Vestram Dilectionem divinæ tutelæ et protectioni commendantes eamque diutissime incolumem valere cupientes.

Datæ Stutgardiæ die 20 Junii anno 1560.

Christophorus Dux.

93 b.

Herzog Christoph an kurfürst Friedrich III von der Pfalz.
Wildbad 16 Mai 1560.

Wegen der polnischen heirath.

E. L. Der geben wir freundtlich zu vernemen, wie das Petrus
Paulus Vergerius au gestern bey uns albie ankhomen und mit sich
des palatini Vilnensis secretarium, so verschines jars auch bey uns
herausser gewest, wie E. L. wol bewißt, mit sich gebracht, welcher
uns bericht, das er bey E. L. und der sone hertzog Hanss Fri-
derichen zu Saxen zu Heidelberg gewest, und von wegen der an-
gebottnen freundtschafft des künigs von Polen mit seinen schwestern,
dieselbigen teutschen fürsten zu verheiratten etc. mit baiden E. L.
redt gehabt, welche die sachen in bedacht genomen; nun hatt aber
er neben dem bemelten secretario gleich vermogige vermeldung uns
gethon, mit ausfuerlicher erinnerung, wie hoch fürstendig dise freundtschafft unser der religionsverwandten stenden sein möchte, das auch
dardurch der kunig von Polen desto eher beweget möchte werden,
sich unser religion nit allein anhengig zu machen, sonder deren sich
offentlichen zu ercleren und im ganzen kunigreich dieselbige anzu-
stellen, darneben sye beide uns gebetten, bey E. L. freundtlichen
anzuhalten (dieweill befunden, das E. L. mit sonder affection der
sachen nachzudenckhen sich erbotten), damit E. L. deren sone herzog

Hanss Friderich zu Saxen und wir dem secretario dermassen mit anntwurtt begegneten, das ehegedachter kunig spüren möchte, uns sein freundtschafft angelegen oder anmuttig zu sein, und dieweill die hoffnung E. L. eltern sons unsers vetters pfalzgraff Ludwigs[1], auch herzog Hanss Wilhelms von Saxen[2] versaumbt und vorüber, wa den mit E. L. anderm sone die gelegenheit auch nit wölte sein, das wir alle drey obgemelte doch wolten anderweg bedacht sein, es were bey Hessen, Holstein, Pomern oder anderwerz, ob der enden also freundschafften zutreffen und (wie man pflegt zu sagen) die schöne döckhen verkramet und verheuratt möchten werden; wass nun E. L. und dero sone obgemelt gefellig innen zu anntwurtten, mögen E. L. uns dess im vertrauen verstendigen; wöllen wir uns gern mit E. L. vergleichen und solches innen vermelden; den für unser person wissen oder khennen wir jetzt der zeit kheinen weltlichen teutschen fürsten, usser Hessen und Holstein, da wir gedechten, das da geratten sein solte, dem kunig von Polen zu vermelden, sonsten sindt bey uns die argumenta gar puerilia, das diese freundtschafft und heiratt den kunig möchten bewegen, das er desto eher sich declarieret, unser religion zu werden und solliche in seinem kunigreich und landen anstellen thett den wälschen die ewige selligkeit nit lieber den zeitliche freundtschafft, bündtnus und pracht, oder das ainer vermaindt durch solches dahin zu khomen, deme ist bey uns nit zu ratten; wolten wir E. L. freündtlicher maynung nit bergen etc. Datum Wildtbad denn 16 Maii 'anno etc. 60.

94.

Verger an herzog Christoph.

Tübingen 28 Juni 1560.

Neuigkeiten aus Italien, über den Türkenkrieg, papst, Venedig, England und den streit zwischen Scalichius und Gangolf.

Die antwort herzog Christophs n. 95.

Illustrissime Princeps et Domine Domine Clementissime!

Adornavi novum (ut dixi coram) memoriale et consilium ex

1 Der ältere sohn Friedrichs Ludwig, geb. 4 Juli 1539, heirathete 8 Juli 1560 Elisabeth, die tochter des landgrafen Philipp von Hessen; der zweite, Johann Casimir, geb. 1543, war zu jung.

2 S. br. n. 87.

quibusdam, quæ mihi Dominus inspiravit Celsitudini Vestræ Illustrissimæ dandum in causa Polonica*, quod mihi videtur commodius exhibendum, cum eadem Celsitudo Vestra ad colloquium cum illustrissimo electore [1] proficiscetur; exspectabo (si dignabitur et placebit) ad illud vocationem.

Sum in opere [b], quod ad Molinæum [2] attinet, ac spero me aliquid præstiturum, non propterea desistant alii et proferant meliora: possunt enim, novi meam infirmitatem, ac libenter laboro. Habetur hic Tubingæ apud d. Varembilerum [3] major iste Molinæi liber, hinc petam, si opus fuerit. Mittam intra biduum, ut spero, aut triduum.

Quædam habeo ab Italia et aliunde ad me scripta [c]: Clades Philippiana fuit talis, ut multis annis non fuerit (in mari quidem) illata Christianis a Turcis major [4]; non tam metuunt, ne ipsi Turcæ litora Thireni aut Adriatici maris invadant, quam ne piratæ et similes latrones undique excurrant, grassentur longe lateque, ut post tales conflictus et victorias fieri solet, unde saltem summa rei frumentariæ inopia consequetur, non audentibus mercatoribus navigare, Domini voluntas fiat. Fortassis hac ratione voluit coercere Papam et aliorum quorundam conatum atque rabiem contra nos.

Papa est totus in suis ditandis et promovendis [d]; deinde erant, qui religionis curam in hoc monstro sperabant, habebit de armis capiundis curam et de idolomaniis suæ Romanæ ecclesiæ conservandis, et propterea allicit et conjungit sibi nunc magna sollicitudine duces et principes Italiæ nuptiis, cardinalatibus aliisque hujuscemodi rebus; perdat enim Deus cum sua ambitione atque impietate summa!

In republica Veneta dextre exerit se evangelium [e], sunt illic,

*

1 Herzog Christoph war 29 Juni in Hilsbach mit dem calvinisch gesinnten kurfürsten Friedrich III von der Pfalz und dem strengen Lutheraner Johann Friedrich dem mittleren zusammengekommen, um über eine vereinigung der deutschen protestantischen kirchen sich zu besprechen. Die heirathsanträge von Polen wurden ebenfalls behandelt, so Sattler IV, 146. Kugler II, 188.

2 S. br. n. 2. Die schrift Vergers findet sich in keinem schriftenverzeichniß, ist also wohl nicht gedruckt worden.

3 Nikolaus Varnbüler aus Lindau, geb. 1515, seit 1544 professor juris in Tübingen, † 5 December 1604.

4 Die türkische flotte unter Piali schlug die zur eroberung von Tripolis ausgesandte spanische expedition bei Jerbah im Golf von Tunis.

qui me urgent, ut illius civitatis curam habeam, libellis scilicet immissis, qui satis avide ab illis senatoribus rapiuntur, ut ajunt. Edideram, antequam in Poloniam irem, orationem congratulatoriam ad ducem Venetum [1], in qua fortassis aliquid monueram, quod ad rem faceret. Nunc audio, eam ad manum ipsius ducis penetrasse ac commovisse et concussisse non paucorum animos in ea civitate. Ex qua nuperrime unus insignis senator ex familia, quæ appellatur a Ponte, religionis ergo profugit cum duobus aliis ac Genevam se contulit, plures vero profugient in dies, ut sperant. Hi primi omnium sunt, qui ex nobilitate Veneta palam dederunt nomen evangelio, quod crescit in summa radicesque dilatat in dies, per Dei gratiam.

Tanta est annonæ Venetiis caritas [f], ut cœptum sit ex publico dividi inter pauperes ea munitio, quæ propter maximas necessitates reponi solet, ac non est dubium, quin adhuc augebuntur frumenti pretia.

Dux Sabaudiæ misit suos legatos ad comitia, quæ singulis annis fiunt Badenæ circiter festum Joannis apud Helvetios, quam ob rem d. Bernenses sunt in magna sollicitudine. Nam ab his potissimum dux petit multa sibi restitui. Quin et Papa eo suum misit nuntium, haud dubie, ut Helvetios sibi adjungat. utinam contra Turcas adjungeret. Rogaram amicos, ut mihi aliquid præter ea, quæ sciebam, de Papæ genealogia [2] significarent [x]; monent, eum esse ex pago Venetæ ditionis oriundum, suos tamen Mediolani degisse in eo pago, omnes esse medicos, hoc est, castratores, ideo medicos dictos, avum autem ipsius in patibulo suspensum, et alia multa, quæ servo apud me. Legati Valdensium ecclesiarum apud Celsitudinem Vestram dixerant, se scire missos fuisse aliquarum ecclesiarum, quæ sunt circa Cracoviam, ad Helvetios legatos [b]. Quare hi fuerunt revera nuper illic et multa contra bonos Valdenses, quos vulgo appellant, ut delerent eos, miscuerunt. Sed tota faba tandem in meum præsertim

*

1 Auch diese epistola congratulatoria findet sich im Serapeum nicht erwähnt.

2 Nach Ranke hieß der vater von Pius IV Bernardino Medici, war nach Mailand gezogen und hatte sich dort ein kleines vermögen erworben; der bruder des papstes Giangiacomo begründete durch glückliche waffenthaten den ruf seines hauses; Pius studierte die rechte, erwarb sich damit einen namen, wurde cardinal und papst. S. br. n. 102. 125. 141.

caput cudebatur; exclamant enim, me non modo illis favere, sed litteris in Anglia, coram in Lituania atque Polonia turbare Zwinglianorum sententiam, non sum tanti, sed ita conqueruntur. Beati qui persecutionem patiuntur propter justitiam; utinam vero tantumdem essent intenti papatui exstirpando, ut sunt in contentione unius articuli.

In Anglia fere [1] omnes ecclesiæ sunt revera alterius quam Augustanæ confessionis [1], regina nonnihil contradicit, sed ferme sola est; tandem cogetur (ut scribitur) consentire cum reliquis et memini, me Celsitudini Vestræ dixisse, quod si serenissimus Poloniæ rex fuisset dexteritate protestantium cum illis detentus, detenta fuisset fortassis regina quoque. Vellem videre omnes uni cogitationi deditos, de abolendo scilicet papatu; Deus nobis concedat hoc tantum bonum!

Admiscebo hic cum magnis parva. Scalichius [2] et Gangolfus inter se litigant satis acerbe, et quidem palam coram d. rectore et ipsa universitate; lis est de nobilitate, affirmante Scalichio et quidem libro a se composito et universitati Tubingensi [a] dicato, se trahere originem a Scaligeris olim Veronæ dominis, et multo ulterius, credo, a Julio Cæsare, et negante Gangolfo. Postea exprobrabunt nobis papistæ tales inter nos contentiones. Incruduit enim certamen, olfacio, totam causam rejiciendam esse a d. rectore et universitate in Celsitudinem Vestram et propterea aliquid scribendum putavi; ipsa scit, pro sua felicissima memoria, me de utroque semper fuisse apud illam sobrie locutum, certe nunc quoque et a causa et ab illis (nec tamen odi, absit) abstineo, satis alioquin habeo, quod agam in meis studiis absque eo, quod me istis certaminibus immisceam.

Boni consulat Illustrissima Celsitudo Vestra, si longiusculus fui, cui commendo me reverenter. Pater cœlestis augeat illi suos divinos thesauros, spiritum et fidem per Christum dominum nostrum.

Tubingæ die XXVIII Junii MDLX.

Illustrissimæ Celsitudinis Vestræ servitor ex corde

Vergerius.

Randbemerkungen von herzog Christophs hand:
a »Ist schon in dem concept.« b »frustra laboratt, da er nit den

*

1 S. br. n. 73b.
2 S. br. n. 64.

gantzen statum cause hatt, wan er aber zusamengezogen wirdet, will
ich ime solches zuschickhen.‹   c ›hatt sein weg‹.   d ›Ich‹ (nichts
weiter).   e ›hore es gern‹.   f ›Ist pena peccati‹.   g ›Ain erliches
herkhomen, das er viccarius Christi solle sein‹.   h ›man mueß sye
platerieren lassen‹.   i ›Ist mir woll wissendt, das es ubel darinen
stehet‹.   k ›Der senatus solte seine vices interponieren, auch andere
guette freundt ir operam auch darzu thuen‹.

95.
Herzog Christoph an Verger.
Maulbronn 3 Juli 1560.

Antwort auf n. 94.

Profecti sumus Hilspachium 19 Junii et ibi convenimus electorem Palatinum ac Johannem Fridericum, Saxoniæ ducem. Quominus autem te vocaverimus (ut quidem cupiebamus) in causa fuit
temporis angustia, siquidem dies et locus ab electore Palatino nobis
constitutus atque nominatus fuit eo demum die, quo post meridiem
profectionem suscepimus, neque diutius ibi permansimus una nocte.

Intermittere tamen noluimus, quin cum electore Palatino, nec
non Saxoniæ duce Johanne Friderico de sponsalibus vel de causa
matrimoniali tibi cognita, quantum necessitas postulabat, amice con-
ferremus.

Ceterum re deliberata, elector significavit nobis, se hujus negotii gratia nuntium ablegaturum ad palatinum Vilnensem atque
animum suum declaraturum. Cum enim in his et similibus delibe-
rationibus serenissimus Poloniæ rex nihil agere soleat, nisi prius
convocatis præcipuis consiliariis et comitiis quasi celebratis, consultius videri dilectioni ejus, de hac re antea per nuntium agere
cum palatino Vilnensi, priusquam ad regem negotium deferatur.
Quantum autem nos conjicere possumus ex colloquio cum electore
Palatino habito, non videtur sponsalia, quod attinet ad filium Palatini, successura, neque futurum, ut matrimonium ineatur. Ad hæc
intelleximus, sæpedictum electorem. Palatinum constituisse, se eum
nuntium, cui causa Polonica commendabitur, etiam ad ducem Prussiæ
ablegaturum et declaraturum, quid sibi videatur de negotio perti-
nente ad Teutonici ordinis magistrum, atque ita per unum nuntium
duas legationes expediturum.

Hoc te scire voluimus, non dubitantes, te pro tua prudentia et

dexteritate, quid in hac causa agendum sit, perspecturum. Datum
etc. Maulbronæ 3 Julii anno etc. LX.

Postscriptum.

Antequam obsignarentur litteræ, accepimus alias a te profectas
et duo erant, quæ rosponsione digna judicavimus. Primo probamus
tuum laborem contra Molinæum susceptum, admonere tamen te voluimus, frustra laboraturum te, nisi prius statum totius causæ cogno-
veris, et de anteactis informatus fueris. Postquam autem omnia
fuerint congesta et in ordinem redacta, communicabimus tibi, interea progrediendum non erit, nisi operam perdere velis. Secundo
ægre ferimus inter Scalichium et Gangolfum lites et simultates ex-
ortas, et omnino sublatas volumus. Ceterum nolumus causam in
nos rejici, cum aliis negotiis occupati et distracti simus. Sed senatus scholæ erit, autoritatem suam interponere et tollere dissidia.
Pertinebit autem ad te aliosque bonos viros, causam juvare et sua
opera non deesse.

Datum ut in litteris etc.

96.

Verger an herzog Christoph.

Tübingen 8 Juli 1560.

Über Molinæus, die polnische angelegenheit und den streit des
Scalichius, sowie über seine eigene krankheit und seinen neffen Jako-
bus Vergerius.

Antwort auf n. 95.

Illustrissime Princeps et Domine Domine Clementissime!

Cum heri accepissem Celsitudinis Vestræ litteras, datas die 3
hujus mensis Maulbroni, constitueram, eandem Celsitudinem Vestram
Illustrissimam accedere die crastina; sed ecce incidi hodie (per voluntatem Dei) in ægritudinem, quam metuo, ne mihi futura sit satis
molesta; dedi autem mandatum nepoti meo, qui scribat meis verbis.
Primum quod ad epistolam meam ad Molinæum [1] attinet, mitto, licet
hanc ego appellem primam veluti imaginem delineatam in pariete; si
plura erunt addenda, ut video, Vestram Celsitudinem habere in animo,
non recusabo (si modo quid potero) laborem; facile enim possum

*

1 S. br. n. 94. 95.

addere, sed mea sententia paucula et gravia, quibus Molinæus respondere non possit, fuisse huic epistolæ inserenda, nihilominus fiet,
quod mandabitur.

Habeo in animo scribere ad illustrissimum Palatinum electorem,
cum audiverim, eum cogitare de nuntio ad illustrissimum palatinum
Vilnensem mittendo, placet enim sententia, imo mihi videtur necessaria ad retinendum regem et palatinum Vilnensem in officio, ne
scilicet adjungat se alteri parti, sed vobiscum maneat (si fieri poterit sine nuptiis), decet autem illustrissimum electorem Palatinum
nuntium mittere, tum etiam illustrissimum Joannem Fridericum, aut
illustrissimum Joannem Gulielmum, quia huic et illustrissimi electoris filio serenissimus Poloniæ rex voluisset sorores dare; quare
cum Deus aliter statuerit, saltem erant illi gratiæ agendæ per proprium nuntium, hoc certe erit injicere frenum serenissimo regi, ut
cum protestantibus, ut dixi, maneat. Adiungam exemplum litte-
rum ad eundem illustrissimum dominum electorem. Cras aut perendie
mittam in Prussiam ad illustrissimum illum principem tabellarium,
quem detinui apud me, dum aliquid scirem de exitu hujus conventus.

Suspicor, illustrissimum electorem Palatinum velle dispicere atque
etiam requiri per suum nuntium, num aliquid forte esset cogitandum
de sponsalibus pro filio aut fratre, faciat Dominus; potuissem aliquid
efficere, si fuissem eadem de re monitus, sed cum nihil fuerit ad
me scriptum, non est, quod scribam ego aliquid, tantum ad duos per
tabellarium scribo, ad illustrissimum ducem Prussiæ et ad illustrissimum Radzivillum commonefaciens, me propterea non mittere illustrissimi electoris responsum, quia sua illustrissima celsitudo nuntium
mittit, cujus nuntii utinam nomen scire potuissem, nam commendassem
eum amicis meis.

Nuntiavi d. Beurlino et d. Fuchsio[2], Illustrissimam Celsitudinem
Vestram cupere, ut Scalichii ,et Gangolphi causa in senatu scholæ
judicetur aut componatur; quid sint facturi nescio; causa inter illos
duos ardet; non deessem meo officio, ad quod me Vestra Celsitudo
hortatur, verum in hac re non sum idoneus, ut curem ullam com-

---

1 S. br. n. 49.
2 Dr. Leonhard Fuchs von Wimpfen, geb. 1501, seit 1538 professor der medicin in Tübingen, damals einer der bedeutendsten ver-
treter dieser wissenschaft auf der universität. † 1566. Vgl. br. n. 98.

positionem, nunquam enim volui Illustrissimæ Celsitudini Vestræ
dicere, ne viderer aut importunus, aut minus Christianus, quasi ego
in culpa ullo modo essem; non sum enim, Deus scit, nunc cogor rem
patefacere, jam enim annus est aut amplius, quo Scalichius nec
fuit in meis ædibus nec me alloquitur, imo persequitur me miris
modis, et tacuissem nunc etiam patienter, sed provocatus loquor; nec
plura de hac causa dicam, Deus mitiget ferocia ingenia et carnalia,
non deero ego meo officio, ut Christianum agam. Commendo me
Celsitudini Vestræ, Pater cœlestis illi augeat suos divinos thesauros,
spiritum et fidem per Christum dominum nostrum.

Tubingæ 8 die Julii 1560.

Illustrissimæ Celsitudinis Vestræ

servitor Ludovicus Vergerius
pro Vergerio ægrotante.

Postscripta.

Qualis sit mea agritudo, quæ nudius tertius cœpit, cogor declarare, ea est paralisis et Domini voluntas fiat; metuo, ne fiem
omnibus negotiis inhabilis; iterum dico: Domini voluntas fiat; est
tamen principium debile, quidquid sit futurum, nescio; utor duobus
medicis Fuscio et Ruchero [1], quamquam autem non desim meo officio
et numerem utrique pro tenuitate mea, tamen prodesset haud dubie,
si Illustrissima Celsitudo Vestra meam causam utrique medico com-
mendaret; tamen faciat, ut vult. Tertius nepos duorum aliorum,
qui mecum sunt, frater, venit ex Italia, ut me invisat, nec latine
nec germanice scit, quid attinet, ut in conspectum Celsitudinis Vestræ
veniat; cum tamen adduxerit canem turcicum, quem existimat esse
valde bonum et insignem, eum Illustrissimæ Celsitudini Vestræ reverenter dono dat, adducebat alterum simul, sed periit in via.

97.

Verger an herzog Christoph.

Tübingen 12 Juli 1560.

Dankt für den ihm zugesandten leibarzt des herzogs, berichtet
über Scalichius und schickt eine abschrift seines testaments (s. n. 97a).

*

1 Michael Rucker, seit 1534 dr und professor der medicin. † 1561.

Illustrissime Princeps et Domine Domine Clementissime!

Venit ad me medicus Vestræ Illustrissimæ Celsitudinis, afferens ad me litteras summa clementia plenas atque pietate, Deus et pater domini nostri Jesu Christi retribuat, cum me hoc difficillimo ac periculosissimo tempore ita me dignatur consolari eadem Celsitudo Vestra et sustentare. Deus enim scit, me maximam ex litteris et medico cepisse consolationem et recreationem; ille sententiam dixit et me reliquis duobus medicis commendavit. Deus profecto non deseret Celsitudinem Vestram, quæ talibus officiis utitur erga peregrinos, erga profugos pro Christo, denique erga ægrotantem; non deerit Deus, qui retribuat ea, quæ promisit per filium suum.

Medici curant corpus, ego animæ sum intentus et quæ spero, me crastina die sumpturum cœnam Domini cum d. Beurlino [1] et paucis quibusdam fratribus in lecto meo scilicet, unde fiet, quod non potero Vestram Celsitudinem invisere, si huc venerit, ut scribit. Patientia, fiat voluntas Domini, neque enim possum me lecto dimovere. Antequam ad cœnam Domini accedam, liberior volui me extricare cogitationibus terrenis, quare volui brevissimum testamentum conscribere ad dirimendas contentionès, quæ possent oriri, et quia in mea patria legetur et velit nolit magistratus cogetur illud in acta et registrum referre, volui in eo pauca obiter addere de mea confessione, ut etiam mortuis et posteritati prædicem ea ratione fidem in Christum et gloriam ejus. Mitto ad Vestram Celsitudinem ejus testamenti exemplum, quale scilicet nullus Italorum condidit, ut puto. Postremo Vestra Celsitudo scribit de Scalichio [2]; non possum non laudare, quidquid in ea causa fecerit eadem Celsitudo Vestra ea in re; ego quo ad me attinet, Christo et Celsitudini Vestræ condono gravissimas injurias mihi ab illo illatas; nam postquam incepi ægrotare, missum est ad me ex Heidelberga exemplum famosi libelli in publico ab illo affixi, in quo non modo ego proscindor et laceror, qui sum tamen indignus Vestræ Celsitudinis consiliarius, sed duo alii simul, qui tamen habuerunt recursum ad illustrissimum electorem, unde bonus Scalichius evasit, dicendo, se pertinere ad serenissimum Bohemiæ regem et se constitisse Heidelbergæ, ut jussu suæ regiæ celsitudinis se in Angliam conferet, et tamen inde profugit et Tubingam venit; sed ego,

1 Vgl. n. 49.
2 Vgl. n. 94.

inquam, ut Christianus, omnia condono, tantum videndum erit, ne
mei nepotes illum urgeant pro interesse familiæ nostræ, quæ fuit a
Scalichio atrociter proscissa. Hæc inquam tantum nuper fuerunt ad
me ex Heidelberga perscripta, ut diabolus haberet opportunam ten-
tandi occasionem, quando maxime tempus est oblivisci injuriarum,
sed profecto obliviscor et Christo et Vestræ Celsitudini ut dixi, dono,
et Scalichio etiam, pro quo non desistam orare, sed habenda erit,
ut dixi, ratio meorum nepotum, qui gravissime de eo conqueruntur [1].

Commendo me reverenter Vestræ Illustrissimæ Celsitudini, cui
rogo, Pater cœlestis augeat suos divinos thesauros, spiritum et fidem
per Christum dominum nostrum.

Tubingæ die XII Julii 1560 anno
Vestræ Illustrissimæ Celsitudinis
servitor Ludovicus Vergerius
pro d. Vergerio ægrotante.

97 a.

Vergers testament.

Cum alias ex Italia scilicet religionis causa discedens fecerim
generalem omnium bonorum meorum et etiam feudorum donationem,
quam laudo et approbo, nunc de quibusdam mobilibus, quæ mecum
habeo hic et alibi, facio hanc præsentem ordinationem et volo eam
haberi loco testamenti et ultimæ voluntatis. De Deo, de Christo, de
anima dixi et exposui antea, quare non est, ut hic de his aliquid
agam; scio, nihil opus esse Christiano homini, nihil omnino legare
pro anima sua, quam Deus precioso suo sanguine sanctificavit semel et redemit atque utinam hoc meum exemplum reliqui mei com-
patriotæ, propter quos hoc scribo, imitarentur. Cum vero mihi sint
tres ex filio fratris nepotes Aloisius, Aurelius, Jacobus, et cum do-
natio omnibus tribus fuerit facta, nunc de quibusdam bonis mobilibus, quæ mihi supersunt, volo, ut eorum omnium duo eorum sint
heredes et successores et domini, videlicet Ludovicus et Jacobus
duntaxat; quod propter duas causas facio, altera est propter gloriam
Dei, de qua non attinet dicere plura, altera vero, quia paravi Aurelio

---

1 Ludwig Verger schrieb über den handel mit Scalichius unter dem
16 Juli an Brenz; s. Pressel, Anecdota Brentiana s. 471.

modum et sumptum, unde possit ad doctoratum pervenire, quo quidem gradu non est dubium, quin sibi prospectum sit, si vir esse voluerit; nihilominus si in eo gradu assequendo opus habuerit fratrum auxilio, hortor illos, ut non modo propter caritatem fraternam, sed etiam in meam gratiam et memoriam juvent illum.

Item quod idem Ludovicus et Jacobus teneantur, dare de meis bonis Venturino, antiquo meo servitori, 50 ducatos in ratione librarum sex et solidorum quatuor pro ducato, sive voluerit manere in servitio Ludovici, quod Ludovicum rogo, sive minus.

Caecilia mea soror et tres ejus filii non habent opus per Dei gratiam et sunt multo ditiores, quam alii mei nepotes, nihilominus in signum amoris et benevolentiae volo: dictus Ludovicus et Jacobus dent vel ipsae Caeciliae, vel ejus loco filiis suis 25 florenos.

Antoniae de Apolonio et simul filiis suis volo viginti floreni numerentur.

Cum Ludovici et Jacobi mentionem fecerim, non est dubium, quin memor fuerim matris eorum et sororum et amicae Lucretiae, quas spero futuras illis commendatas, et magis etiam commendatas habituros in mei gratiam et memoriam.

Ludovicae meae nepoti ex fratre et tribus meis pronepotibus Catherinae, Sancto et Francisco volo, ut 20 floreni numerentur, non quod egeant, sed amoris et benevolentiae causa.

Christiano homini in tantum opus est tali uti ordinatione, in quantum velit tollere contentiones et lites, quae post se oriri solent, praesertim vero cum non tantum sit in hereditate, unde possit multis aeque prospici et non habeatur ratio eorum, qui magis indigent; quare omnes hortor in Christo, ut boni consulant, exemploque meo praeferant Christum etiam in paupertate et tribulationibus honoribus et opibus mundi et toti papatui, qui sit maledictus in secula et omnis populus dicat amen!

Hanc scedam dictavi ego Vergerius existens in lecto Tubingae in ducatu illustrissimi d. Christophori, ducis Wirtembergici etc. piissimi et sapientissimi, quem utinam omnes reges et principes mundi in promovenda vera doctrina et gloria Dei imitarentur, quod testimonium de illo libenter relinquo, infirmus quidem corpore, sed animo (per Dei gratiam) sano et in Christum erecto et confidentissimo, qui mihi sua morte aperuit portas vitae aeternae et haec est praecipua mea confessio, quam velim ab omnibus amplecti. Novi enim

Christum et hunc crucifixum, et certe qui hoc dicit, dummodo ex corde dicat et vere credat, vere ecclesiæ Christi se adjungit et cœtui electorum et piorum; disjungit autem se ab ecclesia corruptissima paparum, a qua in hoc ipso præsentissimo mortis periculo fateor me esse penitus disjunctissimum atque ista contestor moriens coram Deo Patre, Filio et Spiritu sancto et toto mundo.

Cum autem non potuerim ego hanc ordinationem scribere aut subscribere, et cum scripta sit manu Aloisii habentis interesse, ne quis cavillari possit, nisi alia adhibeatur cautio, constitui vocare ad me notarium atque illi hanc meam cartulam consignare, ut loco solemnis testamenti habeat.

Hinten von des herzogs hand: »Und Frantz Kurz soll diss schreiben und mittel des testaments verwarlichen auffheben.«

98.

Verger an herzog Christoph.

Tübingen 8 September 1560.

Berichtet über seine genesung und bittet um gewährung eines aufenthalts in einem kloster. Schickt einen türkischen hund dem prinzen Eberhard.

Illustrissime Princeps et Domine Domine Clementissime!

Accepi reverenter litteras Celsitudinis Vestræ, datas in Steinhilben die 28 Augusti, quibus cum nihil fere fuisset responsione dignum, non putavi necesse ante hoc tempus respondere. Litteræ enim illustrissimi d. Prussiæ ad me missæ privatam materiam continebant aut cujusdam professoris Regiomontani [1]. Quod ad confessionem meam spectat, sit Deo gloria, si Celsitudo Vestra aliquam scintillam spiritus divini, (ut ad me scripsit pro sua clementia) in ea vidit; si soleo errare, mea est et carnis meæ opera et fructus, si quid boni facio aut scribo, id totum in Deum refero.

Ad valetudinem quod attinet, decubui novem septimanis incredibili quadam molestia, labore et tormentis, sumptu vero tanto, ut eum tolerare plane non potuissem, nisi me Illustrissima Dominatio Vestra uti nutricius piorum sustentasset. Nunc medici consulunt, ut aërem mutem et tantum me exerceam curemque, restituere

*

1 Der professor hieß David Voitt. S. Sixt s. 554.

Verger 16

vivacitatem et motum totius pedis, quemadmodum restituta videtur brachii bona ex parte. Usus sum aliquibus balneis sudatoriis et aliquando ligno Gajaci, quare non putarunt medici ablegare me hoc tempore ad Thermas ferinas vel alias.

Usus sum Vestræ Illustrissimæ Celsitudinis consilio, et præter medicos duos[1] (ut, si alter Tubinga discederet (ut fit) alter mihi adesset) nullum volui accessere, sed his Tubingensibus contentus esse, qui mihi satisfaciunt quidem, quamvis pharmacopola sit omnino tantum non negligens. Parcat illi Deus; emunxit a me his paucis diebus fere quinquaginta florenos, atque utinam non dedisset vetera et rancida (quod caput est) pro novis et utilibus; sic solet, omnes queruntur, ab unico Ruchero, licet alias bono medico, defenditur.

Ad rem medici jubent, ut me exerceam et curem, me paulatim portari huc et illuc, ut pueri solent et aliquando sponte ambulare. Quodsi mutandum est cœlum aut aër, et si habenda sunt loca ad exercitationem spatiosa, cogitavi una cum medicis, me nullibi commodius posse degere per aliquot septimanas et me exercere, etiamsi pluviæ ingruant aut venti aut parum serenum cœlum, ut solet esse in autumno, quam in claustris aut ecclesia aut refectorio alicujus monasterii, ubi mei servitores me manu circumducant in parvo curru rotulis parato, senem scilicet more infantum (Domini voluntas fiat, patior toleranter, quia ita vult).

Quare si placet Celsitudini Vestræ, mihi aliquod concedere per aliquot, ut dixi, septimanas, gratissimum mihi ut commodissimum futurum est, sive in Bebenhausen[2] proximo (quod malim) sive in alio, quod non longe absit, fiat Domini voluntas. Utar hac quoque a Celsitudine Vestra commoditate, si ad me litteras miserit, quibus præfecto monasterii mandetur, ut me suscipiat cum tribus aut quatuor ex meis.

Lituani et Russi[3] a serenissimo Poloniæ rege Vestræ Illustrissimæ Celsitudini commendati Stutgardiam proprium hominem miserant, qui illis conduceret hospitium cum tribus equis (quos a me habebunt, nam reliquos conducent et remittent statim Tubingam) ut possint interesse per triduum aut quatriduum spectaculis nec sumpti-

1 S. br. n. 96.
2 Bebenhausen, 1 stunde von Tübingen, in romantischem thal.
3 S. br. n. 93.

bus parcerent. Sed cum hospitium nullum consequi potuerint, petunt nunc a Celsitudine Vestra per litteras, ut dignetur scribere forerio, qui illis provideat (eorum sumptu) de qualicunque hospitio, et huc litteras mittat; nam unum ex suis Stutgardiam ad forerium ablegarent; hoc videtur mihi consultum valde ob multas causas, præsertim in gratiam regis ut locum habituri essent.

Postremo mitto Celsitudini Vestræ, quæ vel pro se dignetur retinere vel tradere illustrissimo Eberhardo primogenito, canem Turcicam adductam ad me his diebus ex Histria a quodam meo nepote [1]; crediderim illam esse egregiam et insignem, neque enim fuisset ad me adducta in eum finem, ut fuit, ut Celsitudini Vestræ dono darem, experiatur, credo, inveniet singularem.

Incipio concinnare (dictando tamen non scribendo) quædam, quæ ad statum animæ et salutis pertinent [2]; conqueror enim modeste et submisse (omnia tamen referendo in ejus voluntatem) cum Deo et Christo, qui me non acceperit nunc ad se, sed adhuc permiserit in laboribus et ærumnis hujus vitæ, fiat voluntas ejus. Certe (quod ad me attinet) cuperem dissolvi et esse cum illo. Commendo me piissime Celsitudini Vestræ.

Tubingæ 8 Septembris 1560.

Illustrissimæ Celsitudinis Vestræ observantissimus

Vergerius.

99.

Herzog Christoph an Verger.

Urach 10 September 1560.

Antwort auf n. 98.

Reverende nobis dilecte!

Accepimus litteras tuas die 8 Septembris datas. Quod pro recuperanda valetudine consuluut medici, ut cœlum aut aërem mutes et te exerceas, probamus consilium, et tibi, qui in Bebenhusensi monasterio aliquamdiu degere petis, clementer illud concedimus, utque ibidem suscipiare, præfecto hic adjunctis litteris mandamus.

*

1 8. br. n. 96.

2 Vielleicht die schrift: In che modo si portino nel tempo del morire quei, che ritengono l'obedientia della sedia Romane. 1560 nel mese di Settembre. S. Serap. s. 91. n. 98.

16 *

Lituanis et Russis per mareschalkum et forerium nostrum curari hospitium jussimus, ita ut commode illic esse possint.

Canem Turcicam nobis donatam clementi accepimus animo, et tibi pro ea, quas decet, agimus gratias.

Quod quædam ad statum animæ et salutis pertinentia concinnare te scribis, tibi gratulamur, utque ad divini nóminis gloriam atque ecclesiæ utilitatem facias, eum, qui cuncta potest et gubernat, precamur. Datæ in civitate nostra Uraco die 10 Septembris anno etc. 60.

100.

Verger an herzog Christoph.

Bebenhausen 14 September 1560.

Über den streit mit Scalichius.

Illustrissime Princeps et Domine Domine Clementissime!

Vestram Illustrissimam Celsitudinem in testem appello, me nunquam apud eam conquestum fuisse, quod d. Paulus Scalichius[1] me durissime persequeretur; tantum apud eam dixi, me dubitare de ejus ingenio, ne scilicet parum esset pium, et in summa non esset Christianus; hoc tantum dixi, quæ mea patientia et tolerantia usque adeo illum exacuit et accendit (cum tamen ego illi omnia, quæ habet, a serenissimo rege Maximiliano impetrarim, ego, inquam, ego) ut semper in me factus sit asperior (sine ulla causa, Deum testor). Quid multis? Cum essem in Polonia, ille autem Heidelbergæ, affixit publice in valvis ecclesiæ libellum famosum contra me, deinde eo ipso die, quo ad mortem ægrotans, nuper sumpsi cœnam Domini, in illo inquam fervore mei morbi misit ad me sua propria manu scriptam invectivam. De quo libello famoso et invectiva scio Celsitudinem Vestram Illustrissimam intellexisse aliunde, non tamen a me, qui fugio, quantum possum, ne illi referam ea, quæ in alterius redundent præjudicium. Nollem enim cuiquam mortalium (Deus scit) esse alicujus incommodi causa.

Tamen audio, Illustrissimam Celsitudinem Vestram, cum hic Tubingæ esset, mandasse, ut idem d. Paulus a magnifico d. cancellario nonnullis præsentibus moneretur aut forte reprehenderetur, ne pergeret

*

1 S. n. 64. bes. 94.

mihi molestus esse, quo nomine Celsitudini Vestræ maximas gratias ago, quæ hoc mandaverit, me etiam non petente.

Quorsum autem ista commemorem, dicam. Animum gero (per Dei gratiam) christianum et d. Paulo et omnibus (si qui sunt, qui mihi adversentur) condono omnes injurias, sed ea, quæ sunt in folio incluso scripta, non ullo odio aut malevolentia (quod Deus novit) scripsi, sed propter gravitatem causæ atque ut commemorem ea, quæ mihi sunt compertissima, sum enim Venetus. Inter alios serenissimus Maximilianus Bohemiæ rex, si fiat provisio, maximo odio liberabitur a tota republica Veneta et a multis malis practicis.

Nam ipsi domini Veneti dicturi sunt procul dubio (novi homines) quod sua regia dignitas enutriat istum novum dominum della Scala, ut cum factus fuerit cæsar, habeat occasionem turbandi aliquando Venetorum dominium, sic enim interpretabuntur, cum notorium sit, quod ab ejus sumptu pendeat, quin et alia multa mala oritura prævideo, nisi remedium, inquam, fiat.

Credat mihi Illustrissima Celsitudo Vestra, non frustra loquor, homo senex et rerum Italicarum et Venetarum (ut spero) expertus.

Voluissem exonerare hoc negotio Illustrissimam Celsitudinem Vestram, sed d. Scalichius adhuc recusat, habere scholam seu rectorem et universitatem pro judice; jam enim agit dominum et patronum omnium, velletque ab omni judicio liber esse, cum tamen nomen dederit universitati Heidelbergensi, et illi se submiserit, quod affirmo, et recusat dare Tubingensi.

Supplico Celsitudini Vestræ, ut dignetur pro sua clementia boni consulere, quod mitto, et si fortassis ista non videntur ejus momenti, cujus fateor ea mihi videri, supprimat, laceret omnia suo jure, ut voluerit, sed repeto, me non frustra canere.

Veni heri in Bebenhausen et video contigisse, quod nunquam speravi, hoc est, ut vivus exirem Tubinga, sed potens Deus, qui sit benedictus in secula. Pergam ejus auxilio dictare de statu meo, quod scilicet, cum ad portas paradisi pervenissem, coactus sum redire de voluntate Dei, ut scilicet iterum paulo post eo redirem.

Ago summas et immortales gratias pro clementissimis litteris Vestris, receptis heri ex Uraco et pro concesso monasterio, ubi operam valetudini daturus sum. Remuneret Dominus. Commendo me reverenter Celsitudini Vestræ.

Datum in Bebenhausen 14 7bris 1560.

Inter alia ostendam, quod in privilegio Ferdinandi Cæsaris et regis Hungariæ Belæ nulla prorsus fit mentio de Scala concessa in insigni, ita ut iste procul dubio adjunxerit nunc ex suo capite se-.cutus sonum vocis, ut dixi, sed verbum Skalich in Hungarico aliud putarem significare quam Scala in latino; sed si idem sonaret, non valet consequentia, ut in litteris dixi.

Imo dicam amplius, quod in duobus privilegiis Belæ regis et Ferdinandi Cæsaris nullum prorsus sit nomen de baronatu et comitatu, quem Scalichius jactat, sed ajunt privilegia, donatas fuisse pro famulitio quasdam terras Bartolomeo cuidam Skalich, non ergo comitatus et baronatus; et si esset mentio baronatus et comitatus, esset Scalichio probanda successio, quod ab eo Bartolomeo descendat. Puto certe, Scalichium ridere, quod tam facile crediderimus, quod sit comes et baro. Si aliam informationem vel Celsitudo Vestra vel domini consiliarii a me voluerint, libenter dabo, siquidem petatur, simul cum magistro Gangolpho, pastore in Lusno, qui est satis instructus in hac causa.

Illustrissimæ Celsitudinis Vestræ observantissimus

Vergerius.

101.

Verger an herzog Christoph.

Tübingen 5 October 1560.

Bietet einige zobelfelle dem herzog an. Nachrichten über seine gesundheit.

Illustrissime Princeps et Domine Domine Clementissime!

Cum rediissem nuper ex Lituania, Vestra Illustrissima Celsitudo potest meminisse, ut est præstantissimæ memoriæ, me illi obtulisse aliquot pelles zibellinas, quas libentius etiam donassem, quam credi possit. Vestra autem Celsitudo visa est mihi suis verbis significare, se non habere opus; retinui ergo, et cum nuperrime audirem futuros ludos Stutgardiæ, misi unum ex meis, qui in ea frequentia, quæ sperabatur, præsertim principum, daret operam, si ipsas pelles divendere potuisset. Quare rediens nuntius meus dixit, se incidisse in aliquem, qui ipsas pelles ad Vestram Celsitudinem detulerit, quæ etiam 250 florenos obtulerit; meus nepos, cum meam voluntatem erga Vestram Celsitudinem propensissimam nesciret nullumque mandatum

haberet dandi eo pretio, recusavit, et plus, nescio quid, petiisse
visus est.

Hæc cum postea rescivissem, putavi ad eandem Celsitudinem
Vestram scribendum, et ipsas pelles offerendas, et gratis et quocunque ipsamet velit pretio, eas itaque servo, cui mihi fuerit scriptum, consignabo. Non nego autem, sed ingenue fateor, fuisse mihi
donatas ab ipso serenissimo rege et ab illustrissimo palatino Vilnensi, emptas vero fuisse eodem fere pretio (quod rescivi) quale
meus petierat. Sed nihil interest, nihil moror, tanto libentius Vestræ
Illustrissimæ Celsitudini, cui omnia debeo, concedo, supplico autem,
ne ægre ferat pro sua clementia, si meus nuntius, nesciens voluntatem meam, ut dixi, recusavit dare; certe si vitam profunderem,
adhuc non satis facerem meritis Vestræ Illustrissimæ Celsitudinis in
me. Exspecto litteras, ut dixi, quibus mihi mandetur, debeamne
isthuc mittere, vel hic præfecto vel alicui consignare, quod supplico;
cupio enim dare, ne ingratus videar.

Redii nudius tertius ex monasterio Bebenhausensi [1]; ago summas gratias Celsitudini Vestræ, profuit mihi mutatio aëris, quemadmodum spero, profuturum mihi, quod Reittlingam cogito adire; ibi
enim possum commodius exercere, quam Tubingæ propter frequen-
tiam studiosorum.

Agunt mecum gratias d. Lituani et Rutheni [2], qui ajunt, se
clementissime et liberalissime fuisse exceptos, qua de re scripturi
sunt in patriam.

Misi hodie unum ex meis Laoingam, quo audio bonum Phauserum [3] advenisse; invitavi hominem, ut mecum aliquot diebus sit
Tubingæ, me autem ad illum esse profecturum, si ad me non possit;
videbo, quid nuntius reportaturus sit. Commendo me reverenter
Illustrissimæ Celsitudini Vestræ, Pater cœlestis augeat illi suos thesauros cœlestes, spiritum et fidem per Christum dominum nostrum.

Datum Tubingæ 5 die Octobris 1560.

Illustrissimæ Celsitudini Vestræ addictissimus

Vergerius manu propria, Deo gratiæ.

*

1 Vgl. n. 98.
2 Vgl. n. 98 und 99.
3 Vgl. n. 61 a.

102.

Verger an herzog Christoph.

Reutlingen 20 October 1560.

Bittet den gesandten des herzogs von Mecklenburg nach Tübingen
zu schicken; über eine reise des papstes nach Innsbruck, den czar
von Rußland, die zobelfelle und seine litterarische thätigkeit.

Illustrissime Princeps et Domine Domine Clementissime!

Audio, apud Illustrissimam Celsitudinem Vestram nunc esse illustrissimi ducis Mechelburgensis legatum. Quare cum illi principi
plurimum debeam nec possim ego propter valetudinem isthuc venire, mitto famulum, qui eundem legatum invitet, ut Tubingæ mecum sit, ubi saltem poterit scholam videre, præterquam quod habeo
nonnulla, quæ conferam cum illo. Quare si fortassis non fuerit ex-
peditus, et si Stutgardiæ subsistet interea, dum Illustrissima Celsitudo Vestra Heidelberga revertatur, consultum erit, ut ad nos veniat, dabimus enim operam, ut saltem amanter suscipiamus, si non
honorifice.

Fere quindecim diebus fui Reittlingæ, mutandi aëris gratia.
Spero autem me die Lunæ aut Martis Tubingam reversurum. Valeo
utcunque, sed Domini voluntas fiat, sive vivimus, sive morimur, Domini sumus (ut Paulus ait).

Quod Papa [1] jactat, velle Enopontem [2] venire, nihil aliud est,
quam fictio et terriculamentum; veniet enim etiam Mediolanum usque, quæ est illi patria, et fortassis Tridentum, ut incutiat timorem,
sed Enopontem usque minime gentium.

Lætabitur, quod Moscovita prosperos habeat successus, neque
deerit, quin ipsum sollicitet, quod non dubito. De quo Moscovita [3]
ego mala multa metuo, et ne jam excurrerit ultra Prussiam. Scio
regionem. Deus adjuvet nos; consurget certe nova monarchia ab illo
fidei Ruthenæ principe.

Propter istos motus bellicos puto non advenisse famulum, qui
erat per Prussiam venturus cum pecunia ad d. Lituanos et Ru-
thenos [4] studiosos, sed veniet tamen per Poloniam minorem et Bo-

1 S. n. 94.
2 Innsbruck.
3 Iwan IV Wasiljewitsch, czar von 1533 bis 1584. Vgl. br. 89a.
4 Vgl. n. 98.

hemiam. Interea cupide responsum exspectant; petierunt enim a Vestra Celsitudine per litteras mutuum, cui se humiliter commendant. Sunt enim Reittlingæ mecum et mecum Tubingam revertentur.

Fortassis non sunt Vestræ Celsitudini redditæ meæ litteræ, quas ante 15 fere dies scripsi, obtulique illi reverenter aliquot pelles zibellinas [1], quas etiam statim in meo a Polonia reditu obtuleram, aut gratis aut quocunque vellet pretio. Dignabitur eadem Celsitudo Vestra (siquidem meas acceperit) unum verbum scribere, num eas velit. Ego enim darem præfecto vel mitterem. Non fui otiosus in monasterio Bebenhausensi atque hic Reittlingæ; possum enim uti ingeniolo et spiritu (Dei gratia) et dictare, si non pede ac manu. Vertuntur nunc a Schradino in Germanicum, quæ scripsi. Commendo me reverenter Celsitudini Vestræ, Pater cœlestis illi augeat suos cœlestes thesauros, spiritum et fidem per Christum dominum nostrum.

Datum Reitlingæ 20 die Octobris 1560.

Illustrissimæ Celsitudinis Vestræ servitor

Vergerius.

103.

Herzog Christoph an Verger.

13 November 1560.

Wegen einer fuhre wein, die dem herzog von Preußen geschickt werden solle.

Original nicht im archiv.

(Abgeschrieben aus Sixt s. 554 f.)

Dei gratia Christophorus Dux Wirtembergicus.

Reverende ac nobis dilecte!

Elector Palatinensis, dux Bavariæ etc. affinis noster clarissimus, inter cetera scheda quadam nos commonuit, ut plaustra vini illustrissimo Prussiæ duci una cum præfati electoris vino Bacharachiæ adhuc jacente advehenda curaremus. Quod hactenus a vobis intermissum et sic vina utrorumque nostrum (si ita diutius vectura impediretur, ac ut hactenus prolongaretur) non citra jacturam detrimenti quiddam passura forent, idcirco clementer vos adhortamur, ut

*

1 Vgl. n. 101. 104.

per aquam et in id deputatam opus omni remota mora conficiatur.
Quæ vobis clementer judicare voluimus [1].

Datæ 13 Novembris anno 60.

Christophorus dux Wirtembergensis.

Audio, Venetos accepissse evangelium et ex patriciis circiter
quinquaginta esse, qui profitentur veritatem evangelii.

104.

Verger an herzog Christoph.

Tübingen 14 November 1560.

Wünscht den herzog zu sprechen und fragt, wann und wo er ihn
besuchen könne; die zobelfelle.

Illustrissime Princeps et Domine Domine Clementissime!

Lætor, quod audierim, Illustrissimam Celsitudinem Vestram domum rediisse incolumem, Deo sint gratiæ. Ego cum (per ejus voluntatem) potuerim ex gravissimo morbo evadere, ut adhuc serviam
ecclesiæ, qualiscumque sim, meliuscule habeo, saltem possum in
studiis versari et in hypocausto per me utcunque ambulare, committo me Domino; agat ille de me, ut voluerit. Relegi quædam
scripta, quæ ante ægritudinem adornaveram, et alia quædam concinnavi postea. Præterea alia habeo, quæ cum Vestra Celsitudine reverenter conferam. Quare si scirem, eam propediem venturam, (ut solet hoc anni tempore) in Schompach [2] exspectarem, ut
eam illic convenirem, alias egomet sperarem, me posse Stutgardiam
usque in curru venire. In summa supplico Celsitudini Vestræ, ut
dignetur me ea de re certiorem facere, venire ne debeam an exspectare ejus adventum.

Nec dedi cuipiam nec dabo pelles zibellinas [3], nisi certo sciam,
velitne eas Vestra Illustrissima Celsitudo (vel pro se vel pro alio)
utinam, quemadmodum ab initio obtuli, ita nunc dignetur accipere
a me dono etiam aut quocunque pretio voluerit, quibus duabus de
rebus responsum exspecto. Aeternus Pater augeat Celsitudini Vestræ

*

1 Vergers antwort s. n. 105.
2 Das jagdschloß Einsiedel, 2 stunden von Tübingen.
3 S. n. 101.

et toti familiæ suæ sua dona cœlestia, spiritum et fidem per Christum
dominum nostrum.

Tubingæ 14 Novembris 1560.

Illustrissimæ Celsitudini Vestræ addictissimus

Vergerius.

Von herzog Christophs hand darauf gesetzt: Soll ime geschriben werden, das er von heut uber 8 tag gehn Beblingen mige zu mir
khomen, seye neher, so hab ich auch mehr pomm (?) und muess mit
ime zu reden. Er mige auch der enden die zobell mit ime bringen,
werden die ime bezallt werden.

105.

Verger an herzog Christoph.

Tübingen 15 November 1560.

Wegen des weines und wegen der protestanten in Venedig. Antwort auf n. 103.

Illustrissime Princeps et Domine Domine Clementissime!

Accepi reverenter Vestræ Illustrissimæ Celsitudinis litteras, quæ
mihi dignata est scribere de vino illustrissimo duci Prussiæ donato;
cum Vestra Illustrissima Dominatio mihi de eo dixisset, et quod Bac-
charam misisset, dixi, me habere in animo de peculiari homine mittendo, ne quid doli committeretur; non recordabar enim, quæ mandata ea in re habuissem; quæsivi, inveni, mandatum mihi fuerat, ut
ad alterum de duobus mercatoribus curarem mittenda; statimque
postquam inveni, invasit me ferocissima ægritudo; cum vero cœpissem (per Dei gratiam) meliuscule habere, mandavi nepoti, qui
Heidelbergæ juri civili operam dat, ut curaret vina Coloniam ad
mercatorem advehenda, et speravi, rem esse confectam; præsertim
quia eam commendaram illustrissimo Cliviæ duci quoque, qui (si
opus esset) suam interponeret autoritatem. Hoc est meum responsum; mandatum est mihi, ut ad mercatores mittam, et mittentur,
spero, si hactenus non fuerunt missa.

Quod ad Venetos attinet, statim, ubi legi verba manu Vestræ
Illustrissimæ Celsitudinis (pro sua clementia) scripta, cum et ego
nonnihil de eo audivissem, imo meum quendam libellum aliquot ex-
citasse, constitui peculiarem hominem, qui est inter meos familiares,
eo mittere, quare intra duos dies discedet, non modo ut mihi nuntiet,
quid id sit, sed ut offerat meam operam illis patriciis, qui cœperunt

Christum sentire, mitterem enim libros et me exponerem quibusvis periculis pro gloria Dei mei, omnia autem, quæ is meus mihi significaverit, efficiam, ut statim intelligat Illustrissima Celsitudo Vestra, ut possit rem juvare, si opus fuerit.

Scripsi et adhuc scribo, me summopere optare, audiri ab Illustrissima Celsitudine Vestra, si ventura est in Scomback, illic eam conveniam; sin minus, Stutgardiam veniam. Commendo me reverenter Celsitudini Vestræ Illustrissimæ, Pater cœlestis augeat illi suos divinos thesauros, spiritum et fidem per Christum dominum nostrum.

Tubingæ 15 Novembris 1560.

Illustrissimæ Celsitudinis Vestræ addictissimus servitor
Vergerius.

Von Christophs hand darauf geschrieben: Es were gutt, das sein nepos mit den weinen biß gehn Colln were gefaren zu dem inligenden verzeichnetten kauffman, damit die rechtgeschrifft ime geanntwurttet würden. Man mueß warten, waß ime von Venidig zu- (rest fehlt).

106.

Verger an herzog Christoph.

Tübingen 15 December 1560.

Überschickt 2 bücher, meldet den tod von Franz II.

Illustrissime Princeps et Domine Domine Clementissime!

Mitto duos libellos nuper impressos, alterum pro Illustrissima Celsitudine Vestra, alterum pro illustrissimo domino filio. Ante annum eadem Celsitudo Vestra Illustrissima vidit præfationes, et nihil improbavit aut desideravit, ut tunc dignata est mihi dicere. Libellus fuit ab uno ex mea familia ante 120 annos scriptus [1]. Utinam habuissem majora, quæ sub illustrissimi domini filii nomine in lucem emisissem, quemadmodum hunc emitto illi dedicatum.

*

1 Die eine schrift hatte den titel: Senioris Petri Pauli Vergerii Justinopolitani de nobilium puerorum educatione; die widmung an prinz Eberhard und die vorrede ist vom 1 December 1560 datiert, s. Serap. s. 91. n. 99. Über ihren pädagogischen werth s. Schweminski, P. P. Vergerius und M. Vegius, ein beitrag zur geschichte der pädagogik. Posen 1858.

De reliquis libellis, quos Beblingæ apud Illustrissimam Celsitudinem Vestram reliqui, exspecto judicium, corrigam vero, quæ fortassis displicent; non enim cogito vel tantillum discedere a veris ecclesiis, quæ sunt in Vestra ditione.

De mea causa cum Scalichio spero me habiturum, quod a Vestra Celsitudine petivi, hoc est judices, quare nihil mihi gratius esse potuisset, unde ago Illustrissimæ Celsitudini Vestræ immortales gratias.

Rescripsi magnifico d. Ungnadio, qui proprio misso secretario exquirebat meam in ea causa voluntatem, me christianum hominem esse (per Dei gratiam), quare me totam·causam remittere arbitrio Illustrissimæ Celsitudinis Vestræ et suæ magnificentiæ, me autem nihil aliud cupere, nisi, ut Scalichius inter privatos amicos dicat, quod injuste scripserit contra me famosum libellum et duas invectivas. Non est iniqua petitio, sed christiana et honestissima, injuriam vero mihi illatam condono ad laudem Dei, in gratiam Celsitudinis Vestræ nec volo (si fecerit, quæ peto) mea scripta edere, quæ confeci, postquam e Beblinga discessi. Sed id sciendum est, me inter scribendum pro mea defensione deprehendisse, quod miser Scalichius falsificaverit aut corruperit tria privilegia, atque per falsitates et corruptiones se comitem, baronem et regulum Veronæ appellarit. Expono caput meum, si hoc non probo manifestissime.

Paravi ad serenissimum Bohemiæ regem epistolam, cujus exemplum mitto Illustrissimæ Celsitudini Vestræ expendendum, si illi videbitur, mittam cum meis scriptis, si non videbitur, desistam. Et in summa nihil faciam, nisi quod sciero, placere Celsitudini Vestræ, cujus consilia scio a Spiritu sancto gubernari.

Causa est magni momenti, utinam possemus contegere et supprimere corruptiones et falsitates in privilegiis commissas; non est dubium, quin papistæ animadverterint eas, aut sint animadversuri acutius quam ego. Quare traducent, suo more, non modo Scalichium, sed omnes, qui illum in tam turpi causa defendere aut sustentare voluerint.

Ad me quod attinet, omnia faciam in gratiam Celsitudinis Vestræ, sed videndum est, quid·agendum de isto Scalichio, si debemus tacere et contegere, quod corruperit privilegia, aut quid?

Hoc dispiciat sua pietate et autoritate Illustrissimus D. Dux Wirtembergensis, meus dominus clementissimus, nam illi omnia remitto,

et excusabo me apud dominum Deum meum, quod illustrissimo domino principi christianissimo, sub quo vivo, omnia remiserim, quamquam non crediderim, futurum ulla excusatione opus, nam certo scio,
illam aliud non esse mandaturam, nisi quod esset secundum domini
nostri Jesu Christi doctrinam.

Puto (ut reverenter meum consilium dicam) vel a Vestra Celsitudine vel a suo delegato judice vel judicibus, pro sufficienti necessitate, audiendum Scalichium, si vero deprehendetur, falsum in
privilegiis commisisse et se comitem et baronem falso jactasse, esse
quidem mitissime cum illo agendum, ut in summa lucri faciamus
hominem, qui nondum est confirmatus in evangelio, ita tamen, ut
adversarii non exclament, nos contegere tales, hoc facit, ut causa sit
non facilis. Dico iterum atque iterum, illum falsificasse et corru-
pisse tria privilegia et omnibus imposuisse, cum se baronem et comitem jactarit; sed quod ad me attinet, (ut dixi) utinam possem
contegere meo sanguine.

Si venerit d. Ungnad, quemadmodum nobis per suum secretarium significavit, ostendam illi omnia, si Vestra Illustrissima Celsitudo velit ipsa videre, mittam omnia et me submitto reverenter tum
suo, tum aliorum judicio et mihi ipsi non credam.

Utinam Vestra Illustrissima Celsitudo dignetur mittere unguen-
tum pro nervis!

Audio pro certo, mortuum esse Gallorum regem [1] ex apostem-
mate in gutture, liberatum jam esse d. Conduinum, et rem spectare
ad magnum motum, ut scilicet evangelium invehatur. Fiat voluntas
Domini. Veniat regnum et gloria ipsius. Commendo me reverenter
Illustrissimae Celsitudini Vestrae.

Tubingae die XV Decembris MDLX.

Illustrissimae Vestrae Celsitudinis servitor

Vergerius.

*

1 Vgl. br. n. 81. Franz II, † 5 December 1560. Sein tod änderte
die ganze lage der protestanten; Condé war gefangen und schon zum
tode verurtheilt, als des königs plötzliches ende ihn befreite.

1561.

107.

Verger an herzog Christoph.

Tübingen 1 Januar 1561.

Bittet um die erlaubniß, seinen neffen Ludwig zum könig von
Navarra schicken zu dürfen, wie er selbst zu dem zu eröffnenden concil zu reisen wünscht; rückgabe eines manuscripts.

Illustrissime Princeps et Domine Domine Clementissime !

Ago reverenter gratias Illustrissimæ Celsitudini Vestræ, quæ
dignata est mihi judices [1] constituere, coram quibus spero, quod
cœlestis Pater concedet mihi, ut possim omnibus Christianis videri
ita, ut sum (per Dei gratiam). Ago etiam gratias pro unguento,
quod procul dubio proderit mihi. Jam sentio fructum [*]. Atque
etiam pro indulgentia missa et pro duobus aliis scriptis ago gratias.
Cum vero Illustrissima Celsitudo Vestra dignata sit rescribere, ut
litteris comprehendam, si quid habeo conferendum, nunc paucissimis
verbis faciam.

Audio, regem Navarræ [2] futurum novi regis Galliarum tutorem;
si sic est, Deus impellit me suo spiritu, ut mittam [b] ad eum unum
ex meis. Nam familiariter fuit mihi Venetiis notus eo anno, quo
ex Italia discessi, et agnovi christianum principem esse, et spero
meum gratiosissimum dominum. Quare vellem per unum ex meis
(ut dixi) reverenter salutare, et commonefacere, ubi sim, et sub

*

' 1 Bezieht sich auf den streit mit ·Scalichius, s. br. 64. 94.

2 Anton von Bourbon, durch seine frau, Johanna d'Albret, titular-
könig von Navarra, vater könig Heinrichs IV; da Karl IX, geb. 1550,
minderjährig war, ging auf ihn und Katharina von Medici die leitung
des staats und des königs über; 25 März 1561 wurde er zum generalstatthalter des königreichs ernannt; er war eine schwankende, unent-
schiedene natur, durch keine hohen geistes- und charakteranlagen aus-
gezeichnet. Damals neigte er öffentlich dem protestantismus zu, der
mit dem tode Franz II kräftig sein haupt erhob, aber später ließ er
sich ganz auf die katholische seite ziehen. † 17 November 1562 bei
der belagerung von Rouen. Über die französischen verhältnisse s. G.
W. Soldan, geschichte des protestantismus in Frankreich I. II. G.
v. Polenz, geschichte des französischen calvinismus I. II. S. auch
br. 111. 113. 136.

Illustrissimæ Celsitudinis Vestræ protectione, et offerre in summa, quidquid possem præstare pro evangelii promotione (qualiscumque sim). Quoniam autem meus nepos Ludovicus Vergerius, quem mittere in animo habeo, habebit negotiola apud illustrissimam suam dominationem expedienda, supplico pro litteris commendaticiis ad suam illustrissimam dominationem, ut fit, in forma, et quanto efficaciores Vestra Illustrissima Celsitudo dignabitur mandare conficiendas, tanto erunt mihi cariores.

Aliud, quod voluissem conferre, est hujusmodi. Non est dubium, quin Papa sit editurus suam indictionem, per quam omnes invitantur [1]. Deus igitur misit mihi in cor, ut cogitem de accedendo meo ipsius nomine, videlicet tanquam privatus christianus, qui Christi episcopus sum in vera Christi ecclesia [c]. Dicet aliquis, statim rapient te in carcerem et in ignem. Respondeo: utinam facerent me Christi martyrem, sed non audebunt, ne diffament suum concilium, et interea Deus aget aliquid per me miserum peccatorem, sed servum Christi. Infima enim mundi elegit, ut confundat fortia. Certe affirmarim, Papam futurum in magna turbatione cum suo concilio, postquam me Tridenti viderint privatum (ut dixi). In summa hoc esset meo judicio egregium facinus pro gloria Dei.

Hoc voluissem coram conferre, sed scribo et peto consilium, imo supplico, ut Illustrissima Celsitudo Vestra ne impediat neve exstinguat hunc meum spiritum; sentio enim cœlestem Patrem esse, qui hoc in me desiderium accendit. Proximus sum morti, vellem aliquid insigne tentare pro gloria Dei mei. Dignetur Vestra Celsitudo meminisse Martini de Cauna, cui mense Majo promissa fuerunt 40 in anno ad petitionem illustrissimi palatini Vilnensis.

Vestra Illustrissima Celsitudo dignetur mandare, ut mihi mittantur (antequam Stutgardia discedat) quædam manu scripta, quæ dimisi apud eam Beblingæ, videlicet libellum de concilio ad Illustrissimam Celsitudinem Vestram, libellum de falsa donatione Ludovici, tractatum de agnus Dei, qui consecratur a papis, denique principium libri Germanici de præcipuis paparum idolomaniis. Com-

1 Die indiktionsbulle zu dem wieder zu eröffnenden concil von Trient erließ Pius IV am 29 November 1560. Die zwei ersten mit dem vorsitz betrauten cardinäle, Gonzaga und Seripando trafen ostern 1561 in Trient ein; die wiedereröffnung fand statt 18 Januar 1562. Die letzte sitzung war 8 December 1563. Vgl. br. n. 108. 110. 111. 112. 125.

mendo me reverenter Illustrissimæ Celsitudini Vestræ, cœlestis Pater augeat illi suos divinos thesauros, spiritum et fidem per Christum dominum nostrum.

Tubingæ calendis Januarii MDLXI.

Illustrissimæ Celsitudinis Vestræ

servitor Vergerius.

Bemerkungen am rande von herzog Christophs hand:

a Hatt sein weg.

b Ist noch zu frue, dan er noch in dem ansehen nit ist, sonder von andern mitgubernatoren uberstimbt wirdet. Soll ime copias des Bezens zeittung lattine geschickht werden.

c Ist nit gewiß, das da das concilium seinen fürgang erraiche; darumben noch nicht zu schliessen, und ist wol zu bedenckhen, ob ainem privato, der also von den antiohristlichen asseclis also verhast, zu thuen seye, sich zu inen also libere vel potius temere zu begeben. Aber das stehet weitters zu bedenckhen.

108.

Verger an herzog Christoph.

Tübingen 15 Januar 1561.

Über sein vorhaben, nach Trient zu gehen; Scalichius; wünscht seinen neffen nach Polen zu senden.

Illustrissime Princeps et Domine Domine Clementissime!

Habui concilii indictionem [1], quam non est dubium, quin Vestra Celsitudo habeat, alioquin mitterem. Scripsi meum consilium reverenter, quid scilicet videretur agendum et mitto.

Scripsi cum adhuc Vestra Illustrissima Celsitudo esset Stutgardiæ, me moveri a Spiritu sancto, ut egomet privatus accederem, cujus rei consilii, quia non reddideram, nunc paucis reddam rationem. Duo salvi conductus Tridentini conciliabuli sunt valde defectivi, macilenti, insidiosi. Quare concinnavi scriptum, in quo peto a cardinale Tridentino [2], ut curet mihi reformandum salvum conductum, et demonstro, quibus in locis sit reformandus. Aut igitur reformabitur, aut non; si reformabitur, accedam confisus non quidem humano salvo conducto, sed in Dei protectione atque misericordia; si

1 S. n. 107.
2 Christoph von Maddruccio. S. br. n. 49.

Verger   17

non reformabitur, nec me voluerint admittere, omnino erunt non
modo Germaniæ, sed toti Europæ odiosissimi etiam in tota posteritate. Quid posses proficere, dicet Vestra Illustrissima Celsitudo?
Respondeo, multos esse episcopos Nicodemos, qui habent opus ex-
citatore et stimulatore; ergo inter hos (Deo juvante) aliquid possem;
deinde aderunt ex Italia plurimi, inter quos quotidie versarer. Hæc
privatim. At publice monerem libere de enormissimis eorum erroribus atque palpabilibus semperque protestarer, me privatum hominem esse, et nostris Germanicis ecclesiis nolle ullum fieri præjudicium, si ego Italus, olim episcopus atque legatus papæ accesserim.

Sed quid? volo divinare, illi mihi nunquam reformabunt salvum
conductum, ne accedam, ne detegam, ne turbem illos in suo malo
opere, quamquam honestissimæ sint salvi conductus reformationes,
quas ab illis peto. Vestra Illustrissima Celsitudo dignabitur cogitare
ea de re, neque enim, nisi post pascha esset eundum (si modo eundum fuerit). Interea Deum rogabimus, ut Spiritu Sancto suo dignetur dirigere nostra consilia.

Ad laudem Dei et in gratiam Illustrissimæ Celsitudinis Vestræ
condonavi gravissimas, quibus me affecerat Scalichius, injurias [1].

Accepi ab illustrissimo Prussiæ duce litteras [2], quibus me monet,
ut adhuc agam de legatione ad serenissimum Poloniæ regem mittenda, qua scilicet traheretur in amicitiam et fœdus et qua ageretur gratiæ pro bono animo, quod scilicet voluerit sorores in Vestris
principibus collocare [3]. Mihi certe videretur consultissimum, præsertim nunc, ut admoneretur, ne etiam concilio assentiret, sed vobiscum viriliter dissentiret. Ludovicus meus nepos propter linguarum
peritiam videretur idoneus, qui mitteretur. Nam rex non loquitur
libenter nisi italice, præterquam quod sperem, me et meum nepotem
habere illustrissimum palatinum Vilnensem [4] faventissimum. Sed
Vestra Illustrissima Celsitudo sapientissima plus videt, certe hoc
negotium de homine in Poloniam hoc tempore mittendo non est

*

1 S. br. n. 64. 94.
2 Der brief des herzogs von Preußen war vom 14 October 1560
datiert. Vergers antwort darauf, datiert 18 Januar 1561, berichtet
ebenfalls von seinem vorhaben nach Trient zu gehen und seinen neffen
nach Frankreich zu schicken. S. Sixt s. 558 ff.
3 S. br. n. 93.
4 S. n. 46. 93.

parvi momenti. Sic sentit sapientissimus senex dux Prussiæ, ne serenissimus rex putet, se ab illustrissimis principibus protestantibus contemni. Hoc enim caput est. Illustrissimus Palatinus elector mihi dixerat, se velle ad illustrissimum Prussiæ ducem hominem mittere, utinam fieret!

Cum nuper in Lituania fuissem, serenissimum regem, quantum potui, reverenter ursi, ne concilio assentiretur, ursi etiam illustrissimum palatinum Vilnensem, ad quem eas litteras scribo, quarum exemplum mitto [1].

Illustrissima Celsitudo Vestra dignetur meminisse, nam si quid scio, (quod scio perexiguum esse) in materia concilii scio; neque deero in ea re, etiamsi vita profundenda sit pro Christo meo. Commendo me reverenter Illustrissimæ Celsitudini Vestræ, cœlestis Pater augeat illi suos divinos thesauros, spiritum et fidem per Christum dominum nostrum.

Tubingæ 15 Januarii 1561.

Illustrissimæ Celsitudinis Vestræ observantissimus

Vergerius.

Von des herzogs hand darauf beigesetzt: »D. Brencio zu lesen und zu erwegen geben«.

109.

Verger an herzog Christoph.

Tübingen 19 Februar 1561.

Überschickt einige manuscripte; kündigt seine baldige ankunft beim herzog an; nachrichten aus Frankreich.

Illustrissime Princeps et Domine Domine Clementissime!

Audio, Vestram Illustrissimam Celsitudinem in patriam [2] rediisse incolumem (per Dei gratiam), sed utinam rebus pro republica christiana, hoc est, secundum Christum bene gestis. Statim affuissem, sed cogor exspectare amanuenses, qui describunt, quæ ego post evulgatam indictionem dictavi, prodiit autem post illius discessum.

Veniam igitur altera (si Deus voluerit) septimana, habeo enim

*

1 Liegt nichts bei.

2 Vom fürstentag in Naumburg, wohin Christoph mit seinem ältesten sohn Eberhard 7 Januar gereist war.

17 *

plurima, quæ reverenter conferam et Vestræ Illustrissimæ Celsitudinis judicio submittam, nam scripsi post editam indictionem et postquam eam vidi ex Italia missam, nonnulla, credo, non pœnitenda. Quotidie enim experior, causam minime adhuc intelligi; sum enim in ea versatus, atque iterum affirmo, non intelligi ab his præsertim, quos magis deceret intelligere.

Mitto nunc aliquod meum manuscriptum [1]. Vestra Illustrissima Celsitudo dignetur (pro sua clementia) excutere; affirmo enim, quod, tametsi ab ea intelligatur materia, tamen a reliquis non usque adeo intelligitur (ut dixi) et perficiendum est, ut ex brevissimis meis scriptis intelligant (si voluerint) nec puto, eam esse negligendam, si hos nimbos et tempestatem, quæ multa minatur, evaserimus, profecto in tuto, atque in portu erimus. Hæc est mea sententia, præsertim cum ex Gallia habeamus optima nuntia; tota enim ad reformationem ecclesiarum suspirat, anhellat, spectat, atque accincta est, quod coram dicam, quamquam non sit dubium, quin Illustrissima Celsitudo Vestra omnia norit.

Exspecto, inquam, ut amanuenses describant, quæ dedi, et mox veniam, afflicta tamen valetudine; sed utinam Pater cœlestis me cito ad se ex hâc vita evocet! cupio enim dissolvi et esse cum illo. Commendo me Vestræ Illustrissimæ Celsitudini reverenter. Idem Pater cœlestis augeat eidem et toti familiæ atque regno suos divinos thesauros, spiritum et fidem per Christum dominum nostrum.

Tubingæ 19 Februarii 1561.

Illustrissimæ Celsitudinis Vestræ servitor

Vergerius.

Beide letzte worte von Vergers zitternder hand.

110.

Herzog Christoph an Verger.

Stuttgart 25 Februar 1561.

Antwort auf n. 109.

*

1 Herzog Christoph erlaubte den druck der schrift nicht, s. br. n. 110. Aber sie erschien dennoch anonym unter dem titel: Della indittione del concilio di Trento. 1561. S. Serap. s. 92. n. 102. Sixt meint dieselbe s. 601. n. 78. Ein handschriftliches exemplar schickte Verger an den herzog von Preußen.

Singulariter nobis dilecte!

Vestras litteras una cum aliquot scriptis libellis de papa, de indictione concilii et de aliis rebus accepimus et quantum nobis præ
negotiorum mole licuit, legimus. Significandum igitur vobis duximus,
quod electores et principes in his nostris comitiis certum tempus
constituerint, quo missuri sunt legatos suos ad certum locum, qui
omnia, quæ sint de concilio pontificio agenda, communicato consilio
inter se deliberent. Et monebimus nostros, quos eo ablegaturi sumus, quod nos hac in re faciendum censeamus. Quare non videtur
consultum, ut interea temporis ea scripta, quæ nobis misistis, in lucem edantur. Venerunt etiam ad nostra comitia legati Romani
pontificis N. N. qui petierunt, ut consentiremus in continuationem
concilii Tridentini. Quid autem sit ei uno electorum et reliquorum
principum ore responsum, cognoscetis ex copia, quam his litteris
additam ad vos mittimus. Cum igitur non solum pontifex Romanus,
verum etiam reliqui homines intelligent ex eo responso, quod de
ipsis vel primatu, vel concilio adeoque de toto statu papatus sen-
tiamus, supervacuum judicamus, alia scripta (in quibus non continetur integra alicujus necessarii dogmatis tractatio,) hoc tempore de
isto argumenti genere spargere, præsertim cum et multa his similia
antea exstent et in his nostris comitiis cautum sit, ne quid scriptorum in lucem edatur, quod non sit prius ab ordinariis examinatori-
bus (quos nos hactenus nondum instituimus) diligenter perpensum
et approbatum [1].

Quæ a nostris commissariis inter vos et Scalichium [2] transacta
sunt, legimus et probamus. Quæ autem vos in postremis vestris lit-

*

1 Auf den fürstentag von Naumburg waren die päpstlichen gesandten Zacharias Delfino, bischof von Lesina und Joh. Franz. Commendone, bischof von Zante, erschienen und 7 Februar zum vortrag
gekommen; die fürsten beschloßen das päpstliche breve nicht anzunehmen; die fürstlichen räthe gaben ihnen am 5 Februar eine ausführlichere ablehnende antwort. Die hier in aussicht gestellte zusammenkunft protestantischer abgesandten zur endgiltigen regelung dieser
frage kam April 1561 in Erfurt zu stande, wo eine rekusationsschrift
gegen das papstthum aufgesetzt wurde, welche indessen nicht alle
evangelische fürsten anerkannten, s. Stälin IV, 588. 591. Kugler II,
230. 239. Sattler IV, beil. s. 166. br. n. 112. Über Delfino s. br.
n. 125. 180.

2 S. br. n. 64. 94.

teris recepistis nostro judicio facietis, si, quod nec aliquid ad vestram
tranquillitatem, nec quidquam ad veram pietatem conducit, inter-
miseritis. Et cum nobis non sumamus de hac re judicium, ratio
ipsa æquitatis postulat, ut reus nec præjudicio apud nos gravetur,
fraternæ quoque dilectioni, cui vos ambó ex vestra professione stu-
dere debetis, magis congruum est, ut alter alterius infirmitates patienter ferat, quam clam apud alios odiose exagitet.

Bene valete! Datæ Stutgardiæ die 25 Februarii anno etc. 61.

111.

Verger an herzog Christoph.

Tübingen 25 März 1561.

Über seine absicht zum concil zu gehen; bittet um empfehlungsschreiben für seinen neffen zu der reise nach Frankreich.

Illustrissime Princeps et Domine Domine Clementissime!

Accepi reverenter Illustrissimæ Celsitudinis Vestræ litteras, quibus dignatur mihi mandare, ut d. Beurlinum [1] et d. Schnepfium [2]
audirem, et quæ mihi ejusdem Celsitudinis Vestræ nomine dicturi
essent, perficerem. Audivi, causa mihi mirum in modum probatur.
Quare, tum quia Jesu Christi est causa, tum quia Illustrissimus Princeps Wirtembergicus dominus meus clementissimus mandat, faciam
pro virili; id me male habet, quod valetudo ab aliquot diebus non
ita recte habet, ut solebat, sed quidquid fieri poterit, faciam (Deus
scit) summa diligentia, aut si aliud non potero, dabo libros papisti-
cos et signabo loca. Accepi ex Italia litteras cum nominibus eorum,
qui facti sunt cardinales; non est dubium, quin Vestra Illustrissima
Celsitudo habuerit quoque, verum si voluerit scire, quinam isti sint,
mitto folium, unde licebit scire. Audio, Papam adhuc intentum esse
suo concilio celebrando, et velle omnino incipere post XV dies jac-
tareque, quod velit, ut omne genus hominum, qui voluerit interesse,
intersit atque ut ex singulis nationibus deligantur duo, qui articulos
dijudicent; ac non est dubium, quin operam daturus sit, ut deli-

*

1 S. n. 49.
2 S. n. 64. 159.
3 Nicht ersichtlich, was, da der letzte brief Christophs vom 25 Februar nicht damit gemeint sein kann.

gantur sui hypocritæ. Aget in summa, quidquid poterit, pro reprimendo evangelii cursu.

Non abjeci eam cogitationem de accedendo[1], tamquam unus ex Christianis ex Italia, speraremque, me posse alios exules mecum habere, et aliquid profecto boni .pro gloria Christi consequeretur; lætarenturque pii episcopi et alii, qui sunt in Italia et Gallia, quamquam, quod ad hanc meam profectionem attinet, erit orandum et petendum a Patre cœlesti consilium; periculum autem, ne me martyrem faciant, prorsus contemno; utinam mihi contingat! Certus sum, regem Navarræ[2] recta via incedere et cupere restitutam in Gallia doctrinam et gloriam Christi, sed ne major tumultus exoriatur, cunctanter procedit neque statim curat projiciendum papatum. Certum est, quod exules propter religionem revocantur. Tigurum autem et Berna, qui non sunt illi regno fœdere juncti (Vestra Celsitudo scit) jam incipit agere de fœdere. Dicam amplius, animadverto, eosdem Tigurinos atque Bernenses cupere in causa eucharistiæ colloquium celebrari, possem ego, si opus esset, explorare, num ex animo cupiant.

Bullingerus[3] edidit librum de conciliis navavitque bonam operam; inspexi, nondum enim vacavit legere, et multa animadverti, quæ fuerunt illi a me ex paparum libris subministrata.

Quotidie magis accendor et videtur opus esse, ut nepotem mittam in Galliam[4] ob duas potissimum causas. Altera ad religionem pertinet, altera vero ad stabiliendam rationem meorum nepotum, qui me secuti sunt in meum exilium, neque audebunt amplius in Italiam redire. Quare illis consulendum est, dum adhuc Deus patitur me vivere; qui suorum curam non habet (inquit Spiritus sanc-

1 S. n. 107.
2 S. n. 107.
3 Heinrich Bullinger, geb. 18 Juli 1504 im canton Zürich, Zwinglis nachfolger in der reformation seines vaterlandes, hochangesehen als prediger, theolog und leiter des zürichischen kirchenwesens. Seit seiner ankunft im Veltlin stand Verger mit ihm in eifrigem verkehr (die briefe Vergers in der Simmlerischen sammlung sind zum größten theil noch ungedruckt). Die freundschaft zwischen beiden erlitt manchen stoß; Verger war in Bullingers augen zu unruhig und geschäftig, s. Pestalozzi, H. Bullingers leben und ausgewählte schriften. Elberfeld 1858. Vgl. n. 130. 184. 205. 209. 217.
4 S. n. 107.

tus) infideli deterior est. Cum petiissem a Vestra Illustrissima Celsitudine litteras ad regem Navarræ commendaticias, dignata est mihi dicere, ut exspectarem adhuc per XV dies. Exspectavi et exspectabo adhuc usque ad pascha, si voluerit, quo tempore vellem nepotem mittere. Spero, Vestram Illustrissimam Celsitudinem, quæ mihi nunquam defuit, pro sua clementia non defuturam hac in re quoque, quæ mihi valde est cordi. Sumpsi aliquoties cœnam Domini (per Dei gratiam) eo tempore, quo sumebat Illustrissima Celsitudo Vestra. Quare (si per valetudinem licebit) veniam et in proximo paschate sumam quoque et nonnulla conferam, nam postea erunt mihi thermæ adeundæ, et per aliquot septimanas Illustrissimam Celsitudinem Vestram non videbo, cui me reverenter commendo. Cœlestis Pater augeat illi suos divinos thesauros, spiritum et fidem per Christum dominum nostrum.

Tubingæ XXV Martii MDLXI.

Illustrissimæ Celsitudinis Vestræ servitor

Vergerius.

112.

Verger an herzog Christoph.

Straßburg 17 April 1561.

Berichtet über seinen aufenthalt in Straßburg; seine gesundheit.

Illustrissime Princeps et Domine Domine Clementissime!

Argentinam [1] triduo, quamvis ægrotus, veni, confestim quæsivi per d. Sturmium [2] ab ipsis dominis, numquid rescivissent aliquid de legatis Papæ, qui hac fuissent transituri; responderunt, eorum ad-

1 Verger war nach Straßburg gereist, um den päpstlichen nuntius Delfino zu sprechen; dieser hatte den auftrag, mit Verger, Zanchi und Sturm zusammenzukommen, um die protestanten zu einer beschickung des concils zu gewinnen, Verger zu sondieren, ob er nicht etwa zum katholicismus zurücktrete. Nach einem brief Vergers in Sixt s. 570 hat Verger in Elsaßzabern mehrere tage lang mit dem nuntius verhandelt und glaubte, auf diese weise seinen sehnlichsten wunsch, nach Trient zu kommen, erreichen zu können. Vgl. n. 107. 116.

2 Johann Sturm, geb. 1 October 1507 in Sleide, nach tüchtigen studien kam er 14 Januar 1537 nach Straßburg als professor und wurde rektor und gründer einer weitberühmten schule. † 3 März 1589. Siehe über ihn: Jean Sturm, p. Charles Schmidt, Straßburg 1855.

ventum in dies et horas exspectari. Quare subsisto, dum compareant,
ne illis videatur, per me stetisse, quominus ad colloquium venissem,
vel dum intelligam eos alia via in Italiam redituros. Exhibuimus
una cum d. Polonis studiosis Celsitudinis Vestræ litteras pro Polono
adolescente in carcerem conjecto senatui Argentinensi, qui dixit,
se effecturum, ne frustra fuerint scriptæ, sibi autem esse respondendum, ubi dederint litteras, mittam. Cras mane meus nepos[1]
in Galliam discedet (si Deus voluerit). Multi cum Vestra Illustrissima Celsitudine sentiunt, quod magis mihi convenirent Ferinæ[2] quam
Badenses thermæ, inter quos Sturmius est, qui se Celsitudini
Vestræ reverenter commendat; credo illum ad Ferinas profecturum post aliquot dies. Ego, quod Dominus voluerit, faciam. Generosus d. comes Julius[3] simul cum d. comitissa se una mecum Illustrissimæ Celsitudini Vestræ reverenter commendant. Cœlestis Pater
augeat illi suos divinos thesauros, spiritum et fidem per Christum
dominum nostrum.

Argentinæ die 17 Aprilis 1561.

Illustrissimæ Celsitudini Vestræ addictissimus

Vergerius.

113.
Verger an herzog Christoph.
Baden 15 Mai 1561.

Nachrichten über das concil und Frankreich, über einen gefangenen
Polen; Verger bittet um geld.

Illustrissime Princeps et Domine Domine Clementissime!

Scribunt ad me ex Italia, exspectari suspensionem concilii, quæ
futura sit ad Michaelis, quod tamen ignorabat legatus[4]; si successerit, quod audio, cupere et ambire serenissimum regem Navarræ[5],
confœderationem scilicet cum illustrissimis Germaniæ principibus,
ob quam causam jam puto advenisse quempiam ad Celsitudinem
Vestram, actum erit de concilio[6].

1 S. n. 107.
2 Wildbad.
3 Julius von Thiene. S. n. 36.
4 Vgl. n. 110.
5 S. n. 107.
6 Es haben allerdings in dieser sache manchfache verhandlungen

Mitto Argentinensium litteras in causa Poloni captivi [1], quod negotium iterum commendo reverenter Celsitudini Vestræ. Memor sum (ut debeo) verbi Illustrissimæ Celsitudinis Vestræ, quo dignata est dicere, sibi consultum videri, ut, si voluero in Badensibus lavare, lavem postea per quadraginta horas in Ferinis thermis, quod faciam; mitto nunc hominem, qui mihi diversorium (si fieri poterit) paret in Wilpat.

Illustrissime Princeps, duorum dumtaxat servitorum opera utor, et nihilominus usque adeo sunt rapaces hospites, ut vix sperem, posse me ab illis extricare, si me Celsitudo Vestra non liberet. Cœlestis Pater augeat illi suos divinos thesauros, spiritum et fidem per Christum dominum nostrum, cui Vestræ Celsitudini commendo me reverenter.

Datum Badæ XV Maii 1561.

Celsitudinis Vestræ Illustrissimæ servitor

Unterschrift fehlt, da die untere rechte ecke des blattes durch moder weggefallen.

114.

Verger an herzog Christoph.

Baden 30 Mai 1561.

Über einen portugiesischen musiker, der an herzog Christophs hof sich hören lassen oder in seinen dienst treten will.

Illustrissime Princeps et Domine Domine Clementissime!

Cum Illustrissima Celsitudo Vestra ex Numburgo rediisset, dixi illi, quod generosus comes d. Julius a Thiene [2] intellexerit de quodam excellenti musico, quem curaret, ut ad serviendum Vestræ Illustrissimæ Celsitudini accederet, si liberet; se enim esse percupi-

---

mit den evangelischen fürsten Deutschlands, besonders auch mit herzog Christoph stattgefunden. Im April war der marschall von Vieilleville bei ihm gewesen, und hatte ihm versichert, Frankreich nehme am concil nur antheil, um des papstes greuel desto heller ans tageslicht zu ziehen etc., s. Lebret IX, 197. Im Mai kam dr Hotmann und einige wochen später dr E. Tremellio mit dem antrag um eine förmliche conföderation; sie wurde aber durch ein schreiben an Navarra 17 Juni förmlich abgelehnt, s. Kugler II, 291.

1 S. n. 112.

2 S. n. 36.

dum, aliquid efficiendi in ejus gratiam. Musicum autem facturum de se periculum, quale opus fuisset, in hunc modum dixi; Vestra autem Illustrissima Celsitudo annuit et dixit, ut musicus veniret.

Scripsi ad eundem generosum comitem gratiosum responsum ac paulo post idem musicus ad eundem generosum misit cantum quendam ab eodem musico compositum, qui generosus ad me misit, ut Vestræ Celsitudini mitterem, ut misi etiam.

Sub pascha veni iterum ad aulam, Vestra autem Celsitudo memor totius rei gestæ, misit ad me in hospitium per Wilhelmum decem taleros, quos eidem musico mitterem (quos misi etiam et scio, eum habuisse). Cum vero paulo post Celsitudinem Vestram accessissem, dixi reverenter, generosum comitem et me ad musicum scripsisse, ut veniret, quare me existimare, illum esse in via, brevi itaque affuturum, fretum scilicet domini generosi litteris atque meis, quod si Celsitudini Vestræ placuerit, poterit retinere, quibus verbis Vestra Celsitudo nihil respondit, ut visa fuerit annuere.

Jam venit ille Argentinam ad generosum comitem, deinde voluit me in thermis Badensibus invisere, et in summa, cum ego nondum finierim lavare in his thermis, et etiam postea lavandum sit mihi in Ferinis per 15 circiter dies, non putavi differendum, quin de toto negotiolo certiorem redderem Illustrissimam Celsitudinem Vestram usque ad illud tempus, quo Stutgardiam veniam, sed litteris significandum putavi, venisse musicum, Argentinæ esse apud generosum dominum, ubi responsum a me exspectabit, quando illi Stutgardiam veniendum sit. Affirmat dominus comes, se scire, hunc esse in musica peritissimum, deinde (quantum vidi ego) est vir christianus, et non indoctus, natione Lusitanus; habet secum uxorem sine liberis tamen. Vestra Celsitudo statuat, quod videtur; exspectabo ego responsum (si placebit) in Ferinis, ad quas intra quatuor aut quinque dies spero me accessurum, neque enim possum antea, medicorum consilio. Thermæ profuerunt mihi (per Dei gratiam) mediocriter, spero Ferinas magis profuturas.

Audio, nepotem, qui in Galliam profectus erat, esse in via [1], justæ fuerunt causæ, quæ illum tamdiu detinuerunt, sed scio, venturum tandem cum rebus novis, de quibus ex Ferinis diligenter scribam. Commendo me Illustrissimæ Celsitudini Vestræ reverenter.

*

1 Sein neffe Ludwig kehrte 6 Juli zurück, a. n. 116.

Cœlestis Pater augeat illi suos divinos thesauros, spiritum et fidem
per Christum dominum nostrum.

Datum Badæ 30 Maii 1561.

Illustrissimæ Celsitudinis Vestræ servitor

Vergerius.

Postscripta.

Scriptis jam litteris, supervenit Argentorato musicus de quo
scripsi, qui constituit, ipsemet sese offerre Illustrissimæ Celsitudini
Vestræ. Illa igitur pro sua sapientia agat, ut libuerit, non possum
non commendare hominem.

Hinten von des herzogs hand:
»schickt den singer her, mag gehertt werden, wirde inne aber nit
behalten.«

115.

Verger an herzog Christoph.

Tübingen 17 Juni 1561.

Berichtet über die verfolgung des evangeliums im Veltlin; nachrichten aus Italien, Frankreich, Livland.

Illustrissime Princeps et Domine Domine Clementissime!

Redii ante tres dies Tubingam; per Dei gratiam valetudo se
mediocriter habet, omnia jamdudum Patri meo cœlesti commisi, ille
mihi vel pristinam concedat vel faciat, ut vult, sive vivimus, sive
morimur, Domini sumus.

Accepi litteras ex Rhætia sive ex Curia Rhætorum. Res magna
illic agitur, quæ hujusmodi est. Sub ditione illorum dominorum
existit vallis, quæ appellatur Valtelina (veteres Vulturenam appel-
larunt); pulcherrima est vallis, quinque aut sex milliarium in longitudine, habetque ferme 30 oppida ac oppidula præter pagos. Per-
tinuit aliquando ad duces Mediolani. Jam non licebat illic evangelium prædicare, nam episcopus Comi [1] (sub cujus diocesi ea esse

1 Der frühere bischof hieß Bernardino della Croce, vorher bischof
von Casale und Asti; er war ein friedliebender mann, unter welchem
die verbreitung des evangeliums nicht sehr gehindert wurde. 1559
dankte er ab zu gunsten von Giovanni Volpe, der zugleich päpstlicher
nuntius in Luzern war, seit März 1560, und von dem streng katholischen
statthalter von Mailand, Fernando von Cordova sehr unterstützt wurde;

solebat) decretum ab illis dominis impetrarat, ne liceret. Ego autem (qualiscumque sim) perfeceram ante octo annos, ut decretum revocaretur, et primus omnium cœpi libere prædicare, est enim illic usus Italicæ linguæ. Cum igitur viam stravissem ceteris, palam prædicabatur, nunc, quid contigit? Cæsar, Philippus et antichristus miserunt ad ipsos dominos Rhætos hominem, qui eos moneat, ut ex ipsa valle projiciant nostros concionatores, permittant autem, ut Jesuitis liceat habitare, et dicunt, se hoc petere ad instantiam episcopi Comensis, qui solitus fuit ipsam vallem habere sub sua cura (ut dixi). Multi existimant, Cæsarem, Philippum et antichristum, confisos potentia pagorum Helveticorum, qui stant a partibus Papæ, apud quos idem Comi episcopus nuntium apostolicum agit, voluisse hinc bellum inchoare, præsertim cum habeant illic in proximo Mediolanum, Comum, Parmam, Placentiam et alia oppida opulentia, unde possint exercitum colligere, præsertim etiam cum ex tribus fœderibus (ipsi Rhæti ligas appellant) unum sit fœdus, quod nunquam voluit evangelio assentiri. Illi ergo tres monarchæ adjuti a quibusdam pagis, qui sunt (ut dixi) in Helvetia et ab ea parte papisticorum, quæ est in Rhætia, videntur velle bellum suscipere. Rhæti nondum (ante X dies) responsum dederant, jam puto dedisse, et spero, eos fortiter et masculo respondisse, primum quia sunt Christiani et vere fidunt Deo, deinde quia vident Tigurum, Bernam, Basileam, Schaffhusium aliosque cantones evangelicos illis non defuturos, utpote confœderatos. Ego si essem minus debili valetudine, accurrerem; nam scio, quod domini Rhæti me ament atque audiant (pro eorum humanitate); sciunt enim, me in vallem Telinam evangelium invexisse (ut dixi). Videbo, si intra aliquot dies meliuscule habuero et non omittam, quin accedam [1] (si Dominus voluerit). Scio, quid illic possim, (per Dei gratiam) saltem prædicarem et ad con-

*

der papst und der könig von Spanien schickten eine gemeinsame gesandtschaft an die 3 bünde, Bernardino Bianchi und Gianangelo Rizzi, welche 7 Juni 1561 in Chur erschienen und die vertreibung der prädikanten, die censur über die bücher, rückerstattung der eingezogenen güter, gründung eines Jesuitencollegiums in Ponte u. s. w. forderten, s. die forderungen n. 133. Die verhandlungen dauerten bis ende 1561; der bescheid des cantons lautete verneinend, auch erklärten sie, das concil nicht beschicken zu wollen, s. Da Porta II, 364 ff. Meyer II, 222 ff. Vgl. n. 122. 130. 131. 133. 134. 135. 191.

1 Erst November 1561 reiste er dorthin, s. n. 134.

stantiam adhortarer, interea precibus juvandi sunt, quod non omittam, qualiscumque sim.

Legatus antichristi [1] scribit ad me ex Augusta, se Ulmæ fuisse, jactat autem, senatores Ulmenses nominasse suum Papam sanctissimum dominum nostrum, dixisse tamen, se id facturos, quod facturi sunt principes et ordines confessionis Augustanæ. Vanus est homo et usque ad insaniem ambitiosus (ut alias scripsi); addit alia nova. Regem scilicet Navarræ Romam misisse peculiarem oratorem, qui illic resideat, et multa polliceri pro restituenda in Galliam pristina sedis Romanæ existimatione [2]. Addit, Moscum indixisse bellum regno Poloniæ, nisi rex amoverit omnes præsidii reliquias ex Livonia. Addit deinde, regem Daciæ adjutum a quibusdam aliis principibus vicinis cogitare de Livonia sustentanda. Addit postremo, cardinalem Mantuæ [3] una cum cardinale Seripando esse Tridenti, neque inde discessuros, licet concilium fuerit suspensum. Hæc antichristi legatus. Ego vero de his duobus cardinalibus legatis affirmo, utrumque amare (aut amasse) nostram doctrinam, parcat illis Deus, si nunc non amant amplius, aut dissimulant: »ille servus, qui novit voluntatem Domini« [4] nota sunt, quæ sequuntur. Præterea utrumque esse singulari quadam in rebus humanis prudentia et gravitate. Postremo me non habuisse in Italia, qui me magis amaverint foverintque, affirmo, inquam, quis scit, an Deus illos Tridentum traxerit?

Adhuc legatus Papæ me urget suis litteris, ut cogitem de accedendo et conveniendis his cardinalibus; se enim effecturum, ut mittatur salvoconductus, si voluero. Spero, me propediem ad Vestram Illustrissimam Celsitudinem venturum, et tunc dicturum reliqua; veniam autem, cum meus nepos Ludovicus ex Gallia redierit [5]; nondum enim rediit, accepi tamen ab eo litteras. Causa tam longæ

*

1 S. n. 110.

2 Verger täuschte sich; erst später schickte Anton von Navarra seinen günstling d'Escars zu dem papst, um diesem seine unterwerfung anzukündigen, damit er sein königreich Navarra wieder erhalte. Soltan I, 518.

3 Hercules Gonzaga, vgl. n. 88. Seripando, s. n. 107; er starb während des concils 17 März 1563.

4 Lucæ 12, 47.

5 S. n. 108.

moræ fuit, quod inciderit in tempus, quo regis coronatio adornabatur. Cogebatur enim aulam sequi Parisiis usque Rems[1] et iterum Parisios redire. Nam rex Navarræ dignatus est, suo ore illi dicere, quod velit eum feliciter expedire et mandare, ut sequeretur. Cardinalis Satiglion, quem nunquam vidi, ad quem nullas commendaticias nepos habuit, egit pro me, quæcumque potuissem desiderare. Audieram quidem, eum favere nostræ religioni, sed nunc plane agnosco, verissimum id esse. Scribit nepos, se audivisse, quod idem cardinalis regem Navarræ accessisset, et me vehementer commendasset, quare se ad domum ipsius cardinalis accessisse et gratias egisse, cardinalem autem se patefecisse, quod nostræ doctrinæ bene velit et me longe pluris faciat, quam sim faciendus. Cum ergo nepos redierit ad Celsitudinem Vestram (dixi), accedam de multis rebus locuturus. Interea, cum illustrissimus dux Bipontinus[2] id a me dignatus fuerit petere, scribo[3], quæ cum legato antichristi contulerim, quæ, si non aliis proderunt (spero autem profutura) saltem futura sunt testimonium et veluti pignus meæ constantiæ (per Dei gratiam) in hac nostra sanctissima religiono renata vel reformata, erat enim deformatissima. Sed Pater cœlestis pro sua infinita misericordia per Illustrissimas Celsitudines Vestras reformavit, cui sit honor et gloria in sempiternum. Augeat autem omnibus fidelibus suos divinos thesauros, spiritum et fidem per Christum dominum nostrum.

Datum Tubingæ die XVII Junii 1561.

Illustrissimæ Celsitudinis Vestræ servitor

Vergerius.

Vom herzog darauf gesetzt:

Soll dem churfürsten ain copi darvon zugeschickht werden. Ime, Vergerio, ain briefle per generalia geschriben, das ich gern gehortt, das bey den Retis das evangelium auffgehe. Des pabst nuntii schreiben seye der coursus mundi; das er baldt zu mir wolle khomen, des will ich seiner gewertig sein.

*

1 Die salbung hatte 15 Mai in Rheims stattgefunden.

2 Wolfgang, s. n. 72; er war in Wildbad gewesen und dort war Verger mit ihm zusammengetroffen.

3 Die schrift kam heraus unter dem titel: Al reverend. monsignor Delfino, vescovo di Lissena etc. Auch eine deutsche übersetzung erschien; s. Serap. s. 98 n. 109; s. br. 116.

116.

Verger an herzog Christoph.

Tübingen 6 Juli 1561.

Schickt eine schrift über sein gespräch mit dem päpstlichen legaten und meldet die rückkehr seines neffen Ludwig aus Frankreich.

Illustrissime Princeps et Domine Domine Clementissime!

Absolvi per Dei gratiam ante aliquot dies meum scriptum de colloquio inter me et legatum antichristi habito [1]. Non misi antea, quia sperabam me allaturum. Cum vero aliquot non leves causæ me detinuerint, consultum putavi, si mitterem, ut mitto.

Illustrissime Princeps! spero, me mittere rem magni momenti. Supplico autem atque obsecro Celsitudinem Vestram, ut attente legat, dum veniam (sum enim cito venturus, credo hac septimana) spero, me dixisse legato, quæ verissima sunt.

Aliud habeo præ manibus argumentum, quod fere idem est: intellexi enim ex multorum litteris, aliquot laudare in Italia, aliquot vero non usque adeo, quod illustrissimi principes tale dederint, quale dederunt legatis Papæ responsum, et non consenserint in concilium. Ego suscepi defendendas Illustrissimas Celsitudines Vestras italice [2] quidem, sed statim convertam in Latinum, ut Vestra Illustrissima Celsitudo possit judicium ferre, num bene susceperim defendendas, submitto enim mea libenter judicio, antequam edantur.

Fieri potest, ut in hoc, quod mitto, colloquio, aliquid sit, quod fortassis corrigendum sit, si quid erit, Illustrissima Celsitudo Vestra dignabitur me monere.

Habeo ex Prussia litteras et quædam Illustrissimæ Celsitudini Vestræ communicanda, cui me reverenter commendo. Cœlestis Pater augeat illi suos divinos thesauros, spiritum et fidem per Christum dominum nostrum.

Datum Tubingæ die 6 Julii anno 1561.

Illustrissimæ Celsitudinis Vestræ observantissimus

Vergerius.

*

1 S. br. n. 112. 115.

2 Der titel: Le proposte di due nuncii del Papa fatte in Numburgo etc. Serap. s. 92. n. 101. Sie ist dem grafen Julius von Thiene gewidmet.

Postscripta.

Illustrissime Princeps et.Domine Domine Clementissime!

Supervenit ex Galliis tandem (per gratiam Dei) meus nepos [1], qui videtur mihi aliquid illic de religione intellexisse. Constitui post illum auditum venire perendie ad Illustrissimam Celsitudinem Vestram, ut etiam de regno Galliarum reverenter conferam, non modo aliis de rebus. Celsitudini Vestræ Illustrissimæ me reverenter commendo.

Datum Tubingæ 6 Julii 1561.

Illustrissimæ Celsitudinis Vestræ servitor

Vergerius.

Bemerkung des herzogs: »bedarff nitt anntwurtt.«

117.

Verger an herzog Christoph.

Tübingen 20 Juli 1561.

Berichtet über einen besuch, den er von Ungnad erhalten hat.

Illustrissime Princeps et Domine Domine Clementissime!

Cum die Jovis Stutgardia discessissem, recta Uracum sum profectus, fuique aliquamdiu cum generoso d. Ungnadio [2] patre et generosis d. filiis, quos sum hortatus, ut, antequam in Austriam revertantur, Vestram Illustrissimam Celsitudinem invisant. Hodie Tubingam venerunt, arcem viderunt, mecum pransi sunt et mox reverterunt Uracum. Non defui in illis suscipiendis, in his quæ potui, atque una invitavi aliquot ex professoribus, qui etiam non defuerunt suo officio, nam vina miserunt et salutarunt.

In summa generosus d. Ludovicus ait, se habere in animo ad Illustrissimam Celsitudinem Vestram accedere, antequam ad suum serenissimum regem redeat, si modo per negotia licuerit, et se curaturum, ut liceat, nam adhuc sunt inexpedita. Hoc putavi esse Illustrissimæ Celsitudini Vestræ significandum, cui me reverenter

*

1 S. n. 107 und 114.
2 S. br. n. 30.

Verger　　　　　　　　18

commendo. Aeternus Pater domini nostri Jesu Christi augeat illi spiritum et fidem per eundem dilectum filium suum.

Tubingæ XX Julii 1561.

Illustrissimæ Celsitudinis Vestræ servitor

Vergerius.

118 a.

Verger an herzog Christoph.

Tübingen 3 August 1561.

Fragt, wo ein Franzose Monuoisius herzog Christoph sprechen könne.

Illustrissime Princeps et Domine Domine Clementissime!

Mane misi Stutgardiam, ubi putabam Vestram Illustrissimam Celsitudinem esse, litteras, quarum exemplum aderit; postea rescivi, eandem Illustrissimam Celsitudinem Vestram Pfullingæ esse. Quare famulum mitto, qui has Pfullingam perferat.

Summa est, quod ille Moñ Monuoisius[1] die 6 hujus mensis discessurus sit Argentina, ut ad Vestram Illustrissimam Celsitudinem veniat (quemadmodum scribit) nec dubium est, quin die 9 Stutgardiæ futurus sit. Quare Illustrissima Celsitudo Vestra dignabitur significare mihi per litteras, sitne illi exspectandum Stutgardiæ aut in venationem veniendum. Audio enim, illi esse opus festinatione. Quidquid illa mandaverit, fiet.

Ego quoque accepi ante paucas horas ex Lituania et ex Prussia litteras, in quibus nonnulla sunt, quæ Illustrissimæ Celsitudini Vestræ oportet me communicare. Dignetur ergo pro sua clementia me commonefacere, debeamne hic fortassis exspectare (nam multi affirmant, huc venturam Illustrissimam Celsitudinem Vestram) an vero in aliquem locum in venationem venire. Quod mihi mandatum fuerit, faciam. Commendo me reverenter Illustrissimæ Celsitudini Vestræ. Cœlestis Pater augeat illi suos divinos thesauros, spiritum et fidem per Christum dominum nostrum.

Datum Tubingæ die 3 Augusti 1561.

Illustrissimæ Celsitudinis Vestræ servitor

Vergerius.

*

1 Unbekannt. S. n. 119. 120.

118 b.

Illustrissime Princeps et Domine Domine Clementissime!

Quidam nobilis Gallus Moñ Monuoisius (mihi incognitus) scribit
ad me Argentina, quod illum litteris excusem. Incidit enim in febrim
nec potest ad Vestram Illustrissimam Celsitudinem pervenire. Sperat tamen cito posse. Puto esse missum, sed nescio a quo. Ubi
Stutgardiam venerit, veniet cum illo generosus d. comes a Thiene [1]
Italus. Quin et me rogat, ut veniam ipse, inquam Gallus, nescio
tamen, quid faciam; non novi (ut dixi) hominem, nec, cur me velit, scio.

Missus est ad me nobilis Italus a fratribus quibusdam, qui una
tantum nocte mecum mansit et discessit mane. Ait in summa, fratres,
qui sunt in Italia, audiisse aliquid, quod agatur de me Tridentum
vocando. Quare pro caritate christiana me monent per peculiarem
(ut dixi) nuntium, ut caveam mihi a cardinale Mantuano [2], qui sit
omnino in reprobum sensum datus et factus Judas aut diabolus (ut
solent, qui agnitam veritatem negant). Hæc fuit, inquam, summa,
qua de re colloquar cum Vestra Illustrissima Celsitudine, si advenero.

Mitto paraphrasim in psalmum secundum. Spiritus Vestræ Illustrissimæ Celsitudinis excitavit meum spiritum, ut eam scriberem.
Facta enim fuit de eo psalmo mentio in mensa. Commendo me
eidem Celsitudini Vestræ reverenter. Cœlestis Pater augeat illi suos
divinos thesauros, spiritum et fidem per Christum dominum nostrum.

Datum Tubingæ die 3 Augusti 1561.

119.

Verger an herzog Christoph.

Tübingen 10 August 1561.

Entschuldigt das nichterscheinen der angemeldeten fremden (s.
n. 118 a und b) und wünscht selbst bald den herzog sprechen zu
können.

Illustrissime Princeps et Domine Domine Clementissime!

Res in eam modum se habuit revera, quod generosus d. comes

*

1 S. n. 36.
2 S. n. 88.

18 *

Julius a Thiene mihi scripserat sua ipsius manu, quod ipse una cum quodam nobili Gallo Argentina erat discessurus die sexto hujus mensis et Stutgardiam ad Vestram Illustrissimam Celsitudinem venturus, et cum ab eadem Celsitudine Vestra sciscitatus fuissem, ubi locorum eam fuissent inventuri, eaque dignata fuisset respondere, misi responsum obviam. In summa non comparuerunt. Ego suspicor ægritudinem d. nobilis Galli, qua scripsi eum laborare, fuisse in causa. Sed utcumque, volui rationem reddere, me non defuisse meo officio erga nobilem præsertim Gallum, qui mihi videtur negotiorum causa advenire.

Præter negotia Polonica et Lituanica, quæ scripsi, me habere conferenda, supervenerunt hodie mihi quædam Gallica et Helvetica mediocria. Non gravabor venire in eum locum, ubi Vestra Illustrissima Celsitudo futura sit, si ea dignabitur mihi significare, ubinam possem eam invenire. Dignetur ergo mihi significare, nam metuo, ne cras Fullinga sit discessura. Commendo me eidem Celsitudini Vestræ reverenter. Pater cœlestis augeat illi suos divinos thesauros, spiritum et fidem per Christum dominum nostrum.

Tubingæ X Augusti 1561.

Humillimus servitor Vestræ Celsitudinis Illustrissimæ

Vergerius.

120.

Verger an herzog Christoph.

Reutlingen 15 August 1561.

Meldet die ankunft des Franzosen und des grafen von Thiene.

Illustrissime Princeps et Domine Domine Clementissime!

Cum Rethlingam venissem mane, nuntium inveni, qui ad me ibat, ut nuntiaret, generosum dominum comitem Julium esse in via, ut cum illo nobili Gallo [1] ad Celsitudinem Vestram veniret, sed Stutgardiam, quare spero, illos vel hac nocte vel cras ad summum futuros meos hospites. Ac non est dubium, quin statim sint ad Illustrissimam Celsitudinem Vestram profecturi. Supplico igitur, ut ea dignetur (pro sua clementia) suis litteris commonefacere, quonam veniendum fuerit. Nam suspicor, post diem dominicam eam

1 S. br. n. 118 a. b. 119.

Fulinga discessuram aut fortasse perendie. Præterea nuntiatur mihi,
d. Balduinum [1] ex Galliis rediisse cum mandatis serenissimi Navarræ
regis atque Heidelbergæ substitisse, dedisse autem litteras ad me,
quæ Tubingæ remanserunt, quas mecum adferam, cum rediero (si
Deus voluerit).

Proxima nocte parum dormivi, ita me affecit colloquium Vestræ
Illustrissimæ Celsitudinis, quod heri vesperi audivi. nunquam ita locutus est homo ille, ut est in evangelio [2]. Benedictus Deus et pater
domini nostri Jesu Christi, qui talia dona dat hominibus — rogo
illum supplex — ut augeat istum spiritum atque fidem per Christum
dominum nostrum. Illustrissimæ Celsitudini Vestræ me commendo
reverenter.

Rethlingæ 15 Augusti 61.

Humillimus servitor Vestræ Celsitudinis Illustrissimæ

Vergerius.

121.

Verger an herzog Christoph.
Tübingen 16 August 1561.

Berichtet, was Balduin ihm über die religiösen und politischen
verhältnisse in Frankreich geschrieben habe.

Illustrissime Princeps et Domine Domine Clementissime!

Aurelius meus nepos, qui fuit aliquamdui studiorum causa Haidelbergæ, illuc accessit res suas extricaturus, ut statim in Gallias
proficisceretur, cum Vestra Illustrissima Celsitudo illi pro sua clementia dederit, quæ dedit. Is igitur hodie inde rediens attulit, quas

*

1 Franz Balduin, berühmter rechtsgelehrter und geschichtschreiber,
geb. 1 Januar 1520 zu Arras, trat 1547 zur reformirten kirche über,
wurde professor der rechte in Bourges, verließ 1555 Frankreich und
gieng nach Deutschland; 1557 bis 1561 war er professor in Heidelberg;
auch von dort schied er ohne erlaubniß und es gelang ihm, sich bei Anton
von Navarra einzuschmeicheln, der ihn zum lehrer seines natürlichen
sohnes machte und zu verhandlungen mit protestanten und katholiken
gebrauchte. Der ziemlich unlautere, charakterlose mann wurde später
wieder katholik, wies aber doch die zumuthung, eine apologie der
Bartholomäusnacht zu schreiben, zurück. Er starb 1573. S. br. n. 121.
121 a. 122.

2 Johann. 7, 46, eine starke schmeichelei für herzog Christoph.

mitto, domini Balduini [1] litteras [2], et mihi quoque alias ab eodem attulit, quæ in summa nihil habent aliud, nisi, ut meo nepoti crederem, qui tamen dictante d. Balduino scripserat præcipua quædam capita, quæ mihi referet, et ego postea Illustrissimæ Celsitudini Vestræ referem, quæ sunt hujusmodi. Primores [3], qui regnum administrant (ait) esse inclinatos, ut confessionem Augustanam suscipiant, odio autem prosequi eos, qui in eam non consentiunt, ob multas causas. Nobiles [4], qui sunt in eo regno, favere Calvinianæ sententiæ; verum inter hos esse permultos professione milites, qui videntur bonis ecclesiasticis inhiare. Plebem vero atque vulgus esse papisticum. Quare magna opus esse prudentia atque cautione, ne quis ex his ordinibus exacerbetur et fortasse arma moveret. Non esse spem, ut totus papatus nunc uno ictu aboleatur, sed adhibendam talem moderationem, quæ non valde quempiam ex his ordinibus commoveret; imprimis non putat consultum, ut ulla in hoc principio fiat mentio de articulo cœnæ Dominicæ. Sed ait, sibi esse mandatum, ut consulat doctiores et prudentiores, qui in Germania habentur, de concipienda et scriptis atque autoritate vetustatis comprobanda formula, ut scilicet vulgari lingua (non Latina) et missa et reliquæ preces in templis haberentur, ut tollatur adoratio in missa, et aliæ orationes palam impiæ; atque idem in baptismo fiat, ut scilicet talis retineatur, qualis erat in primitiva ecclesia. Neque ulterius nunc putaret esse progrediendum, præsertim quod his tribus mutatis facile postea mutarentur reliqua; atque interea non desinerent concionatores, docere atque urgere justificationem secundum nostras ecclesias; atque hoc affirmat esse consilium, atque huc spec-

*

1 S. n. 120.
2 S. n. 121a.
3 Besonders Anton von Navarra stellte sich, als ob er der Augustana geneigt wäre. Schon seit anfang des jahres stand herzog Christoph in eifriger correspondenz mit ihm und suchte ihn immer mehr dem protestantismus, besonders aber der augsburgischen confession zuzuführen. Juni 1561 war Melchior Salhausen, Christophs gewöhnlicher gesandte in Frankreich, auch wieder am französischen hofe und hatte in dieser sache unterhandelt. Diese unterhandlungen führten zu nichts, weil die deutschen protestanten uneinig waren und die Franzosen immer mehr der reformirten confession sich zuneigten.
4 Besonders die Chatillons und sonst ein großer theil des adels.

tare tum reginam [1] tum primores. Ait deinde, Illustrissimum Dominum Wirtembergicum in præcipua illic esse existimatione, quod
sancte affirmat. Sperat, se propediem eo rediturum. Multa de
Rascalono [2], qui in Saxoniam profectus est (ut ferunt) et illustrissimum Palatinum electorem rursus accepisse apud se suas litteras,
quas ipse Rascalonus apud fratrem medicum reliquerat. Putat autem consultum, si Vestra Celsitudo suas quoque apud se reciperet,
quas apud eundem fratrem ait esse dimissas. Denique consultum
putat, si ex Germania legatio in Gallias ob eas causas mitteretur,
imo putat, eam esse hoc tempore (præsertim propter colloquium) necessariam, etiam si unus ex principibus mittendus esset; nominat
autem, quinam legatus illic desideretur saltem a primoribus, sed
non decet me nominare personam, de qua loquitur; novi enim imbecillitatem ingenii mei, et me esse indignum eo loco; præterquam
quod senex sum et valetudinarius, sed fiat voluntas Domini. Ego
nihili facerem, si in mediis laboribus, quos pro Christo meo susce-
pissem, morerer; certum est, istum d. Balduinum dicere, me illic
desiderari, quod invitus exprimo, sed ne quid omitterem, scribo.

Hæc fere capita dictavit d. Balduinus scribente meo nepote,
neque enim ausus est suâ manu exarare.

Meum est consilium (quod reverenter dico) ut Vestra Illustrissima Celsitudo ipsummet d. Balduinum, qui non est longe hinc,
audiret; neque enim dubium est, (ut) [a] haberetur ab eo certior et
plenior multaru[m rerum] [b] informatio, et meo judicio lucrifieret et
confirmaretur homo, si quæ sinistra de eo suspicio est. Cogitet
Illustrissima Celsitudo Vestra, si fortassis consultum videretur, ut
scriberem ego et mitterem litteras per peculiarem nuntium ac dicerem, me ejus litteras Celsitudini Vestræ dedisse atque omnia, quæ
meo nepoti dixisset, eidem Celsitudini Vestræ Illustrissimæ renun-
tiasse, cui consultum videri, ut usque huc excurrat, ut non modo
ista, quæ scripta sunt, confirmet (si opus erit), sed alia quoque, in

---

1 Katharina von Medici, s. n. 81.
2 Rascalon, aus niederstem stande, durch die Guisen zum k. kam-
merdiener erhoben und als solcher manchfach gebrauchter agent Frankreichs bei den deutschen höfen; durch ihn wurde die sendung deutscher theologen nach Poissy vermittelt, er trug auch 1563 im namen der
französischen regierung herzog Christoph die statthalterstelle von Frankreich an. S. Baum, Beza II, 870. Stälin IV, 625. S. br. n. 148.

quibus nunc in Gallia versatus est, referat (rediturus in Gallias praesertim). Dixi reverenter ea, quae mihi spiritus Domini suggessit; mandet modo eadem Illustrissima Celsitudo Vestra, quod suae sapientiae videbitur; nam id ipsum exequar ad unguem.

Commendo me eidem Vestrae Illustrissimae Celsitudini reverenter, cui rogo, ut coelestis Pater augeat suos divinos thesauros; spiritum et fidem per Christum dominum nostrum.

Tubingae die 16 Augusti hora matutina III 1561.

Illustrissimae Celsitudinis Vestrae servitor

Vergerius.

a Die conjunction mit der vermoderten ecke des blattes, worauf sie stand, weggerissen und ut von anderer hand auf der folgenden zeile vorangesetzt.

b Desgl. durch moder verloren.

121 a.

Balduin an herzog Christoph.

Heidelberg 10 August 1561.

Die religionssachen in Frankreich betreffend.

Monseigneur!

Estant retourne de France en diligence pour les affaires du roy de Navarre et de la religion, jeusse grandement desire, vous aller faire la reverence, et vous reciter au vray lestat du dict royaulme et religion, duquel je crains, que nestes pas bien adverty et informe. Mays les affaires, pour lesquelles je suis retourne icy, ne me donnent pas encores le loisir de ce faire, ny mesmes de vous en escrire amplement. Toutesfois incontinent que les auray expediees, je ne fauldray a la premiere occasion de vous monstrer, combien je desire vous faire service agreable en la necessite de la republique chrestienne, que je scay vous estre en singuliere recommandation. Cependant vous pourres scavoir une partie de nostre intention et des nouvelles de France par monsieur Vergerius.

Sur ce, Monseigneur, en vous presentant mes tres humbles recommandations, je prie Dieu vous maintenir en sa grace.

De Hidelberg ce X^e d'Aoust.

Vostre tres humble

Die vermoderte ecke, worauf der name stand, herabgerissen.

122.

Verger an herzog Christoph.

Tübingen 22 August 1561.

Berichtet einige neuigkeiten über Frankreich, Graubünden, Venedig, sowie über ein antitrinitarisches buch; bittet um einen geleitsbrief für seinen neffen Ludwig zu einer reise nach Preußen.

Illustrissime Princeps et Domine Domine Clementissime!

Constitueram, hodie accedere ad Illustrissimam Celsitudinem Vestram, sed propterea differo, quia supervenit nescio' quis paroxismus, non tamen magnus. Veniam, cum videro evanuisse, si modo evanescet, sed fiat voluntas Domini. Scripsi ad d. Balduinom [1], puto venturum propediem, spero aliqua commoda, si eum Vestra Celsitudo audierit.

D. Cognetius [2], Gallorum regis orator, dubitat, num sit Basileam ad comitia venturus; si venerit, nuntiabit mihi per peculiarem nuntium, ut accedam. Jam incipit sperare, se posse quatuor cantones Helvetiorum præcipuos in fœdus Gallorum pertrahere; sperat enim non futuram amplius persecutionem contra Christianos in Galliis. Verebatur quidem, ne se recusarent adjungere Gallorum regi, si confessionem Augustanam in Gallias invexisset, sed tandem videt, satis esse, si in eo regno cessetur a persecutione.

In Rhætia rex Hispaniarum proximo mense tentaturus est, an possit ipsos Rhætos aut Grisones a Gallorum rege avellere et sibi adjungere.

Veneti in illis finibus (Bergami scilicet) conscribunt militem; metuunt enim, ne Cæsar et Papa moveant illic arma, nisi scilicet Rhæti ipsi aut Grisones evangelicos concionatores ejecerint et Jesuitas admiserint. Qua de re Illustrissimæ Celsitudini Vestræ ante aliquot septimanas scripsi [3].

Nobiles Lituani, qui (ut coram dixi) revocabantur a parentibus, male scilicet informatis, constituerunt mittere unum ex suis in Lituaniam, ut eos excusaret et pecuniam mittendam curaret. Is ita-

*

1 S. n. 120 und 121.

2 Matthäus Coignet, französischer gesandter bei der eidgenossenschaft von 1559 bis 62; s. n. 124. 145. 152. 153. Sein nachfolger hieß Mendoza, dessen La Croix. 191.

3 S. n. 115.

que cum meo nepote discedet, est d. Melchior Gedroviz, qui discedens se Illustrissimæ Celsitudini Vestræ humiliter commendat agitque gratias pro clementia sibi præstita.

Dixeram Illustrissimæ Celsitudini Vestræ, quod quidam fanatici suscitabant iterum materiam de trinitate. Nunc ad me scribitur, prodiisse in eo articulo libellum, sub nomine cujusdam Valentini Gentilis (puto esse fictum nomen), in quo libello exagitatur Gribaldus¹ nominatim; scripsit contra eum Calvinus, quos libellos nondum habeo, nec magnopere curo versari in istis materiis et hæresibus. Generosus d. Joannes Ungnad² tandem constituit pro certo, (vacillabat enim prius) quod nolit nunc d. Carolum filium ejus in Prussiam ablegare. Quare meus nepos Ludovicus tandem constituit abire, jamque nihil aliud exspectat, nisi ut convalescam, et litteras, de quibus nunc scribam; recta enim ibit hinc Norembergam³.

Supplicamus itaque, ut Celsitudo Vestra illi dignetur concedere ejus argumenti litteras, cujus est inclusum exemplum. Rem parvam petimus, sed ut illustrissimus Prussiæ dux videat, nos revera totos ab Illustrissima Celsitudine Vestra pendere. Plura non habeo, quæ nunc scribam. Commendo me reverenter eidem Illustrissimæ Celsitudini Vestræ. Pater cœlestis augeat illi suos divinos thesauros, spiritum et fidem per Christum dominum nostrum.

Tubingæ XXII Augusti 1561.

Illustrissimæ Celsitudinis Vestræ servitor

Vergerius.

*

1 S. n. 38. Die schrift Gentiles: Valentini Gentilis confessio evangelica, theologiæ protheses, piæ ac doctæ in symb. Athanas. adnotationes. Dagegen schrieb Calvin: Impietas Valentini Gentilis brevi scripto detecta, qui Christum non sine sacrilega blasphemia Deum essentiatum esse fingit 1561. Valentin Gentile war übrigens kein pseudonym; geboren in Cosenza in Neapel, ein unruhiger geist war er schon 1558 wegen einiger freier äußerungen über die dreieinigkeit zum tod verurtheilt worden; die strafe wurde aber in eine andere verwandelt, es gelang ihm nach Genf zu entfliehen; lange zeit irrte er in Deutschland und Polen umher, überall als antitrinitarier verfolgt, 1566 wurde er in Bern verhaftet, zum zweiten Mal verurtheilt und hingerichtet 10 September 1567. S. br. n. 171. Trechsel, die protestantischen antitrinitarier II, 316 ff. 334 ff.

2 S. n. 30 und 116.

3 Den brief, welchen Verger seinem neffen an den herzog Albrecht mitgab vom 25 August 1561, s. Sixt s. 572 ff. s. n. 123.

Beilage.

Minuta ad illustrissimum ducem Prussiæ.

Ludovicus Vergerius diu fuit occupatus, primum quidem propter
diuturnam et gravem valetudinem Vergerii sui patrui, deinde coactus fuit in Gallias proficisci. Quare diutius distulit ad Celsitudinem
Vestram reditum, quam ipsemet voluisset. Nunc tandem rediit, ut
in ejusdem Celsitudinis Vestræ servitio perseveret. Cum vero nepos
sit Vergerii consiliarii nostri, noluimus illi negure nostram commendationem. Commendamus itaque eum diligenter, gratumque mihi
fecerit Illustrissima Celsitudo Vestra, si illum sua solita clementia
susceperit.

Brief von herzog Christoph an herzog Albrecht von Preußen.

Hochgeborner fürst, freundlich lieber oheim und schwager!

Nachdem E. L. rath Ludovicus Vergerius anhaimsch in seinem
vatterland und volgenndts bei seinem vetter d. Petter Paulo Vergerio (alls er ain lange zeit todtlich kranckh gelegen) gewesen,
darzu auch von ime in desselben gescheften iu Franckreich geschickt worden, so hat sich sein widerankunfft zu E. L. wider seinen willen ettwas zu lanng verweilt und verzogen. Darumben uns
undertenigclich gebetten, ine gegen E. L. deswegen zu entschuldigen.
Dieweil dann dem allso, so ist an E. L. unser bitt, die wellen
ermelten Ludovicum Vergerium von wegen dises seines langen aus-
bleibens aus angezeigten ursachen gnedigclich für entschuldigt hall-
ten und fürtter wie bishero sein gnediger herr sein und bleiben.
Das seint uns hinwider in gleichem umb E. L. f. und schweger-
lich zu verdienen. Datum Kircheim under Teckh den 23 Augusti
anno 61.

An herzogen von Preussen.

123.
Verger an herzog Christoph.
Tübingen 26 August 1561.

Meldet die abreise seines neffen Ludwig nach Preußen und einen
besuch, den er von Farel erhalten; neuigkeiten aus Frankreich und
Italien, besonders über neue maßregeln gegen die protestanten in Venedig; klagt, wie sehr er selbst noch vom papst verfolgt werde.

Illustrissime Princeps et Domine Domine Clementissime!

Meus nepos Ludovicus in nomine Domini mane in Prussiam discessit[1]. Cum vero dominus Brentius aliquot libellos ad eum misisset ad illustrissimum Prussiæ ducem portandos, portabit perquam libenter.

Dominus Farellus[2] heri vesperi intravit domum meam cum suis. Suscepi (spero) non oscitanter. Christianus enim homo est. Fuit mecum per hesternum diem, advocavi dominum Beurlinum et alios, qui cum eo versarentur. Discessit postridie.

Duo tantum videor mihi potuisse ab eo intelligere, alterum, quod illustrissima d. Margaretha Sabaudiæ ducissa[3] etiam lacrimabunda intercesserit apud maritum pro Valdensibus, ut illis pax concederetur, quemadmodum concessa est.

Alterum vero, quod affirmarit, reginam matrem[4] a multis urgeri, ut advocet ad se d. Petrum Martirem[5] Florentinum, qui Ti-

1 S. n. 122.
2 S. n. 49.
3 S. n. 81. Im November 1560 hatte Philibert Emmanuel von Savoyen ein ganzes heer zur bekehrung seiner unterthanen, der Waldenser in Agrogna etc. abgesandt, das die entsetzlichsten grausamkeiten gegen die unglücklichen verübte; ihr verzweiflungsvoller, heldenmüthiger und glücklicher widerstand, sowie die fürbitte seiner gemahlin bewogen Philibert Emmanuel zu dem frieden von Cavor, 5 Juli 1561; um die gänzlich verarmten, denen die häuser abgebrannt, die bäume niedergehauen, die weinstöcke vernichtet waren, von dem hungertode zu retten, wurden sammlungen in der Schweiz und in Deutschland veranstaltet; bei dieser gelegenheit kam Farel wieder nach Deutschland.
4 Katharina von Medici.
5 Peter Martyr Vermigli, wohl der ausgezeichnetste und angesehenste unter den evangelischen flüchtlingen Italiens, geboren 1500, aus vornehmer florentinischer familie stammend, wurde sorgfältig erzogen, trat aber gegen den willen seiner eltern in ein kloster, wo er sich bald durch seine gelehrsamkeit auszeichnete. In Neapel kam er 1530 mit Valdes zusammen und wurde von diesem für den protestantismus gewonnen; 1542 als abt von Lucca der kezerei angeklagt, mußte er Italien verlassen und gieng nach Straßburg; 1547 wurde er von Eduard VI nach England berufen; nach dessen tode kehrte er in die Schweiz zurück und blieb bis zu seinem tode (12 November 1562) als prediger in Zürich; zum gespräch nach Poissy war er mit Beza aus der Schweiz erbeten worden, besonders Katharina von Medici wünschte sein erscheinen. Über seine theilnahme in Poissy s. Baum, Beza II. 184 ff. Vgl. n. 124. 130. 131. 146. 236.

guri degit, et putant illum iturum. Sciat autem Illustrissima Celsitudo Vestra, istos, pro quibus Farellus intercedit, ducere quidem originem ab antiquis Valdensibus, sed ab octo annis alios factos esse, et se Genevensium ecclesiæ per omnia conjunxisse, quod affirmo, nam diligentissime sum sciscitatus, si ex meis essent Valdensibus; sed non sunt (ut dixi), longe aliud genus, non est ea mortificatio, non eadem confessio.

Rediit peculiaris nuntius, qui litteras attulit domino Balduino [1], ut ad me Tubingam veniret; respondet, se usque ad nundinas Heidelbergæ mansurum, mox in Galliam rediturum, spero daturum operam, ut prius me invisat. Utinam adveniret! Nam præterquam quod relinqueret pleniorem (credo) rerum Gallicarum informationem, adjungerem illi alterum nepotem Aurelium in Gallias profecturum.

Domini Veneti [2] rem novam et antehac inauditam in materia religionis invexerunt. Cum enim nonnulli ex eorum subditis vel sponte, vel per magistratum coacti in exilium in Germaniam vel ad Helvetios abierint et uxores fuerint secutæ, eas edicto publico edito monuerunt, ut a maritis (proh pudor) avellant se, et in Italiam redeant, alias dotem amissuræ; infinita scilicet tirannis, qua præsupponunt, nos esse pessimos hæreticos, a quibus etiam cogant uxores discedere, nulla certe ætate antea auditum facinus. Jam vident initia dolorum in ipsa Veneta republica, incipiunt metuere, ne quid simile accidat, quod in Gallia accidit. Sed hac de re spero, me coram locuturum (est enim per magna), ut fratres Jesu Christi cogantur, si ex Italia exuláverint, etiam uxoribus in Italia ductis carere; quænam est tirannis, si hæc non est?

Nondum rem totam plane novi, sed nescio quid præsentio esse in rebus meis ab antichristo; magna enim exardet indignatione et majore solito adversus me, certe prohibentur mei amici et consanguinei, ad me scribere et meas accipere litteras. Sciam spero propediem omnia particulariter; nunc de litteris duntaxat scio. Ego autem illum nihil facio et scio, merum esse antichristum; confundat eum Dominus! Amen.

Quid si velit mandare, ut mei nepotes cogantur domum redire

*

1 S. n. 120.
2 S. n. 17.

sub poena confiscationis bonorum? Sed mandet, quod voluerit, non parebo.

Commendo me reverenter Illustrissimæ Celsitudini Vestræ. Cœlestis Pater augeat illi suos divinos thesauros, spiritum et fidem per Christum dominum nostrum.

Tubingæ XXVI Augusti MDLXI.

Celsitudinis Vestræ Illustrissimæ observantissimus

Vergerius.

124.

Verger an herzog Christoph.

Tübingen 31 August 1561.

Berichtet über die schweizerischen theologen, welche nach Frankreich berufen seien und ist, wenn auch deutsche berufen werden sollten, nicht abgeneigt, dorthin zu gehen.

Illustrissime Princeps et Domine Domine Clementissime!

Sunt mibi Basilea litteræ. Dieta, quæ in causa illustrissimi Sabaudiæ ducis die Bartholomæi sperabatur, nondum erat cœpta, aderant tamen ipsius ducis legati. Cognetius [1], Galliarum legatus, non aderit, in Gallias enim profectus est. Quare neque ego accedam [2].

Paucis ante diebus scripseram, quod dominus Petrus Martir Italus, qui Tiguri degit, fuisset in Gallias profecturus. Nunc significo, venisse in Helvetiam litteras regias ex Gallia, quibus et ipse Martir et Calvinus et Beza vocantur ad colloquium [3].

Miror si non petantur ab illustrissimis principibus et statibus imperii aliqui quoque [4], ne illud regnum videatur magis inclinare

*

1 S. n. 122.
2 S. n. 122.
3 S. n. 123. Beza wurde durch schreiben der pariser gemeinde 14 Juli 1561, Condés, Colignys und Antons von Navarra eingeladen; daß auch Calvin eingeladen worden sei, entbehrt nach Baum II, 180, alles beweises.
4 Über die theilnahme Württembergs s. Baum II, 369 und 419. Kugler, herzog Christoph II, 305 führt aus, daß Navarra erst während des colloquiums sich eines früher von herzog Christoph gemachten anerbietens, einige theologen zu schicken, erinnerte und herzog Christoph darum bat, s. auch Soldan I, 533.

in Helvetios quam in alios. Faciat Dominus voluntatem suam, cui acquiescendum est. Si qui pro parte illustrissimorum protestantium essent ad illud colloquium ituri, sentio me a spiritu Domini excitari, ut scribam Illustrissimæ Celsitudini Vestræ reverenter, me non eum esse, qui fortassis possim in disputatione atque in colloquio sophistarum impetum et astutias sustinere, nec mihi opto illam laudem, nec puto confidendum esse in illis colloquiis et certaminibus. Sed sperarem, alia ratione me posse Christi ecclesiæ prodesse [1], præsertim apud serenissimam reginam; ac non est dubium, quin Petrus Martir fuerit vocatus, ut cum sua majestate versaretur permoveretque ejus animum, ut homo ejusdem patriæ nempe Florentinus. Quare non inconsultum esset, ut ego quoque possem versari et illi ea instillare, quæ doceret me Dominus.

Dominus Cognetius, Galliarum legatus, bene animatus in Vestras Illustrissimas Celsitudines et status Germaniæ discessit, quod affirmo. Utitur humana quadam ratione, suas Gallias, si religionem mutaturæ sint, opus habituras Vestra amicitia atque potentia magis, quam Helvetiorum. Sed profecto si non vocabuntur ex Lutheranis quoque (ut ajunt) aliqui, metuendum erit, ne nobilium factio invalescat.

Commendo me reverenter Vestræ Illustrissimæ Celsitudini. Pater cœlestis augeat illi suos divinos thesauros, spiritum et fidem per Christum dominum nostrum.

Datum Tubingæ 31 Augusti 1561.

Illustrissimæ Celsitudinis Vestræ observantissimus

Vergerius.

125.

Verger an herzog Christoph.

Tübingen 4 September 1561.

Über seine berufung nach Trient.

Illustrissime Princeps et Domine Domine Clementissime!

Jam profecto non cogitabam amplius de legato antichristi Delphino [2], et quod voluisset pergere in tractatione jam cœpta, ut

---

1 Die Schweizer wären von Vergers ankunft wenig erbaut gewesen, sie liebten ihn nicht; selbst der nüchterne Languet schreibt ihm das talent zu, alles zu verwirren, s. n. 127. 129.

2 Zacharias Delfino aus Venedig, bischof von Lesina und Faro,

Vestræ Illustrissimæ Celsitudini significavi, hoc est, de me ablegando
Tridentum. Sed ecce heri vesperi, cum jam dedissem me quieti,
comparuit servitor domesticus ejusdem d. legati, qui litteras ad me
attulit, et quædam ipse retulit, ita in summa, ut antequam respondeam et illum dimittam, videam necesse esse, ut egomet reverenter
cum Vestra Illustrissima Celsitudine colloquar et consilium capiam.
Quare eidem supplico, ut dignetur mihi statim per peculiarem et
celerem nuntium significare, quonam mihi veniendum sit; vellem
accedere, et accepto ejusdem consilio, remittere hunc hominem ad
suum legatum, qui Viennæ est. Cæsar videtur cupere (quod non
credebam futurum), ut Tridentum accedam et cardinalis Mantuæ[1]
multo magis, quin et antichristus ipse[2]; reliqua coram exponam.
Commendo me reverenter Celsitudini Vestræ Illustrissimæ et illu-
strissimo- d. Bipontino[3]. Cœlestis Pater augeat utrique suos divinos
thesauros, spiritum et fidem per Christum dominum nostrum.

Tubingæ 4 Septembris 1561.

Illustrissimæ Celsitudinis Vestræ observantissimus

Vergerius.

126.

Verger an herzog Christoph.

Tübingen 14 September 1561.

Antwort auf eine anfrage Christophs in betreff des concils von
Mantua und was Sleidan darüber berichte; nachrichten aus Italien;
bittet um die erlaubniß, das bad in Göppingen besuchen zu dürfen.

Illustrissime Princeps et Domine Domine Clementissime!

Accepi hac ipsa hora Illustrissimæ Celsitudinis Vestræ litteras,
quibus statim respondeo, me nulla scripta habere de indictione et

*

gieng mit seinem mitgesandten, Joh. Franz Commendone, zum fürstentag nach Naumburg, s. Stälin IV, 588. Er hatte zugleich den auftrag,
den versuch zu wagen, Verger in den schoß der katholischen kirche
zurückzuführen. Verger schrieb an ihn: Al reverend. monsign. Delfino.
Serap. 98. n. 109. S. br. n. 110. 126. 180.

1 Hercules Gonzaga, s. br. n. 88.

2 S. n. 94. Pius IV.

3 Der pfalzgraf Wolfgang von Zweibrücken war mit herzog Christoph im bad Göppingen.

recusatione Mantuani concilii [1]. Nam omnia Sleidano [2] communicavi, neque unquam potui recuperare. Verum Illustrissima Celsitudo Vestra jubeat, ut quis incipiat a fine octavi libri et pergat usque ad duodecimum exclusive, et inveniet tum indictionem Pauli III a me in Germaniam allatam, tum vero recusationem. Affirmo autem, quod Sleidanus in his fidoliter se gesserit (quidquid in aliis rebus fecerit) scio, me monuisse atque instruxisse hominem in his, quæ ad concilium attinent, exstantque publica scripta, unde ille multa desumpsit.

Si quid aliud in hac causa, quæ Christi est causa, possum, Vestra Illustrissima Celsitudo dignetur admonere atque imperare; versor adhuc in ea causa et gravamina colligo nobis illata contra jus et fas in isto concilio adornando.

Discessit statim, ubi Tubingam veni, servitor legati papalis [3]. Accepi ex Italia litteras, quæ meam suspicionem auxerunt de bello post concilium metuendo [4]. Scribunt, d. Venetos munire civitatem Bergomi, eorum milites huc et illuc excurrere eorum mandato, ut fit, si quando bellum exspectant in finibus. Deinde scribunt, Papam accessurum Bononiam, Philippi vero Hispaniarum regis filium [5] Mediolanum, quæ omnia videntur bellum denuntiare. Prodest timuisse, et sæpe nocuit, nihili fecisse.

Velim per quindecim dies Göppingæ esse et partim lavare, partim bibere ex illa aqua. Sic enim consulunt medici et Vestra Illustrissima Celsitudo imprimis. Utinam dignaretur mittere ad me litteras, quibus mandaretur suo Göppingensi præfecto, ut mihi locum permitteret in arce, cum non sit munita. Velim enim per quindecim vel viginti dies illic degere. Publica diversoria in via regia, ad quæ tam multi peregrini solent accedere, debeo metuere

*

1 Paul III (Farnese, papst 1534 bis 49) hatte 1535 ein concil nach Mantua ausgeschrieben; Verger war damals beauftragt gewesen, die deutschen fürsten für dasselbe zu gewinnen. Die absagungsurkunde des schmalkaldischen bundes, von Melanchthon abgefasst, ist vom 21 December 1535 datiert, s. Sixt 57 ff.

2 S. n. 11.

3 S. n. 125 und 110.

4 Über diesen zu erwartenden krieg siehe das ausführliche memorial Vergers darüber br. n. 62 a. 134.

5 War eine falsche nachricht, denn don Carlos, von dem allein die rede sein kann, kam nie nach Mailand.

Verger 19

quotidie magis, quo nomine ago gratias Patri cœlesti; si hominibus placerem, servus Christi non essem. Commendo me reverenter Illustrissimæ Celsitudini Vestræ. Pater cœlestis augeat illi et omnibus suos divinos thesauros, spiritum et fidem per Christum dominum nostrum.

Tubingæ die 14 Septembris 1561.

Illustrissimæ Celsitudinis Vestræ servitor

Vergerius.

127.

Verger an herzog Christoph.

Göppingen 25 September 1561.

Fragt, ob er einem beim herzog angekommenen Franzosen seinen neffen Aurelius mitgeben könne; wünscht selbst nach Trient oder Poissy zu gehen.

Illustrissime Princeps et Domine Domine Clementissime!

Hodie cum Illustrissima Vestra Celsitudo adesset pranderetque. ego eram in aquis, ut non liceret accedere. Audivi vero, advenisse interea novum quendam hominem ex Galliis ad Vestram Illustrissimam Celsitudinem missum. Discruciavi me, quod ad prandium non venissem, aquis etiam intermissis. Sed cum sciam, capillos capitis numeratos esse, tuli æquo animo. Nam sum interpretatus, quod non fuerit voluntas Dei. Optabam (quemadmodum adhuc opto) intelligere, (præter cetera) essetne iste per dispositos equos an vero aliter rediturus. Nam si non per dispositos, sed mercatorio more, voluissem illi adjungere meum nepotem [1], qui ad jureconsultos Gallicos Vestræ Celsitudinis beneficio profecturus, nunquam hactenus potuit invenire, cui se conjungeret, ignarus linguæ atque itineris. Quare isti homini, qui nuper venit, illum libenter adjunxissem.

Mitto, quod optassem, de illius regni statu certior fieri. Nam id a Vestra Clementia intelligam (ut spero) cum Stutgardiam venero.

Si audiero istum recta in Galliam rediturum (non tamen per equos celeres), intermittam per duos dies lavationem et Stutgardiam veniam, ut illi nepotem adjungam.

Utinam Illustrissima Celsitudo Vestra dignetur ea de re litteras

*

1 S. n. 121 und 128.

ad me dare. Atque illud interim reverenter moneo (quod et alias dixi atque scripsi) me majorem fructum sperare pro recuperanda valetudine ex laboribus itineris alicujus pro gloria Dei suscepti, quam ex otio. Animadverti enim, profectiones (utpote meæ naturæ convenientes) valde esse utiles corpori atque animæ etiam (si pro Christo fiant). Exspecto quidem vocationem a legatis [1] Tridentini concilii, quamquam dubia sunt omnia et insidiis plena, quæ a papistis exspectantur; sed nihilo secius aliam susciperem peregrinationem, in Gallias scilicet [2] (si opus fuerit), sed fiat voluntas Domini. Rogo in summa Illustrissimam Celsitudinem Vestram, ne sinat me in otio degere, sed laborare usque ad extremum spiritum pro gloria ejus, cui me reverenter commendo. Cœlestis Pater augeat illi suos divinos thesauros, spiritum et fidem per Christum dominum nostrum.

Utinam habeam exemplum confessionis ecclesiarum [3], quæ sunt in Gallia.

Datum Cheppingæ die XXV Septembris 1561.

        Illustrissimæ Vestræ Celsitudinis servitor

                          Vergerius.

128.

Verger an herzog Christoph.

Göppingen 1 October 1561.

Macht noch einmal einen versuch, ob es ihm nicht erlaubt würde, nach Poissy zu gehen; eine berufung nach Trient erwarte er nicht mehr.

Theilweise (von Scripsi bis quam ego.) schon gedruckt bei Sattler IV, beil. 61. s. 179.

Illustrissime Princeps et Domine Domine Clementissime!

Scripsi ante quatuor dies ad Illustrissimam Celsitudinem Vestram. Quæcumque vero optabam intelligere de homine in Gallias redeunte [4],

                         *

1 S. n. 125.

2 Nach Poissy, s. n. 124.

3 Eine von Farel, Budæus, Carmel und Beza unterzeichnete und in Worms 8 October 1557 übergebene confession s. Baum, Beza I, 409. Eine zweite, etwas ausführlichere confession, wurde auf der ersten französischen protestantischen synode 25 bis 28 Mai 1559 in Paris verfaßt. S. Polenz, geschichte des französischen calvinismus I, 436 ff.

4 S. n. 127.

                                   19 *

(qui rediit, ut audio) cui cupivissem meum nepotem adjungere, intellexi aliunde, et quod aliqui theologi sint in Galliam, colloquii causa mittendi.[1] Laudetur Deus, qui negotium deduxit hucusque, qui cœpit, perficiet. Electio mihi videtur a Spiritu sancto facta, a quo scio Vestræ Celsitudinis consilia gubernari.

Jam ea dignabitur (pro sua clementia) pauca quædam considerare, quæ sentio mihi ab eodem spiritu suggeri. Permitto postea omnia Vestro sapientissimo judicio. Ego rem exponam duntaxat. Agnosco imbecillicitatem mei ingenii, nec me eum esse, qui possim in ullo colloquio sustinere eas partes, quas collocutores sustinent, saltem quemodmodum sunt ii, qui mittuntur, qui sane sunt bene exercitati in ea re atque excellentes. Verum in simili occasione, cum totum regnum sit magno in motu, opus esse video non solum hominibus, qui in colloquio veritatem defendant, sed aliis quibusdam esse opus in rebus politicis (quæ tamen sint cum doctrina evangelii conjunctæ atque affines) nonnihil exercitati, qui scilicet possint conversari hic et illic cum regina[2], cum rege Navarræ, cum quibusdam cardinalibus Gallicis, qui gustant bonum verbum Dei[3], atque cum aliis primoribus, atque fortassis etiam cum ipso Ferrariæ cardinale[4] (si opus fuerit aliquando) et non dubium est, quin talis conversatio possit aliquod commodum afferre nostræ causæ. Scio, me illic habere fautores, scio, præterea adesse aliquot Italos magni per Italiam

*

1 Es waren Jakob Andreä (s. n. 14), Jakob Beurlin (s. 49) und Balthasar Bidembach, hofprediger des herzogs. 2 October waren sie abgereist, kamen 19 October in Paris an; Beurlin † 28 October an der pest; 9 November hatten die zwei andern ihre erste audienz bei Navarra und 11 Nov. die zweite; den 21 Novbr. hatten sie die letzte audienz und kehrten wieder nach Deutschland zurück, ohne etwas ausgerichtet zu haben, da das colloquium bei ihrer ankunft schon geschlossen war; siehe Andreäs bericht in fama Andreana und Baum, Beza II, 419 ff.

2 Katharina von Medici.

3 Z. b. der bischof Monluc von Valence, der cardinal Chatillon.

4 Hippolyt von Este, s. br. n. 10, legat des papstes in Poissy. 19 September 1561 war er mit dem jesuitengeneral Lainez, mit Muret und sonstigem großen gefolge angekommen; seine aufgabe war, das zustandekommen eines nationalconcils zu hindern und Anton von Navarra von der protestantischen parthei abwendig zu machen. S. Baum, Beza II, 301 ff. S. n. 130. 131. 133. 134. 141.

nominis, qui favent evangelio [1]. Spero deinde, ista occasione agendum esse de concordia sarcienda in articulo de cœna Domini, quæ
usque adeo commoda nostris ecclesiis futura esset, quam concordiam
si regina et reliqui potentiores voluerint juvare, valde. esset utile
futurum. In summa sperarem ego, si in Gallia nunc essem futurus,
posse aliquid efficere ad laudem Dei. Vestra Celsitudo cum nuper
esset Fulingæ, dignata est mihi dicere (si non male intellexi) quod
nullus videretur ad eas res tractandas apud reginam magis idoneus
(quæ Vestra fuit clementia) quam ego.

Reverenter exposui, quæ mihi Spiritus sanctus (ut dixi) suggessit. Nunc Vestra Celsitudo statuat. quod voluerit, quidquid
enim statuerit, laudabo, tanquam consilium Spiritus sancti.

Paratus plane sum, quatuor habeo equos, ducerem mecum, quot
opus fuerit, possum statim conscendere hac ipsa hora. Quod ad
valetudinem attinet, lavi 50 horis et amplius et stomachus ex lavatione (quamquam magis ex potatione) melius incipit habere speraremque me posse labores itineris sustinere cum Dei auxilio.

Quantum attinet ad cardinalem Mantuæ [2] et d. Delphinum [3],
qui me vellent (et fortassis fingunt) Tridentum pertrahere, suspicor
illos aut me non vocaturos, aut si modo vocaverint, me nihil profecturum cum hominibus arrogantissimis et magna interim pericula
subiturum illic (prope Italiam ipsam). Tridenti semper (et nunc
præsertim) sunt innumerabiles Itali. Nunc iterum dico, mandet
Vestra Illustrissima Celsitudo, quidquid Spiritus sanctus suggesserit
illi, et mandatum sequar, ut me decet. Stabo, si jusserit, ibo, si
jusserit, aut nunc aut quando voluerit. Vix possum nepotem nunc
a me dividere, tum propter alia quædam, tum vero, quod nondum
plane absolverim librum, quem soleo dictare ipso excipiente. Differam ad aliam occasionem, qua illum liceat in Galliam dimittere.
Argumentum libri, quem præ manibus habeo, est, quod non modo
recusationem concilii Mantuani [4], sed omnia etiam, quæ papæ per

*

1 Unbekannt, wen Verger damit meint.

2 S. n. 88.

3 S. n. 110.

4 S. n. 126. In Serap. s. 92. n. 106 wird eine schrift Vergers angeführt: Comparation tral concilio Basiliense e il Tridentino. Aus dem
bad in Göppingen 21 Oct. 1561, vielleicht ist dies die hier erwähnte,
vgl. auch br. n. 130. 131. 132. 134. 135. 141. 142.

legatos (in Germania dico) de concilio tractarunt, collegi. Puto autem hæc futura non inutilia regno Galliæ, ut scilicet discat, cavere
a paparum conciliis fraudulentissimis, quæ haud dubie cardinalis
Ferrariæ nunc conabitur illi obtrudere.

Satisfeci conscientiæ et spiritui, qui me ad ista scribenda impulit. Fiat voluntas domini Dei mei et Vestræ Illustrissimæ Celsitudinis, quam animadverto esse unam atque eandem voluntatem. Commendo me reverenter eidem Celsitudini Vestræ, gratia et pax domini
nostri Jesu Christi cum illa.

Cheppingæ prima Octobris 1561.

Utinam habeam confessionem ecclesiarum Gallicarum[1], certe
opus habeo ea. Lavabo usque ad diem Lunæ, deinde Tubingam rediturus, si Deus voluerit.

Illustrissimæ Celsitudinis Vestræ servitor

Vergerius.

Hinten von des herzogs hand : habe ime for 2 tagen mein bedencken
geschrieben. Achte woll, wan er ime also nachsetzt, werde vociert
werden, dan one vocation ist nit geratten; nam non est simplex persona; habe auff des kunigs von Navara beger 3 theollogos geschickt,
werden zu ainer reformacion und extrussion des babstums mehr gehorn;
er wolle mit dem badt nit zu hast eillen, wass er under 140 stundt
bade, seye zu wenig.

129.

Verger an herzog Christoph.

Göppingen 6 October 1561.

Schreibt noch einmal wegen Poissy, und vermuthet, daß die reformierten theologen ihn nicht dort haben wollen. Über seinen bade-
aufenthalt.

Illustrissime Princeps et Domine Domine Clementissime!

Dignetur ignoscere mihi Illustrissima Celsitudo Vestra, quod
spatio quatuor aut quinque dierum iterum scripserim eadem de re.
Nam priorum mearum litterarum responsum missum fuerat Tubingam, ut paulo serius habuerim. Nunc alias accepi de profectione
Gallica litteras a Celsitudine Vestra. Dicam quod suspicor. Omnes, qui pertinent ad Helveticas ecclesias (meo judicio) impediant,

1 S. n. 127.

quantum possunt, tum apud reginam matrem [1], tum apud regem Navarræ, tum etiam apud Ferrariæ [2] ducissam, ne advocer, præsertim vero Petrus Martir [3] et Beza. Hoc, inquam, suspicor. Alioquin non est dubium, quin tum mandatu horum trium, tum aliorum vocarer, nec puto, me errare in hac mea suspicione. Cognovi, cujusmodi sint odia, quibus flagrant et adversus nostram confessionem pugnant. Sed Domini voluntas fiat, interim (hierauf dintenfleck) pareat od. p-cat.

Absolvi quædam de concilio [4], dabo nunc describenda, deinde Vestræ Illustrissimæ Celsitudinis judicio subjiciam, spero futura non inutilia regno præsertim Galliarum.

Spiritus sanctus adduxit Celsitudinis Vestræ litteras [5] maxime in tempore. Cum enim laverim ad septuaginta horas, nullus est hic medicus, (abivit enim peregre is, qui erat), quem consulerem, essetne mihi prolixius lavandum. Quare cum crederem satis lavisse, constitueram cras mane discedere, sed visis Illustrissimæ Celsitudinis Vestræ litteris mutavi sententiam cum Dei nomine et volo pergere lavando amplius (si Deus voluerit). Interea minus molesto animo fero hæc balnea, quia vel dicto vel lego, aut aliquem legentem audio. Laudetur Pater cœlestis. Confessionem ecclesiarum Gallicarum [6] dedi describendam. Oro æternum Patrem domini nostri Jesu Christi, ut Celsitudini Vestræ, cui me reverenter commendo, augeat suos divinos thesauros, spiritum et fidem per Christum dominum nostrum.

Geppingæ 6 Octobris 1561.

Illustrissimæ Celsitudinis Vestræ

servitor Vergerius.

Hinten von des herzogs hand:

Hab 3 schreiben von ime entpfaugen, sovill dis das erst belangt, muess man wartten, wass auss Franckreich geschriben wirdet; welches ich mich versihe, noch innerhalb 10 tagen.

*

1 Katharina v. Medici.
2 S. n. 2.
3 S. n. 123 und 124.
4 S. n. 123.
5 S. des herzogs bemerkung zu n. 128.
6 S. n. 127.

130.

Verger an herzog Christoph.

Göppingen 8 October 1561.

Nachrichten aus Italien und Graubünden, von Poissy und Venedig.

Illustrissime Princeps et Domine Domine Clementissime!

Posteaquam inclusas litteras scripsissem, accepi tum ex Rhætis, tum ex Italia litteras. Papa Bononiam venturus est, affirmant eum dixisse, se cupere viciniorem esse cardinali Mantuæ [1], concilii legato. Erat dimissurus cardinalem Puteum, qui ageret Romæ legationem. Urget concilium; multis enim mandavit episcopis, ut accedant, inter quos novi nonnullos valde indoctos.

Præterea de rebus Papæ scribunt, cum ipse fuerit litteris missis ex aula Cæsaris monitus, quod illustrissimi domini protestantes adversus eum et quatuor prædecessores processum instruant, et illum velle armis castigare, valde fuisse commotum; scribo, quod ad me scribunt, si esset verum, quod dixisset, quod non crediderim, aut si dixit, puto quærere causam belli gerendi, et nihil dubito, quin fuisset iturus ad arma revera, si Pater cœlestis non suscitasset eum motum, quem suscitavit in Gallia, de qua multa audio bona nuntia. Spargunt tamen, quod regina mater dixerit, se velle per omnia Petri Martiris [2] Florentini consilium sequi, qui Tiguro advenit.

In Rhætia sive apud Grisones non est futura, qualis metuebatur dieta, de ministris scilicet evangelii projiciendis, instante non modo Papa, sed Cæsare et Philippo, neque de novo fœdere cum ipso Philippo, uti Mediolani duci, sanciendo repudiata Gallia. Nam de his gravissimis materiis erat futura dieta, ut memini, me coram dixisse [3].

Audio, ex Anglia quoque missos fuisse doctissimos quosdam viros in Gallias ad colloquium, qua occasione Bullingerum [4] dixisse, quod nunc actum erit de Lutheranismo (sic enim inquit). Nam (meo judicio) hoc curant, ut Augustanam confessionem videant con-

*

1 S. 88.

2 S. n. 123. Katharine zeichnete allerdings Martyr als landsmann vor den andern aus, s. Baum II, 273 ff.

3 S. n. 115.

4 N. 111; übrigens kamen keine englischen theologen, später stand aber Verger wieder besser mit Bullinger.

calcatam, non autem, ut papatus ipse conculcetur. Nominavit idem
Bullingerus in eadem occasione me ipsum. Tractabitur (inquit) pro
dignitate Vergerius, si nunc in Galliam proficiscetur, ita, ut pate-
fecerit, esse inter eos veluti conspirationem quandam, ut non bene
excipiatur saltem a suæ partis theologis et a quibusdam aliis eorum
fautoribus, quicunque accesserit ex nostris ecclesiis. Deus mitiget
eorum rabiem, quæ sane permagna est in hac causa. Haud dubie
sperant, ut in colloquio agatur de cœna Domini [1], et nostra condem-
netur sententia, sed vivit Deus. Dicam, quod sentio, si interfuerint
etiam theologi Anglici, non est dubium (meo judicio) quin pronun-
tiaturi sint de cœna Domini in colloquio et obtenturi (si spectetur
pluritas votorum) quidquid voluerint. Quare existimo, Vestram Illustrissimam Celsitudinem dedisse (pro sua sapientia) mandatum suis theologis, quo modo se debeant ea in re gerere, ut effugiant tale præjudicium. Utinam curaretur de profligando papatu; hoc primum et
ante omnia, deinde ut fieret conciliatio inter nos, sed fortassis alibi,
quam ubi essent futuri tot adversarii nostrarum ecclesiarum. Alia
quædam habeo in litteris, quas hodie accepi, sed selegi præcipua
quædam. Addam duo ridicula. Papa misit in Gallias bullam in-
dulgentiæ, qua remittit eorum peccata, qui affuerint et honoraverint
cardinalis Ferrariæ legati ingressum [2]; qui cardinalis, cum vidisset,
se non attulisse annulum pontificalem (ut appellant), quo populo
benediceret, cuperetque habere valde pretiosum, Romam misit et petivit a Papa, qui non defuit et libenter dedit pretii octo millium
ducatorum. Populus ergo, qui fuerit benedictus manu cardinalicia
et manu ornata tali annulo, totus sanctificabitur. O carnales, o in-
felicissimos homines cum suis indulgentiis, suis annulis, suis bene-
dictionibus!

Reverendissimus d. Joannes Grimanus [3], patriarcha Aquileiensis,

1 Die verhandlungen bezogen sich allerdings vielfach darauf und
sehr geschickt benützten die katholiken die zwischen Lutheranern und
Reformierten bestehende verschiedenheit, um das gespräch resultatlos zu
machen.

2 Er hielt mit 400 pferden seinen einzug, der herzog von Orleans,
der herzog und cardinal von Guise waren ihm entgegengezogen. Baum,
Beza II, 303 f.

3 Giovanni Grimani, aus edler venetianischer familie, früher bischof in Ceneda bei Treviso, damals patriarch in Aquileja; der viel-
seitig gebildete, kunst und wissenschaft liebende, ernste mann wurde

cujus avus fuit Venetiarum princeps, fuit accusatus, quod nostram doctrinam amaret et Romam citatus est. Fiet aliquid hac occasione Venetiis; nam cum habeat potentes, qui illi favent, senatores, audebit, spero, non obedire citationi. Videbimus, quid sit futurum. Scio ego pro certo, illum valde favere nostratibus.

Commendo me reverenter Vestræ Illustrissimæ Celsitudini, gratia et pax domini nostri Jesu Christi cum illa.

Datum Geppingæ 8 Octobris 1561.

Illustrissimæ Celsitudinis Vestræ servitor

Vergerius.

Hinten von des herzogs hand:

Antreffendt diß sein ander schreiben, hab ich immer und noch nit gehordt, das der papst solle gene Bollonia khomen; so vernime ich nit, das da das concilium sol angehen, aber woll, das mit den Grauen Pündten pratica vorhanden umb den paß, wa der pabst waß tumultum wolte in Germania erweckhen, welches er Vergerius wol mechte füeglich erkhundigen, waß die Bündter gesinnet sein mechten, dieweill er darinen bekhandt; es wirdet an des jezigen bischoffs zu Costnitz guettem willen, welcher des pabsts schwester son ist, nicht erwinden. Das auß Engellandt theollogii inn Franckreich geschickht seyen, hab ich nicht vernomen. Die Zwinglianer thuen guts oder bösses, so beleibt Christi wortt war: hoc est corpus meum, hic est sanguis meus.

131.

Verger an herzog Christoph.

Göppingen 13 October 1561.

Berichtet über den erfolg des bades und seine litterarische thätigkeit; bittet den herzog um geld. Nachrichten von Poissy und Graubünden.

Illustrissime Princeps et Domine Domine Clementissime!

Cum Vestra Illustrissima Dominatio dignata fuisset (pro sua cle-

*

wegen seiner bemühungen, eine strengere sittenzucht bei der ihm untergebenen geistlichkeit einzuführen, der ketzerei angeklagt. Die venetianische regierung, welche gerade damals den papst Pius IV ersucht hatte, ihm den purpur zu verleihen, setzte durch, daß die sache von der inquisition hinweg, dem tridentinum übertragen wurde, das nach 24tägiger berathung erklärte, die schriften Grimanis seien nicht ketzerisch, aber wären besser nicht veröffentlicht worden. † 1592. S. Mc Crie, geschichte der reformation in Italien 176.

mentia) me litteris monere, mihi opus esse ampliore lavatione, sustinui usque ad numerum 130 horarum, quæ mihi videntur meæ complexioni sufficere. Debilitatus enim sum mirandum in modum, eruperuntque in parte sinistra tantum (cum tamen laborem in dextera) signa, quæ ostendunt vim ipsius aquæ. In summa videtur mihi profuisse, stomacho imprimis. Bibi etiam quotidie sesqui mensuram. Discedam cras mane et Tubingam ibo (si Deus voluerit) ibi statim dabo describenda, quæ iu aquis de concilio [1] dictavi, mittamque aut feram egomet ad Vestram Illustrissimam Celsitudinem. Spero, me non inutilem operam navasse. Incipiens enim a Clemente VII collegi, quid reliqui papæ egerint in causa concilii, et declaravi etiam quædam, quæ videbantur obscuriora his, qui res Romanas non noverunt-ita familiariter; futurum autem existimo stupidum et valde rudem, qui non inter legendum agnoverit, istos antichristos lusisse cum concilio et noluisse revera veritatem investigare, sed aliquot convocare episcopos, ut viderentur concilium celebrasse, ut Cæsari scilicet, regibus et quibusdam principibus imponerent extorquerentque exercitus pro executione concilii, quod non fecissent, nisi concilium præcessisset. Valde iniquo animo ferent adversarii, ubi viderint, hæc fuisse a me prolixius et clarius patefacta, quam ab ullo unquam fuerint, quod mihi liceat modeste dixisse.

Sustinui hic aliquanto minorem sumptum, quam in Badensibus, sed tamen Geppingenses quoque didicerunt partem ædium locare satis care, aliquot florenis in septimana, cum multi et plures quam antea soleant confluere, sed fiat voluntas Domini; spero, Vestram Illustrissimam Celsitudinem non derelicturam me. Nam istos extraordinarios sumptus, nec parvos revera, non possum ferre, sed fiat voluntas Domini (dico iterum). Saltem non dubito, quin post tot labores vitæ atque incommoda et cruciatus sim quietem et pacem in vita æterna consecuturus, et quidem brevi, hæc me spes consolatur atque sustentat. Interea videt Pater cœlestis, me nihil aliud dies noctesque cogitare, (qualiscunque sim), quam de ejus gloria promovenda, et nullam habere aliam voluptatem, nullam omnino, quam versari in his, quæ ad eum pertinent. Commendo me reverenter Illustrissimæ Celsitudini Vestræ. Oro æternum Patrem, ut illi et toti familiæ augeat suos divinos thesauros, spiritum et fidem

*

1 S. n. 128.

per Christum dominum nostrum.

Datum Geppingæ XIII Octobris 1561.

Postscripta.

Accepi litteras ex Helvetia, quibus mihi significatur, prodiisse Petri Martiris[1] dialogum de eucharistia contra Pantachum, quo nomine ajunt dessignari d. Brentium. Ipse vocatus est in Galliam instantibus conspiratis, est conspiratio inter ipsos (ut scripsi) a qua cavendum est. Significatur præterea, cardinalem Ferrariæ[2] manibusque pedibusque laborare, ut Galliarum colloquium impediat, affirmando scilicet, jam esse congregatum universale concilium. Quare consultissimum esset, si jam prodiisset meus, quem adornavi, de concilio liber. Utar diligentia, ut primo quoque tempore possit in Galliam pervenire.

Audio præterea, legatum Papæ et regis Hispaniarum jam venisse Curiam Rhætorum, ut urgeant ejectionem concionatorum evangelicorum, cum tamen scriptum mihi fuisset, non venturos amplius[3]. Quare cogitabo, quid mihi ea in re agendum fuerit.

Illustrissimæ Celsitudinis Vestræ servitor

Vergerius.

Von des herzogs hand: will seines schreibens de concilio von ime gewerttig sein; waß die andere handlung belangt, hatt es sein weg. Petrus Martir wirdet auch seine respondenten finden. Schicke ime hiemit bey briefs zeigern ain badtgeldt; here gern, das er sich woll des badts befinden thuet, wirdet sich von tag zu tag verhoffenlich bessern.

132.

Verger an herzog Christoph.

Tübingen 22 October 1561.

Empfiehlt dem herzog 2 Preußen, welche in Tübingen studieren wollen. Nachrichten über seine gesundheit.

*

1 S. n. 128. Martyr schrieb, veranlaßt von den züricher theologen, gegen die ubiquitätslehre von Brenz: Dialogus de utraque in Christo natura, Zürich 1561. Die beiden personen des dialogs heißen: Pantachus und Orothetes. S. Schmidt, P. Martyr Vermigli 238 f.

2 S. n. 128.

3 S. n. 115 und 130.

Illustrissime Princeps et Domine Domine Clementissime!

Heri vesperi accepi ab illustrissimo Prussiæ duce litteras. Agit quidem mecum nonnullis aliis de rebus, sed interim commendat mihi duos adolescentes [1], consiliarii sui filios, huc missos cum pædagogo, ut litteris dent operam. Non deero illis omnibus in rebus, in quibus potero. Scio enim, me Illustrissimæ Celsitudini Vestræ rem gratam facturum, non modo illustrissimo Prussiæ duci.

Spero, hac septimana amanuensem absoluturum, quæ collegi, et quæ scripsi in thermis Göppingensibus de concilio [2]. Statim antem cuperem egomet ad Vestram Illustrissimam Celsitudinem, ut quædam etiam reverenter conferrem, tantum supplico, ut dignetur mihi significare, num domi futura sit et vacaverit illi me audire, pro sua clementia, per unam duntaxat horam.

Ego per Dei gratiam aliquanto melius habeo; profuerunt enim proculdubio thermæ, præsertim stomacho. Laudetur Deus. Ego non aliam ob causam sum utcumque sollicitus de valetudine recuperanda (si Deus voluerit), nisi ut possim pro virili mea parte inservire ecclesiæ Christi. Commendo me reverenter Vestræ Illustrissimæ Celsitudini. Cœlestis Pater augeat illi suos divinos thesauros, spiritum et fidem per Christum dominum nostrum.

Datum Tubingæ die 22 Octobris anno 1561.

Illustrissimæ Celsitudinis Vestræ servitor

Vergerius.

Hinten von des herzogs hand:

belangendt die 2 junge Preusen sollen sye bey der schuell in meinem schutz und schirm sein;

wan er zu mir will, wirdet er mich biß dinstag, so das ist das festum Simonis et Jude, albie zu abendt finden;

das ime das badt wol bekhumbt, here ich gern.

133.

Verger an herzog Christoph.

Tübingen 23 October 1561.

Dankt für ein geschenk von 100 fl. Über die forderungen des

*

1 Vergers antwort auf den brief des herzogs von Preußen ist vom 28 October 1561. Die beiden jünglinge waren grafen von Nostiz, s. Sixt 576 ff. S. br. 164.

2 S. n. 128.

spanischen gesandten in Graubünden. Nachrichten über das colloquium in Poissy.

Mit einer beilage, die forderungen des spanischen gesandten in Graubünden enthaltend.

Illustrissime Princeps et Domine Domine Clementissime!

Accepi heri Vestræ Illustrissimæ Celsitudinis litteras simul cum honorario munere ad balnea centum florenorum [1]. Gratias ago immortales. Benedictus Deus, qui non deserit suos; cum mihi constituti sint ducenti floreni pro annua pensione, non possem me revera sustentare, nisi Illustrissimæ Celsitudinis Vestræ pietas aliquando succurreret [a]. Rependat illi Dominus.

Legatus regis Philippi erat venturus ad Rhætos [2] propter duas causas. Altera erat, ut avelleret Rhætos ipsos ab amicitia et pensionibus Gallicis et ad se traheret, ut illi liceret, ex Mediolano educere per ipsam Rhætiam milites in Germaniam, quando opus fuisset, et habere illam commoditatem ipsorum Rhætorum, qui ipsi militarent. Hæc erat una causa. Altera vero, ut peteret, ut dimitterentur omnes exules propter evangelium, præsertim vero concionatores, qui se contulissent in illas Alpes. Venit itaque Hispaniarum regis legatus Curiam, et cœpit negotiari, incipiendo a posteriore negotio, et nullum hactenus verbum fecit de priore, sed si fiet, statim significabitur mihi, et significabo Vestræ Illustrissimæ Celsitudini omnia. Existimo, ipsum legatum minime petiturum nunc tam multa a dominis Rhætis, sed contentum futurum, si prius experiatur in articulo de religione, præsertim cum habeat sibi adjunctum Papæ etiam legatum. Quid autem in causa religionis petierit, mitto [b].

Revera fuit ad me scriptum, quod Angliæ regina miserit sex suos theologos ad colloquium Gallicum [c]; miror, quod Vestra Celsitudo Illustrissima scribat, id sibi non fuisse significatum. Scripsi heri, jam esse pæne absoluta, quæ de concilio dictavi, et cupere me accedere, cum primum Celsitudinis Vestræ litteras habuero, quæ mihi significet, an Stutgardiæ futura sit, et vacet me audire.

Audio, Ferrariæ cardinalem crucem gestare in Gallia; cum vero iter faciat, audiri subinde voces, quæ dicunt: Renard, Renard, hoc

*

1 Vgl. n. 131.
2 S. 115.

est, vulpis, vulpis, (Vestra Illustrissima Celsitudo melius novit), nec posset vox accommodatior proferri in cardinalem illum [d] [1]. Commendo me Illustrissimæ Celsitudini Vestræ. Oro æternum Patrem, ut illi augeat suum spiritum per Christum dominum nostrum.

Tubingæ 23 die Octobris 1561.

Illustrissimæ Celsitudinis Vestræ servitor

Vergerius.

Beilage.

Postulata legati papalis et legati Philippi Hispaniarum regis ad dominos Rhætos [2].

1. Quod expellantur ab omnibus eorum dominiis omnes prædicatores evangelici, qui ex Italia venissent.

2. Quod expellantur omnes Itali, missi in exilium propter religionem, tum ex valle Tellina, tum ex aliis suis dominiis, neque amplius acceptetur ullus.

3. Quod priori et monachis terræ, quæ appellatur Morbegno, restituantur sua privilegia, et quod possint mittere suos monachos, qui prædicent, ubi voluerint.

4. Quod mittant suos oratores ad concilium Tridentinum.

5. Quod recipiant Jesuitas.

6. Quod aboleant typographiam institutam in terra Pusclavii.

7. Quod comburantur omnes libri, qui loquuntur contra Papam.

8. Quod restituatur integre sua jurisdictio episcopo Comensi, et quod se non impediant neque habeant autoritatem in personas ecclesiasticas, tam in civili quam in criminali, neque faciant eos solvere tributa, sed sinant eos frui sua spirituali libertate.

9. Quod restituatur sua dignitas Papæ, et quod si miserit suas bullas et indulgentias in illa dominia, recipiantur habeanturque in honore atque veneratione.

Am rande von des herzogs hand:

a Hatt sein weg.

b waß des pabst und künigs von Hispania bottschaffter bey den Retis werden außrichten, ist zu erwartten, wa die sachen an posteriori

---

1 Ein silbernes kreuz wurde ihm bei seinem einzug in Paris vorgetragen und damals rief ihm schon die bevölkerung, Renard, Renard zu. S. n. 128.

2 Ausführlicher siehe diese artikel de Porta II, 369.

artticulo wirdet angefangen, ist woll zu vermuetten, das weder der ain noch der ander nit werde bewilliget.

c Ich hab zeittung auß Gallia, die predicanten haben sambt Petro Martiri bewilligt, die Augspurgische confession anzunemen; ist von der kunigin wittib und kunig von Navarra an die prelaten, des seindt die versamblette papisti geistlichen, begert worden, das die sye auch wolten annemen, dan sye etzlicher massen sich solches zu thuen veruemen lassen, sover die predicanten solche auch annemen wollen, aber sye haben es rundt abgeschlagen, und ist die kunigin sambt dem kunig von Navara des vorhabens, sye, die prelaten, nit von ainander zu lassen, sye haben sich dan endtlich erclert, und wirdet vermuettet, das ain religionsfriden werde angestelt, wie jetzt in dem reich gehalten, es gehalten wirdet. Auss Engellandt ist khein predicant for 14 tagen noch in Franckreich ankhomen, so ist von teutschen fürsten niemandt ersuecht worden predicandten hineinzuschicken, dan Pfaltz und ich, hatt der pfaltzgraff churfürst den Boccovinum und Michaellum Tillerum [1] hineingeschickht; meine theollogi seindt meines verhoffens den 17 [2] tag diss monats alda ankhomen.

d Der cardinall von Ferrar ist mit unwillen von dem hoff abgescheiden, hatt fulmina et excomunicaciones bracht wider die geistlichen, so da wolten in ennderung der religion consentieren, versiehe mich innerhalb 4 tagen zeittung von meinen theollogis zu haben. Actum.

Auf dem rücken: Waß zu schreiben, ist hier innen verzeichnet.

134.

Verger an herzog Christoph.

Stuttgart 30 October 1561.

Schreibt über das concil in Trient, und daß er im sinne habe, eine schrift darüber, an die Venetianer gerichtet, zu veröffentlichen; hält es für nothwendig, einen gesandten nach Graubünden zu schicken, um den umtrieben des papstes entgegenzutreten und erbietet sich dazu; über den cardinal von Ferrara.

Illustrissime Princeps et Domine Domine Clementissime!

Cum Vestra Illustrissima Celsitudo dignata fuisset mihi (pro sua

---

1 Peter Bouquin und Michael Dilher waren von dem reformiert gesinnten Friedrich III abgesandt worden, um den lutherischen theologen entgegenzuwirken. S. Baum, Beza II, 421.

2 Die Württemberger kamen erst am 19 an.

3 9 October sprachen die prälaten das feierliche anathema über die reformierte abendmahlslehre aus; Baum II, 399.

clementia) respondere, quod deberem Stutgardiam venire die Simonis et Judæ, litteræ fuerunt mihi redditæ postridie Simonis et Judæ,
et cum Stutgardiam nihilominus venissem, audivi, Vestram Celsitudinem profectam esse in venationem. Fiat voluntas Domini, non
est dubium, quin hoc quoque fuerit ab Aeterno ordinatum; ipse scit
causam, qui omnia suaviter disponit. Nam si capilli capitis numerati
sunt, cur non affirmemus, eum de aliis rebus, quæ videntur minima,
curam habere?

Subsistam hic, dum Vestra Illustrissima Celsitudo redierit, verum anticipabo, et quamobrem colloquium petierim, paucis aperiam,
dicturus pluribus coram.

Papa semper mihi fuit suspectus, ne de armis potius cogitaret,
quam de concilio, quod me nuper movit, est hujusmodi. Non est
dubium, quin omnes reges, omnes principes, omnes respublicæ, quas
ille potest adigere, ut suos ad concilium legatos mittant, cum primum statuerint de mittendo, laudent concilium pro legitimo et sancte
instituto, se illis subjiciant, et promittant se adjuturos executionem
armis. Quare ille maledictus antichristus potuit sua potentia suis-
que practicis a principe Venetiarum et ab universa illa republica
obtinere, ut legatos ad concilium et constituerit mittere, et jam
elegerit dominum Matthæum Dandulo et dominum Nicolaum de Ponte.
Negotium mihi videtur haud parvi esse ponderis. Nam universa
respublica christiana visura est hoc maximum præjudicium veritati,
nempe quod hactenus illustrissimi imperii principes inique fecerint,
cum Papæ concilium recusarint. Papa autem æquissime cum suo
modo indixerit, verum quidem est, quod nemo ex electis subducetur
aut decipietur, sed tamen res est contemnenda. Ego ad ipsum serenissimum Venetiarum principem litteras concepi italice [1] (nec tamen misi) deinde in Latinum verti, ut Illustrissima Celsitudo Vestra
possit consilium dare. Spero, quod, qui legerit, animadvertet, concilium fuisse iniquissime indictum et iniquissime adornari. Ipsi fortassis domini Veneti oculos aperient, (si fuerint moniti) et reliqui
quoque Christiani, nec existimabunt, Vestras Illustrissimas Celsitudines sine magna causa recusasse, et diserte dixisse tum Numburgi

*

1 Vgl. n. 128. Sixt führt 600, 75 eine lateinische schrift an: Quid
de universali concilio exspectandum sit? epistola ad dominos Venetos,
hat sie aber nur aus einer notiz in einem briefe Vergers.

tum antea aliquoties, quod nolint a decretis comitiorum discedere. At boni Veneti censent, non esse standum comitiorum decretis, sed ᐧPapæ libidini.

Vestra Illustrissima Celsitudo, cum longæ sint noctes, neque adsint istic tot negotia, quot Stutgardiæ, dignabitur meam, de qua dixi epistolam considerare, ut cum redierit, possit mihi statim dicere suam sententiam. Illam enim et non aliam sequar, proderit eadem epistola etiam Galliæ atque aliis regnis (si Deus voluerit) fortassis erit in aliquibus locis emendanda, sed tota mihi quidem non videtur projicienda.

Scripseram de legato Papæ, qui esset in Rhætia [1] (hoc est alterum ᐧnegotium) et urgeret inter alia, ut illi quoque domini legatum ad concilium mitterent. Vult enim Papa plures habere, qui illum armis juvent in exequendo concilio, post alias accepi litteras, quibus significatur, quod die Martini proxima futura sint Curiæ comitia, ubi responsum dabitur. Solent esse septuaginta (plus minus) qui solent ista responsa concinnare. Norunt omnes italice. Meum est consilium, quod reverenter dico, quod Vestra Illustrissima Celsitudo, ut christiana, ut vicina, ut ea, quæ profecto amatur ab illis populis (quod possum affirmare, cum illic degerim per biennium, et scio, me habere multos amicos, prædicaverim spero cum aliquo fructu) quod Vestra Illustrissima, inquam, Celsitudo deberet quempiam ex suis eo mittere, qui hortaretur ad constantiam, neque flecterentur practicis Papæ. Dico enim ingenue, me metuere a corruptione. Hoc me terret et non aliud. Novi ingenia. Novi esse pauperes et antichristum divitem atque astutum, novi item, quod multi sunt illic adhuc papistæ, et quidem ex primoribus (meo autem judicio); confirmabuntur boni Rhæti, si viderint, se a tali et tanto principe animari. Permagnum esset incommodum, si Rhætia prolaberetur in papatum. Est enim vicina et per Rhætiam multo citius potest in Germaniam exercitus educi ex Italia, quam per alia loca, præterquam quod ex ipsa Rhætia colliguntur robusti atque animosi milites. Absit, ut relaberentur ad vomitum. Sed aliquid agendum est, ne revera relabantur. Quare Vestra Illustrissima Celsitudo cogitet, quid agendum. Non desunt illi servitores prudentes viri, qui possint hoc officium præstare, sed tamen ego (qualiscunque sim) non

1 S. n. 115.

recusabo, si opus fuerit. Sunt viginti duo milliaria. Iter est per
Lindaviam, et partim mala, partim bona est via. Quod scribo, quia
non esset tardandum.

Constitueram accedere ex me (sicuti Vestræ Celsitudini dixeram)
sed longe consultius putavi, si cum litteris Vestræ Celsitudinis accederem. Dextre tamen et non ita publice agerem (si videretur).
Sed tamen Celsitudinis Vestræ consilium sequar, si accedendum fuerit
ex me, vel cum litteris, si publice aut clanculum, quamquam non
video, quid esset timendum, si res publice ageretur pro Christo.

De hoc quoque negotio dignetur cogitare. Deo quidem esset pergratum, apud homines vero perhonorificum, sustentare scilicet bonos
viros, ne ab antichristi auro corrumpantur.

Dixi duo negotia. Tertium non est, quod pluribus verbis de-
clarem, quod hujusmodi est. Cardinalis Ferrariæ [1] propterea furi-
bundus sua fulmina excommunicationum ejaculatus est, quia non
fuit intermissum colloquium propter promissionem universalis concilii, quam ille jactabat, quale vero hujusmodi concilium existat,
quod a legato præponitur, spero, me quinquaginta circa arcubus pa-
pyri commonstrasse [2]. Cœpi enim a Clemente VII et malas artes,
quibus tum ille, tum alii papæ in materia de concilio usi fuerint,
indicavi, quod proderit Venetis quoque, qui judicium fecerunt, quasi
Papæ fiat injuria, si ejus enormissimum concilium recusetur. Veni
itaque, ut etiam hunc meum laborem Vestræ Celsitudinis consilio
subjicerem. Pater cœlestis monet me suo spiritu, quod satis bonam
operam navaverim, quod sit ad gloriam ejus, si sic est. Judicium
penes Illustrissimam Celsitudinem Vestram est.

Subsistam exspectando Stutgardiæ. Verum si mittendum esset
ad dominos Rhætos, non esset morandum. Nam festum Martini est
11 Novembris, et cras adest nobis ultimus Octobris dies, nec pau-
cioribus diebus quam quinque aut sex quis potest se eo conferre.
Mihi magnum negotium videtur, sed Vestra Celsitudo plus videt.

Commendo me reverenter Illustrissimæ Celsitudini Vestræ. Cœlestis pater augeat illi suos divinos thesauros, spiritum et fidem per
Christum dominum nostrum.

Datum Stutgardiæ penultimo Octobris 1561.

*

1 S. n. 128.
2 S. n. 128.

20 *

Illustrissimæ Celsitudinis Vestræ servitor

Vergerius.

135.

– Verger an herzog Christoph.

Tübingen 4 December 1561.

Schickt einen brief an die herzogin von Ferrara; hat immer noch die absicht, entweder nach Frankreich oder nach Graubünden zu gehen.

Illustrissime Princeps et Domine Domine Clementissime!

Vestra Illustrissima Celsitudo cum in Galliam scripserit, dignetur has meas, quas mitto litteras, ad ducissam Ferrariæ[1] una mittere.

Mane misi peculiarem nuntium ad Curienses[2] et Lindavienses, ut sciant, se a Vestra Illustrissima Celsitudine non contemni, et puto, me dextre scripsisse, dum fortassis ipsamet scribat, si dignabitur.

Mitto memoriale, quod illa dignata est mihi dicere, ut conscriberem pro quodam puero[3].

Exspectabo, ut Vestra Illustrissima Celsitudo remittat ad me librum meum manuscriptum de concilio[4], suo scilicet commodo.

Oravi Patrem cœlestem, qui me suo spiritu moneret, num revera esset mihi in Galliam[5] eundum, tandem constitui, me velle, quocumque me vocat cœlestis Pater, proficisci pro gloria ejus.

Si vero aliquod videbitur apparere impedimentum, conferam me libenter in Rhætiam, ubi animadverto, me posse multis modis servire ecclesiæ per aliquot menses. Commendo me reverenter Vestræ Illustrissimæ Celsitudini. Cœlestis Pater augeat illi suos divinos thesauros, spiritum et fidem per Christum dominum nostrum.

Datum Tubingæ 4 Decembris 1561.

Vestræ Illustrissimæ Celsitudinis servitor

Vergerius.

*

1 S. n. 2 und 136.

2 S. n. 115 und 134.

3 Die randbemerkung von herzog Christoph zu brief 136 gibt darauf antwort.

4 S. n. 128.

5 S. n. 127 ff.

136.
Verger an herzog Christoph.
Tübingen 5 December 1561.

Nachrichten aus Italien, besonders über den papst.

Illustrissime Princeps et Domine Domine Clementissime!

Scripsi quidem heri ad Illustrissimam Celsitudinem Vestram, sed cum hodie acceperim ex Italia litteras, scribo hodie quoque.

Romæ Galliarum regis nomine petitum nuper fuit, ut liceat, in eo regno dare integram communionem (satis tenuia). Valde autem conturbati fuerunt Papa et patres in consistorio et tota aula, ut non potuerint uno die definire, ut res ad aliud consistorium fuerit redacta (sic enim sonant litterarum ad me verba), Galliarum orator mane petivit in consistorio cum maximo totius aulæ scandalo, ut liceat in eo regno communicare sub utraque specie [1]. (Quid facient, si majora tentaverint?) In eodem consistorio cardinalis de Emps [2] fuit creatus ad concilium legatus. (O præclarum legatum eruditione præsertim, cum rudissimus litterarum sit!) Sed dico, Illustrissime Princeps, quod isti aliquid monstri alunt. Vult enim Papa, ut cardinalis miles suus nepos ultra montes consistat, hoc est quod dixeram, quod Papa eum litteris monuisset, ne ex Germania discederet. Mala mens, malus animus illius bestiæ Romanæ, aliquid insidiarum molitur, et, quod semper dixi, metuo, ne tandem in bellum irruat. Attendat Vestra Celsitudo (ad quem potissimum spectat) ad omnia. Nuntiatur etiam ex his litteris, d. Gabrium et alium quendam missos fuisse, quasi visitarent fertilicia Romanæ sedis et illuc quoque suspicantur multi eos missos fuisse ad describendos milites.

Jam intellexerant, intellexerant jam dico Romæ, quid actum fuisset apud meos Rhætos seu Grisones [3]. Audierat jam Papa, se fuisse repudiatum, et nolle ad concilium illos accedere, sed accessuros, ubi audierint legitimum futurum concilium. Suspicantur id, quod est revera, Vergerium nescio quid fecisse in hac causa, cum

---

1 Daß von Frankreich dies in Rom ernstlich gefordert wurde, ist zweifelhaft.

2 Markus Sittich, graf von Hohenems, neffe von Pius IV, seit 1561 bischof in Constanz, später cardinalbischof und päpstlicher legat beim concil, † 1589.

3 S. n. 115.

supervenisset, nescio unde. Quare auctum est eorum in me odium,
et nunc demum persuadeo mihi, me habere benevolentiam Dei et
Christi, quod habeam antichristissimi odium majus quam antea.
Fateor, Illustrissime Princeps, me adhuc ad illam Rhætiam pro gloria
Dei suspirare, ubi multa me posse proficere sperarem, quamquam
illud unicat, quod a Vestra Celsitudine audivi, quod in Gallia non sint
bene informati (propterea vero petant a Papa, ut utramque speciem
concedat). Cur a Papa peteretur, quod Christus instituit? ut Vestra
Illustrissima Celsitudo illustrissimo d. Bavaro duce mihi dixerat, se
dixisse, cur etiam rem tam parvam peteret (hoc est utramque speciem) Gallia? cum multo majora (si modo petenda) censerem nunc
petenda.

In Italia publica fama est, quod concilium non debeat ulterius
progredi, sed dissolvi, hoc est abire in malam rem, quod faciat Dominus.

Romæ agitur causa coram antichristo de regno Navarræ [1] ant
de parte ejus, qui legatum misit ea de re quempiam episcopum.
Deum immortalem, quid Navarræ regi cum Papa? Cur non illum
excitat aliquis? Metuo profecto, ne, cum a Papa pendeat, non au-
deat serio pro Christo agere.

Jesuita quidam erat factus in aliquo monasterio Venetiis præfectus; cum vero audiret confessiones, persuasit, esse peccandum, ut
daretur occasio pœnitentiæ, peccavit (salvo honore) sane cum multis,
redditæ sunt gravidæ aliquot, faciebant abortivum, reddito a Jesuita
quodam pulvere, aut si qui nascebantur infantuli, solebant suffocari.
Senatus Venetus re intellecta non ad ecclesiasticos remisit, quod
solet, cum rasus et unctus accusatur, sed ipsemet senatus sententiam
tulit, ut scilicet combureretur recta. Ii sunt vere hæretici et fla-
gitiosissimi Jesuitæ, ut est Canisius.

Nec plura in meis litteris significantur, quas scio a probatis
viris et veræ fidei mihi fuisse conscriptas, et possunt affirmari (meo
judicio) pro veris.

Commendo me reverenter Vestræ Illustrissimæ Celsitudini. Cœ-

*

1 S. n. 107. 142. Gerade die verhandlungen über sein königreich
führten Anton wieder ganz auf die katholische seite; die rückgabe
desselben war die lockspeise, welche Rom und Spanien dem leichtgläu-
bigen herrscher stets vorhielten.

lestis Pater augeat illi suos divinos thesauros, spiritum et fidem per Christum dominum nostrum.

Datum Tubingæ 5 Decembris 1561.

Illustrissimæ Celsitudinis Vestræ servitor

Vergerius.

Randbemerkung von des herzogs hand:

·a Sovill dise zeittung belanget, welches der weldt lauff ist, hatt seinen weg; aber mein bedenckhen und ratt ist, das er, Vergerius, noch verzieche, biß ich widerumben botschafft auß Franckreich haben werde. Ich hab sein bericht und bedennckhen, waß er bey den Retis vernomen, dem kunig von Navarra zugeschickht, ime darbey vermeldet, das mich für gutt ansehe, das die Reti in officio et federe cum regi Gallie erhalten würde, mich sehe auch für gut an, das der kunig von Navarra Vergerium zu sich beruffen ob multas causas, versiche mich darauff, das sollichs beschehen werde [1]. Das schreiben an die hertzogin von Ferrar [2] hab ich auch ir uberschickbt. Sovill den jungen des pastori in Lustenau vetter belanget, will ich mich in kurzem resolvieren [3]. Dergleichen auch ime mein bedenckhen des buechs halber [4], so er mir zugestelt, schreiben mit zusendung des buechs. Ich versich mich, das meine theollogi intra biduum albie ankhomen werden.

Auf dem rücken ebenfalls von des herzogs hand: Waß zu schreiben, ist ad marginem gezeichnet.

*

137.

Verger an herzog Christoph.

Tübingen 12 December 1561.

Bittet den herzog um eine unterstützung für italiänische geistliche in Graubünden und ebenso, daß er einen sohn des grafen Julius von Thiene an seinen hof nehme. Nachrichten über seine gesundheit.

Illustrissime Princeps et Domine Domine Clementissime!

Cum nuper Illustrissima Celsitudo Vestra Tubingæ adesset, commendaremque diligenter duo negotia, quæ mihi valde essent cordi, ab illis concedendis (pro sua clementia) non est visa mihi aliena. Verum dixit, se velle deliberare, ac dignata est mihi dicere,

*

1 Es kam nicht dazu. Anfang 1562 trat Navarras hinneigung zur katholischen parthei immer deutlicher hervor.

2 S. n. 135.

3 S. n. 135.

4 S. n. 128.

quod scriptis litteris adducerem ea in memoriam post paucos dies;
quod nunc Celsitudinis Vestræ clementia fretus faciam.

Alterum negotium erat, quod in mea Rhætia (meam enim jure
appello, quod cum sit illic usus linguæ Italicæ et pars Italiæ cen-
seatur cumque evangelium arripuerit) existant XVI fere verbi Dei
ministri [1], profugi ex Italia, boni Christiani, et in summa inopia de-
gentes; eos ego a Deo monitus Vestræ clementiæ atque pietati
per viscera domini nostri Jesu Christi commendabam, ut scilicet
distribueret inter eos, qui sunt pauperiores, aliquot florenos, et simul tres aut quatuor illorum filios colligeret, qui vel in pædagogio
Stutgardiano vel in monasteriis vel in stipendio collocarentur. Affirmo, Clementissime Princeps, quod nulla in terris posset esse gratior Deo eleemosyna. Quare supplex et reverenter intercedo, per
eundem Patrem cœlestem atque per Filium et Spiritum sanctum,
ut dignetur eam elargiri, et refocillare eos filios Dei et Jesu Christi
fratres. Scio quidem, me aliam per Dei gratiam ab Illustrissima
Celsitudine Vestra impetrasse eleemosynam in exules Angliæ, qui
Argentinæ ante aliquot annos commorabantur, sed hæc inter ministros Rhætos pauperiores (ut dixi) dividenda mihi videretur longe
melior et Deo gratior. Jam agat Illustrissima Celsitudo Vestra, ut
voluerit, ego, quod mihi Spiritus sanctus suggessit, libenter feci;
plura non possum.

Alterum vero negotium erat de filio generosi d. comitis Julii
a Thiene Itali [2], qui Tubingæ aliquamdiu mecum commoratus est,
et quem Vestra Illustrissima Celsitudo non recusasset in servitorem
accipere (pro sua clementia) nisi alio illi fuisset eundum. Hic igitur
per me summum ejus amicum petierat, ut liceret illi filium XV aut
XVI annorum collocare in Vestra aula. Novit germanice utcumque
et discet quotidie. Præstabuntur vero a generoso domino parente
omnia, quæ adolescentes nobiles in aulis solent habere. Hoc erat
inquam alterum ex negotiis. Non possum dicere, istud esse mihi
usque adeo cordi, ut prius existit. Nam unum caritatem Christi
spectat, ut scilicet subveniatur pauperibus membris Jesu Christi;
aliud vero spectat magis ad civilem quandam hujus mundi amicitiam,

*

1 S. n. 138; über die den Engländern gereichte unterstützung
s. n. 19.

2 S. n. 36.

et tamen hoc quoque gratissimum mihi esset futurum, si obtinerem, quod pluribus coram dixi. Dixi de utroque. Exspecto librum de concilio.

Si ad dominos Rhætos[1] erunt ullæ litteræ illustrissimorum principum mittendæ, non inconsultum videretur, ut per unum ex meis, qui linguam et mores hominum et meos amicos norit, mitterentur. Nam puto, me habere idoneum.

Caput, stomachus et totum dexterum latus, quod fuerat paralysi contactum, melius (per Dei gratiam) habet, quam hactenus habuerit, sed sinistrum pedem podagra invasit, quæ tamen non solet esse nisi paucorum dierum hospes.

Permaneo in ea sententia, quam Vestra Illustrissima Celsitudo dignata est mihi communicare, quod scilicet mihi in Galliam eundum sit, qua in re fiat voluntas Domini[2]. Non dubito, quin Vestra Clementia sit litteris significatura, si quid, quod ad hanc rem pertinet, scriptum inde fuerit. Commendo me reverenter Illustrissimæ Celsitudini Vestræ. Coelestis Pater augeat illi et toti familiæ et toto regno suos divinos thesauros, spiritum et fidem per Christum dominum nostrum.

Tubingæ XII Decembris 1561.

Illustrissimæ Celsitudinis Vestræ servitor

Vergerius.

Auf dem rücken von des herzogs hand:

Hab ime auff alle puncten zuvor geantwurtt, allein des graffen von Thiennen son nit, welcher noch an dem hoff zu sein ettwaß jung ist, dieweill er nur 16 jar; wa er aber umb seine 18[3] jar würde, wolte ich seinem vattern zu gefallen mit 3 oder 4 pferdten annemen.

138.

Verger an herzog Christoph.

Tübingen 21 December 1561.

Über seine reise nach Frankreich, sein buch über die concilien, die italiänischen flüchtlinge in Graubünden, den sohn des grafen Julius von Thiene.

*

1 S. n. 136. 150. 151. 152. 153.
2 S. n. 136.
3 17 oder 18? letzteres eher.

Illustrissime Princeps et Domine Domine Clementissime!

Mane dumtaxat accepi reverenter Illustrissimæ Celsitudinis Vestræ litteras binas diei 10 hujus mensis, simul cum responsione ad meum memoriale in causa ministrorum exulum, qui sunt in Rhætia, nec non cum meo libro, quem de concilio scripsi. Gratias ago maximas pro tanta clementia. Respondebo breviter ad omnia.

Consultissimum est, quod ad meam profectionem in Galliam[1] attinet, ut responsum novissimi nuntii exspectetur, imo necessarium est. Exspectabo itaque etiam libenter, dum impetus bīemis desæviat, deinde quia interea nonnulla colligo, quæ prorsus faciunt ad Galliam. Sit ergo conclusio in nomine Domini, ut exspectemus.

Quantum ad librum meum[2] attinet, nihil mihi potuisset contingere jucundius, quam ne nunc in publicum evulgaretur per typos, si mihi in tractanda materia usui aliquando esse debet, ut spero futurum. Quare libenter hunc manu scriptum ad reginam matrem et ad regem Navarrum apportabo, gratius munus futurum, quam si impressum dedissem et multo gratius atque commodius.

Quod ad pauperes ministros[3], qui sunt in Rhætia, ex Italia profugos attinet, accepi ducentos florenos inter illos distribuendos. Illustrissime Princeps, Deum testor, me ingenti lætitia fuisse perfusum in intimis visceribus, eorum scilicet nomine, qui reficientur tamquam membra vera Jesu Christi. Nihil dubitet Illustrissima Celsitudo Vestra, quin pecunia sit summa fide et summa etiam justitia distribuenda. In animo habeo, mittere unum ex meis, qui novit omnes, atque distribuat. Laudetur Deus per Jesum Christum. Lætabuntur vero et gratias agent Patri cœlesti, non modo ministri ipsi, verum etiam tota illa regio cum maxima Celsitudinis Vestræ laude et gloria.

Curabo, ut tres adolescentes eorundem ministrorum filii in scholam adducantur, ut Vestra Deo gratissima eleemosyna sustententur et ad ecclesiarum gubernationem instituantur[*].

Credo, me respondisse ad omnia. Exspectabam simul ut de filio generosi comitis d. Julii a Thiene Itali[4], an scilicet dignaretur eum in aulam accipere, sed crediderim excidisse memoria[b]. Quare supplico, ut de eo quoque dignetur mihi responsum dare et con-

1 S. n. 128.
2 S. n. 128.
3 S. n. 137. 142.
4 S. n. 137 und 36.

cedere pro sua clementia, quod idem generosus dominus comes et
ego ardenter cupimus.

Puerum domini pastoris in Lustnau ᶜ etiam commendaram [1] ét d.
Stephanum Coletum humanarum litterarum professorem, cujus nomine Vestra Illustrissima Celsitudo manu scripserat sua.

Mitto duo scripta, alterum latine, alterum germanice ejusdem
tamen argumenti ᵈ, Vestra Clementia dignetur degustare. Spero, me
16 hujusmodi in Galliam portaturum (nam tot scripsi de concilio
Tridentino italice epistolas), quibus spero me illas imposturas tra-
duxisse atque patefecisse.

Non possum ante proximum diem Mercurii unum ex meis ablegare, qui pecuniam ferat in Rhætiam. Constitui enim mittere, sed
die Mercurii mittam omnino, si interea illustrissimi principes [2], ad
quos Vestra Celsitudo dicebat se scripsisse, fortassis aliquid de rebus Rhætorum respondissent. Sciat Illustrissima Celsitudo Vestra,
meum usque diem Mercurii affuturum exspectaturumque, imo per
diem natalicium quoque. Commendo me reverenter Illustrissimæ
Celsitudini Vestræ. Pater cœlestis illi augeat suos divinos thesauros, spiritum et fidem per Christum dominum nostrum.

Datum Tubingæ die 21 Decembris 1561.

Illustrissimæ Celsitudinis Vestræ servitor

Vergerius.

Von des herzogs hand am rande:

a Wass hieoben vermeldet, bedarff alles kheiner anntwurtt.

b Hab ime verschiner tagen darauff auch geanntwurtet.

c Dergleichen dises halber.

d Diß scriptum belangendt, hab ich zway bedennekhen, darinnen
das erste da affirmiert wirdet, das die patres concilii begert haben,
absolvi ab juramento pontificis, wiewoll es geschriben, so ist doch
noch nit tutum, das es beschechen sey, dieweill solche zeittung nit
beharren, und waß der babst darauff zu anntwurt geben habe, und ob
er sich auch dem concilio submittieren wolle, welches auch begert solle
sein worden. Das anndere, da vermeldet, das die patres sollen verschaffen, das sicherhait und glait geschickht werde, alsdan werden wir
Teutschen erscheinen; wa solches solte vermeldet werden, hette es ain
ansehen, als ob wir ain salvum conductum begeren thetten, und das

*

1 S. n. 135 und 136.

2 Es waren kurfürst Friedrich, pfalzgraf Wolfgang von Zweibrücken und marggraf Karl von Baden; sie schrieben an die Graubündner, sie sollen den päpstlichen keinen durchzug gestatten.

wir sollich concilium wolten besuechen, welches man aber sich noch nit endtschlossen; daromben noch der zeit solches einzustellen were. Anlangendt das scriptum ad Retos ist mir noch khein anntwurtt, weder von pfaltz herzog Wolffgang, noch Hessen nicht zukhomen.

Auf dem rücken von demselben:

Waß zu anntwurtten, ist hierin verzeichnet; soll ime die concepta wideromben geschickht werden.

139.

Brenz an herzog Christoph.

Sine dato. (December 1561.)

Brenz räth, ein buch Vergers nicht drucken zu lassen.

Gnediger Fürst und Herr!

Die collecta scripta Vergerii hab ich überlesen und befinde, das prima pars ist auß der historia Sleidani, so vorhin im werck, außgezogen de verbo ad verbum. So weiß E. F. G. woll, das die protestatio principum contra Tridentinum concilium noch nicht von allen stenden approbirt, noch keyserlicher Majestät oder dem concilio überschickt worden ist. Hiruff will es bedencklich sein, das sollich scriptum mit E. F. G. verwilligung und in deren gebiet on der andern chur- und fürsten vorwissen im truck divulgirt werden sollt. Es seindt auch in den andern scriptis, darin malæ artes pontificum erzeelet, ettlich historien mir unbekant, kan derobalben ich darvon nicht judiciren. Gedencke auch, da das concilium Tridentinum sollt fortfarn, und ir conclusion mit gwalt defendiren und exequieren wöllen, es were nutzlicher, das sollich scripta uff ein vorradt unaußgebreitet behallten werden, damit die chur- und fürsten dem unbillichen fürnemen des concilii nicht allein armis, sonder auch scriptis, in quibus malæ artes et doli adversariorum detegereutur, widerstandt thun möchten. Jedoch möchten söllich scripta allein schrifftlich und vertraulich dem könig Navarræ und ettlichen andern mitgeteillt werden. Es ist auch protestatio principum incorrect geschriben und ein dissimilis stylus, das es sich meins underthenigen bedenckens nicht schicken will, uff sollich weiß im truck zu divulgirn.

Auf dieß von der hand von Brenz geschriebene gutachten ist von des herzogs hand auf den rücken gesetzt:

D. Brencius soll an Vergerio ain scriptum nomine meo begreyffen, darinnen dise bedenckhen vermeldet werden, und das er sollich scriptum regine matri und regi Navarre, woll abgeschriben, cum correctione, hette geschickht, und noch nicht gedruckht würde.

140.

Herzog Christoph an Verger.

Der lateinische text von n. 139.

(Sine dato. Concept von Brenz geschrieben.)

Ad d. Vergerium.

Christophorus etc.

S. D. Venerabilis nobis dilecte!

Inspeximus scripta a vobis in unum libellum collata, quæ a nonnullis visa sunt usui futura, si typis publice divulgarentur. Etsi autem ne nos quidem, quod in nobis est, publicæ utilitati deesse volumus, tamen ut ista scripta hoc tempore in lucem edantur, non videtur nobis opportunum. Prior pars horum scriptorum exstat antea in historia Sleidani. Protestatio autem principum contra concilium Tridentinum rude adhuc scriptum est, et nondum in suum ordinem redactum. Nec est hactenus ab omnibus electoribus et principibus Augustanæ confessioni adjunctis approbatum, et ut illud quoque addamus, nondum est nec ad Cæsaream Majestatem, nec ad synodum Tridentinam transmissum, in quem maxime usum conscriptum est. Nostri autem officii non est, ut illud nostro vel mandato vel assensu absque reliquorum electorum et principum voluntate publice divulgetur. Nam quæ de malis dolis et artibus pontificum a vobis collecta sunt, judicamus ea utilius in archivis conservari, quam hoc tempore in vulgum spargi, donec manifeste intelligamus, quo evasurum sit Tridentinum concilium et res ipsa porrigat nobis occasionem, malas illas artes et dolos pontificum orbi universo patefaciendi. Licebit tamen, si ita videbitur, reginæ matri et regi Navarræ in Galliam hunc libellum, non quidem typis excusum, sed tantum litteris conscriptum, mittere et ad manus eorum fideles quasi deponere. Et quia amanuensis nonnulla oscitanter præsertim in protestatione principum scripsit, necessarium erit, ut emendatius describatur. Bene ac feliciter valete.

Von Brenz' geschriebenes aktenstück, welches dem auf der vorigen seite enthaltenen beiliegt.

141.

Verger an herzog Christoph.

Tübingen 23 December 1561.

Nachrichten aus Italien.

Illustrissime Princeps et Domine Domine Clementissime!

Quidam non parvæ existimationis homo monet me suis litteris, quod ego cogor Vestræ Illustrissimæ Celsitudini reverenter et petita venia significare. Ait, se audivisse, quod dux Florentiæ[1] tractet occulta quædam consilia cum Celsitudine Vestra Illustrissima, maxima autem cautione et apertissimis oculis considerandum esse, quid tractetur et cum quo principe tractetur, cum præsertim nullus sit in tota Italia princeps Papæ carior et in omnibus rebus conjunctior. Cum Celsitudo Vestra summa sapientia polleat summaque pietate, boni consulet haud dubie (pro sua clementia) quod scribo.

Habeo litteras Romanas. Papa[2] habuit orationem in consistorio, qua tandem protulit, se propterea fuisse a Deo ad pontificem evectum, ut libere possit suam sententiam dicere. Quare subjunxit, Lutheranos (sic enim dixit) magnum habere campum, in quo excurrant et Romanam ecclesiam insectentur, quod revera nondum Romæ fuit facta ulla morum reformatio, et quod in proventibus dispensandis haud bene se gerant. Conclusio fuit, quod velit novum jubileum instituere et Deum rogare cum toto orbe, ut illos in corrigendis moribus juvet, et post paucos dies fuit ipse in circuitu aut processione (ut appellant) cum tota Roma. In summa nunc demum videntur agnoscere morum reformationem esse necessariam, quam etiam in concilii indictione pollicti fuerant, neque unquam attigerant. Est quidem necessaria, sed non aliunde petenda est, quam a Deo et a doctrina sincera. Corrigant ergo doctrinam et tunc demum agnoscent, se mores correxisse. Ex mala doctrina mali mores.

Cardinali de Hemps[3], quem aliis litteris scripseram creatum esse concilii legatum, nondum data fuerat crux (ut solet) sed intra quatriduum erat danda, ut statim se Tridentum conferret; meum

---

1 Cosmus I von Medicis, der große, geb. 1519, seit 1537 herzog von Florenz, † 1574.

2 N. 88 und 94.

3 N. 136.

est judicium, quod Papa hominem litterarum rudissimum, professione militem velit Tridenti habere non propter reformationem morum neque doctrinarum. Pater cœlestis illuminet illos pauperes homines (si sunt ex suis).

Accepi heri reverenter Illustrissimæ Vestræ Celsitudinis litteras in causa comitis Julii a Thiene [1], quæ mihi summopere probantur, probabunturque haud dubie ab ipso comite; nam ad eum Argentinam misi. Consultius certe suo filio est futurum, ut cum ingressus fuerit 18 aut aliquanto minus, sit futurus in aula honorifice, quemadmodum Vestra Celsitudo pollicetur, de quo gratias ago maximas. Commendo me reverenter Illustrissimæ Celsitudini Vestræ. Cœlestis Pater augeat illi suos divinos thesauros, spiritum et fidem per Christum dominum nostrum.

Tubingæ 23 die Decembris 1561.

Illustrissimæ Celsitudinis Vestræ servitor

Vergerius.

1562.

142.

Verger an herzog Christoph.

Tübingen 7 Januar 1562.

Berichtet, was ihm über die stellung von Anton von Navarra zum papstthum geschrieben worden sei.

Illustrissime Princeps et Domine Domine Clementissime!

Hodie accepi Venetas litteras, in quibus aliquid legi, quod dignum existimavi, quod ad Vestram Illustrissimam Celsitudinem scriberetur. Cum Papæ [2] nuntiatum fuisset, Galliarum regnum quotidie melius se habere in vera religione accessenda, rem totam illustrissimis dominis Venetis scripsit, imploravitque favorem et auxilium, si quid Lutherani (ita enim scripsit) voluissent machinari. Quare videtur metuere Papa, ne bellum a Germania incipiat; hoc inquam (qualecumque sit) scribendum existimavi, certe videtur timere, ne Gallia conjuncta cum Germania velit papatum adoriri.

*

1 N. 137.
2 S. n. 94.

Est et aliud nuntium, quod Roma scribitur, (quod fortassis dedit causam Papæ, ut in eum modum ad dominos Venetos scripserit)
rediisse scilicet ex Gallia nuntium, qui Papæ nuntiaverit, quod serenissimus Navarræ rex [1] usus fuerit de Papa hujuscemodi verbis,
quod non sit revera Papa, sed quod emerit papatum adjutus a quodam Italiæ principe, et cum per simoniam evectus fuerit, sperare
se, quod dominus Deus sit eum puniturus. Deinde addidisse, quod
Gallia semper fuerit christianissima, et si quid reges erraverunt, erraverunt in damnum regni et innocentum Christianorum, qui fuerunt combusti
ex consilio et instigatione paparum, et quod modo non sunt amplius
ea tempora. Quod speret, se posse recuperare partem regni, quæ
ad se spectat, etiamsi Papa noluerit. Denique ait, Papam debere
habere in memoria, quod dux Borbonii [2] fuit Gallus et non Italus
aut Hispanus.

Est in iisdem littoris, quod Papa obtulerat eidem serenissimo
regi civitatem Avinionsem, ne litigaret pro quadam parte regni Navarræ cum Philippo.

Paulus ait, esse lætandum, si etiam per occasionem, hoc est,
non ex proposito laudetur Deus. Quare lætandum existimo, quod
istæ turbæ inter Papam et regem illum exortæ fuerint; sperandum
est, aliquid boni inde consecuturum.

Papa totus nunc in eo est, ut novum inveniat modum, quo deinceps creetur novus Papa, egregiam vero cogitationem.

Dictavi atque absolvi ad illustrissimum Ferrariæ cardinalem [3]
litteras italice quidem, sed in Latinum converti, ut possim Vestræ
Illustrissimæ Celsitudini ostendere; mittam cum primum fuerint de-
scriptæ.

Misi tandem eleemosinam 200 florenorum in Rhætiam [4]; non

*

1 S. n. 107 und besonders n. 136.

2 Der connetable Karl von Bourbon, der eroberer von Rom 1527.
Freilich war um diese zeit Navarra schon halb auf katholischer seite
und diese äußerung, wenn er sie je gethan hat, war nur eine der
vielen schwankungen des haltlosen mannes.

3 S. das ausführlichere br. n. 143. Der titel ist: De giuramenti,
che fianno i vescovi al Papa. All' illustrissimo card. di Ferrara. Die
italiänische ausgabe ist vom 15 März 1562. Die deutsche: An den
hochwürdigen herren Hippolyten Estensem etc. vom Februar 1562 datirt. Serap. s. 98. n. 114.

4 S. n. 137 ff.

potui prius habere tutum nuntium, spero me in reditu habiturum nova, quid fiet in illis Alpibus. Commendo me reverenter Illustrissimae Celsitudini Vestrae. Gratia et pax domini nostri Jesu Christi amen.

Datum Tubingae 7 Januarii anno 1562.

Illustrissimae Celsitudinis Vestrae servitor

Vergerius.

Postscriptum.

Observet Vestra Illustrissima Celsitudo illa verba regis Navarrae »Dux Borbonii fuit Gallus et non Italus, aut Hispanus.« Ego sic intelligo: dux Borbonii Romam aggressus est (licet infeliciter), quare Navarrae rex innuit, se quoque (qui Gallus sit) Romanam urbem invasurum, atque hoc est (ut existimo), quod Papa metuit, cum ad dominos Venetos scripserit, ne desint auxilio, si quid de Lutheranis audirent.

143.

Verger an herzog Christoph.

Tübingen 10 Januar 1562.

Über seine schrift, die er dem cardinal von Ferrara widmen und zuschicken will.

Illustrissime Princeps et Domine Domine Clementissime!

Materia de juramentis, quibus Papa episcopos obligat, ut semper papatum defendant, mihi videtur permagni esse momenti, neque satis nota omnibus, atque ideo illam attigeram in duabus meis epistolis, altera ad patres Tridentinos, altera ad reginam Galliarum. Cum vero Vestra Celsitudo dignata fuisset me per litteras monere, quod fortassis non esset verum, quod Tridentini patres petiissent, juramenta sibi relaxari, ego utrumque meum scriptum suppressi; fuit enim prudentissimum Vestrae Celsitudinis consilium; multa enim scribuntur, quae postea non inveniuntur vera. Sed cum materia sit (ut dixi) non parvi momenti, inveni locum, ubi eam collocarem, in epistola scilicet, quam ad cardinalem Ferrariae composui [1], in qua ostendo etiam, quod vix a 300 annis papae illam corruptelam atque tyrannidem invexerint, et postea illa volunt sua concilia stabilire,

*

1 S. n. 142.

Verger   21

quod horribile est dictu. Spero in summa, eandem materiam mihi notissimam esse.

Utinam Vestra Illustrissima Celsitudo posset meam linguam Italicam assequi, in qua sum fortassis aliquis (per Dei gratiam) certe non postremus, ut mei Itali existimant; illis enim credo, non mihi. In ea lingua itaque paravi ad Ferrariensem cardinalem, quas mittam aut fortassis afferam egomet (si Deus voluerit) litteras. Converti vero in Latinum, ut Vestra Illustrissima Celsitudo possit eam videre, antequam mittantur et judicium ferre; dignabitur itaque attente legere, pro sua clementia. Novi cardinalem illum, et propterea accomodavi me suo captui atque ambitioni. Velim impressas mittere, ut saltem in aliis fructificarent, si in cardinale non poterunt, cum fortassis nihil credat; sed functus sum officio christiani hominis, cum illum fuerim ad suscipiendam veritatem adhortatus. Quis scit? nos decet seminare, sinere postea, ut Deus incrementum det.

Commendo me reverenter Illustrissimæ Celsitudini Vestræ.

Gratia et pax domini nostri Jesu Christi cum illa. Amen.

Datum Tubingæ die 10 Januarii anno 1562.

Illustrissimæ Celsitudinis Vestræ servitor

Vergerius.

144.
Herzog Christoph an Verger.
Ulm 19 Januar 1562.

Antwort auf n. 141 und 142.

Christophorus etc.

Reverende nobis dilecte ac fidelis!

Vestrum nos consilium, super scripto ad cardinalem Ferrariensem perferendo liquido intelleximus, ea propter ad hoc ipsum clementer annuimus.

Ceterum quæ ex Venetiis et Roma ad vos perlata, non solum iisdem novissimis vestris ad nos transmissis litteris, sed etiam aliorum scriptis jam pridem cognovimus. Porro quod ducentos florenos in Rhætiam ad destinatum locum miseritis, recte fecistis.

Hæc tibi ad petitionem tuam clementer significare voluimus. Vale. Datæ Ulmæ XVIIII die Januarii anno MDLXII.

Denique hoc nostrum responsum pro petitione vestra ad nos pervenire voluimus. Vale! Dat. ut supra.

Vergerio.

145.

Verger an herzog Christoph.

Tübingen 28 Januar 1562.

Bittet um die erlaubniß, nach Graubünden reisen zu dürfen.

Theilweise (von Hodie tandem bis verissimum) schon gedruckt bei Sattler IV, 182.

Illustrissime Princeps et Domine Domine Clementissime!

Accepi nudius tertius Vestræ Illustrissimæ Celsitudinis litteras [1] una cum exemplo mearum ad cardinalem Ferrariæ litterarum [2]. Cum vero animadverterim, eas Vestræ Celsitudini non displicere, recta in Gallias per legatum, qui degit Soloduri [3], misi, ut ille manu scriptas habeat, anteaquam spargantur; sic enim mihi videtur decere [4].

Hodie tandem rediit ex Rhætia tabellarius, qui eleemosynam ducentorum florenorum [4] illuc attulerat; una cum meis tres erant, quæ ad Vestram Illustrissimam Celsitudinem pertinent litteræ, quas mitto; eas etiam mitterem, quæ ad me pertinent, ut quædam Celsitudo Vestra intelligeret, sed sunt scriptæ italice, unas tantum (quia sunt latinæ docti et magna in illis populis auctoritate pastoris [5]) mitto, qui affirmat, Rhætos illos primores esse Vestræ Celsitudini additissimos; deinde se scire, quod non sint illum passum seu transitum per Alpes vel Papæ vel hostibus Illustrissimarum Celsitudinum Vestrarum concessuri, quod novum me valde delectat et spero esse verissimum, interea dum aliquid fiat ab rege Gallorum; non est etiam contemnendus, qui litteras scripsit, quemadmodum coram dicam; amatur enim illic valde.

Illustrissime Princeps, si fuerit opus in Galliam proficisci, nullum

*

1 S. n. 144.

2 S. n. 128.

3 Cognetius, s. n. 122.

4 S. n. 137 ff. Ein bruchstück des danksagungsschreibens s. Sattler IV, 182, ein späteres von Paul Gadius (d. 10 Februar) ib. beil. s. 229. Meyer, geschichte der evangelischen gemeinde in Lokarno, der II, 242 ff. auch von dieser angelegenheit redet, ist dabei ziemlich ungerecht gegen Verger und herzog Christoph.

5 Der zweifel des predigers Fabricius von Chur, ob die briefe alle dem herzog übergeben worden seien (de Porta II, 172), ist nach dem geständniß von Verger selbst ganz gerechtfertigt.

21*

subterfugio laborem, etiam si sim senex, nullum periculum, dum possim
servire ecclesiæ domini nostri Jesu Christi; verum si ejus voluntas
fuerit, quod non essem (saltem nunc) iturus, cœlestis Pater mihi posuit
in cor, ut per aliquot menses Curiæ Rhætiarum consisterem, quo
me possem hinc vix quinque diebus conferre; sperarem enim, me
posse per ejus gratiam addere aliquid olei camino, efficere scilicet,
ut evangelium magis illic arderet, juvante Domino, cujusmodicunque
sim, cum lingua sit mihi nota, et possim ipsemet prædicare, et con-
sequenter continere in fide eos populos, ne alteri quam Gallorum
regi aut illustrissimis imperii principibus concederetur maximi momenti passus ille aut transitus; hoc in me auderem recipere per
gratiam Dei, et tamen nolo privatus esse et vix habere duos famulos, qui me sustentent. Deinde cum non adeo procul inde Tridentum distet, vellem aliquem non imprudentem neque indoctum
eo mittere, qui plurima, quæ fiunt, mihi significaret. Est et alia
causa, quæ me urget, ut cupiam accedere: est illic typographia[1],
Papa nuper per suum legatum petiit a dominis Rhætis, ut eam ever-
terent, quod non concesserunt; typographus (corruptus credo) ait,
se nolle amplius eam habere, suntque papistæ, qui cupiunt sibi
emere, ut illic excudant missalia et similia; ego vero moneor a Spiritu sancto, ne sinam, (quantum in me est) illam elabi ex manibus
Christianorum; est enim percommoda in illo loco, nempe fere in
Italia, non diei itinere longe ab Italia, ubi tamen Papa nihil habet
potestatis. Postremo plurimi ex illis fratribus uno ore nunc me
per litteras vocant urgentque, ut accedam, sperant enim, me posse
illic aliquid nunc proficere. Quare iterum dico, si in Gallias eundum sit, non recuso, ibo perquam libenter, jam sum paratus, ut nihil præter jussionem Illustrissimæ Celsitudinis Vestræ exspectem;
sed si quid (ut dixi) impediret (video enim rem longius protrahi)
dixi, quid spiritus me moneat, imo exstimulet; jam sum grandæva
ætate, vellemque adhuc aliquid agere pro Christo, si illi placuerit,
antequam moriar; Illustrissima Celsitudo Vestra dignetur hac de re
cogitare et suum mihi (si libitum fuerit) judicium significare[b].

1 S. n. 183. Die druckerei war in Puschlav, s. br. n. 146 und
wohl dieselbe, deren einrichtung er 1550 und 51 eifrig betrieben hatte;
später wollte Verger eine eigene druckerei in Chur mit hülfe des herzogs errichten, aber die schweizerischen geistlichen waren nicht sehr
erbaut davon und so kam es nicht dazu. Meyer II, 243.

Princeps Optime, opus Dei fuit procul dubio, quod isti 200 floreni fuerint in eleemosynam missi; est enim referta tota Rhætia tali munificentia et pietate, et cessit non modo in magnam Dei et Christi gloriam (quod affirmo), sed omnes eos populos mirabiliter affecit et continuit in officio; quare si nunc supervenirem, omnia essent mihi factu faciliora.

Si videremus, voluntatem Dei non esse, quod egomet essem in Galliam iturus, mitterem nepotem, qui mea scripta tum christianissimæ reginæ, tum serenissimo Navarræ regi afferret; sed fiat voluntas Domini, quamquam possem egomet postea etiam in Galliam, postquam me ex Rhætia extricassem; ibi profecto video me non modo futurum per aliquot menses utilem, sed necessarium: sic enim existimo, et multi in Rhætia existimant; sed dico iterum, fiat Domini voluntas; exspectabo Illustrissimæ Celsitudinis Vestræ litteras, quibus dignetur significare, placeatne istud meum consilium, an non; viæ hactenus sunt tutissimæ, dico hactenus, quia multi metuunt bella, ut Cæsar quasdam ejus arces, quæ sunt circa eum tractum, muniat, magna cum omnium admiratione et suspicione. Commendo me reverenter Illustrissimæ Celsitudini Vestræ. Pater cœlestis augeat illi suos divinos thesauros, spiritum et fidem per Christum dominum nostrum.

Tubingæ 28 Januarii 1562.

Illustrissimæ Celsitudinis Vestræ servitor

Vergerius.

Randbemerkungen von des herzogs hand:

a Placet.

b Hab die 3 schreiben sambt demeselben ime Vergerio gesandten enntpfangen, schickhe ime das schreiben, so Philippus Gallicius Vergerio gethan, widerumben. Waß sye mir schreiben, hatt er auß den copien der 3 schreiben hieneben zu vernemen, wa er bottschafft zu inen hett, wolle er darauff per generalia anntwurtten, und wiewoll Johannes Fabricius Montanus in seinem schreiben aines buechs, so er mir schickhe meldung thuet, hab ich solches nit enntpfangen. Pfaltz der churfürst, herzog Wolffgang, marggraff Carle von Baden und ich haben den Reticis geschrieben und sye ad constantiam vermandt, das sye auch nit den paß hostibus evangelii wolten geben, und wieder ir anntwurt heruber erwarttet. Sovill sein reiß in Franckreich belangdt, wartte ich teglichs meines botten ankhunfft von dem künig von Navarra, wa dan Vergerius in Galliam vociert wirdet, als ich mich versich, ist geratten, das er solliche vocacion nit abschlage, wa nit, mag er

alsdan nach gelegenheit in Reciam [sich] verfuegen, und ist in alweg
dahin zu laborieren, das die truckherey nit der enden hinweg khome.
von wegen filler fürnemer ursachen.

Mein gemahel hatt Vergeri schreiben sambt den 5 weißen
schneehiennern und weißen haßen enntpfangen, bedanckht sich deren,
mechte woll der huenner lebendig haben, wa sye also zu bekhomen
weren.

146.

Verger an herzog Christoph.

Tübingen 2 Februar 1562.

Über die Jruckerei in Puschlav, eine schrift des Fabricius und
dessen anklagen gegen ihn, sowie über einen brief, den er vom herzog
von Preußen erhalten habe.

Illustrissime Princeps et Domine Domine Clementissime!

Accepi heri vesperi a Vestra Celsitudine Illustrissima litteras;
ad illas autem partes, quæ videntur magis necessariæ, respondebo.

Sapienter et magna pietate vidit Vestra Celsitudo, permagni
esse momenti, ne typographia [1], quæ est in Rhætia in oppido, cui
nomen Pusclavium, in potestate cujusdam Delphini Landolphi, aboleatur aut ad papistarum manus deveniat; nulla est in tota Rhætia
neque in ea parte Helvetiæ, quæ papistica est, Tridentum usque,
nec circum circa lacum Constantiæ alia typographia præter illam,
quamquam majoris momenti mihi videtur, quod in limitibus Italiæ
existat, ut non sine causa Papa per legatum petierit, ut domini
Rhæti eam destruerent. Est ergo magni momenti, et conservanda
est pro Christianis, si non iu ipso oppido Pusclavii, at transferenda
Curiam Rhætiarum; Geneva per concionatores et per quatuor aut
quinque, quæ illic sunt, typographias ea sancta strage Galliam affecit, qua affecit (loquendo more humano). Sic Rhætia contigua Italiæ per typographias atque concionatores posset evangelium in ipsam
Italiam invehere.

Non est autem facilior ratio illius typographiæ conservandæ,
quam ut Vestra Illustrissima Celsitudo illam per aliquem secreto
comparet, cum præsertim crediderim, quod vix constaret 400 aut
500 florenos [2]. Nec video adesse in ipsa Rhætia vel unum hominem,

*

1 S. n. 145. 244.

qui hoc faceret; quare periculum est, ne Papa eam nobis aufferat, nisi ematur ab eo, qui nunc habet. Dignetur Vestra Illustrissima Celsitudo deliberare; nam darem operam, ne nobis aufferretur; novi totam Rhætiam, ac nisi sit peregrinus quispiam, qui comparet et quidem cito, profecto metuendum est, ne nobis adimatur, periculum est in mora.

Libellum Germanicum mitto [b], hæserat enim inter multas, quæ ad me fuerunt ex Rhætia missæ, litteras.

Vestra Illustrissima Celsitudo dignatur mandare, ut respondeam ego (per generalia) ad ternas litteras ad illam couscriptas; faciam, nam die Jovis habiturus sum nuntium, sed vere per generalia erit respondendum illi præsertim Fabricio [1], qui libellum Germanicum mittit; Tigurinus est, non satis quidem æquus nostris ecclesiis, didicit scilicet ab aliis Tigurinis pastoribus; quid scribat, non intelligo, præsertim cum toties loquatur de mea legatione, quasi ego, qui nullas litteras a Vestra Celsitudine legationis nec petierim quidem, nomen legati usurpaverim; non facerem, Illustrissime Princeps; multo verius scripsit alter pastor Gallicius [2], sincerus vir, quare vereor, ne in illo Fabricio vanitas quædam fuerit aut fortassis malitia, tamen dissimulabo et quædam alia, quæ scribit minime vera.

Istius hominis commemoratio, cum Tigurinus sit (ut dixi), adducit mihi in mentem, quod ad me Tiguro scribitur, rediisse scilicet ex Gallia d. Petrum Martyrem [a] tanta jactantia, ut nihil supra, ut jam omnes Tigurini pastores dicant regnum Galliarum, in his, quæ ad religionem pertinent, prorsus a se pendere; dico, quod res est et

*

1 Johannes Schmidt, genannt Fabricius, geb. 1527 zu Bergheim im Elsaß, seit 1557 geistlicher in Chur, freund Bullingers. † 6 Sept. 1566. S. über ihn de Porta II, 279 ff.

2 Philipp Gallicius (seiner mutter namen; der seines vaters war Adam Saluz), geb. 1504 in Pontwila im Vinßgau, eifriger beförderer der reformation in Graubünden, seit 1550 in Chur, starb 1566 an der pest. S. über ihn die ausführliche monographie von Kind, in zeitschrift für die historische theologie 1868, 313 ff., sonst de Porta I, 79 ff. Meyer I, 63 et sparsim. Ein eigenhändiger brief von Gallicius an herzog Christoph, dat. 24 Mai 1564, liegt im königl. württemberg. archiv rel. sach., büschel 20, g 23.

3 S. n. 123. 21 November 1561 war Martyr wieder in Zürich; die französisch-evangelische kirche war allerdings der lutherischen richtung ganz entfremdet worden.

certe scio, illi sunt parum amici nostris ecclesiis. Si conturbabitur mea in Galliam profectio, illorum factum fuerit opera.

Postremo summopere placet Vestræ Illustrissimæ Celsitudini consilium, ut scilicet exspectetur nuntius a serenissimo Navarræ regeᶜ; accedamque, si me voluerit, quod si me non vocarit, tunc in Rhætiam me conferam, ita tamen, ut prius me ad Celsitudinis Vestræ præsentiam conferam. Persistam in hac sententia cum Dei auxilio, interim spero, me minime otiosum esse et cito mittam aliquid.

Cum has litteras dictarem, supervenerunt mihi ab illustrissimo duce Prussiæ litteræ¹. Quædam non sunt per atramentum exprimenda, coram vero ea exponam. Unum possum dicere: sua illustrissima celsitudo invitat me clementissime, ut accedam; ait, se capere, ut adsim tamquam consiliarius illustrissimo suo filioᵈ; habiturus sum nuntium intra triduum, scripturus veró, quod viderer mihi desertor officii, ad quod me vocavit Dominus, si ex Germania, ex Gallia et Rhætia discederem, ubi possum (qualiscumque sim) ecclesiam juvare, et revera, Illustrissime Princeps, Deus me excitavit, ut videam, me aliquid posse præstare (per ipsius gratiam) sive in Gallia, vel in Rhætia versatus fuero, sed fiat ipsius voluntas, dummodo serviam, qui est fructus fidei. Si non cito sim Stutgardiam venturus, scribam de Moscovitis nonnulla. Commendo me reverenter Illustrissimæ Celsitudini Vestræ. Pater coelestis augeat illi suos divinos thesauros, spiritum et fidem per Christum dominum nostrum.

Datum Tubingæ 2 die Februarii 1562.

Vestræ Illustrissimæ Celsitudinis servitor

Vergerius.

Eigenhändige randbemerkungen des herzogs:

a Ich wirde die nit khauffen, khumbt mir nit zu nutz, es mueß ainer die bekhomen, die er weiß ime widerumben zu nutz machen.

b Hab es entpfangen, sindt fragmenta ex aliis excerpta.

c Ist noch nit khomen, so baldt er khumbt, will ich inne wißen lassen, wie die sachen geschaffen.

d Wiewoll es haupt condicio; dieweill aber der herzog von Preußen alt, er Vergerius kranckh, der wege weitt, ist noch dise condicio woll zu bedenckhen.

Schickhe ime hiemit sein concept, weiß nit, waß es zu erbauung dienstlich sein möchte.

*

1 Vergers antwortschreiben s. Sixt 578 ff.

147.

Verger an herzog Christoph.

Tübingen 5 Februar 1562.

Politische nachrichten aus Polen, Livland, Savoyen, Schweiz, kirchliche aus Genf und Italien.

Illustrissime Princeps et Domine Domine Clementissime!

Proximis meis litteris promittebam, me scripturum de rebus, quæ in Lituania fiunt, unde litteras habui, scribam itaque, deinde quid intellexerim per litteras, quas hodie ex Helvetia atque Rhætia atque Italia accepi.

Palatinus Wilnensis [1] gravissime et ad mortem usque ægrotavit, videbatur tamen melius habere.

Rex Poloniæ Wilna discesserat, ut in Warsovia comitia celebraret. Multi affirmant, quod velit efficere (si potuerit) ut Livoniam regno Poloniæ adjungat, constituens scilicet feudum, et tres duces creans, qui inibi degant, projectis scilicet episcopis reliquisque papisticis magistratibus.

Moscovita offert regi Sueciæ, quod, si voluerit juvare in subjuganda Livonia, velit eum dominum constituere, reservatis tamen sibi quibusdam arcibus; speratur, Suecum non consensurum, præsertim quod rex Poloniæ videatur consentire, ut una ex suis sororibus fiat uxor fratris regis Sueciæ; quod nisi fecerit, metuendum est, ne Moscovita ipsum regem Sueciæ ad se pertrahat, et de his hactenus.

Scribunt ad me ex Helvetia de duce Sabaudiæ [2], qui, cum ei natus fuisset masculus, adjunxerit sibi Papam et Philippum, ut bello repeteret, quæ sibi fuerunt a regno Galliæ promissa, scribunt, inquam, quod hac occasione bella metuunt magna et cito. Si Philippus negat, se velle Germaniæ bellum facere, fortassis hoc intelligat, quod nolit recta ipsi Germaniæ, sed aliis, qui eandem religionem sunt complexi, sub alio tamen prætextu.

Helvetii dietam celebrant in Rapesvil [3] intra Tigurum et Curiam

*

1 Radzivil, s. n. 47, über Livland s. br. 89 a.

2 Philibert Emmanuel, dieser sohn Karl Emmanuel, geb. 12 Jan. 1562. herzog 1580. † 26 Juli 1630.

3 Rapperswil am Zürichersee.

Rhætiarum, ad quam dietam accessuri sunt ipsi Rhæti seu Grisones. Non libenter audio, ne fortassis involvantur et pertrahantur aliquo modo ad societatem belli pro Philippo. Nullus est Galliarum legatus nunc in tota Helvetia, ut neque in Rhætia. Nam Cognetius[1], qui solet in Helvetia degere, in Gallia nunc est, unde tamen exspectatur, nam per quatuor menses abest.

Genevæ capite plexus fuit minister verbi dei Gallus, qui de Trinitate male videbatur sentire, sed istæ pœnæ capitales non possunt mihi placere. Non inconsultum videretur, ut, qui peccat in hoc genere, carceribus constringeretur, ne alios inficeret, dum sententiam mutaret. Calvinus scribit Tigurum ostentationem quandam permagnam, tot esse scilicet, qui singulis horis pulsant ad ejus ædes petentes concionatores, ut Papa non tot habeat, qui missam petant. Illud est certum, quod vix admittitur in Gallia concionator, qui non fuerit a Calvino examinatus, aut si quis voluerit prædicare nec fuerit ab eo approbatus, aut rejicitur, aut non ita solet libenter audiri; hæc ad me scribuntur et metuo, ne sint vera, tale est genus hominum et ingeniorum.

Nihil fuit a duobus fere annis quidquam auditum, quod Venetiis et Florentiæ ulla fuerit facta in nostros fratres persecutio; nunc plane fuit exuscitata, nam Venetiis condiderunt in carcerem quendam non contemnendum virum ob nostram dico religionem, et profugit inde legatus ducis Florentini quidam scilicet d. Petrus Gielidus[2] meus amicus, Florentiæ vero 18 fuerunt capti. Res habet magnam significationem, quod utraque civitas omnino constituerit velle papatum sustentare, et nuperrime promiserint pro executione concilii eorum operam atque potentiam, Deus adaperiat illis oculos. Commendo me Illustrissimæ Celsitudini Vestræ. Gratia et pax domini nostri Jesu Christi semper cum ea.

Tubingæ die 5 Februarii 1562.

Illustrissimæ Celsitudinis Vestræ servitor

Vergerius.

*

1 S. n. 122. Nikolaus de La Croix, abt von Orbais, wurde dann französischer gesandter in der Schweiz.

2 S. n. 17.

148.

Verger an herzog Christoph.

Tübingen 8 Februar 1562.

Wünscht herzog Christoph zu seiner zusammenkunft mit den Guisen zu begleiten.

Illustrissime Princeps et Domine Domine Clementissime!

Iterum accepi ab illustrissimo duce Prussiæ litteras [1], et quidem sua propria manu exaratas, de quibus coram; sunt enim hujusmodi, de quibus non audeam per chartam et atramentum, ut apostolus ait.

Unum dieam, quod non princeps ipse, sed ejus medicus scribit, vina Vestræ Celsitudinis tandem advenisse, sed suam celsitudinem existimare, quod judicio Vestrorum ministrorum, nequaquam Vestro, fuerint selecta, sic scribit medicus Stoius cognomine.

Accepi etiam Argentina, ibi exspectant Vestram Celsitudinem die 15, quæ pertranseat ad colloquium cum illustrissimo duce Guisano [2] (sic enim scribunt), de eo scripserat ad me Rascalonus [3], et dignata est mihi Vestra Celsitudo aliquid de ea re communicare. Quare (si eundum fuerit revera) si videtur, si videtur, inquam, ego Illustrissimam Celsitudinem Vestram cumcomitarer, quamquam curru vehor; causæ, quæ me movent, sunt, quod non modo adessem domino meo clementissimo, qualiscumque sim, sed non est dubium, quin aliquot Itali et quidem docti viri essent futuri ex Italia (cum Italicam habeat uxorem [4]). Cum illis itaque versarer et suggererem, quæ

*

1 Vergers antwort s. Sixt s. 580.

2 Herzog Christoph war von dem herzog Franz von Guise, mit welchem er in regem briefwechsel stand, zu einer zusammenkunft eingeladen worden; dieselbe, an welcher Christoph mit Brenz, Andreä, Bidembach, Eißlinger und die 4 Guisischen brüder theil nahmen, fand 15 bis 18 Februar in Elsaß-Zabern statt; dieselbe bewegte sich, wie sich denken läßt, sehr in religiösen dingen. Die Guisen verstanden es vortrefflich, protestantische grundsätze kund zu geben und Christoph schied von ihnen sehr befriedigt. Das blutbad von Vassy (1 März) zeigte aber ihre wahre gesinnung nur zu deutlich; siehe die eigenhändige relation darüber von herzog Christoph Sattler IV, beil. 215 ff. Baum, Beza II, 554 ff. Soldan I, 586 ff. Kugler II, 331 ff.

3 S. br. n. 121.

4 Anna von Ferrara-Este, tochter von Renata, s. br. n. 2, sie war übrigens nicht in Zabern; auch waren keine Italiäner dort.

Deus subministraret et (si possem intelligi) etiam ipsi illustrissimo duci, et si interea superveniret vocatio ex Gallia, inde proficiscerer; venirem enim paratus ita, ut non esset opus mihi huc reverti, alioquin non esset mihi grave huc redire.

Dixi, quod in animo habeo, et tamen Illustrissimae Celsitudinis Vestrae judicio et voluntati committo, ut sane debeo, mandet illa, quod vult, et si mihi veniendum erit, cito responsum exspectabo. Cui me reverenter commendo. Pater coelestis augeat illi suos divinos thesauros, spiritum et fidem per Christum dominum nostrum.

Datum Tubingae 8 Februarii 1562.

Illustrissimae Celsitudinis Vestrae servitor

Vergerius.

149.

Herzog Christoph an Verger.

Leonberg 12 Februar 1562.

Antwort auf n. 148.

Herzog Christoph schlägt ihm sein gesuch, ihn nach Zabern zu begleiten, ab.

Accepimus litteras tuas, quibus significas, te paratum esse, nos concomitari ad colloquium cum duce Guisio, ita tamen ut judicio et voluntati nostrae committas.

Cum autem iter ingressi simus, et heri Leonbergam pervenerimus, nec constet nobis, quos comites adducturus sit dux Guisius, nec animus nobis sit, ultra biduum commorandi cum nominato principe, non videtur, ut nos subsequaris.

Neque etiam fieri poterit, ut hac viae et tempestatis injuria, praesertim curru vectus, nos assequaris vel ad nos venias, antequam colloquium cum duce Guisio finiatur. Hoc te scire volumus. Datae Leonbergae 12 Februarii etc.

150.

Verger an herzog Christoph.

Waldenbuch 4 März 1562.

Bittet um ein pferd zur reise nach Graubünden.

Illustrissime Princeps et Domine Domine Clementissime!

Scribo ex media via, nempe ex Valtebuoch, quia sic opus est. Satan, hoc est, remora solet operibus Dei impedimenta objicere, ut mane mecum fecit; cum enim habeam quatuor equos, quorum tribus utor ad currum, quarto unus ex meis utitur, contigit, ut unus ex tribus mane fuerit insigniter læsus propter vias concretas et multis in locis glacie minime firma impeditas; in summa vereor, ne mihi possit usque in Rhætiam sufficere. Quo recurrerem, nisi ad Clementissimum Dominum meum? Quare supplico, ut Illustrissima Celsitudo Vestra dignetur pro sua solita pietate concedere mihi equum pro curru; non curo elegantiam, dummodo fortis sit et possit bene trahere, præsertim cum viæ sint pessimæ, et cum ad saxosas pergam; mitto proprium nuntium, qui exspectabit responsum. Vestra Celsitudo Illustrissima agat, quod Deus inspiraverit, iterum dico, non habui, quo me verterem, cum non nisi morbosi et valde senes inveniantur, si quis velit emere ex improviso; boni consulat Illustrissima Celsitudo Vestra, cui me reverenter commendo; gratia et pax domini nostri Jesu Christi cum illa.

Datum in Valtebuoch 4 Martii 1562.

Servitor Vergerius.

151.

Verger an herzog Christoph.

Tala 11 März 1562.

Bittet herzog Christoph um geld für die in Tübingen studierenden Litthauer.

Illustrissime Princeps et Domine Domine Clementissime!

Domini Lituani mei, qui Tubingam studiorum causa se contulerunt, agunt gratias maximas Patri cœlesti, qui eos in protectionem Illustrissimæ Celsitudinis Vestræ deduxit, quippe a qua multa beneficia acceperunt. Sperant vero, illam perseveraturam pro sua clementia, præsertim nunc cum in maximum inciderint incommodum; cum enim ante sex menses ad illos ex patria trecenti taleri mitterentur, Herbroti Augustani eos miris artibus detinuerunt, successit postea d. Varnbilerus, qui visus est, se velle pro Herbrotis solvere, numeravitque particulam, hoc est, 50 florenos, tandem vero nobiles ipsos litibus involvit, ut interea multa cogantur pati incommoda, supplico in summa Pientissimam Celsitudinem Vestram, ut dignetur bonos nobiles Celsitudini Vestræ observantissimos commendatos habere; nam si d. Varnbilerus perrexerit litigare, necesse habebunt ad Vestrum ærarium redire. Causam vero totam ab eorum præceptore intelliget, si voluerit, mali certi exempli causam, ut ego quidem sentio. Commendo me reverenter Illustrissimæ Celsitudini Vestræ. Gratia et pax domini nostri Jesu Christi cum illa.

Datum Talæ[1] (nam in Rhætiam in nomine Domini pergo) 11 Martii 1562.

Illustrissimæ Celsitudinis Vestræ servitor

Vergerius.

152.

Verger an herzog Christoph.

Chur 27 März 1562.

Berichtet über seine reise nach Graubünden, die nachstellungen, die man ihm bereitet habe und wie er denselben entgangen sei; neuigkeiten von dem concil zu Trient.

Illustrissime Princeps et Domine Domine Clementissime!

Cum die 10 præsentis mensis Tubinga discessissem, 14mo quidem die Lindaviam veni, verum quum vellem trajicere, oblatæ sunt mihi ternæ litteræ a consulibus et ministris ecclesiæ Curiensis, a Romanæ urbis et a Venetis quibusdam fratribus, quibus monebar serio, ut caverem mihi; Papam enim rescivisse de meo in Rhætiam reditu, quare disposuisse insidias[2], tum per Helvetios (si illuc transissem), tum in oppido Emps, tum in oppido Feldkirchii, sive S. Petri, quod est Cæsaris, et rem esse certam, imo mandasse etiam, ut statim deprehensus servarer aliquot diebus in proximo oppido Emps, deinde Romam mitterer. Hoc igitur nuntio ex ternis litteris concordibus audito gratias egi Deo, qui me monendum putaret de periculo, im-

---

1 Tala? ob Thalheim? aber von den verschiedenen ortschaften Württembergs, die diesen namen tragen, liegt keine auf dem wege von Tübingen nach Graubünden.

2 Eine ausführliche beschreibung dieser nachstellungen siehe in einem brief Vergers an Betti, de Porta II, 176. Der brief kam auch als eigenes schriftchen heraus: Al signor Francesco Betti. Delle insidie etc. 15 April 1562. Serap. s. 98. n. 111. Das datum muß 15 März heißen, da Verger den 26 März in Chur eintraf.

ploravi dominorum consulum Lindaviensium opem atque consilium, qui in summa respondebant, nullo modo esse mihi palam veniendum, sed clanculum et veluti personatum (si modo vellem transire, quod et non audebant consulere); rem enim non carere magno periculo; tandem per 10 dies substiti, rogans Deum, ut mihi bonum consilium suggereret, exspectans interim aliquem cautissimum mercatorem, qui Augustam iverat, cui omnia erant itinera Curiam usque compertissima. Quaro cum advenisset, mercatorias vestes indui, et sine curru, quem Lindavii reliqui, iter equo ingressus, misso meo famulitio per Helvetiam, in Dei nomine periculo me exposui; transivi enim fere per 100 passus ante portam castri Emps, deinde per 2 horas per ejus ditionem, deinde per Feldkirchium, salvusque atque incolumis Curiam potui pervenire ad laudem Dei, cui sit honor et gloria in secula.

Summo quidem gaudio fui exceptus a burgimagistris atque ab ecclesiarum ministris et reliquis fratribus, tamquam ereptus a periculo non mediocri. Incipimus quidem esse solliciti, qua ratione fuerit ad Vestram Illustrissimam Celsitudinem redeundum, sed Dominus providebit.

Cum audissem, d. Mattheum Cognetium[1] regis Galliarum legatum Solodurum in Helvetiam redisse, scripsi statim ad eum et significavi, me incolumem huc venisse, rogavi etiam, ut reginæ matri et serenissimo Navarræ significaret, me esse apud Rhætos et diligenter curaturum, ne fortassis iste transitus sive passus per practicas eriperetur; post vero 4 aut 5 dies (ubi scilicet meæ sarcinæ advenerint) mittam meum nepotem in Galliam, per quem eadem scribam. Quantum hactenus colligere possum, animadverto, Illustrissime Princeps, hos bonos Rhætos minime concessuros esse alteri passum seu transitum, quam vel Gallorum regi vel Illustrissimis Celsitudinibus Vestris, quæ certe hic amantur, et Vestra Celsitudo præcipue; sed tamen non est remittendum quippiam de diligentia, quia satan non dormit, et imprimis Papa, qui haud dubie parum religionem curat, sed magis ut suis nepotibus et successoribus relinquat totum hunc tractum, qui est a lacu Brigantino sive Constantiæ usque ad lacum Larium seu Comensem, hoc cogitat, ideo tunc demum excanduit contra me et quæsivit ad martyrium, quando animadvertit, me ista sua consilia

1 S. n. 122.

impedire (ut plane feci et facio). In summa Vestra Illustrissima
Celsitudo sciat, me esse in optimo loco, tum pro evangelio promovendo, tum pro hoc passu seu transitu, ne in manu[s] antichristi
seu suorum incidere possit, qua de re velim, Vestra Ilustrissima Celsitudo bono sit animo.

Mittam ad concilium statim aliquem prudentem virum, quamquam audio, magnas esse difficultates, quod scilicet Tridentini patres
impediant; scrutantur enim sollicite, quid quisque sit. Hic habent
nova, quod nonnulli Hispanorum episcoporum protestati sint, se nullo
modo pati velle, ut Papa Romæ decreta concinnet, quæ episcopi
Tridenti pronuntient, sed se velle concinnare, non modo pronuntiare,
quod est unum ex his, quod meis libellis Italicis admonui.

Habent etiam nova de quodam episcopo Bitunti in carcerem
conjecto, quod formam concilii reprehendit. Item de marchione
Pischariæ Mediolani gubernatore [1], qui Tridentum fuerit ante paucos
dies profectus, ut protestaretur, ut æqua servaretur concilii ratio
atque forma. Audio, communem esse prudentum hominum per Italiam sententiam, ut statim a celebratione concilii bella prorumpant.
Si Deus dederit mihi, ut possim (qualiscumque sim) efficere, ut hic
passus aut transitus conservetur, Papa semper erit sollicitus, ne per
hunc possint in Italiam nostri milites irruere; cariturus est ergo
passu et metuet sibi a passu. In litteris Romanis ad me datis scribunt, Papam mandasse cuidam monacho Brixiensi [2], ut meis libellis,
quos de concilio scripsi, responderet, se enim fuisse valde commotum, cum de illis audisset. Deinde scribunt, quempiam dixisse Papæ,
me esse mortuum, quare non mediocrem dedisse lætitiæ significationem.

Valeo mediocriter, ita ut sperem, me perendie, hoc est ipso resurrectionis die concionaturum, quod summo gaudio faciam. Com-

1 Pescara war von 1560 bis October 1562 statthalter von Mailand;
zugleich war er auch zeitweise spanischer gesandter beim Tridentinum;
sein nachfolger in Mailand war Gonsalez Fernando de Cordova, herzog
von Sessa. S. br. n. 196.

2 Er hieß Hippolyt Chizzuola. Der titel seines buches ist: Risposta
d'Ippol. Chizzuola alle bestemmie contenute in tre scritti di Paolo
Vergerio contra l'indizione del concilio publ. da Pio IV. Venez. 1562.
Verger schrieb gegen ihn: Ai Fratelli d'Italia. Di un libro di fra
Ippol. Chizzuola da Brescia 1563. S. Sixt s. 475 ff. 601. n. 87 und 88.
Serap. n. 124. Br. n. 165. 170. 172. 176. 179.

mendo me Illustrissimæ Celsitudini Vestræ perquam reverenter. Has litteras mitto ad dominos consules Lindavienses, ac non est dubium, quin sint per peculiarem et fidelem nuntium missuri. Si quid interim Vestra Illustrissima Celsitudo voluerit ad me litterarum dare, vel mittat Lindaviam vel recta Curiam; ego si quid habebo dignum scriptione, scribam diligenter et peculiares mittam nuntios. Hæ omnes ecclesiæ rogant assidue pro Illustrissima Celsitudine Vestra, quod affirmo. Pater cœlestis augeat Illustrissimæ Celsitudini Vestræ suos divinos thesauros, spiritum et fidem per Christum dominum nostrum.

Datum Curiæ Rhætorum 27 die Martii 1562.

Illustrissimæ Celsitudinis Vestræ servitor

Vergerius.

153.

Verger an herzog Christoph.

Chur 6 April 1562.

Berichtet abermals über seine reise, über die austheilung der 200 fl. und ermahnt dringend, wegen der pässe ein bündniß mit Graubünden zu schließen. Nachrichten vom papst und concil.

Illustrissime Princeps et Domine Domine Clementissime!

Scripsi ante septem dies, me (per Dei gratiam) Curiam Rhætiarum advenisse, non sine magno periculo (ut sumptum omittam atque laborem)ª. Cum enim Lindaviam pervenissem, monebar a bonis fratribus Glaronensibus scilicet, Curiensibus atque Romanæ urbis, Papam mihi collocasse insidias in Helvetia prope oppidum Emps et in aliquot Austriacæ ditionis terris, quas tamen cum Dei auxilio superassem atque evasissem, præsertim apud oppidum Emps; transivi enim inde, hoc est per convallem prope Rhenum mercatoriis vestibus indutus, in summa evasi ad Dei gloriam. Hoc scripsi [1].

Nunc quæ fuerint consecuta, scribam. Domini consules, domini ministri et reliqui Curienses fratres me amanter et christiane exceperuntᵇ, qui omnes profecto amant atque observant Vestram Illustrissimam Celsitudinem orantque pro ea diligenter. Accepi etiam litteras ab omnibus fere illis evangelii ministris Italicis, in quos fuit

1 S. n. 152.

Verger   22

sparsa eleemosyna ducentorum [1], qui gratias summas agunt Deo, celebrantque Vestram Celsitudinem orantque cum suis ecclesiis pro illa.

Sed ut ad rem veniam, cum diligentissime scrutatus fuissem, inveni res Gallicas, hoc est, negotium, quod ad Rhætos pertineat, in eo prorsus esse statu, in quo dixi hinc rediens ante 4 menses, et scriptum dimisi apud Illustrissimam Celsitudinem Vestram et illa in Galliam misit, nempe fuisse factum fœdus cum Heinrico II felicis recordationis, et per 5 annos ultra ejus vitam, præteriisse autem ab ejus morte annos 2 cum $^1/_2$, superesse autem adhuc totidem, quo prætereat tempus fœderis. Res sic se habet prorsus, isti primores, cum quibus quotidie versor, ita affirmant [c].

Cum itaque huc venissem, magnificus dominus Mattheus Cognetius [2], Galliarum regis orator, Soloduro Tigurum venerat scripseratque, se recta huc venturum, quin et mihi ipsi scripserat et dicebat, se lætari, quod jam huc venissem, ita ut sperarem, nunc tractandam esse causam de fœdere. Sed nullum ille habuit de ea re mandatum, quare cum Tigurum venisset, post cœnam Domini ibi palam sumptam, cum paucis diebus constitisset, Solodurum est reversus.

Interea affirmo, primores præsertim dominos consules, qui nudius tertius me venerant visitatum, et qui heri vesperi sunt mecum cœnati, dextere conqueruntur; cuperent enim fœdus redintegratum, quod dicant, se quotidie obtundi aliunde et cupere uni regi Galliarum et illustrissimis Germaniæ principibus dare transitum cum sua amicitia, sed nollent rem diutius differri.

Sic res est, ego cras mane meum nepotem ad eundem d. Cognetium mitto, et quæ hic audio de redintegrando fœdere diligenter scribo, ut sciat omnia, urgeoque, ut sua autoritate curet, quantum in Gallia potest, ut de fœdere redintegrando agatur, sic enim dominos Rhætos cupere.

Ego hic privato utor nomine, quod omnes vident, sed sæpe ex me moneo ut bonus amicus et servitor, ut permaneant in ea, quam polliciti sunt, constantia atque fide, neque alteri cogitent passum concedere, quam quibus dixerunt, Galliarum scilicet regi et Vestris Illustrissimis Dominationibus, quod quidem videntur velle facere [d], sed affirmo, quod nisi viderint, rem magis serio et diligentius agi,

*

1 S. n. 138.
2 S. n. 122.

reddentur languidiores et fortassis de alio fautore cogitabunt, neque enim desunt practicæ, et qui promittunt majora; scio, quanti sit hoc momenti, si scribatur et multos esse in hac regione, qui secus sint dicturi, non esse metuendum, sed tamen non somnio, quæ scribo, et plurimos revera esse, qui vel cupiant primoque tempore fœdus renovatum, vel aliud de se et de transitu statuere; sic audio etiam a primoribus, sic affirmo, quin audio aliquorum voces, qui conqueruntur, quod christianissimus rex indigne tractaverit Rhætos, quos sibi conjunxisset atque obligasset, et aliquibus in rebus sibi defuisse, sic enim ajunt *. Hoc est veri et christiani hominis officium, scribere sincere, quæ audit etiam a gravibus viris.

Consultum mihi videretur, si Vestra Illustrissima Celsitudo curaret sua autoritate hoc negotium, hoc est scriberet atque hortaretur, ne differatur amplius, sed redintegretur fœdus, res confirmaretur, neque exspectetur postremum tempus, nam multa possent accidere, quæ negotium turbarent ', quum præsertim tres magni monarchæ sollicite quærant istos bonos dominos subvertere atque ad se trahere, Papa, Cæsar, Philippus, alius ex his palam et aperte, alius tecte: neque parvi facienda est Venetorum potentia, qui jam ex Rhætia duos sibi militum præfectos adjunxerunt, ut hanc militiam lucrifaciant et Papam juvent. Quemadmodum nec spernenda est quinque pagorum Helveticorum, qui sunt finitimi, astutia et quædam veluti in nostram doctrinam rabies, formidandum inquam, ne omnes isti conjunctim aliquid efficiant in lucrifaciendo sibi hoc transitu, nisi primo quoque tempore res conficiatur *.

Posset etiam contingere, ut interea, dum res differtur, quod Papa adjutus a diabolo suo promotore recuperaret sibi regni Galliarum animos, et profecto, si hoc contingeret, fieri posset, ut a multis, qui sunt in Rhætia, Gallia ipsa desereretur, ita ut difficilior postea redintegratio fœderis esset futura; dicam amplius, non modo esse periculum, ut monarchæ et alii, de quibus dixi, hunc transitum nobis eripiant, sed aliud est metuendum, quod non somnio, quod scilicet hi domini Rhæti velint Tigurinos et Bernenses imitari et nemini se obligare; ajunt enim, sibi hoc futurum consultius multis de causis. Cum vero nunc inclinent in fœdus renovandum, mihi non modo non videntur contemnendi, sed obviis ulnis excipiendi.

Videbimus primum, an christianissimus rex voluerit mandare, ut fiat cito fœderis redintegratio, et tunc (si facienda fuerit) Illustris-

22 *

sima Celsitudo Vestra statuet, volueritne contenta esse fœdere regis, quemadmodum hactenus fuit, vel una cum rege confœderationem facere, vel aliam seorsum a rege, tunc inquam de hoc Illustrissima Celsitudo Vestra deliberabit, quando viderit rem in procinctu de redintegrando fœdere; faciam enim, ut ea intelligat in dies totius negotii progressum, atque interea non deero pro virili conservare atque alere amicitiam atque etiam augere ejusdem Illustrissimæ Celsitudinis Vestræ cum istis dominis, et spero, me non esse hac in re ineptum instrumentum; sunt enim Christiani, quod affirmo, quare cum talis principis, qualis est Celsitudo Vestra (per Dei gratiam) pietatem et in promovendo evangelio diligentiam atque ardorem illis commendem, cum eos mihi prædicatione evangelii (ut spero) lucrifecerim, cum ante 10 annos in Rhætiam ex Italia profugissem, facile potest coire amicitia atque augeri quotidie, ne dubitet igitur Celsitudo Vestra, nam hoc quidem agitur diligenter, ut Dei gloria promoveatur atque ut hæc, de qua dico, amicitia arctius quotidie constringatur [b].

De concilio hic rescivimus, illud usque ad 14 Maii diem dormitare, atque interea Mantuanum cardinalem [1] Mantuam, quæ non longe Tridento abest, secessisse. Quare cum omnia illic per 6 septimanas futura sint otiosa, supersedi hominem mittere, quem eram missurus. Audio, actum fuisse illic inter episcopos, Mantuano cardinale promovente, de dando mihi salvo conductu, sed adjecta turpissima atque blasphema conditione, dum scilicet velim agnoscere potestatem Romanæ ecclesiæ; sed paratus sum, potius quævis martyria ferre, absit a me [1]. Puto, Vestram Illustrissimam Celsitudinem nunc Ulmæ degere, quare recta Ulmam scribo per tabellarium Ulmensem, quem hic reperi. Mitto autem litteras ad doctorem Ludovicum Rabum ministrum ecclesiæ, quem non dubito fideliter redditurum.

Idem meus nepos, quem ad Galliarum legatum mitto Solodurum, inde in Gallias ibit, ibi gradum doctoratus Vestra beneficentia sumpturus, et interea, quæcunque poterit, ad me de statu religionis perscribet et certa quidem; habebit enim non exiguæ autoritatis promotores.

Si Celsitudo Vestra aliquid voluerit ad me litterarum dare,

*

1 S. n. 88.

Curiam mittat ad manus domini Ambrosii Marti consulis, qui mihi aut hic tradet, aut si in proximum aliquem locum (evangelii scilicet prædicandi causa) secessero, mittet. Omnia sunt hic pacata et omnium animi in istam fœderis redintegrationem intenti, reliqua non videntur curare. Si mihi nunc Stutgardiam aut Tubingam redeundum esset, nescirem, qua via mihi esset redeundum; sunt enim observata a Papæ satellitibus itinera fremuntque, quod potuerim ex eorum unguibus evadere; sed cum fuerit redeundi tempus, non deerit mihi Dominus, hoc certe scio. Interea video, me hic esse inclusum, sed potens Dominus [k].

Postscripta. Alter consulum ad me venit nuntiavitque, Galliarum regem ad hos dominos dedisse litteras valde clementes atque amoris plenas, suam majestatem scilicet non defuturam illis, hortando interim ad perseverantiam in amore atque fide erga illam, bona verba in summa. Ceterum de fœdere redintegrando nullum verbum, nisi quod d. Cognetius legatus scribit ad eosdem dominos, se circiter Johannis festum huc venturum, sed hi domini aliud exspectassent, non verba [l].

Cum metuendum sit, ne Papa velit, peracto suo conciliabulo, rem armis tentare, consultissimum mihi videretur, ut primo quoque tempore fœdus renovaretur, in quo etiam Vestra Illustrissima Celsitudo cum aliis principibus comprehenderetur (saltem per aliquod tempus) cum expressa mentione, quod potestatem haberent uti hoc tránsitu per Alpes in Italiam, quoties placuerit, cum expressione etiam, quod domini Rhæti teneantur dare aliquot milites. Hoc si fieret, Illustrissime Princeps, Papa haud dubie perterrefieret cogitaretque potius de Roma custodienda, quam de Germania invadenda. Dignetur Celsitudo Vestra diligenter de hoc cogitare, est enim maximi momenti, imo omnes cordati viri consultius judicant, (si quid Papa moliretur) illum invadere, antequam suos exercitus Germaniæ admoveret, et sic bella gerere contra eum procul a propriis finibus, hoc est, in Italia, sed etiam si hoc revera non fiat, proderit, ut Papa metuat futurum.

Spero, Vestram Illustrissimam Celsitudinem rescivisse, quod dux Sabaudiæ acceperit susceptores aut compatres nato illi puerulo quinque pagos Helveticos, quibus nihil potest esse durius contra nostrum evangelium, ut accepit etiam ipsum antichristum, machinantur enim aliquid [m].

Iterum post scripta. Supervenerunt mihi Clavena litteræ die ultima Martii proxime præteriti scriptæ, quæ sic habent (verto enim
ad verbum ex Italico). Huc venit quispiam Brixia, qui ait in eam
civitatem Roma venisse nuntium, quod Papa graviter laboraret, cum
sanguinem urinaret (salvo honore), veritas suum habeat locum. Hæc
verba præcise scribuntur, fiat voluntas Domini, verum quidem est,
quod Turca et Papa nunquam moritur, quod dici solet, tamen si
iste Impius IV nunc abiret a nobis, hæ saltem regiones usque ad
Constantiensem lacum, quas ille in suas transferre omnino cogitabat,
respirarent.

Item post scripta. Audivi, valde crevisse numerum eorum, qui
ex Italia profugientes evangelium prædicant in finibus Italiæ in
ditione dominorum Rhætorum, inter quos omnes fuerunt dispensati
ducenti maxima cum eorum exsultatione et Dei imprimis et Vestræ
Illustrissimæ Celsitudinis laude; sunt autem inventi 23 maxima
egestate oppressi, cum ego 16 dumtaxat esse putaverim, valde egen-
tes (nam sunt aliqui, qui non sunt usque adeo pauperes), tot enim
fuerant antea. Laudetur Deus, qui auget populum suum vehementer, ut est in psalmo.

Cum videam, d. Cognetium Galliarum legatum velle differre
suam huc profectionem usque ad festum Johannis, ego interim volo
versari in ecclesiis, ubi degunt ministri Itali et inflammari ab illis
et eos (qualiscumque sim) inflammare, ut sint diligentes in ministe-
rio, spero autem fructum non mediocrem. Illustrissime Princeps,
exiguus et veluti abortivus sum inter fratres, tamen si quid possum
præstare, in his ecclesiis possum (hæc est propria mea vocatio),
quod Deus scit, me libenter facere et magna animi lætitia, spero,
me non modo usque ad festum Johannis, sed etiam per aliquam
partem mensis Julii hic mansurum, deinde ad Illustrissimam Celsitudinem Vestram rediturum, si Deus voluerit.

Adsunt colligatæ aliquot litteræ eorum, qui fuerunt eleemosynæ
participes, imprimis trium bonorum virorum, qui dispensarunt, unæ
litteræ sunt apertæ per errorem a me quidem, Illustrissima Celsitudo
Vestra dignetur ignoscere, neque enim fuit malitia, Deum testor.

Fortassis increbescet fama, quod circa Curiam Rhætorum omnia
sint in armis; nec sine causa increbescet, nam hodie facta est lu-
stratio civium, qui prodierunt armati, ad quod spectaculum undique
multi concurrerunt. Sunt enim aliquot anni elapsi fere 10, quod

tale non fuit visum, et profecto mihi visi sunt egregii milites fere septingenti, omnes bene armati et præstantes viri ex sola adeo Curiensi civitate. Commendo me reverenter Illustrissimæ Celsitudini Vestræ. Pater cœlestis augeat illi suos divinos thesauros, spiritum et fidem per Christum dominum nostrum.

Datum Curiæ Rhætorum 6 Aprilis 1562.

Illustrissimæ Celsitudinis Vestræ

servitor Vergerius.

Randbemerkungen von des herzogs hand:

a Habe beide seine schreiben enntpfangen und gehrn gehortt, das er in Reciam glücklich und woll ankhomen.

b Dergleichen auch, das er alda humaniter enntpfangen seye worden.

c Sovill das fedus inter regem Galliarum et Retos belangdt, achte ich gennzlich, das die Galli den lenger werden zu halten begeren, und ob woll jezt in disem verwirtten weßen ettwan die sach nit so baldt möchte gehandelt werden, dieweill auch noch sollich fedus bey den 2 jaren weret, so sollen die Reti animum darumben nit alleginieren, werden auch nit so baldt finden, der innen so vill werde geben, als rex Galliarum.

d Thuet daran recht, doch solle er sich nit zufill vertieffen, dan, solte es ettwa bey Gallia fellen, wirde er ubel bey den Retis daran sein.

e Diß mechte er mit dem gallico oratori communicieren.

f Weiß weitters nit anzuhalten, ist mir noch nit respondiert.

g Dieweill sye, die Reti, es ainest abgeschlagen und die sachen dermaßen in Franckreich stehen, wirdet der pabst und Philippus nit fast mer umb die Retos buellen.

h Das ich mich mit inen solte in bündtnus einlassen, ist mir nit zu thuen, gehertt ain schwerer seckhel dazu, zudeme ir macht gering, und wenig ersame kriegsleut under ihnen gibt.

i Ist nit consultum, das er des concilii oder pabst salvi conductus vertrauwe, er wolte dan sich selbst auff die fleischbanckh geben.

k Wan er wider heraußer ziehen wirdet, hett er jetzt in dem summer bessere gelegenheit, dan zu winters zeitten, khan alwegen durch das Zürcher oder Berner gebiet (ob es woll umb) heraußer khomen.

l Haltt genzlich, das es darumben beschehe, dieweill noch 2 jar das fedus weret.

m Hab diß nit gehort, halte auch nit, das es beschehen seye.

n Recepi illas litteras.

154.

Verger an herzog Christoph.

Chur 20 Mai 1562.   -

Über die kirchlichen verhältnisse in Graubünden und seine thätigkeit dort.

Theilweise gedruckt (von a decem annis bis pietate) bei Sattler IV, 183.

Illustrissime Princeps et Domine Domine Clementissime!

Cum primum ad dominos Rhætos Tubinga discedens venissem, quod fuit circiter diem resurrectionis, scripsi ad Illustrissimam Celsitudinem Vestram, ter quidem, Ulmamque misi litteras. Cum vero animadverterem, adventum domini Cognetii Galliarum oratoris huc differri, consultum putavi usque ad fines Italiæ excurrere [1]; quod feci, multasque invisi per Dei gratiam ecclesias, quibus salutatis heri vesperi Curiam redii, qua de re deque his, quæ fiunt atque sperantur, volui per peculiarem nuntium Illustrissimam Celsitudinem Vestram certiorem reddere. Incipio ergo ab ecclesiis ad normam evangelii reformatis et pauca de his dicam, dicturus plura, ubi Stutgardiam (si Deus voluerit) rediero. Illustrissime Princeps, a 10 annis circiter, quibus hinc discessi, crevit fidelium et ecclesiarum numerus mirandum in modum [1]. Cum enim fuerint prius 16 pastores atque ministri, nunc sunt 34 ad laudem Dei, auditores vero in triplum vel quadruplum excreverunt et sunt quidem in hoc numero non pauci ferventes et mortificati; qua vero animi lætitia et consolatione inter eos fuerim, non possum facile dicere, quotidie in mea lingua conciones audiebam, sæpe etiam concionabar egomet magno cum gaudio non solum meo, sed fortassis meorum fratrum, qui, Deum testor, Celsitudinem Vestram Illustrissimam reverenter observant et plurimi faciunt rogantque pro ejus incolumitate assidue. In summa videor mihi profecisse nonnihil mea ista profectione et salutatione et aliquid olei pro mea tenuitate camino addidisse [2], laudetur Deus per Jesum Christum. Cum Illustrissima Celsitudo Vestra nonnullos

*

1 Er kam bis nach Chiavenna und ins Veltlin, s. br. 153.
2 Wie seltsam klingt dazu das, was Gallicius an Bullinger schreibt: Vergerius, vetus antagonista meus, huc appulit. Exspecto, quid sit acturus fumivenditor per Jovem egregius; und Fabricius: De illo spermologo sis quietus. Meyer II, 249.

pauperes ministros eleemosyna 200 florenorum[1] juvisset sustentassetque, incredibile dictu est, quam grata fuerit ea pietas et liberalitas, excitavit ea plurimorum animos confirmavitque, qui, cum vidissent, Papam per legatum petiisse, ut ex Rhætia expellerentur tamquam mali viri atque hæretici, statim senserunt auxilium Patris cœlestis ab ea parte, qua minus sperassent, a Vestra scilicet Illustrissima Pietate, sed de his coram, si Deus voluerit.

Selegi aliquot pastorum, qui sunt valde pauperes, liberos, quos spero me adducturum, quos Vestra Singularis Pietas dignetur in schola Tubingensi educare[2], quemadmodum promisit; Deum immortalem, quam grata Deo futura est talis pietas quoque et quam celebrata ab omnibus ecclesiis, in quibus tanta est Illustrissimæ Celsitudinis Vestræ fama excitata ad laudem Dei, ut vix possem dicere, dico iterum, laudetur Deus!

Volui in his litteris non modo de ecclesiis scribere, sed etiam de fœdere cum rege Gallorum renovando, quid scilicet audiam de eo a viris non contemnendis, sed commodius mihi videtur, si de eo seorsum in aliis litteris scripsero. Pater cœlestis Vestræ Illustrissimæ Celsitudini augeat sua divina dona atque thesauros per Christum dominum nostrum. Commendo me reverenter Vestræ Singulari Pietati.

Datum Curiæ Rhætorum 20 Maii 1562.

Illustrissimæ Celsitudinis Vestræ

servitor Vergerius.

Eigenhändige randbemerkung des herzogs:

a Habe gern gehort, das das evangelium also sich durch Gottes gnadt außbreiten thue.

155.

Verger an herzog Christoph.

Chur 20 Mai 1562.

Fragt, ob er noch länger in Chur bleiben solle und bittet um geld.

Illustrissime Princeps et Domine Domine Clementissime!

Illustrissima Celsitudo Vestra dignabitur pro sua clementia attente

*

1 S. n. 137.
2 Vgl. n. 158.

considerare scriptum inclusum [1]; dictavi enim fideliter et simpliciter, optarem autem (si eidem Celsitudini Vestræ videbitur) responsum et scire, quidnam mihi agendum fuerit in hac causa, nam recta domum redirem, si illi videretur, alioquin non recuso laborem atque incommoda in mea hac senectute, præsertim quando agitur de gloria Dei et Illustrissimæ Celsitudinis Vestræ commodo atque honore; exspectabo ergo responsum, si ita videbitur [*]. Is qui litteras affert, est ex familiaribus meis, qui, cum inciderit in quandam ægritudinem, confert se Tubingam ad thermas Blasii [2]. Quare non revertetur, sed clementia Celsitudinis Vestræ dignetur unum ex suis tabellariis mittere Curiam usque, est enim quatuor dierum iter, et per eum ad me scribere et dare consilium [b], debeamne ulterius hic exspectare an vero Tubingam redire, cum scilicet usque ad festum Johannis exspectavero, nam usque ad illud tempus constitui exspectare, si fortassis huc regis Galliarum legatus adveniret.

Præterea dignetur mihi subvenire, cum enim tribus mensibus abfuerim et multa mihi contigerint, quamobrem plura, quam putassem, fuerunt impendenda, consumsi ducentos, quos mihi Illustrissima Celsitudo Vestra dedit pro sua benignitate, florenos, ita ut non possem me hinc redimere, nisi ejusdem Illustrissimæ Celsitudinis Vestræ consueta pietas me liberaverit, quod oro per Christum, ut faciat [*].

Tabellarius inveniet me in ædibus domini Ambrosii Marti burgimagistri Curiensis.

Commendo me reverenter Vestræ Illustrissimæ Celsitudini, rogans Patrem cœlestem, ut illi augeat suos divinos thesauros, spiritum et fidem per Christum dominum nostrum.

Curiæ Rhætorum 20 Maii 1562.

Illustrissimæ Celsitudinis Vestræ servitor

Vergerius.

Randbemerkungen von des herzogs hand:

a Hab sein 2 schreiben enntpfangen von datis den 20 May, hab ime zuvor auf seine schreiben anntwurtt geben de dato 22, und solches

*

1 S. u. 155 a.

2 Bläsibad ³/₄ stunden von Tübingen entfernt.

3 Die bemerkung Bullingers, der um dieselbe zeit schrieb, Verger sei ein übler haushalter, vertiefe sich in schulden etc., Meyer II, 247, war nicht ganz unbegründet.

gehn Lindaw dem burgermaister zugeschickt, versehe mich, er habe
es enntpfangen.

b Wie er begert ratt, ob er soll lenger in den Pundten verziehen,
oder widerumben heraußer, achte ich. das in jezigem tumultu gallico
nicht werde mit den Retis de federe gehandelt, fürnemlich dieweill das
noch 2 jar woret, so werden sich die teutschen fürsten mit inen in
bündtnus gar nit einlassen ob certas causas, durumben geratten, er sich
widerumben anheimisch gehn Thübingen verfüege, schickhe ime bey
dem botten noch 100 gulden.

155 a.

Beilage zu n. 155.

Vergers rath wegen eines bündnisses, das mit Graubünden zu
schließen sei.

Ut causa melius possit intelligi et judicari, collocabo eam ante
oculos veluti pictam in tabella in nomine Domini; videtur enim
mihi gravissima et digna, de qua consideretur.

Anno 1549 factum fuit foedus inter Henricum, felicis recordationis, regem Gallorum et dominos Rhætos seu Grisones, quod
duraturum esset ad vitam ipsius Henrici et per 5 annos ab ejus
morte, ita ut nunc 2 anni et aliquot menses desint, quibus dictum
foedus exspiret.

Cum vero adversarii aliud foedus urgeant cum dominis Rhætis,
ut transitu aut passu, qui est per Alpes ex Italia, et militia horum
dominorum contra Germaniam possint potiri, cumque nunc metuatur,
ne Papa velit bellum gerere (qua de re multa apparent signa), certe
non videtur consultum, differre adhuc ad 2 annos, quibus agatur de
foedere ipso redintegrando, neque enim desunt practicæ non contem-
nendæ, quod affirmo.

Hanc igitur ob causam illustris dominus Mattheus Cognetius [1],
Galliarum regis apud dominos Helvetios legatus, qui solet Soloduri
residere, ad ipsos dominos Rhætos paulo ante proximum festum resurrectionis scripsit, se ob causam foederis fuisse Curiam venturum,
sed postea scripsit, se non ante festum Johannis posse advenire.
Cum vero ad eum modum scriberet, rex Galliarum nondum erat
abductus a Guisanis [2], neque erat regnum in tanta turbatione, in

*

1 S. n. 122.

2 26 März begaben sich Anton von Navarra und die 3 triumvirn

quanta nunc est; quare dubium est, an idem d. Cognetius legatus
sit facturus, quod scripsit, ob nova scilicet, quæ supervenerunt, impedimenta.

Interea vero multi ex prudentioribus dominis Rhætis amicis
meis, cum quibus familiariter versor, non libenter vident, redintegrationem fœderis cum rege Galliarum tamdiu differri, et quamvis
videant, illud regnum nunc esse in tumultu, et quamvis sciant, tempus prioris fœderis nondum exspirasse, tamen optarent, iterum redintegratum esse fœdus, imo aperte dicunt, quod metuerent aliquod
incommodum, ne scilicet Papa vel Philippus nunc obtinerent, quod
vellent, si rem tentarent, præsertim cum rex Gallorum multa hic
debeat private et publice et nihil solvat, et præsertim cum rediens
nuperrime ex Italia quispiam eorum renuntiaverit, se audivisse, quod
Papa colligat milites, quo nuntio allato hi consules et reliqui domini
excitati multo magis optarent, fœdus esse redintegratum, ut possent
cavere rebus suis; metuunt enim a Papa, nisi fœdus habeant vel
cum rege Galliarum, vel cum illustrissimis Germaniæ principibus.

Res ergo existit in aliquo periculo, si adhuc differatur nec redintegretur fœdus, ne scilicet adversarii irruant suis practicis et sibi
ipsis procurent fœdus, ut hoc transitu seu passu uti possint atque
hac militia.

Ego hic privatus dego sine ullo mandato, sed adveni, ut visi-
tarem antiquos amicos atque ecclesias, præcipue vero ut cum anno
49, quando scilicet factum fuit fœdus (ut dixi), eam causam juverim;
nunc quoque juvem pro mea tenuitate apud meos amicos, nihil ergo
possum hic aliud facere, nisi d. Cognetius legatus advenerit, ut
scripsit, tunc enim sperarem, me posse nonnihil proficere, sed interea,
dum veniet (si modo veniendum illi fuerit), propono considerandum
hoc meum consilium, quod sentio, mihi a Domino inspirari.

Dubium est (ut dixi), an res Galliarum turbatæ possint cito
sedari, et metuendum est, ne cito possint, ita ut periculum sit, ne
interim adversarii urgeant et rapiant sibi commoditatem, quæ est
maxima hujus transitus seu passus atque militiæ. Quid ergo, si
illustrissimi Germaniæ principes illi, qui saltem sunt Rhætiæ proxi-

*

(Guise, Montmorency und St. André) nach Fontainebleau, wo sich
Karl IX und seine mutter aufhielten und zwangen diese, sich in ihre
gewalt zu begeben.

miores, agerent ipsi de fœdere? hoc propono considerandum.

Mihi certe non videretur inconsultum, si agerent; Papa enim omnino minitatur bellum et multum posset illustrissimis Germaniæ principibus incommodare, si ipse posset cum dominis Rhætis fœdus facere.

Dixerit aliquis: domini Rhæti pro majori parte complexi sunt puriorem evangelii doctrinam, quare non est credibile, quod se vellent Papæ adjungere, præsertim contra illustrissimos principes protestantes. Concedo, non se conjungerent Papæ, sed si Cæsari vel Philippo, Hispaniarum regi, quorum uterque est vicinus, se conjungerent, idem esset, ac si Papæ se conjungerent.

Imo dicam amplius, quod domini Veneti cogitant de fœdere cum ipsis dominis Rhætis faciendo, et nuper conduxerunt duos capitaneos ex ipsis dominis Rhætis ex familia Salicea, ea scilicet spe, ut possint milites in Rhætia colligere, spe dico, neque enim possunt esse certi, cum nullum habeant fœdus.

Sed si habituri essent, non dubitarem, quin totum id collaturi essent in juvando Papa, quotiescumque bellum gerere contra nos voluerit. Quare ad effugiendum istud periculum, ne domini Rhæti traherentur in fœdus adversariorum, consultum esset, si illustrissimi Germaniæ principes fœdus ipsi facerent.

Imo nulla alia est via, qua iste transitus et ista militia Rhætorum conservetur, ne ad potentiam Papæ et fautorum Papæ adjungatur, quam ut ipsi illustrissimi Germaniæ principes sibi per confœderationem adjungant, vel Gallorum rex adjungat ipse; sed rex differt, aliis rebus occupatus, ergo tutius esset, ut principes ipsi fœdus facerent.

Saltem ad breve tempus, donec appareret, quid antichristus post finitum suum conciliabulum acturus esset, ad arma manus admovere, vel non.

De voluntate ipsorum dominorum Rhætorum videor mihi posse affirmare, quod libenter cum ipsis illustrissimis Germaniæ principibus se conjungerent, neque de hoc puto dubitandum.

Ac non modo hoc propono deliberandum, essetne consultum, an non, si tale fœdus esset faciendum, quandoquidem rex Gallorum, qui est occupatus, usque adeo differat, sed propono deliberandam, an, si rex ipse cito posset fœdus redintegrare, esset nihilominus consultum, ut ipsi illustrissimi principes in eodem fœdere includerentur.

Mihi, qualisqumque sim, maxime id placeret ob multas causas, quas non est opus hic recensere.

Cum prædictus d. Cognetius legatns scripserit (ut dixi), se huc venturum ad festum Johannis, quamvis incertum sit, an sit venturus propter eam causam, quam dixi, tamen non parcam ullo incommodo et subsistam hic usque ad illud tempus.

Interea vero fiat deliberatio ab illustrissimis principibus, quid agendum fuerit, ego reverenter moneo, ut aliquem prudentem consiliarium huc mittant, quem ego pro mea tenuitate juvabo, si Snæ Illustrissimæ Celsitudines aliquid in ea re tentare voluerint.

Datum Curiæ Rhætorum 20 Maii 1562.

Illustrissimæ Celsitudinis Vestræ servitor.

156.

Verger an herzog Christoph.

Tübingen 16 Juni 1562.

Meldet seine glückliche ankunft in Tübingen, dankt für das ihm zugeschickte geld und verspricht bald mündlichen bericht über seine reise und seine wirksamkeit zu erstatten.

Illustrissime Princeps et Domine Domine Clementissime!

Hac nocte Tubingam[1] perveni (per Dei gratiam), salva quidem sunt religionis et publica negotia, sed nullum incommodorum genus est, quod alias non fuerim passus in propria vita, in meis comitibus atque in bonis; sic enim permisit Dominus (ut ego interpretor), quod hanc potestatem me affligendi permiserit satanæ; nam is me voluit terrere, quia vidit me concionantem fortiter (per Dei gratiam) non sine aliquo fructu, hanc igitur ob causam affligebat me, ut interim a prædicationis munere desistam, sed nihil (ut spero) efficiet, dicam enim coram, quod mihi Dominus consilium immiserit.

Paulo post meum reditum ecce advenit Illustrissimæ Celsitudinis Vestræ nuntius, qui me Curiam usque sequebatur, ut 100 florenos portaret, quos hic accepi. Gratias ago æterno patri domini

---

1 Verger besuchte Bullinger Juni 1563 in Zürich, von dort reiste er noch einmal ins Veltlin und blieb dort 4 wochen; s. br. 182. 184. 185. December 1563 kam er noch einmal nach Zürich. Meyer II, 251 ff.

nostri Jesu Christi, qui per Vestram Celsitudinem Illustrissimam me refocillavit certe opus habentem.

Consilium medicorum, qui sunt in Rhætia, est, ut adhuc semel invisam thermas; consisto itaque biduo aut triduo, tum ut quiescam, tum ut medicos consulam. Deinde statim Stutgardiam adveniam, inde Gepingam eam, si Deus voluerit.

Evasi mirabiliter (per Dei gratiam) Papæ, qui mihi etiam in reditu pararat insidias, ut coram narrabo. Mitto autem ea de re tum pastorum tum consulum Curiensium consilium, quod erat, ut diutius subsisterem, sed oblata occasione Deus non passus est, ut ulterius subsisterem.

Vestra Illustrissima Dominatio in litteris, quas tum pro pecunia accepi, lætatur, quod evangelium domini nostri Jesu Christi illic quotidie magis permoveatur, sed non est dubium, quod ea de re Illustrissima Celsitudo Vestra multo magis gratulabitur, ubi me audierit; nam affirmo, mirabiliter nunc revera promoveri et nomen Illustrissimæ Celsitudinis Vestræ magna esse in existimatione, quod coram Deo sancto confirmo, ut spero, me coram dicturum. Interim me reverenter commendo; cœlestis Pater augeat suos divinos thesauros, spiritum et fidem per Christum dominum nostrum.

Tubingæ die 16 Junii 1562.

                                              Servitor Vergerius.

Hierauf von Vergers' hand die anmerkung:

Vestra Illustrissima Celsitudo ignoscat puerili scripturæ. Meus amanuensis abivit.

Randbemerkung von des herzogs hand:
Bedarft kheiner anntwurt.

157.

Verger an herzog Christoph.

Tübingen 20 Juni 1562.

Meldet, daß eine krankheit ihn genöthigt habe, seine abreise von Tübingen aufzuschieben; nachrichten über den papst und dessen plane; Verger fürchtet einen baldigen krieg.

Illustrissime Princeps et Domine Domine Clementissime!

Constitueram accedere postridie, quam Tubingam appulissem scripsissemque, sed ecce ex improviso intumuit mihi genu ejusdem cruris, quod tactum est paralysi; fiat voluntas Domini, acceptum re-

fero Alpibus et difficillimis itineribus, quibus evasi Papæ insidias;
quare differo adventum meum, dum subsederit minor; interea unum
significandum putavi, quod si fuisset diutius inveteratum, nullius
fuisset momenti. Semper dixi, antichristum in causa religionis me-
ditari bella, et quotidie magis confirmatus sum in hac sententia.
Dignetur Vestra Illustrissima Celsitudo litteras legere, quas Curiæ
Rhætiarum scribebam; nam quispiam insignis papista non negabat,
Papam omnino cogitasse de bello post absolutum concilium inferendo.
Sed quid? bonus Papa cogitur mutare consilium neque exspectare
exitum sui fraudulenti concilii. Audio enim ex fratrum, qui sunt
in Italia, litteris, eum jam se prodidisse imposuisseque tum tem-
porali tum ecclesiastico statui tributum (ipse appellat subventionem)
quatuor centum ducatorum millia, quos velit statim corradere (quæ
tamen exactio non fiet sine periculo seditionis alicujus) et in Galliam mittere loco militum, quos collegerat; habere tamen in animo,
ut, antequam tantam pecuniam mittat, certior reddatur, quod omnes
nostram doctrinam profitentes ex illo regno profligabuntur. Quis
hoc audebit promittere? fortassis in alium usum hæc pecunia colli-
gitur, et fortassis contra Germaniam. Hoc itaque illud erit bellum,
quo totus orbis involvetur, sed magna cum gloria Dei atque evangelii fructu. At magnum illud est et memorabile, quod eodem tempore Papa magna sollicitudine muniendas curat præcipuas suæ ditionis civitates. Quid? metuitne, ne re male pro se in Galliis
gesta fiat inundatio in Italiam ex Germania? Utinam mei corpo-
rales oculi intueri id possint, ut contunderetur caput serpentis! est
quidem fere impossibile, quod tale, quale scribo, nuntium ad Celsitudinem Vestram Illustrissimam non pervenerit, sed levis futura est
mei laboris jactura, quod non scripserim in tempore. Reliqua quæ
ex Rhætia non contemnenda attuli, coram dicam, si Dominus voluerit, intra quatuor aut quinque dies. Atque utinam Illustrissima
Celsitudo Vestra dignetur mihi significare, simne illam Stutgardiæ
tunc inventurus. Cœlestis Pater augeat illi suos divinos thesauros,
spiritum et fidem per Christum dominum nostrum, cui me reverenter
commendo.

Habeo domi bina cervorum cornua [2], quæ mihi videntur ele-

*

1 Die kriegsbefürchtungen s. 62 a.
2 S. n. 159.

gantia, ex Lituania usque ad Vestram Celsitudinem missa, quæ egomet in meo curru adducam, una cum nobili, qui ea advexit.

Tubingæ die 20 Junii 1562.

Illustrissimæ Celsitudinis Vestræ

servitor Vergerius.

158.

Herzog Christoph an Verger. Concept.
Münsingen 23 Juli 1562.

Er wolle 4 junge Graubündner ins seminar in Tübingen aufnehmen und den neffen Vergers auch in seinen dienst nehmen.

Quod ad filios ministrorum in Rhætia attinet[1], illustrissimus
princeps vult pro seminario ecclesiæ Christi 4 juvenes sustentare
Tubingæ per 3 annos, et singulis annis cuilibet munera facere 30 florenos, et incipiet solutio illorum a festo St Georgii jam præteriti.
Actum 23 Julii anno 62.

Illustrissimus princeps vult nepotem[2] domini Vergerii in servitium suum accipere, per annum illi persolvere 100 florenos ea
conditione, quod ipsi sit licitum, apud nepotem suum dictum dominum Vergerium cohabitare, et si quæ sint res, in quibus illustrissimus princeps suam operam necesse habeat, quod ille inserviat et
quod interea magis operam det studiis et linguæ germanicæ ap-
prehendendi.

Die aufschrift lautet:

Was ich Vergerio zu Münsingen zu anotwurtt geben hab.

159.

Verger an herzog Christoph.
Tübingen 25 Juli 1562.

Schreibt wegen einiger hirschgeweihe und dankt wegen der seinem neffen erwiesenen gnade.

Illustrissime Princeps et Domine Domine Clementissime!

Significavi domino Melchiori nobili Lituano de cornibus cer-

*

1 S. n. 154.
2 Es war Aurelius, s. n. 159.

Verger   23

vinis [1], qui venit ipsemet, ut ea offerat et reverenter Illustrissimam
Celsitudinem Vestram invisat, bonus profecto juvenis et studiis valde
intentus [*]. Ego unum dumtaxat par videram, sed sunt duo paria,
qualia Celsitudo Vestra visura est. Cum domino Melchiore, qui es
attulit ex Lituania usque, venit etiam nobilis adolescens, de quo
coram dixi, qui scilicet profecit in litteris ad miraculum usque; cum
enim Tubingam venisset plane rudis litterarum, ut nec loqui unum
verbum latine posset essetque jam adultus, nunc et commode loquitur latine et multa praeterea didicit, quem reverenter commendo.

Utinam Illustrissima Celsitudo Vestra dignaretur scribere d.
Snephio [*], ut mihi videndum daret scriptum nuper confectum de
recusatione concilii, quod statim redderem.

Rhetlingenses reformarunt supplicationem [*] ad eum modum, quo
Illustrissima Celsitudo Vestra videbatur velle, quam mitto, et supplico, ut ad senatum Rhetlingensem Vestris litteris inclusa mittatur
pro Vestra clementia [*]. Non petimus prorsus liberationem, sed
dumtaxat ut poena ignominiae in pecuniariam commutetur, quod ut
Clementia Vestra velit efficere, supplex peto. Putabam, hodie feren-
dam esse sententiam, sed dilata res est, tamen ne ex improviso fe-
ratur, proderit litteras Celsitudinis Vestrae Illustrissimae in manu
habere, propterea famulum mitto, quamquam isti duo nobiles quoque
curabunt negotium.

Meus nepos Aurelius [*] agit immensas gratias imprimis Patri
coelesti, deinde Vestrae Clementiae atque Pietati, dabitque diligentem
operam tum suis studiis, tum linguae Germanicae, seque una mecum
reverenter Illustrissimae Celsitudini Vestrae commendat. Gratia et
pax domini nostri Jesu Christi cum illa.

Tubingae 25 Julii 1562.

Illustrissimae Celsitudinis Vestrae servitor

Vergerius.

Randbemerkungen von des herzogs hand:

a Die hirschhornner seye schon, habe deswegen ime bevolhen, seinem hern danck zu sagen.

b Schickhe ime die fürschrifft.

*

1 S. n. 157.
2 S. n. 111.
3 Unbekannt, auf was sich die bitte bezieht.
4 S. n. 158.

130.

Verger an herzog Christoph.

Wildbad 10 August 1562.

Berichtet über seine badekur und eine unangenehme klatscherei, in die er hineingerathen sei.

Illustrissime Princeps et Domine Domine Clementissime!

Fui in aquis quinquaginta horis, perseverabo (si Deus voluerit) adhuc septuaginta, ut sit plena lavatio; credo, postremas futuras mihi has thermas, quas tentabo, faciat postea Dominus voluntatem suam, ipsius sumus sive claudi et debilitati, sive vivimus, sive morimur. Ubi me hinc absolvero, quod circa finem hujus mensis spero futurum, ad Vestram Illustrissimam Celsitudinem accedam; sunt enim mihi negotiola. Interea habeo aliquid, quod me torquet.

Venit huc ad me ex Italia ante octiduum quidem bonus vir, imperitus rerum, qui nuntiabat, famam esse in Italia, Papam esse in quodam delirio, quin quod idem diceretur de Caesare (an intelligeret spiritualiter, nescio), quod urgeret aedificationem monasterii Jesuitarum, cum quibus vellet se includere dimisso Bohemiae et Ungariae regno. Sic ille ineptus, addebatque, non esse metuendum, quod Papa et Caesar essent facturi bellum Germaniae. Quispiam amicus meus, servitor Illustrissimae Celsitudinis Vestrae petebat a me, quid novi attulisset ex Italia hospes meus; subridens illi uni, et quidem in aurem, respondi, quae superius recitavi, addens esse nugas. Iste bonus vir statim accurrit ad illustrem dominum comitem ab Helfestaim, qui hic lavat (credo d. Georgium nomine), et nova illa inepta soli retulit. Quare sua dignitas exarduit mirandum in modum et dixit decem aut XV audientibus, se velle de ea re ad Caesaream Majestatem scribere et ad Vestram Illustrissimam Celsitudinem. Sed quid peccavi miser homo? Rem uni servitori Vestro (ut dixi) communicavi, ab alio auditam, neque affirmo pro vera. Hoc meum est peccatum, puto mihi imputari propter diversitatem religionis, nam et antequam ista contigissent, torve me aspiciebat. Fiat voluntas Domini, ille mihi ignoscat et Celsitudo Vestra, si peccavi revera; oportet pati christianum hominem, ego uni dumtaxat dixeram, at illustris dominus comes evulgavit ipse inter multos. Commendo me reverenter. Pater coelestis augeat Serenitati Vestrae suos divinos thesauros, spiritum et fidem per Jesum Christum.

23 *

Datum in Thermis ferinis die X Augusti 1562.

Illustrissimæ Celsitudinis Vestræ servitor

Vergerius.

Eigenhändige resolution des herzogs:

Eislinger soll Vergerio anzeigen, wie ich diß sein schreiben ge-
lessen und hette ime daromben nit antwurtten wellen zu horen, ob
sich graff Jerg von Helffenstejn waß an ime beclagen woltt, also hette
er seinem brueder gesagt, das er von der kayserlichen mayestät schmeh-
lichen geredt, auch den vogt im Wildtbadt gebetten, mir solches zu-
zeschreiben, wie hiebey zu sehen, wa Vergerius solliche reden gethan,
weren die ime woll uber geblieben, welle mich dessen aigenntlichen
berichten, damit ich ime von Helfenstain wüsse zu beanntwurtten.
Waß nun Eisliuger in anntwurt einnimbt, soll er mir es zuschreiben
sambt wider schickhung diser brief.

161.

Verger an herzog Christoph.

Tübingen 21 August 1562.

Über das concil in Trient, seinen streit mit Scalichius; bittet um
geld.

Illustrissime Princeps et Domine Domine Clementissime!

Cum essem in Thermis ferinis, oblatæ sunt mihi die 19 a meo
nepote Tubinga missæ Illustrissimæ Celsitudinis Vestræ litteræ exaratæ die 3 ejusdem mensis. Cum vero cogerer quotidie in aquis
esse, responsum distuli usque ad hoc tempus, quo domum (per gratiam Dei) redii.

Una cum litteris erant 13 articuli de sacrificio missæ a larvis
Tridentinis propositi, nec non aliud scriptum impressum de reformatione officii pœnitentiariæ [1], quæ sunt meræ nugæ papales atque
blasphemiæ [2]. Scripsi illis de rebus nonnulla, sed italice; nam ea
lingua videor mihi posse nonnihil proficere, vertam ea in Latinum,
et cum contigerit mihi ad aulam accedere, feram, interea quiescam;
nam mihi non videtur carere magno labore atque incommodo, si
quis in thermis versetur.

*

1 S. u. 162. Die schrift erschien italiänisch unter dem titel: Al
signor Pietro Antonio Nassale. Della riformation dell' officio della
penitentiaria. Serap. 98. n. 112.

In eisdem Celsitudinis Vestræ Illustrissimæ litteris erat mentio de pastore in Lusnao in carcerem conjecto, et quod Celsitudo Vestra nollet, ut pergerem quippiam de doctore Scalichio [1] scribere. Non est dubium, quin illa possit mecum omnia, tantum peto, ut dignetur meam instructionem legere, quam vel mittam vel afferam; sciat interea, commissarios delegatos magnificum d. Ghiltlingherum et alios scripto, quod penes me habeo, disertissime suam declarasse nomine Illustrissimæ Celsitudinis Vestræ sententiam, ut scilicet liceat mihi de titulis illius hominis scribere, quæ voluero, modo utar modestis verbis. Si vero Celsitudo Vestra Illustrissima voluerit id revocare, per me non deerit, quin obediam; mandet modo, nam exonerabo meam conscientiam. Sed interim id dumtaxat peto, ut instructio mea expendatur, et simul quomodo se in aula illustrissimi ducis Prussiæ gerat doctor Scalichius; scripsit enim contra illustrissimæ suæ celsitudinis medicum maledicentissimum libellum, quem curavit imprimendum; deinde omnes meos, imprimis quos illic habeo nepotes, superbissime (quantum in se est) conculcat, et magnificus baro d. Ungnadius, quem scio esse ejus promotorem, ista non vult credere. Summa summarum, si Vestra Celsitudo dignabitur legere, quæ mittam vel scribam pro informatione, bene quidem; sin minus, abstinebo clausis oculis, sed spero, illam pro sua justitia minime negaturam informationem videre; illud affirmo, non esse in toto terrarum orbe hominem, qui magis cupiat ulli mortalium morem gerere et obedire, quam ego Vestræ Celsitudini Illustrissimæ, Deus novit. Interea dum a scriptione contra titulos illius doctoris abstineo, informationem paro satis brevem.

Thermæ videntur mihi saltem non nocuisse, si non profuerunt, Domini voluntas fiat; ego de valetudine corporis non sum sollicitus (Deum testor), majora enim exspecto a domino Deo meo, hoc est animæ perpetuam sanitatem. Jam quarto istas aquas tentavi Badenses, Ferinas bis, et Cheppingenses, et semper antehac Illustrissimæ Celsitudinis Vestræ clementissimum animum et liberalitatem et pietatem sum expertus, nolo nunc molestus esse, tametsi affirmem coram Deo, quod plane istæ Thermæ me exhauserint. Dicam cum Paulo: cupio dissolvi et esse cum Christo, ubi spero me affuturum sat cito. Dignetur Vestra Illustrissima Celsitudo meminisse ejus,

*

1 S. n. 64.

quod dignata est Mecingæ[1] promisisse pro doctore meo nepote[b]. Commendo me reverenter Celsitudini Vestræ Illustrissimæ. Pater cœlestis augeat illi suos divinos thesauros, spiritum et fidem per Christum dominum nostrum.

Tubingæ XXI Augusti MDLXII.

Illustrissimœ Celsitudinis Vestræ servitor

Vergerius.

Eigenhändige randbemerkungen des herzogs:

a Hatt sein weg

b Ist als ain diener sein vetter eingeschriben, und haben die landtschreybereyverwalter jme jerlichs der 100 gulden zu bezallen.

162.

Verger an herzog Christoph.

Tübingen 5 September 1562.

Wiederholt den inhalt von n. 161, da er diesen brief verloren glaubt.

Illustrissime Princeps et Domine Domine Clementissime!

Cum ante XV dies ex Thermis (per Dei gratiam) rediissem, Vestraque Illustrissima Celsitudo esset in suis venationibus, scripsi ad eam, mittens litteras per quendam; in summa, cum subdubitem num fuerint redditæ, repeto (paucis additis) quæ tunc scripseram. Scripseram autem, mediocriter me habere, cum tamen diligenter laverim, sed parum me esse sollicitum de valetudine corporis, dummodo gratia et favor domini nostri Jesu Christi me non deserat. Scripseram, quod Thermæ me exhausissent, non tamen auderem molestus esse et petere, ut, quæ mihi fuerunt pro Illustrissimæ Celsitudinis Vestræ clementia condonata, cum proximo anno thermis usus fuissem, condonarentur nunc quoque, sed quod cœlesti Patri me commendarem; scripseram, ut dignaretur Celsitudo Vestra meminisse, quid pro meo nepote doctore Aurelio Mecingæ promisisset de centum scilicet florenis constituendis; scripseram denique, me paratam esse, morem gerere et obedire, cum illa mihi per litteras mandasset, ne quid de doctore Scalichio scriberem, supplicabam tamen, ut dignaretur informationem (ut sapientissimum atque justissimum principem decet) meam audire, quam propediem mitterem aut afferrem egomet,

*

1 S. n. 158.

interea abstineo et faciam, quæ Vestra Illustrissima Celsitudo mandaverit, hæc inquam scripsi. Quare si fortassis litteræ non fuissent
redditæ, comprehendi in his rerum summam.

Vidi quintam sessionem de communione sub utraque specie;
non putassem, illos conciliares patres esse usque adeo malos, (mali
enim sunt, nequaquam rudes atque indocti) quamquam valde malos
esse perspectum haberem. Scripsi quædam ea de re italice, sed
nunc in Latinum verto, ut Vestra Illustrissima Celsitudo. possit gustare et reliqui etiam (si ita illi videbitur). Si dignaretur mihi
significare pro sua clementia, an huc vel in proximum monasterium
propediem ventura esset, ego eam hic exspectarem, sin minus, darem operam, ut me possem Stutgardiam proripere. Exspecto itaque
ea de re litteras, si lubet, méque Illustrissimæ Celsitudini Vestræ
reverenter commendo. Oro æternum Patrem, ut illi augeat suos divinos thesauros, spiritum et fidem per Christum dominum nostrum.

Tubingæ 5 Septembris 1562.

Illustrissimæ Celsitudinis Vestræ servitor

Vergerius.

163.

Verger an herzog Christoph.

Tübingen 12 September 1562.

Dankt für den besuch, den licentiat Eißlinger im auftrag des herzogs ihm gemacht habe.

Illustrissime Princeps et Domine Domine Clementissime!

Clementia fuit Illustrissimæ Celsitudinis Vestræ, quæ mandatum domino Eslinghero licentiato [1] dederit, ut me conveniret et de
quibusdam articulis ageret, fuit inquam ea summa clementia et mo-
deratio, ago summas gratias, spero, me satisfecisse; nihil ergo de
illis repeto.

Eram venturus Stutgardiam; sunt enim mihi negotiola; sed cum
audierim, Vestram Celsitudinem propediem in proximo monasterio [2]
affuturam, illuc accedam (si Deus voluerit.)

Sum mirum in modum occupatus, et (per Dei gratiam) non nisi

*

1 S. n. 41.
2 Bebenhausen.

in meis (hoc est) quæ ad religionem pertinent, negotiis, quemadmodum coram dicam. Commendo me reverenter Illustrissimæ Celsitudini Vestræ. Oro æternum Patrem, ut illi augeat suos divinos
thesauros, spiritum et fidem per Christum dominum nostrum.

Tubingæ XII Septembris 1562.

Illustrissimæ Celsitudinis Vestræ servitor

Vergerius.

164.

Verger an herzog Christoph.

Tübingen 27 September 1562.

Fragt, ob ein graf Nostiz, der in Tübingen studiere, den herzog
nicht nach Frankfurt begleiten dürfe.

Illustrissime Princeps et Domine Domine Clementissime!

Illustrissimus princeps dux Prussiæ dignatus est mihi per litteras commendare duos magnifici d. Casparis Nosticii [1], ejus præcipui consiliarii, filios, quos aliquando Vestra Illustrissima Celsitudo
vidit. Quare tum propter tanti principis commendationem, tum
etiam quia adolescentes sunt revera benevolentia digni atque etiam
honore, ego a majore natu, cui nomen est Casparo, rogatus, fretus
Celsitudinis Vestræ clementia has litteras scribo. Ille igitur cuperet
in comitatu Illustrissimæ Celsitudinis Vestræ Francfordiam [2] advenire,
spero, in mediocri equo, atque etiam mediocriter vestibus instructus,
præterquam quod mihi videtur esse vere nobili aspectu; nam qui
sunt tales, solent esse honoratiores. Cupit vero scire in tempore,
num Illustrissima Celsitudo Vestra sit illum in suum comitatum ad-
missura, vel non, ut possit se interim parare. Mittit peculiarem
famulum, qui responsum reportet, seque Celsitudini Vestræ Illustrissimæ majorem in modum commendat atque ego una cum illo.

Tubingæ XXVII Septembris 1562.

Illustrissimæ Celsitudinis Vestræ servitor

Vergerius.

Eigenhändige resolution des herzogs;

Franz Kurz soll Wolff von Heideckh fragen, ob er disen khenne,
weß alters, auch herkhomens er seye.

*

1 S. br. 132.

2 Der herzog war von dem kaiser Ferdinand zum kurfürstentag

165.

Verger an herzog Christoph.
Tübingen 27 September 1562.

Berichtet einige neuigkeiten aus dem concil und fragt, wie der herzog seinen neffen verwenden wolle.

Illustrissime Princeps et Domine Domine Clementissime!

Ante aliquot annos, sub Julio scilicet III [1], Tridenti episcopus Cavensis Italus avulsit partem barbæ episcopo Mellepotenensi Græco, magno cum risu et scandalo omnium; nunc vero significatur mihi, quod episcopus quidam Hispanus conseruit manum cum episcopo Veronensi ex primaria in republica Veneta Trivisanorum familia, impegitque illi gravem alapam, quare bonus Veronensis tanto mœrore affectus fuit, ut intra paucissimos dies mortem obierit, pugnacem igitur Tridentini patres habent spiritum sanctum.

Significatur mihi, evagari per Italiam librum contra me scriptum [2] mandatu Papæ, quis non stomacetur, licere legi libros contra nos scriptos [*], sed non licere nostras responsiones, quanta hic ineptia atque injuria? Spero, non defuturas vias, quibus possim meos quoque libellos evulgare, non desunt boni amici; interim ago gratias Deo, quod Papam potuerim ad iracundiam commovere.

Exspecto responsa, quæ Vestra Illustrissima Celsitudo dignata est mihi polliceri de libris meis in uno tomo imprimendis [*], et de nepote, cum quo contuli, quid de eo cogitet Illustrissima Celsitudo Vestra [*]; sive igitur Francfordiam illi veniendum sit, sive alio mittendus, obediet, ut sane debet; imo dixerim amplius, quod si aliquis sit in Galliam mittendus (quemadmodum de me ipso constitutum fuerat aliquando), me una cum illo paratum esse, omnem laborem atque etiam periculum libenter subire pro gloria Dei, atque ut Illustrissimæ Celsitudini Vestræ rem gratam faciam, mandet modo, neque enim defuturus sum, atque idem pro ipso nepote affirmo. Com-

*

nach Frankfurt berufen; denn dort sollte Maximilian zum römischen könig erwählt werden, und herzog Christoph hatte sehr viel dazu beigetragen, daß diese wahl zu stande komme. S. n. 197. Kugler II, 278 ff.

1 Julius III, papst von 1550 bis 1555.
2 S. n. 152.
3 S. n. 166 und 166a.

mendo reverenter me et illum. Pater cœlestis augeat Pientissimæ Celsitudini Vestræ suos divinos thesauros, spiritum et fidem per Christum dominum nostrum.

Tubingæ XXVII Septembris 1562.

Illustrissimæ Celsitudinis Vestræ servitor

Vergerius.

Randbemerkungen von des herzogs hand:

a Wa er das buech uberkhumbt, wolle mir es schickhen, zu sehen, ob es wirdig, das darauff geanntwurttet werde.

b D. Brencii bedenckhen herober und in der neben verzeichnetten buecher zu haben, ob eye also zusamen zu truckhen zu lassen seyen.

c Jezmallen gehn Franckfortt bedarff ich seines vettern nit, wa ich seiner bedarff, soll nit vergessen werden.

166.

Verger an herzog Christoph.

Tübingen 6 October 1562.

Bittet um die erlaubniß, eine gesammtausgabe seiner schriften auf des herzogs kosten veranstalten zu dürfen; bittet für seinen neffen und sich um geld und sagt, man verlange wiederum seine anwesenheit in Graubünden.

Illustrissime Princeps et Domine Domine Clementissime!

Optavi venire egomet, sed cum possim judicare, imo audiam undique pro certo, Vestram Illustrissimam Celsitudinem esse nunc vehementer occupatam, malui scribere, ne molestus essem adveniens; spero enim illam (pro sua clementia) tanti facturam meas litteras, quibus tota res per me indicetur, quanti faceret meam præsentiam*.

Spero, non oblitam esse Illustrissimam Celsitudinem Vestram, quin ante suum discessum mittat responsa, de quibus reverenter egi in Schambach. Et primum quidem, ut liceat mihi Vestro sumptu meam veluti ultimam exsequi voluntatem (dixi enim, quod me pararem ad mortem) in imprimendis scilicet meis libris, partim Latinis, partim Italicis [1]. Addo quod non dixi prius, me facile concessurum, ut vel d. Brentius, sive hujus scholæ decani inspiciant de more, neque enim est animus (absit) nec latum unguem discedere a nostra renascenti doctrina et præsertim a confessione Augustana, quam-

*

1 S. n. 166 a.

quam nullibi attigi articulos controversos, quod eos videam et d. Brentium et reliquos tractasse pro dignitate, sed tantum ea attigi, quæ faciunt ad destructionem papatus, pro mea virili.

De nepote [1], is faciet, quidquid jusserit Vestra Illustrissimā Celsitudo, et interea dum illa Francfordiam proficiscetur, hærebit in suis studiis, profecturus postea, quocumque illa dignabitur jubere, quemadmodum egomet quoque [b]; interea cum dignata sit illi centum florenos in anno constituere, quod factum est die XXIII præteriti mensis Julii in venatione, ut Wilhelmus Carietus sua manu annotavit, dignabitur eadem Celsitudo Vestra Illustrissima mandare, ut illi aliquid numeretur, unde se queat sustentare [c].

Cum hæc duo negotia proposuissem in Schambach, Illustrissima Celsitudo Vestra clementer respondit, se habituram in memoria, tum ista duo, tum tertium, cumque respondissem ego, me duo tantum petiise atque annotasse in memoriali, illa dignata est subjungere, esse tertium negotium, ut scilicet sit memor ægritudinis meæ et thermarum, in quibus fuerim, et sumptuum. Illustrissime Princeps, non facerem ejus rei mentionem, nisi necessitas impelleret [2]; nam profecto me partim rerum omnium penuria, partim ægritudo exhausit, ducenti dumtaxat hic mihi in anno solvuntur [d].

Iterum urgeor a quatuor Rhætorum ecclesiis, ut sim aliquot septimanis apud illas pro promovendo scilicet evangelio (qualiscumque sim). Nondum certi quidquam constitui, credo, alios superventuros aliarum ecclesiarum nuntios, qui etiam me urgeant, ut accedam; faciam vero, quod Spiritus sanctus monuerit, nec diu tamen affuturus sum [e].

Mitto supplicationem, quam Illustrissima Celsitudo Vestra dignabitur inspicere et statuere, quod a Patre cœlesti admonebitur, causa pertinet ad honorem Dei. Commendo me reverenter. Pater cœlestis augeat illi suos divinos thesauros, spiritum et fidem per Christum dominum nostrum.

Tubingæ VI Octobris 1562.

Illustrissimæ Celsitudinis Vestræ servitor

Vergerius.

Eigenhändige randbemerkungen des herzogs:
a Hatt sein weg.

*

1 S. n. 158.
2 S. n. 161.

b Hatt sein weg.

c Sein vetter soll bey den landtschreybereyverwaltern anhalten, wirdet er bezahlt, wie das gebrauch ist, diese diener von hauß auß m bezallen.

d Wa ime die 100 gulden badtgeld noch nit erlegt, sollen sye noch ime geben werden.

e Non erit tutum tum propter periculum itineris tum propter frigus et alias causas.

166a.
Beilage.

Verzeichniß der lateinischen schriften Vergers, die gedruckt werden sollen.

Quæ sunt mihi latine imprimenda:

Actiones secretarii sex.

Scholia in binas Pauli papæ IV epistolas.

Articuli contra cardinalem Moronem.

Lac spirituale pro colendis Christianorum filiis.

Consilium quorundam episcoporum datum Paulo papæ IV.

De conjuratione papistarum.

Bulla Julii III, qua concilium indicit.

Declaratio jubilei.

Postremus catalogus hæreticorum continens alios quatuor catalogos cum impugnatione.

Dialogi contra Osium.

De idolo Lauretano.

Concilium Tridentinum omnibus fugiendum.

Testimonia pro confessione Valdensium.

De libro, cui titulus, de administratione sacramentorum, a quodam cardinale edito.

Oratio Reginaldi Poli cum scholiis.

Ad serenissimum Poloniæ regem de concilio epistola.

De Gregorio papa ejus nominis primo.

Actiones cum principibus imperii a Clemente septimo, a Paulo III et Julio III institutæ.

Colloquium R. D. Delphini nuntii apostolici cum Vergerio [1].

*

1 Von dieser gesammtausgabe erschien nur 1 bd: Operum Vergerii tom. I, adversus papatum. Tubingæ 1563, enthaltend nur lateinische

Eigenhändige resolution des herzogs:

Ist von d. Brencio zu erwegen, ob dise zusamen zu truckhen zu bewilligen sein wellen.

167.

Verger an herzog Christoph.

Tübingen 7 December 1562.

Wünscht herzog Christoph glück su seiner rückkehr und möchte ihn bald sprechen.

Illustrissime Princeps et Domine Domine Clementissime!

Audio, Illustrissimam Celsitudinem Vestram Stutgardiam rediisse[1], ago gratias Patri cœlesti per Jesum Christum, qui illam reduxerit incolumem, rebus bene confectis: Valde cupio, eam reverenter alloqui, advolassem subito senex atque valetudinarius, ut sum; sed nolui me in aliquam turbam conjicere propter hospitia, quæ fortassis mihi essent defutura; in summa præmittendum putavi meum nepotem, tum ut Illustrissimæ Celsitudinis Vestræ consilium exquiram, sitne mihi nunc veniendum, an non. Fama est apud nos, serenissimum Maximilianum adventurum quoque[2], quem ego valde libenter (si

schriften: Actiones; Consilium quorundam episcoporum; Epistolæ ad regem Sigismundum; Dialogi IV de libro Osii; Postremus catalogus hæreticorum; De idolo Lauretano; Scholia in binas Pauli Papæ IV litteras. Quod Pius Papa IV licetconcilium indixerit, s. Serap. s. 100. n. 125. Es sind also zum theil ganz andere werke, als er zuerst herausgeben wollte. Was diese änderung hervorrief, ist nicht festzustellen; vielleicht wollte er zuerst seine polemischen schriften gegen das papstthum herausgeben, an der herausgabe der übrigen hinderte ihn zunehmende kränklichkeit und sein tod.

Die schrift: Lac spirituale (pro alendis ac educandis Christianorum pueris etc. munusculum Vergerii) könnte nach diesem briefe als werk Vergers erscheinen; doch wäre es gewagt, die streitfrage, ob sie ein geistesprodukt Vergers oder des Spaniers Juan Valdez war, das Verger nur übersetzt hat, dadurch lösen zu wollen; die gründe Böhmers, die er für Valdez geltend macht, scheinen mir auch für diesen als verfasser zu sprechen und durch munusculum würde die schrift als eine, kleine gabe bezeichnet, die er dem fürsten Radzivil darbringt, ohne daß die autorschaft Vergers dadurch bestätigt würde. S. Koldewey, Lac spirituale Johannis de Valdes. 1871.

1 Von der wahl und krönung Maximilians zum römischen könig 24 und 30 November 1562 in Frankfurt.

2 14 December kam Maximilian nach Stuttgart.

fieri posset) aspicerem, tum vero, ut mihi hospitium paret; dignetur itaque Illustrissima Celsitudo Vestra dicere suam sententiam, vel oretenus secretario suo aut meo nepoti, et simul mandare de hospitiolo, accurram enim sine mora. Commendo me reverenter Vestræ Illustrissimæ Pietati, Deus eam nobis incolumem conservet.

Tubingæ VII Decembris 1562.

Illustrissimæ Celsitudinis Vestræ

servitor Vergerius.

Spero, me habere negotium non contemnendum, quod ad Prutenicas ecclesias in nostra confessione retinendas attinet.

168.

Verger an herzog Christoph.

Tübingen 24 December 1562.

Fragt, wann er herzog Christoph sprechen könne.

Illustrissime Princeps et Domine Domine Clementissime!

Voluissem natalicia apud Illustrissimam Celsitudinem Vestram celebrare, sed tam magna incubuerunt frigora, ut non fuerim ausus currum ingredi, quare domi hærebo; sed eandem Illustrissimam Celsitudinem Vestram supplicatam velim, ut dignetur me litteris commonefacere, num sim illam Stutgardiæ inventurus, si post biduum aut triduum frigora resederint essemque accessurus; hoc ego supplico inquam. Puto enim me habere non indigna, quæ communicem. Commendo me reverenter Illustrissimæ Vestræ Pietati, precor illi festa felicia, Pater cœlestis augeat suos divinos thesauros, spiritum et fidem per Christum dominum nostrum.

Tubingæ 24 Decembris 1562.

Illustrissimæ Celsitudinis Vestræ

servitor Vergerius.

169.

31 December 1562.

Vergers besoldung.

Vergerii besolldung ußer der gaistlichen verwaltung zu Tüwinngen jars an:

Gellt IIc. gulden.

Diunckhel XXX scheffel.

Habern XXXX scheffel.

Wein XI aimer X imi.

Holz.

Zwai klaider.

So neueßt er noch bißher den stipendiaten wingardt.

Der keller zu Thübingen soll dem Vergerio hinfüro jars 50 scheffel dinckhel und 50 scheffel habern und 3 aimer geben und jezt Georgii anfahen; so soll Franz Kurz ime jars 100 gulden an geldt auch geben und diß alles zu Verger hie oben gezeichnetter besoldung, soll derwegen bevelch an den keller zu Thübingen jezt gemacht werden, und Vergerio durch sein vettern dise bewilligung also lassen anzeigen. Actum ultima Decembris anno 62.

1563.

170.

Verger an herzog Christoph.

Tübingen, den 10 Januar 1563.

Schickt briefe aus England, wünscht Brenz zu sprechen, ebenso einen theil seiner besoldung jezt schon ausbezahlt, kündet die ankunft von G. Weigel an.

Illustrissime Princeps et Domine Domine Clementissime!

Accepi ex Anglia litteras, quas reginæ secretarius [1] misit una cum scripto impresso, eo animo misso, ut Vestræ Illustrissimæ Celsitudini communicarem, quod facio. Mihi videtur non contemnendum, nisi quod paulo tardius venit, fuerat enim Francfordiam missum, deinde Augustam [2].

Accepi deinde a comite ab Ostrorogo [3], prudente ac sapiente

*

1 William Cecil. S. über England br. 73.

2 Wenzel Ostrorog, sohn von Jakob Ostrorog, studierte damals in Heidelberg. Bei dem reichstag in Frankfurt war zwischen Christoph und Maximilian die rede auch auf die böhmischen brüder gekommen; Maximilian hatte sich ziemlich wegwerfend über dieselben geäußert, stellte sie den wiedertäufern gleich, hielt ihnen fälschung der bibel u. s. w. vor (Blahoslav hatte nämlich den griechischen originaltext und nicht die dem könige bekannte Vulgata zur grundlage einer böhmischen bibelübersetzung gewählt.) Ostrorog scheint von diesem ge-

juvene, litteras, qui cum in aulis serenissimi Romanorum regis aliorumque principum, tum Francforti, tum Haidelbergæ fuisset versatus,
audierat aliquid, Valdenses scilicet fuisse apud serenissimam Romanam
Majestatem delatos, quod valde male habuit Ostrorogum, estque de
ea re vehementer sollicitus. Litteræ sunt ejus manu scriptæ, vel
mittam, vel afferam egomet [b].

Sperabam, me d. Brentium inventurum in proximo monasterio.
Accessi statim a reditu. Abierat. Sed Illustrissime Princeps, dixi
coram et nunc iterum litteris inculco, non fuisse scriptum in Italia
librum tam vehementem æque ac is est, qui nuper contra nostram
doctrinam est in Italia scriptus [1]. Sentio, mihi valde profuisse, quod
quædam cum Illustrissima Celsitudine Vestra contulerim. Quare pergo
in responsione paulo ampliore, atque anteaquam tradam typographo,
monet me spiritus Domini, ut Stutgardiam redeam et alia quædam
conferam etiam cum d. Brentio, non modo cum Vestra Celsitudine.
Nam spero meos Italos avide lecturos [c].

Habui in memoria, quod Vestra Illustrissima Celsitudo dignata
est, mandare de libello Cœlii Secundi [2], quare absolvam intra biduum mittamque illico [d].

Cum huc venissem, dedi litteras cellario, cui erat mandatum,
ut quinquaginta saccos siliginis daret, totidem avenæ, et vini urnas
tres [3]. Egi coram et ago per litteras immortales gratias. Verum
Illustrissime Princeps, nunc in hoc tempore opus habebam, et propterea nunc hoc tempore petii. Cum vero voluissem nunc a cellario aliquid consequi, dicebat, sibi esse scriptum, ut ad festum Georgii inciperet mandatum, quod quatuor mensibus abhinc distat, aut paucis
diebus minus, atque interim paterer aliquod incommodum. Sed si talis
est Illustrissimæ Celsitudinis Vestræ sententia, reverenter acquiesco,
sin minus, supplicarem, ut novæ darentur ad cellarium litteræ, quibus
mandaretur, ne usque ad quatuor menses differat. Nam sancte af

*

spräch erfahren zu haben und schrieb deshalb an Verger br. n. 170a,
um durch diesen auf Christoph und durch Christoph auf Maximilian
zu wirken. Gindely, Geschichte der böhmischen brüder, vermuthet, Verger habe den brief von Ostrorog veranlaßt, dies comödienspiel ist doch
nach br. 172a ziemlich unwahrscheinlich.

1 Wohl kein anderes buch, als das von Chizzuola, br. n. 152.
2 S. br. n. 67. 171.
3 S. n. 169.

firmo, me nunc hoc tempore egere. Ignoscat mihi Illustrissima Celsitudo Vestra, quod meas necessitates aperio *.

D. Brentius d. Weigelio* (illi qui ex Prussia venit) [1] indicavit, se velle iterum eum alloqui, exspectat hic idem Georgius avide tempus, quo Stutgardiam vocetur. Reverenter dico (ut dixi), mihi videri consultum, ut nullum relinqueretur officii genus, quo iste non excipiatur, hoc decet Christianos, præsertim cum ab illustrissimo Prussiæ duce proficiscatur. Si videbitur, una cum illo venirem; audit enim me una cum nepote non illibenter. Quare sperarem, me aliquid boni posse inserere.

Commendo me reverenter Illustrissimæ Celsitudini Vestræ, Pater cœlestis augeat illi suos divinos thesauros, spiritum et fidem per Christum dominum nostrum.

Tubingæ X Januarii 1563.

Illustrissimæ Celsitudinis Vestræ servitor

Vergerius.

Randbemerkungen von des herzogs hand.

a Vidi prius, wirdet den stich nit halten; man collorier es, wie man es will.

b Will deren gewertig sein.

c Mag mit Brencio daraus conferiern, wan er will.

d Will sye gewertig sein.

e Dieweill sein ander geldt und frucht, so ime von dem geistlichen verwalter gegeben, auff Georgii angeht und auch von wegen richtigkhait der rechnung des kellers, dieweill er von ainem sanct Jergentag zu dem andern thun solle, ist also ime dermassen bevolhen worden; derwegen ich den bevelh nit zu ändern weiß, mag aber herschickhen, will ich ime die bewilligte 100 gulden geben lassen.

f Diser Wigelius wirdet diser tag alber von meinen theologis erfordert werden.

170 a.

Wenzel Ostrorog an Verger.

Heidelberg 4 Januar 1563.

Bittet Verger, seinen einfluss bei herzog Christoph aufzubieten, da-

*

1 Georg Weigel war mit briefen von Albrecht von Preußen im December 1562 zu Verger gekommen. Sixt 592. Februar 1563 reiste er wieder nach Preußen. S. n. 174. 177. 187.

Verger 24

mit dieser sich bei Maximilian für die verläumdeten böhmischen brüder
verwende.

Salutem plurimam dico. Posteaquam Hedelbergam studiorum
gratia venissem, nihil mihi magis in votis erat, quam ad te, vir
clarissime et amice observantissime, cujus singulare studium erga
ecclesiam et egregiam in nos animi promptitudinem experti sumus, quam sæpissime litteras mittere. Itaque nactus commodam
occasionem non putavi, eam esse negligendam, ideoque has litteras
αὐτοχεδίως exaravi. Primum autem te scire velim, nos Dei beneficio
valetudine firma et prospera frui, studiaque pietatis et artium ho-
nestarum tractare pro virili. Cum autem eo loci nunc sim, unde
non facile in patriam de rebus nostris dare litteras liceat, ad te
tamquam alterum parentem nostrum, de re quadam non tam certa
quam periculosa scribere volui. Fuimus ante paucos menses Franco-
forti in comitiis principum Germaniæ, ubi audivi ex quibusdam notis
amicis, fratres nostros Waldenses, qui versantur in Bohemia, a nonnullis malevolis et inimicis religionis causa ad serenissimum Romanorum regem delatos esse, ideo scilicet quasi non contenti hac agnitione
Dei, quæ eis Spiritu sancto autore in evangelio suo revelavit, etiam
alias novas sectas præsertim anabaptistarum denuo introducant. Quem
ego rumorem vanum esse ideo arbitrabar, quod qui hoc assereret,
neminem esse tam impudentem putaverim. At ubi huc serenissimus rex
ad principem electorem venisset, idem etiam ex sermonibus quorundam regiæ majestatis familiarium intellexi, quæ res et admirationem
attulit, et si vera esset, dolorem non mediocrem attulisset. Nam
cum nobis religio fratrum Waldensium probe perspecta sit, utitur
enim non paucis magnificus parens noster verbi divini concionatoribus,
iique pene omnes ex Bohemia ad nos veniant, neque quidquam ejusmodi novarum rerum moliantur, facile adducor, ut credam, istos,
a quibus schismatum insimulantur, parum æquos accusatores fuisse;
sunt enim, quod ego sciam, ejusmodi morum et pietatis homines, ut
illos solos ipsis hanc vitæ sanctimoniam invidere existimem, quos
post se longe relinquunt doctrinæ puritate atque disciplina eccle-
siastica. Quare si quod tua apud illustrissimum principem tuum
auctoritas pondus habet (habet autem maximum) quæso, adhibe omnem operam, ut quorum animis eam de viris bonis iniquam opinionem quidam persuaserunt, tua prudentia ex eorum mentibus evellas.
Etenim præter calumnias nihil hic veri esse crediderim, imo op-

tarim, plurimos vitæ sanctioris a Waldensibus exemplum capere. Ego sane multum interesse puto, si hic illustrissimi principis tui gravissima auctoritas apud serenissimum Romanorum regem accederet, quo in negotio, quantum tua prudentissima consilia commodi adferre possint, nemo est, qui nesciat. Itaque petimus a te majorem in modum, ne ea iu re ulli operæ tuæ parcas. Absterge, quantum potes, eas, quibus sunt viri optimi falso aspersi, maculas. Id quod erit, cum illustrissimo principi tuo et nostram debitam suæ illustrissimæ celsitudini observantiam diligentissime pro tua erga nos humanitate commendaveris, officiaque promptissima declaraveris, et istorum pauperum Christi fidelium causam omnem, quæ tibi probe nota est, exposueris, et ad tuendam cohortatus fueris. Spem vero bonam habemus, ut quæ suæ illustrissimæ celsitudinis pietas est atque clementia, non sit apud serenissimum Romanorum regem eorum tutelam aspernaturus, imo supra ceteros principes omnibus modis, quod facere solet, Christi ecclesiam adjuturus. Frater meus salutem plurimam tibi adscribit. Ego quod ad me attinet, peto a te majorem in modum, ut ea, qua cœpisti complecti me benevolentia, non desinas sæpiusque me litteris tuis compellare velis. Bene vale, vir optime! Datæ Hedelbergæ 4 die Januarii, anno salutis 1563.

Tui amantissimus

Venceslaus ab Ostrorog
manu propria.

171.

Verger an herzog Christoph.

Tübingen 11 Januar 1563.

Über ein buch von Curio und eine andere antitrinitarische schrift.

Illustrissime Princeps et Domine Domine Clementissime!

Mitto informationem, quam Illustrissima Celsitudo Vestra dignata est petere in causa libri Cœlii Secundi [1]. Retinui apud me librum ipsum, neque enim habeo plures uno. Retineo authenticas litteras verbi Dei ministri, qui in Rhætia degit, quæ rem totam aperiunt. Retineo denique scriptum, quod d. Basilienses miserunt. Dabo, quibus Vestra Illustrissima Celsitudo mandaverit.

*

1 S. n. 57 und 243.

24 *

Si vel ego, vel meus nepos possemus in hac causa, vel in qualibet alia, ubi de honore Dei et Vestræ Illustrissimæ Celsitudinis agitur, aliquid efficere, minime detrectamus laborem, mandet modo.

Prætermisi, quod in informatione non scripsi, quod ipse Cœlius valde sit suspectus, quod aliquot libellos Serveti [1] in unum compilarit præfationibus additis, qui scilicet libelli inventi fuerant apud Michaelem Salenium, Polonum hic Tubingæ occisum [2]. Deinde est suspectus, quod librum Gribaldi [3] contra symbolum Athanasii conscriptum emendarit sua manu, et tandem procul dubio aliquod aliud monstrum pariet, nisi coerceatur, utinam moneatur, et quidem graviter, ut desistat, neque enim aliud velim illi incommodum.

Audivi de alio libello, qui nunc circumvolitat, autore quodam Valentino [4] adversus trinitatem, et profecto, nisi occurratur, scandalizabitur ecclesia, et exultabunt impii.

Papa in quadam sua bulla superiore anno edita exprobravit, quod in Germaniam pervaserit opinio, quod Christus non fuerit Deus, animatur vero ipse Papa cum suis, cum audit, quod tales libelli non comprimantur apud nos. Commendo me reverenter Illustrissimæ Celsitudini Vestræ. Pater cœlestis augeat illi suos divinos thesauros, spiritum et fidem per Christum dominum nostrum.

Tubingæ 11 Januarii 1563.

Illustrissimæ Celsitudinis Vestræ servitor

Vergerius.

172.
Verger an herzog Christoph.
Tübingen 25 Januar 1563.

Schickt sein buch gegen Chizznola.

*

1 Michael Servete aus Arragonien, wegen seines buches: restitutio Christianismi als läugner der dreieinigkeit 27 October 1553 in Genf verbrannt. Daß Curio Servetes schriften zusammengefaßt und herausgegeben habe, ist eine ungegründete verdächtigung Vergers.

2 Michael Saletzki, s. br. n. 74.

3 S. br. n. 38. Die schrift Gribaldis wohl: Epistola de Deo et Dei filio. Bei einer durchsuchung von Gribaldis papieren wollte man an den verdächtigsten stellen zahlreiche anmerkungen von Curios hand entdeckt haben. S. Trechsel, die protestantischen Antitrinitarier. II, 296.

4 Valentin Gentile. S. br. n. 122.

Illustrissime Princeps et Domine Domine Clementissime!

Absolvi (per Dei gratiam) quæ institueram contra Italicum atque eum pessimum librum [1]. Constitui venire egomet et cum d. Brentio conferre (quantum potero, cum tanta sit linguæ diversitas), sed nihil aliud me retinet, nisi quod pessimæ sint viæ, quibus me expedire meo curru vix possem. Exspectabo aliquantisper, dum minus deteriores fiant et statim veniam (si dominus Deus meus voluerit).

Illustrissime Princeps: ut Vestra Illustrissima Celsitudo rem melius possit gustare, totius Italici libri epitomem conscripsi, hoc est abbreviationem rerum præcipuarum, unam partem, hoc est postremam mitto. Scio, librum per Italiam volitare. Qui autem animadverterint, illustrissimos Germaniæ principes posse ferre, ut eorum doctrina cœlestis, ut eorum divinus Pater cum Jesu Christo et Spiritu saucto tam acriter blasphemetur, sane mirabuntur. Ego Illustrissimæ Celsitudini Vestræ ex animo supplico, ne præbeat Italiæ tale exemplum. Ego (quod ad me attinet) devoravi et pertuli laborem aliquot septimanis et mensibus perpetuum. (Novit Dominus, quo incommodo meæ valetudinis, quæ est valde imbecillis.) Feci igitur, quod potui (pro mea conditione), reliqua perficiat piissimus princeps Wirtembergicus, quoad typographiam loquor. Nam postea mihi incumbet onus per Italiam spargendi, quod tamen nec facile fit, nec sine sumptu. Sed hoc in me recipio incommodum scilicet et nullum omnino lucrum.

Si quam unquam causam Vestræ Illustrissimæ Celsitudini commendavi, hanc diligentissime commendo in Jesu Christo.

Portabo mecum reliquas duas partes abbreviationis, nunc hanc ipsam commendo, non ut meam, sed Jesu Christi causam.

Fortassis fieri posset, ut mitterem nunc quempiam ex meis Stutgardiam, qui pecuniam [2] reportaret, habeo enim opus (Deum testor).

Commendo me reverenter Illustrissimæ Vestræ Pietati, Deus illi augeat suos divinos thesauros, spiritum et fidem per Christum dominum nostrum.

Audivi, quæ reportavit M. Georgius Weigelius [3], qui ex Prussia

1 S. n. 152.
2 S. n. 170.
3 S. n. 170.

venit. Spero, me hac de re quoque præsentem collocuturum. Summe laudo, quod fuerit tam humane et clementer exceptus, et ipse gloriatur, reliqua in homine non laudo. Sed de his quoque coram.

Fortassis Illustrissima Celsitudo Vestra, antequam ego advenerim, vellet in Prussiam litteras mittere. Consultum putarem, ut mihi significaretur quoque. Spero, quod non illibenter illustrissimus Prussiæ dux sit meas litteras inspecturus; imo dignetur meminisse, quod operam mei nepotis obtuleram, si qua in re posset prodesse, et nunc offero quoque.

Tubingæ XXV Januarii 1563.

Illustrissimæ Celsitudinis Vestræ servitor

Vergerius.

173.

Verger an herzog Christoph.

Tübingen 28 Januar 1563.

Über sein buch gegen Chizzuola.

Illustrissime Princeps et Domine Domine Clementissime!

Deus scit, me quotidie singulis horis, singulis punctis, dies et noctes cogitare de causa domini nostri Jesu Christi, quomodo possit a papatu defendi et promoveri, agoque gratias Patri cœlesti, quod mihi hanc curam immiserit (pro sua clementia). Volebam venire Stutgardiam, ut cum d. Brentio conferrem responsionem libri, qui prodiit ex Italia[1]; sed cum nepotem misissem ad illum, qui illi significaret me velle accedere, respondit, se brevi venturum in Bebenhausense monasterium, ubi poterimus conferre, quare cupidissime exspecto. Sed dignetur nunc audire Vestra Illustrissima Celsitudo, quid mihi nuperrime suggesserit Spiritus sanctus. Misi eam partem epitomes seu abbreviationis meæ, quæ ad maledicta contra nostras ecclesias pertinet. Nunc vero mitto alias duas partes, quæ scilicet pertinent, altera ad falsam doctrinam, quæ nobis objicitur, altera vero ad concilium, quod cum papisticum sit, reprehendimus. In summa videretur mihi non incommodum, ut istæ tres partes bre-

---

1 S. n. 172. Die lateinische übersetzung: Responsio Vergerii ad librum antichristi Romani etc. Regiom. 1563. Königsberg war übrigens fälschlich angenommen für Tübingen, wo es nach br. 176 gedruckt wurde.

vissimæ, quibus, quisnam sit Papæ in nostram Germaniam animus, cognoscere licet, Latina lingua typis evulgarentur, ut tota Prussia, non modo Germania, tota Livonia, tota Suecia, Polonia et Hungaria quoque, deinde etiam Gallia, Anglia et Scotia posset nosse, quo animo perseveret in nos esse. Vix quinque aut sex essent folia. Si quidem Vestræ Illustrissimæ Celsitudinis videtur consultum, dabo imprimenda, sin minus, abstinebo. Mihi quidem maximopere consultum videretur, ut evulgarentur, saltem postrema pars, quæ continet maledicta, monerenturque universæ ecclesiæ de re tota.

Dignabitur Illustrissima Celsitudo Vestra super ea re deliberare. Ego vix sex aut octo florenulis rem conficerem, sive hic, sive alibi, sive meo sive alio nomine apposito, quamquam putarem, candide et aperte esse agendum, ut meum apponeretur, neque enim ullum dubium est, quin liber fuerit in Italia editus, et multis privilegiis Papæ et aliorum principum approbatus. Exspecto ea de re litteras Illustrissimæ Celsitudinis Vestræ (siquidem placuerit) nec plura habeo, quæ nunc scribam. Commendo me reverenter Vestræ Serenitati. Pater cœlestis augeat illi suos divinos thesauros, spiritum et fidem per Christum dominum nostrum.

Si videbuntur isthæc evulganda, remittendæ erunt duæ hæ postremæ partes una cum prima.

Tubingæ XXVIII Januarii 1563.

Illustrissimæ Celsitudinis Vestræ servitor

Vergerius.

174.

Verger an herzog Christoph.

Tübingen 3 Februar 1563.

Über seine litterarische thätigkeit. Verger will bald nach Stuttgart kommen; kündigt die abreise von Weigel nach Preußen an.

Illustrissime Princeps et Domine Domine Clementissime!

Constitueram advenire egomet, sed increbuit fama, d. Brentium esse venturum huc; quare cum necessaria mihi sit collatio cum illo propter meum librum [1], volo subsistere, si fortassis intra tres aut quatuor dies adveniet, si autem videro, eum non accedere, veniam

*

1 S. n. 152 und besonders 173.

egomet Stutgardiam. Vestra Illustrissima Celsitudo valde me excitavit suis colloquiis in hac ipsa, quam tracto, mei libri materia, præsertim cum monuisset me de multis conciliis, quæ fiunt eodem tempore. Majus itaque lucrum exspecto, si contingat, ut possim iterum cum illa conferre (pro sua clementia). Cogor scribere, quod sæpe antehac dixi et scripsi, hunc scilicet librum, qui ex Italia prodiit, magni esse momenti, magnam enim partem populorum inficiet, nisi aliquo antidoto occurratur, quod ego (qualiscumque sim) sedulo facio, quin audio in Galliam quoque fuisse missum.

Illustrissima Celsitudo Vestra aut coram dignabitur dicere suam sententiam, aut scribere, num scilicet evulganda sint convicia in Latinum conversa cum aliqua fortassis responsione, quæ in hoc, de quo dico libro, in nostras ecclesias et adversus Germaniam fuerunt rabiose jactata, deinde privilegio Papæ, d. Venetorum, et aliorum Italiæ principum confirmata pro veris; mihi quidem consultissimum (ut scripsi) videretur.

Intra tres aut quatuor dies (ut dixi) adveniam (si Deus voluerit), Celsitudo Vestra Illustrissima dignabitur significare, an Stutgardiæ futura sit. Pater cœlestis augeat illi suos divinos thesauros, spiritum et fidem per Christum dominum nostrum, cui me reverenter commendo.

Tubingæ die III Februarii 1563.

Illustrissimæ Celsitudinis Vestræ servitor

Vergerius.

Postscripta.

M. Georgius Weigelius [1] emit hodie equos ad currum paratque in Prussiam ad suum illustrissimum principem discessum, et nihil aliud exspectat, quam litteras a d. Brentio et doctore Fabro [2]. Nam ad hos duos et mihi quoque illustrissimus Prussiæ dux scripserat, quare cupit reportare responsum. Nihil simulat, affirmat, se adhuc esse in ea, in qua prius fuerat sententia. In hoc saltem laudandus, quod non palliat se, sed palam profitetur, quod sentit; utinam meliora quis non optaret? Sed talis est. Quid si indicaretur

*

1 S. n. 170. 175. Den brief welchen Verger ihm an den herzog von Preußen mitgab s. Sixt 592.

2 S. n. 14.

Vestra autoritate d. Brentio et doctori Fabro, quod hic nihil aliud exspectet, quam litteras!

Ego de eo quoque optarim quædam conferre, cum venero.

Vergerius servitor
ut in litteris.

175.

Verger an herzog Christoph.

Tübingen 6 Februar 1563.

Über G. Weigel; sein buch gegen Chizzuola; dankt für empfange-
nes geld.

Illustrissime Princeps et Domine Domine Clementissime!

Mitto litteras [1] in Prussiam ablegandas, spero me scripsisse ap-
posite in causa illius, qui petivit collationem cum d. Brentio. Summa est, quod dixerim, agi hac in re de gloria Dei, tum etiam de
quiete et pace totius Germaniæ, quæ alioquin nunc est quieta, non
esse ergo innovandum quidquam, ne conturbentur omnia et Papa
gratuletur. Spero, suam illustrissimam celsitudinem pro sua clementia audituram me. Agam postea pluribus, cum iste M. Georgius
discesserit.

Spero, quod sua celsitudo curabit imprimendum Regiomonti libellum Savonarolæ, misi enim duo exemplaria.

Vestra Illustrissima Celsitudo sit bono animo. Nam in causa
libri Italici contra nostram religionem scripti omnia agentur et moderate et pie, ne dubitet; exspecto hic d. Brentium in dies, quare
utar ejus consilio.

Accepi nunc Augustanas litteras, audio, advenisse Papæ et Venetorum legatos, quam ob causam tanto citius erit mihi ad Vestram
Illustrissimam Celsitudinem accedendum eam ob causam, quam coram dicam.

Pater cœlestis Vestræ Illustrissimæ Celsitudini rependat pro
pietate et clementia, qua utitur erga me exulem Jesu Christi. Accepi enim centum pro me, deinde alios sexaginta pro typographia.

*

1 Den brief s. Sixt s. 592 f. beil. 43; die nachher erwähnte schrift
Savonarolas, vielleicht die zwei von ihm im kerker abgefaßten erklä-
rungen des 32 und 51 psalm mit einer ›Regel, gut zu leben‹.

Deus inquam rependat, suosque thesauros, spiritum et fidem augeat per Christum dominum nostrum. Commendo me Illustrissimæ Celsitudini Vestræ reverenter. Ubi cum d. Brentio contulero, advolabo confestim.

Tubingæ VI Februarii 1563.

Illustrissimæ Celsitudinis Vestræ servitor

Vergerius.

176.

Verger an herzog Christoph.

Tübingen 19 März 1563.

Über seine litterarische thätigkeit, wünscht nach Frankreich zu gehen.

Illustrissime Princeps et Domine Domine Clementissime!

Decet servitores scribere ad suos dominos non modo, quando opus habent, quod ego hactenus reverenter feci, sed decet scribere, etiam si opus non habent, quemadmodum ego nunc facio. Scribo enim dumtaxat, ut commonefaciam de meo statu. Valeo itaque per Dei benignitatem, et veluti miraculi loco valeo, ut serviam ecclesiæ Jesu Christi, qualiscumque sim. Nunquam fui magis in antichristum animatus, quare consequitur, me nunquam fuisse magis Christo addictum (per ejus gratiam et misericordiam). Studeo diligentissime, si unquam alias ullo vitæ meæ tempore. Libelli ad imprimendum dati gemunt quotidie sub prelo. Ante nundinas Francfordianas absolvetur Latinus, hoc est abbreviatio [1], aut epitome Italici libri, in quo antichristus in Germaniam invehitur acerbissime, non tamen nomen loci, ubi imprimitur, expressum est, sed videtur impressus in Prussia. Spero fructum ex hoc labore. Liber Latinus, ubi scilicet mea sunt congesta omnia, quæ scripsi, postquam in Germaniam veni, vix æstate absolvetur. In his igitur laboribus et cogitationibus versor, ut Deo placeam, antichristo vero displiceam.

Bona nova audio, nempe post interfectum Guisianum [2], iterum

*

1 S. n. 170 ff.

2 Franz von Guise wurde von Jean Poltrot de Mérey im lager vor Orleans 18 Februar 1563 meuchlings geschossen und starb 24 Februar. Der friede (von Amboise) wurde 19 März d. j. verkündet. S. n. 177. 179.

agi de pace, quam non dubito successuram sublato scilicet illo ingenti adversario.

Interea vero dum pax constabit in ipsa Gallia, commodissimum erit tempus, quo inter illud regnum et illustrissimos Germaniæ principes et Vestram Celsitudinem præsertim agatur de concordia in religione. Ego spero, me esse tam robustum, ut adhuc possim reginam adire, et tamquam Italus mea ipsius lingua agere cum illa de re tanti momenti, nec dubitarem, quin aliquid possem proficere, si me spiritus Domini juverit. Quare Illustrissima Celsitudo Vestra dignetur hoc in memoria habere; sum enim paratus, quandocumque libuerit (per Dei gloriam) et spero (ut dixi) aliquid; satis dictum.

Famulum meum misi Venetias [1] cum litteris Vestræ Illustrissimæ Celsitudinis, exspecto reditum intra mensem fere`, ac non modo de causa nepotis bene spero, verum etiam me intellecturum de rebus Italicis multa, quod ad religionem attinet.

Non dubito, quin Illustrissima Celsitudo Vestra, utpote quæ veram fidem hausit et spiritu Dei ducatur, possit aliquid apud patrem domini nostri Jesu Christi et nostrum patrem, quare supplex rogo, ut me divinæ suæ majestati in suis precibus commendet, ut me Vestræ Celsitudini commendo.

Tubingæ XIX Martii 1563.

Illustrissimæ Celsitudinis Vestræ servitor

Vergerius.

176 a.

Beilage.

Concept eines briefes, wie herzog Christoph an den dogen von Venedig schreiben möchte wegen Vergers neffen Ludwig.

Illustris Domine! Principes in eam maxime curam incumbere debent, ut inter ditiones ultro citroque amicitiæ conserventur, quod fiet, si omnes causæ resecentur, quamobrem consueta commercia non tollantur. Ea res nos impulit, ut nunc ad Vestram Illustrem Dominationem litteras daremus. Vivit apud nos d. Petrus Paulus Vergerius, olim episcopus Justinopolis, nunc noster consiliarius. Sunt illi duo

*

1 Er hieß Venturino Menucrino; den br. s. n. 176 a. Der diener kehrte Juni wieder zu Verger zurück, s. n. 184.

ex fratre nepotes, alter Aurelius, j. u. dr, alter Ludovicus. Quod
ad duos priores, nihil attinet dicere, cum enim uterque existat apud
nos, illis non sumus defuturi. Tertius Ludovicus, posteaquam Galliam,
Hispaniam, Angliam aliaque regna et provincias peragravit, militiam
scilicet secutus, ab illustri Prussiæ duce, cognato nostro, in consiliarium susceptus est, et spatio quidem decem annorum vix bis patriam invisit et quidem per paucissimos dios, unde cum summa omnium benevolentia et laude discessit. Nunc vero audivimus, Vestram
Illustrem Dominationem per litteras mandasse, ut si in patriam revertatur, ponatur in vinculis, quæ res nos admiratione affecit, cum
nobis affirmetur, nihil illi unquam fuisse nec objectum quidem, imo
vivere, ut nobilem et bonum virum decet, nihilque fuisse auditum
de eo sinistri unquam. Quare gravissimum esset, perdere patriam nulla
præcedente coguitione, nullo judicio, nulla citatione, ita ut videatur
id factum, quasi ista gravissima respublica nolit ferre, ut ejus subditis liceat penes illustres Germaniæ principes vivere. Cum vero
nos deceat horum Vergeriorum curam gerere, utpote eorum, quos in
nostram tutelam fidemque suscepimus, tum etiam propter cognatio-
nem et necessitudinem, quæ nobis cum illustri Prussiæ duce existit
(et satis longe hinc habitat, nec defuturus sit suo consiliario, ubi
rem noverit), Vestram Celsitudinem monendam et rogandam duximus,
ut velit in nostram et ipsius Prussiæ ducis gratiam revocare litteras
contra personam prædicti Ludovici conscriptas, ut liceat illi patriam
invisere, quando voluerit (nunc enim non habet in animo), quod profecto nos officium gratissimum sumus habituri conservaturique in
memoria, quoties contingeret occasio, qua possemus isti justissimæ
reipublicæ morem gerere: præterquam quod id nobis videtur exigere
justitia, ne quid statuatur in subditum absentem, nisi citatum et
monitum. Non dubitamus, quin accepturi simus per istum peculiarem, quem mittimus nuntium, responsum, quale expetimus.

Bene valeat Vestra Illustris Dominatio, cui nos offerimus atque
commendamus. Datum etc.

Mitterem proprium hominem, quare addendæ illi essent patentes
litteræ Latina lingua. Nomen ejus, quem mitterem, est Venturino
Menucrino. Satis esset, si diceretur, quod Vestra Illustrissima Celsitudo mittat eum Venetias et in Italiam pro suis negotiis.

Am rande dazu von des herzogs hand: fiat.

177.

Verger an herzog Christoph.

Tübingen 31 März 1563.

Nachrichten aus Polen, Rußland, Preußen; etwas von Scalichius, dem cardinal von Mantua und dem von Lothringen.

Illustrissime Princeps et Domine Domine Clementissime!

Cum advenerit ex Prussia tabellarius feratque ad Vestram Celsitudinem litteras, non puto, necesse esse, ulla nova conscribere; quid enim non scribitur ad illam? Pauca tamen atque ea præcipua quædam attingam.

Dieta Polonica nondum erat absoluta, sed hactenus magni momenti negotium perfecerunt. Cum enim d. Poloni soliti fuissent quatuor et quinque capitaneatus sive præfecturas singuli usurpare, nunc decretum est, ut singuli unica sint contenti.

Moscovitæ ad 100^m et amplius civitatem in Lituania obsident, cui nomen est Plozoscki, quæ 40 miliaribus Vilna abest. Quare jussi sunt juniores et seniores Lituani in bellum abire, atque una palatinus Vilnensis [1]. Affirmant enim, summum esse periculum, ne ipsi Moscovitæ irruant ulterius. Discordia est inter Lituanos et Polonos.

Illustrissimus Prussiæ princeps commendat mihi iterum M. Weigelium [2]. Sed aliunde mihi significatur, illum vix Regiomonti excipiendum.

In animo habeo pascha manducare cum Ilustrissima Celsitudine Vestra (si Deus voluerit). Non pauca enim habeo, quæ cum illa conferam. Nam ille, qui se regem facit, Scalichius [3] maximas turbas movet. Comparuerunt coram illustrissimo principe ad quinquaginta nobiles, qui Scalichium accusarunt, qui se faciat eum, qui non est, comitem, baronem et Veronæ dominum, auditaque fuit causa, sed nondum absoluta. Interim ille contra dominos Venetos libellum emisit, insimulatque crudelitatis et tyrannidis. Nec interim pepercit mihi, edidit enim librum contra me quoque, non provocatus tamen. Non dubito, quin Illustrissima Celsitudo Vestra sit mihi concessura, id quod Deus et natura concedit, hoc est defensionem modestam.

1 S. n. 46.
2 S. n. 170.
3 S. n. 64. 182a.

Cardinalis Mantuæ[1], quem ego omnibus anteponebam (ut cardinalem tamen), diem suum obiit ante aliquot dies.

Cardinalis Lotharingus[2] inciderat in maxima odia, tum Papæ, tum Tridentinæ synagogæ, propterea quod se aperuerat, quod de reformatione aliquid cogitasset, nec posset pati formam concilii.

Plura coram (si Deus voluerit). Interea me Illustrissimæ Celsitudini Vestræ reverenter commendo. Pater cœlestis augeat illi suos divinos thesauros, spiritum et fidem per Christum dominum nostrum.

Tubingæ ultimo Martii 1563.

Illustrissimæ Celsitudinis Vestræ servitor

Vergerius.

Hinten von des herzogs hand:
Hatt sein weg.

178.

Verger an herzog Christoph.

Tübingen 4 April 1563.

Illustrissime Princeps et Domine Domine Clementissime!

Bittet den herzog um seine verwendung bei dem herzog von Sachsen zu gunsten einiger Litthauer.

Non modo civilitas, sed caritas me impellit, ut scribam ad Celsitudinem Vestram ea de re, de qua scribo, fretus scilicet ejusdem clementia. Domini Lituani nostri[3] atque una quispiam d. Valentinus Maslovius Polonus satis gravem fortunam experiuntur. Cum enim pecunia septingentorum talerorum ad illos mitteretur per mercatorem Lipsensem ante annum et amplius, is mercator infideliter se gerit, ut diu sumptibus et laboribus hos nostros nobiles defatigarit, et

*

1 Er starb 2 März. S. n. 88.

2 S. n. 81. Er war 13 November 1562 zum concil nach Trient gereist mit einigen bischöffen und doctoren der Sorbonne; er machte durch das hervorheben der gallikanischen freiheiten dem papst verlegenheiten, als die nachricht von der ermordung seines bruders und vom frieden zu Amboise (s. n. 176) ihn bestimmten, seine politik zu ändern und sich mehr an die spanische und päpstliche parthei des concils anzulehnen.

3 S. n. 151.

tamen pecuniam concreditam nunquam numerarit. Videtur enim cum judice Lipsensi colludere, ut nullum aliud sit remedium, quam ad illustrissimum Saxoniae ducem accurrere, qui sua autoritate et justitia succurrat. Quare domini Lituani atque una d. Valentinus ad suam illustrissimam celsitudinem mittunt supplicantque Illustrissimae Celsitudini Vestrae, ut dignetur eorum causam commendare. Conscripserunt vero supplicationem, quam cupiunt litteris inseri; ipse vero, quem dixi, d. Valentinus constituit mecum ad illustrissimum d. Saxoniae ducem propter hanc causam accedere. Tota vero spes in Vestrae Illustrissimae Celsitudinis commendatione consistit, quam ne velit negare, iidem d. Lituani et ego reverenter supplicamus humiliter se commendantes. Pax et gratia domini nostri Jesu Christi cum illa.

Tubingae 4 Aprilis 1563.

Illustrissimae Celsitudinis Vestrae servitor

Vergerius.

179.

Verger an herzog Christoph.

Tübingen 7 April 1563.

Vergers freude über den frieden in Frankreich; berichtet über sein buch; hofft an ostern Christoph zu sehen.

Illustrissime Princeps et Domine Domine Clementissime!

Gaudeo, gratulor, laetor, utinam haberem plura hujusmodi verba, quibus uterer in hac occasione. Audio enim, liberatum e custodia Condetum, pacem esse factam cum magno evangelii lucro [1]. Imo audio, eam ob causam magnam dominorum Venetorum partem mansisse hoc nuntio veluti prostratam, antichristum vero miserrime ex-

*

1 Condé war in der schlacht bei Dreux 19 December 1562 gefangen worden und wurde durch den frieden von Amboise (s. n. 176) wieder frei. Übrigens hatten die protestanten keine ursache, über diesen frieden zu triumphiren, denn er gewährte ihnen nicht das, was sie vermöge der macht, die sie hatten, fordern konnten; der hohe adel bekam gewissens- und cultusfreiheit für sich und seine vasallen, der niedere für die familien, die bürgerlichen nur gewissensfreiheit; der protestantische gottesdienst wurde nur da erlaubt, wo er bis zum 7. März bestanden hatte. Coligny war mit dem raschen friedensschluß und diesen bedingungen gar nicht einverstanden.

cruciari. Non puto ego, majorem fuisse nostra ætate stragem papatus ad laudem et gloriam Patris cœlestis, Filii dilecti et Spiritus sancti. Rescivi quidem, Vestram Illustrissimam Celsitudinem accepisse ea de re ab ipso d. de Conde litteras. Sed ego aliunde accepi. Audio præterea, in ipso Galliarum regno agi de reformandis ecclesiis. Constitueram quidem ad Illustrissimam Celsitudinem Suam accedere ob alias causas, sed nunc multo magis accedam, ut cum illa, quæ existit fautor, nutrícia, propagator veræ ecclesiæ Christi tam acer et tanto cum fructu, coram ut possim gaudere, gratulari, lætari, deinde ut præ me feram, quam compositus sit mihi, per Dei gratiam, animus, cum enim responderim Papæ, qui illustrissimos principes, qui Germaniam ipsam, qui doctos theologos, qui in ea versantur, invectus fuerit acerbissime. Respondi enim et in præsentibus Frankfordianis nundinis saltem Latinus libellus distrahitur meo ipsius nomine disertissime contra antichristum Romanum, nulla tamen vel Tubingensis typographiæ aut alterius nomine posito, sed dicatus est illustrissimo Prussiæ duci. Videtur vero Regiomonti impressus [1]. Sat scio, quod ipse antichristus cum suis, qui me quærit interficere, (ut dixi coram) exacerbabitur. Verum si toto animo scripsi adversus eum, patefecique quasdam ejus insidias, vicissim constitui, abstinere contra quempiam alium, quem Illustrissimæ Celsitudini Vestræ scripsi scripsisse contra me. Mortui sepeliant mortuos suos. Non decet Christianos scribere in quemquam, sic me cœlestis Pater armavit. Spero tamen, Vestram Illustrissimam Celsitudinem non defuturam mihi christiano homini in hac justissima causa, qui quieto animo cœnam dominicam sumam, si Deus voluerit. Spero autem me affuturum in tempore. Commendo me reverenter Illustrissimæ Celsitudini Vestræ. Cœlestis Pater augeat illi suos divinos thesauros, spiritum et fidem per Christum dominum nostrum.

Datum Tubingæ die septimo Aprilis anno 1563.

Illustrissimæ Celsitudinis Vestræ servitor

Vergerius.

180.

Verger an herzog Christoph.

Tübingen 24 April 1563.

*

1 S. n. 170. 173.

Überschickt 2 briefe, die sein neffe nach Preußen mitnehmen solle. Nachrichten aus Italien.

Illustrissime Princeps et Domine Dominē Clementissime!

Cum primum Stutgardia rediissem Tubingam, cœpi utrumque scriptum adornare, ad illustrissimum ducem Prussiæ alterum, alterum vero ad scholam Regiomontanam, utrumque vero confeci mittoque ad Illustrissimam Celsitudinem Vestram una cum meo nepote, quem illa constituit in Prussiam mittere, quemadmodum ego summopere desidero, et spero illam facturam.

Dignetur, ambo scripta inspicere, addere et minuere, quidquid vult, acquiesco enim ipsius sententiæ atque judicio. Nepos exspectabit Stutgardiæ, quamdiu responsum habeat ab Illustrissima Celsitudine Vestra, statim vero ad me veniet atque hinc Regiomontem se conferet, et de hoc satis.

Sunt mihi hac nocte ex Italia litteræ, quibus significatur, Papam [1] vivere quidem, sed percussum paralysi, ut pedibus uti non possit.

Cardinalis Lotheringus [2] fuit exceptus Venetiis, ut mos est, multum vero hortatus dominos Venetos de defendenda Gallia atque papatu.

Delphinus [3] nuntius apostolicus ille meus incidit in indignationem d. Venetorum, qui gravem in illum tulerunt sententiam. Condemnarunt enim, ut perpetuo exsulat ex dominio Venetorum, atque ut illi caput amputetur, si fuerit captus, causam nondum scribunt.

De concilio scribunt, Cæsarem velle illud in sua potestate et alia forma incipere. Quare aliquot patres sperant, quod me Tridenti sint visuri, sic enim scribunt.

Scribunt præterea, cardinalem Tridentinum [4] catena esse constrictum Romæ tamquam furiosum, quod facile mihi videtur. Apparebat enim alere semina talis morbi.

Commendo me reverenter Illustrissimæ Celsitudini Vestræ. Pax et gratia domini nostri Jesu Christi cum illa.

*

1 S. n. 130 und 94.
2 S. n. 81 und 177.
3 S. n. 110.
4 S. n. 108.

Verger   25

Tubingæ XXIIII Aprilis 1563.

Illustrissimæ Celsitudinis Vestræ servitor

Vergerius.

Auf dem rücken von des herzogs hand:

Meister Baltasar [1], Ir wollet dise beide concepta Vergerii an ducem Prussie und scolam Regiomonti lessen und eur bedenckhen separatim annottieren, dan mich beduncht, es seye wass zuvil affectioniert.

181.

Verger an herzog Christoph.

Tübingen 24 April 1563.

Bittet um ausfolgung seiner fruchtbesoldung.

Illustrissime Princeps et Domine Domine Clementissime!

Vestra Illustrissima Celsitudo, pro sua magna clementia, constituerat mihi quædam frumenta, quæ mihi a seniore cellerario darentur[2]. Quare is interrogatus, ut daret, respondit, se daturum quidem, sed non ante Georgii festum. Acquievi, cùm audivissem, sic ferre morem, qui est in ducatu. Cùm vero advenerit festum Georgii, petivi iterum, respondit, morem esse, ut exspectem per aliquot menses adhuc. Quare cogor ad Vestram Illustrissimam Celsitudinem, dominum meum clementissimum, accurrere, quæ me in hoc quoque negotio dignetur sublevare, cui me reverenter commendo. Pax et gratia domini nostri Jesu Christi cum illa.

Ubi videro, meum nepotem[3] ex ducatu in Prussiam abivisse, ego in Helvetiam abibo.

Tubingæ XXIIII Aprilis 1563.

Illustrissimæ Celsitudinis Vestræ servitor

Vergerius.

182.

Verger an herzog Christoph.

Tübingen 8 Mai 1563.

Ein empfehlungsschreiben für die nach Stuttgart reisenden Litthauer.

*

1 Bidembach, des herzogs hofprediger.
2 S. n. 169 und 170.
3 Aurelius, s. n. 180. 182 a.

Illustrissime Princeps et Domine Domine Clementissime!

Ante aliquot septimanas Celsitudini Vestræ Illustrissimæ coram significavi, dominos Lituanos nostros [1] vehementer cupere felices Vestras nuptias [2] inspicere.

Quare reveronter consilium dabam, ut vocarentur. Vestra Illustrissima Celsitudo pro sua magna humanitate dignata est subito respondere, ut denuntiarem ipsis dominis Lituanis, ut venirent. Cum ergo nuntiassem, illi tanta clementia exhilarati venire constituerunt, et jam veniunt, quod non fecissent, nisi tam clementer fuissent a me admoniti.

Non est necesse, ut eos Illustrissimæ Celsitudini Vestræ commendem. Oro Deum patrem, ut illi augeat suos divinos thesauros, spiritum et fidem per Christum dominum nostrum.

Datum Tubingæ die 8 Maii anno 1563.

Vergerius Illustrissimæ Celsitudinis Vestræ famulus.

182 a.

Herzog Christoph an herzog Albrecht von Preußen.

22 Mai 1563.

Mit einem anhang an Verger gerichtet.
Den handel mit Scalichius betreffend.

An hertzog von Preussen.

Es hatt unser ratt Petrus Paulus Vergerius uns ain buech, so Paulus Schalichius [3] inn E. L. statt Kungssperg in truckh ausgehen lassen, fürgelegt, dorinnen grosse injurien wider ine Vergerium seyen und dermassen, das er woll ursach gehabt hette, mit gleicher maß endtgegen zu messen, welches wir ime aber als ainem christen zu thun wideratten; dieweill aber sein ehern notturfft erfordert, das bey E. L. er sich, auch der hochen schuel zu Kungsperg der unbegrundten aufflagen endtschuldige, hatt er seinen vettern Aurelium

---

1 S. n. 151. 178.

2 Die vermählung von Hedwig, herzog Christophs ältester tochter, mit Ludwig von Hessen, sohn des landgrafen Philipp, den 10 Mai 1563. Pfister II, 56 (wo fälschlich 10 März steht). S. n. 183.

3 S. n. a 4. 177. 250. Herzog Albrecht machte einen sühneversuch zwischen Verger und Scalichius durch einen brief vom 16 Nov. 1563. W. archiv rel. s. büsch. 20. g 1.

25 *

Vergerium [1] zu E. L. und der hochen schuel obgemelt abgeferttiget mit schreiben und mündtlichem bevelch, wie E. L. von ime zu vernemen haben, darnèben auch gebetten, E. L. deßwegen zu schreiben und seines thuens und lassens bericht zu geben. Dieweill dan wir uns schuldig erkhennen, khundtschafft der warheit menigclichen und sonders glaubensgenossen zugeben, so füegen wir E. L. zu vernemen, das wir inne Petrum Paulum Vergerium für ain auffrechten biederman und ainen rechten christen erkhennen und halten, das babstumb ander ursachen nicht, dan auss christennlichen eiffer verlassen, in wehrender zeit er in unserem landt und dienner gewest, sich auffrecht, redlich und wie ainem christen geburt, gehalten hett, der angezognen schmachartticell, in Schallichi buech vermeldet, unsers wissens unschuldig; es ist auch nit on, das wir zwischen ime und Schalichio ain vertrag machen haben lassen, von wegen sein, des Schalichi, herkhomen und genalogia, wie den Schaclichius gehalten, zeuget sein buech; sovill nun Schaclichi herkhomen belanget, hatt uns die rom. kunigl. Mayestät, unser allergn. her, als Ir Mayestät nach deren gelückhafften kronung alher zu uns khomen, gefragt, wass wir von Schaclichio hielten, wir Ir Majestät geanntwurtt, wir hielten inne für ainen gelertten man; sagt Ir Mayestät, die vermeinten, wass wir von seinem herkhomen hielten, ob wir glaubten, das er deß herkhomen were, wie er sich rumbte, anntwurttetten wir Ir Mayestät, er hette von der kayserl. Mayestät brief und urkhundt deswegen mit Irer Majestät aignen henden underschriben; darauff vermeldet Ir Majestät, es ist nit on, der bischoff von Funffkirchen hatt ime die felschlich ausgebracht und Ir Mayestät zu verkhennen geben, es wehren andere sachen, das also sr Mayestät solliche unwissendt mit dero aignen henden underzeichnet gehabt hett, und sagte Ir Mayestät weitters darauff, sein mueter ist ains armen burgers tochter auss Crabatten und noch heuttigs tags ain nehere zu Laubach, ich weiss noch nit aigentlichen, wer der vatter gewest, ich wils aber erfaren und auch zu wissen thuen, welches alles Wir E. L. fr. woll maynung vermelden wellen, damit sye des Vergerii halber ain wissens habe, wass wir von ime halten, und wass die röm. kunigl. Mayestät uns des Schalichii halber für anzeigung gethan hat und bitten E. L. fr., die wollen Vergerium in

*

1 S. n. 180. 183.

diser seiner billichen sachen in gn. bevelch haben und E. L. jederzeit fr. zu diennen haben sye uns willig. Datum den 22 Maii anno 63.

Ad Vergerium.

Schickhe ime hiemit schreiben an herzogen von Preussen und copi desselbigen inhalts, und mag nun er seinen nepotten zu dem herzogen damit abferttigen, auch diß mein schreiben an den herzogen von Preussen bey sich in geheim behalten, ob certas causas und bis die kunigl. Mayestät mir des Schalichi halber weittern bericht thuet.

Alles eigenhändig von dem herzog geschrieben.

183.

Verger an herzog Christoph.

Tübingen 29 Mai 1563.

Nachrichten über seine gesundheit und über die abreise seines neffen Aurelius nach Preußen.

Illustrissime Princeps et Domine Domine Clementissime!

Spero, me fuisse diligentem. in percunctando, quo modo successerint nuptiæ [1], quare vehementi lætitia affectus fui, cum audierim, omnia prospere successisse, tum quod ad Dei gloriam, tum quod ad mundum. Laudetur Deus.

Valeo mediocriter, imo aliquanto minus bene, ut dicam, quod est, et si medici Helvetii consuluerint, ut Tubingenses consulunt, spero, me in thermis Badensibus consistere aliquot septimanis, sed faciam, quod Dominus inspiraverit.

Nihil aliud exspecto, quam ut intelligam, quid Illustrissima Celsitudo Vestra statuerit de meo nepote in Prussiam mittendo [2]; ubi id audiero, accingam me itineri confestim. Agat Illustrissima Celsitudo Vestra, quod libuerit. Cupio quidem, ut nepos mittatur, sed tamen Vestra voluntas fiat, non mea, sic enim decet.

Mei hospites discesserunt, relictis pueris, qui sunt in bono loco collocati, quos spero profecturos ad laudem Dei et Illustrissimæ Celsitudinis Vestræ. Det Deus, ut multa sæpe hujusmodi conficiat.

*

1 S. n. 182.
2 S. n. 180. 191. Der herzog schickte ihn bald darauf fort. 221.

Oro patrem domini nostri Jesu Christi, ut eidem Celsitudini Vestræ Illustrissimæ augeat suos divinos thesauros, spiritum et fidem per eundem Christum dominum nostrum. Amen.

Tubingæ 29 die Maii anno restaurata humani generis salute 1563.

Celsitudinis Vestræ servitor

Vergerius.

Hinten von des herzogs hand: »Bedarff kheiner anntwurtt.«

184.

Verger an herzog Christoph.

Sondrio im Veltlin 16 Juni 1563.

Berichtet, daß er nach Sondrio gereist sei, um die bäder in Bormio zu gebrauchen. Nachrichten über die reformation in Venedig und im Veltlin.

Illustrissime Princeps et Domine Domine Clementissime!

Eodem die, quo meus nepos in Prussiam discessit [1], per Vestræ Celsitudinis clementiam, ego conscenso curru Tigurum adivi. Consultata autem re mea cum multis bonis et sapientibus fratribus, deberemne me Badensibus thermis [2] committere an non, vidi, eorum consilium esse, ut abstinerem. Non quod non probarent vim thermarum, sed quod metuerent, ne quid incommodi mihi accideret ab antichristo, qui suum illic habet imperium. Quare cum audirem, commendari thermas Bormatianas, quæ sunt in Valletellina, vellem experiri illas quoque, sic Deo suadente in Vallemtellinam veni, ubi non desunt amici, quamquam adversarii quoque in causa religionis non desint. Constitui autem, facere postremum periculum et Bormatianas ipsas invisere. Ajunt medici, fortissimas esse et satis futurum, si tribus tantum septimanis lavero, quod faciam in nomine Domini. Spero autem, me futuro mense in ducatum rediturum, si Deus voluerit. Volui autem Illustrissimæ Celsitudini Vestræ, domino meo clementissimo, significare, ut debui, ubi sim et me paratum esse, accedere et facere, quæ mandaverit, si unicis litterulis admonebor, quæ erunt mittendæ Curiam Rhætorum ad burgimagistrum d. Ambrosium Marti [3], qui illos Bormium ad thermas mittat, quod facile poterit.

1 S. n. 183.
2 S. n. 183. Baden im Aargau.
3 Das war sein gewöhnlicher gastfreund, s. n. 155.

Rediit hodie Venetiis meus familiaris [1], qui eo cum litteris Celsitudinis Vestræ Illustrissimæ in causa ulterius nepotis profectus fuerat. Domini Veneti nihil fecerunt, ut neque responderunt, pro eorum impietate, nunquam enim ita fuerunt tam male affecti erga evangelium Jesu Christi, ut nunc sunt, convertat eos Deus. Projecerunt nuper in exilium rarissimum juvenem, patria Brixiensem, ex illustri familia Martinenga et quidem comitem, Latinis, Græcis et Hebraicis litteris valde eruditum una cum matre, sublatis illi omnibus bonis per confiscationem. Consistit autem nunc Clavenæ, de quo coram dicam pluribus. Ipsam video modestiam, cum hominem video. Usque quo domine Deus pateris tantam filiorum tuorum stragem? Animadverto etiam, ipsam Vallemtellinam veluti frigere in evangelio et non proficere, ut deberet, Deus hic quoque accendat faces pietatis, quod spero facturum.

Cum Bullinghero [2] multa contuli et monui, quæ mihi viderentur necessaria, sed coram narrabo (si Deus voluerit) neque erunt contemnenda. Vale, Illustrissime Princeps, oro patrem domini nostri Jesu Christi, ut Tuæ Serenitati augeat sua dona, spiritum et fidem per eundem Christum dominum nostrum. In eundem modum multi boni fratres quotidie orant, quod affirmo.

Datum Sondrii in Valletellina die XVI Junii 1563.

       Illustrissimæ Celsitudinis Vestræ servitor

                         Vergerius.

185.

Verger an herzog Christoph.

Tübingen 29 Juli 1563.

*

1 S. n. 176.

2 Ulysses Martinengo, graf von Barcho. Mac Crie erzählt von ihm, daß er ein gelehrter, frommer edelmann, mehrere jahre lang im Veltlin sich aufgehalten und dort gepredigt habe, später geistlicher der italiänischen gemeinde in Antwerpen wurde 885. S. n. 197. 203. 224. Herzog Christoph unterstützte ihn einmal bedeutend.

3 S. n. 111. Meyer II, 250 ff. berichtet aus dem munde Bullingers anderes: vide, sagte ihm Bullinger, ut in illa ecclesia pacata et recte instituta nihil coneris vel novare vel turbarum miscere; und über Vergers bemühung, ein gespräch zwischen Brenz und Bullinger herbeizuführen, warnte der letztere: ne pergeret agere de rebus, de quibus nullum haberet mandatum.

Zeigt seine rückkehr an.

Illustrissime Princeps et Domine Domine Clementissime!

Redii Tubingam heri demum in nomine Domini, nec tamen usquam lavi papistarum causa. Parcat illis Dominus. Dicam coram causam. Redii tamen fere minus male habens, quam unquam habuerim. Hæc est voluntas Domini. Volui significasse meum adventum Illustrissimæ Celsitudini Vestræ. Spero autem, me affuturum intra paucos dies, si Dominus voluerit, recitaturus hæc et longe plura atque alia.

Interim reverenter peto, ut Celsitudo Vestra dignetur mihi significare, an quid litterarum habuerit a serenissimo Maximiliano in causa, quæ me tangat; in duabus enim exspectabatur. Nec plura habeo, quæ non scribam. Commendo me reverenter Illustrissimæ Celsitudini Vestræ. Pater cœlestis augeat illi suos divinos thesauros, spiritum et fidem per Christum dóminum nostrum.

Tubingæ 29 Julii anno Domini MDLXIII.

Illustrissimæ Celsitudinis Vestræ servus

Vergerius.

186.

Dedikationsschreiben Vergers an herzog Christoph.

Über den I band seiner gesammelten werke.
Ohne unterschrift. Datum August 1563.

Illustrissimo Excellentissimo et vere Christiano Principi et Domino Domino Christophoro Duci Wirtembergensium, Tekzensi etc. Montispeligardensis Domino Domino Clementissimo!

Magnam partem earum rerum, quas latine scripsi, posteaquam a papatu resilui, collegi atque edo sub tui nominis felicissima tutela. Scio quidem, me parum potuisse proficere, parumque ipsum debilitasse papatum. Sed tamen satis putavi, si saltem nomen dedissem meum inter eos, qui volunt plane exstinctum, uti pestem et excidium genuinæ doctrinæ christianæ, ut vere est. Hoc enim palam profiteor, in horum numero collocari atque recenseri summa laude dignum existimo, et pereat Papa cum suis apostatis atque adulatoribus. In magnis et voluisse sat est. Tibi vero, Illustrissime et vere Christiane Princeps, hoc, quidquid est meorum laborum, dicare constitui, primum quod plane videam, te principem locum tenere inter eos, qui

doctrinam evangelii restitutam volunt ex tenebris, ex quibus misere
versabatur, primus es omnino isto in certamine laudatissimo. Deus
te conservet in tali primatu. Deinde quod tantæ tuæ virtuti et fe-
licitati tantum debeam, quantum post Patrem meum cœlestem nemini. Accipe igitur, Princeps Optime, quæ tibi dicantur a tui nominis studiosissimo et qui orat perpetuo Patrem cœlestem, ut tibi
augeat crescentem quotidie fidem et spiritum per Christum dominum
nostrum.

Quæ in hoc primo tomo comprehenduntur, hæc sunt:

Secretarii pontificii actiones tres.

Consilium de stabilienda ecclesia Romana.

Epistola ad serenissimum Poloniæ regem.

Dialogi quatuor contra Osium.

Annotationes in catalogum hæreticorum Romæ conflatum.

De idolo Lauretano.

Etc. [1]

Dagegen ist von des herzogs hand hinten aufgeschrieben:

Magis expedit, epistolam ad lectorem, quam ad me dirigere, et
quod pius lector fideat et perpendat, quid tota christiana posteritas
de ipso papatu sentiat.

186 a.

Herzog Christoph an Verger.

Zwiefalten 17 August 1563.

Über einen knaben, den Verger an den hof bringen solle.

Antwort auf einen (verlorenen) brief Vergers.

Salutem. Reverende nobis dilecte ac fidelis!

Litteras vestras decimo quinto Augusti datas accepimus ex iisque
pueri quarti una cum parente suo, de quo mentionem nobis fecistis,
adventum intelleximus. Curabitis ergo, ut una Stutgardiam petant;
ibi examinationis gratia visitationis consiliarios puer adeat, ubi, si
viderint bonæ indolis ipsum esse atque in litteris proficere posse,
jussimus, ut idem ei, quod ceteris tribus, stipendium numeretur.
Hæc vos latere noluimus. Valete Zwifaldi 17 Augusti anno 1563.

*

1 Siehe das verzeichnis vollständig br. n. 166 a.

187.

Verger an herzog Christoph.

Tübingen 8 September 1563.

Zeigt seine baldige abreise nach Straßburg an, das erscheinen des
I bandes seiner streitschriften. Über Hieronymus Zanchi.

Illustrissime Princeps et Domine Domine Clementissime!

Cum Illustrissima Celsitudo Vestra tam longe absit in venatione,
ego ne tempus conteram, ad illustrissimum principem Radzivillum[1]
Argentinam proficiscor, mansurus cum eo per mensem circiter.

Liber meus excussus est, quadringentorum foliorum, et jam
prodit ad nundinas in nomine Domini. Usus sum Illustrissimæ Celsitudinis Vestræ consilio[2], neque enim illi dedicavi, nec cuipiam
alteri, sed lectori tantum. Titulus est: Primus tomus operum Vergerii contra papatum. Dedi compingendum. Habebit Celsitudo Vestra,
quoquot voluerit.

Sunt mihi ab illustrissimo duce Prussiæ litteræ, qui scribit, se
consilio Illustrissimæ Celsitudinis Vestræ mandasse, ne Veigelius[3]
quidpiam innovet in causa cœnæ, quod libenter audivi. Non dubito,
quin ad Celsitudinem Vestram ea de re scripserit.

Sunt mihi litteræ etiam ab illustri comite ab Ostrorogo[4],

*

1 Nikolaus Christoph Radzivil, Sierotka genannt, der älteste sohn von
Nikolaus Czarny, s br. 46, studierte damals in Straßburg; 3 August
war er mit großem gefolge nach Stuttgart gekommen und wurde von
herzog Christoph aufs freundlichste aufgenommen; herzog Christoph
gab ihm ein empfehlungsschreiben nach Straßburg mit, dat. 9 August.
Von dort aus überschickte er ihm ein exemplar der auf veranstaltung
seines vaters gedruckten polnischen bibel. August 1564 vertrieb ihn
die pest von Straßburg, s. n. 212, und er reiste daher nach Tübingen,
wo er sich noch August 1565 aufhielt, s. br. 212 bis 219. 223. Moser,
neues patriotisches archiv II, 599. In späteren jahren wurde er den
grundsätzen, welche ihm sein vater bei seiner ersten communion eingeschärft, ungetreu, indem er durch die jesuiten sich wieder für den
katholicismus gewinnen ließ und mit seinen drei brüdern in denselben
zurücktrat; nun vertrieb er die reformirten geistlichen und entriß ihnen
die buchdruckerei seines vaters. S. Lukaszewicz, geschichte der reformirten kirche in Litthauen I, 30.

2 S. n. 186.

3 S. n. 170.

4 S. n. 170 a.

qui se humiliter et ex animo Vestræ Illustrissimæ Celsitudini commendat tantaque observantia, quanta vix dici possit.

Audio, recruduisse certamen Hyeronimi Zanchi [1] Argentinæ, quod prævidi. Faciam, quod potero, nam coram ipsi loquar. Sed vereor, ne sit opus publicis hominibus, qui rem tractent, ego si quid possem, offero meam operam et spero, me acturum esse fideliter, sed tamen non desistam privatim aliquid agere. Commendo mè reverenter Vestræ Celsitudini Illustrissimæ. Pater cœlestis augeat illi suos divinos thesauros, spiritum et fidem per Christum.

Marschalcus illustrissimi Radzivilli, hoc est Mackoneschki erat ad Illustrissimam Celsitudinem Vestram venturus; nam in Lituaniam proficiscitur; quoniam vero dubito, num sim illum obviam habiturus, mitto litteras hic adjunctas, quas Illustrissima Celsitudo Vestra per ipsum in Lituaniam perferri dignabitur.

Tubingæ 8 die Septembris anno 1563.

Illustrissimæ Celsitudinis Vestræ servitor

Vergerius.

188.
Verger an herzog Christoph.
Tübingen 24 September 1563.
Nachrichten über Radzivil und Zanchi.

Illustrissime Princeps et Domine Domine Clementissime!

Redii heri Argentorato in nomine Domini. Illustris dux Radvillus [2] senior bene valet, seque commendat reverenter, illic bene valent omnes. Causa Hieronymi Zanchi [3] expedita est, mortuo enim

*

1 Hieronymus Zanchi aus Alzano (bei Bergamo), geb. 1516, machte seine studien in Bergamo und wurde mit Celsus Martinengo (nicht Ulysses, br. 184) und Peter Martyr (123) bekannt, und durch sie der reformation zugewandt; mit dem letzteren verließ er Italien und begab sich in die Schweiz; durch Martyrs vermittlung wurde er nach England berufen, kam dann 1553 als professor der theologie nach Straßburg; dort bekam er mit Marbach streit über die prädestination, ging 1563 nach Chiavenna als pfarrer; 1567 wurde er professor in Heidelberg, aber er entsagte seinem wanderleben nicht; er wurde geistlicher in Lyon, später in Antwerpen, professor in Leyden und starb 1590. S. br. n. 188. 244.

2 S. n. 187.

3 s. n. 187. Mainardi, † 31 Juli 1563.

pastore in mea Rhætia is Zanchus vocatus est ad ministerium, quam veniam domini Argentinenses libenter concesserunt. Tamen renovata erit contentio, quæ sopita videbatur, neque erant futuræ turbæ. Sed laus Deo, qui finem posuit. Unum metuo, ne in Rhætia exclamet contra suos adversarios, quasi vix potuerit finem invenire, sed resistam ego, si Deus voluerit. Mittam infra duos aut tres dies meum primum tomum [1], quem ad Francfordianas miseram contra papatum. Commendo me Celsitudini Vestræ reverenter ex animo.

Tubingæ XXIIII Septembris 1563.

Illustrissimæ Celsitudinis Vestræ servitor

Vergerius.

189.

Verger an herzog Christoph.

Tübingen 24 October 1563.

Nachrichten aus Kärnthen und Steiermark; entschuldigung wegen einer geldangelegenheit.

Illustrissime Princeps et Domine Domine Clementissime!

Sunt mihi nova ex ecclesia Labacensi, quæ libens mitto [2]; omissum est nomen ejus, qui scribit, sed scribuntur a domino Primo Trubero [3]. Illud mihi videtur memorandum, quod Cæsarea Majestas quinque articulis innititur, quasi reliquos non magni faciet. Deus perseveret ejus mentem illustrare. Novi nomen episcopi, quem Biben [4] vocant. Est enim quispiam rudis atque ineptus. Episcopatum

---

1 S. n. 186.

2 Das beigelegte deutsche schreiben enthält verschiedene nachrichten über eine gegen den bischof von Krain in Laibach verhängte untersuchung wegen seiner hinneigung zu den lehren Primus Trubers und zum protestantismus, sowie von dem stande der protestantischen kirche in Krain, zugleich auch von schritten des k. Maximilians und sogar Bayerns beim concil in Trient, die communio sub utraque forma, priesterehe, »freiheit der speiß« und abschaffung der messe als sühnopfer zu erwirken und der entschließung beider fürsten, nachdem die schritte vergebens gewesen, diese »artikel« in ihren erblanden zu »publicieren.«

3 S. n. 17, nach vergleichung der handschriften ist der br. an. 2 schwerlich von Truber.

4 Der bischof hieß Daniel Barbo und der bischofsitz Piben (Pedena).

appellant Petinensem. Impedit igitur Labacensem episcopum, cujus bona confiscantur, sed depereant tales episcopi, dummodo reliqua pars populi conservetur in regno Dei. Scribunt etiam, pestem valde coepisse grassari in Stiria inferiori et valde metuere, ne ad se progrediatur.

De responsione mihi data per secretarium Vestræ Illustrissimæ Celsitudinis, affirmo, nec Georgium typographum neque me esse in ulla culpa [1]. Numeravi enim ipsi pecuniam, et in animo habebam, reliquum numeraro (petiit enim) sed dixi Vestræ Celsitudini illum exspectaturum, si quod amplius illi debetur, dum libri venderentur. Ego qui non venditionem, sed donationem exspecto, nihil curo amplius. Vestra Illustrissima Celsitudo sanctum opus (ut spero) confecit.

Adorno secundam et tertiam editionem tertii tomi [2]. Providebit Dominus de sumptu, dummodo digni videantur, qui edantur. Nihil curo, nisi gloriam Dei.

Generosus dominus Georgius a Turci comes, vir magni zeli in evangelio, me monet suis litteris, ut caveam, ne Labacum accedam, nisi sint mihi litteræ seu salvus conductus a Cæsare sive Maximiliano. Quod si fieret, sperari magnum fructum ex mea profectione, quasi debeam continere reliquos, ne discedant ex confessione Augustana. Utinam daretur salvus conductus; nam libenter accederem usque ad mortem, si Deus voluerit. Plura non habeo, quæ scribam. Commendo me reverenter Vestræ Illustrissimæ Celsitudini. Pater coelestis augeat illi spiritum et fidem per Christum dominum nostrum.

Tubingæ 24 Octobris, anno 63.

Illustrissimæ Celsitudinis Vestræ servitor

Vergerius.

Hinten von des herzogs hand: Bedarff kheiner anntwurtt.

190.

Verger an herzog Christoph.

Tübingen 7 November 1563.

Fragt, wann die litthauer studenten den herzog besuchen können.

*

1 Unbekannt, auf was es sich bezieht.
2 Wie es scheint von der gesammtausgabe seiner werke.

Illustrissime Princeps et Domine Domine Clementissime!

Domini studiosi, qui sunt ex Lituania [1], revocantur in patriam, et parant discessum intra XV dies. Habent in animo, invisere prius reverenter Vestram Illustrissimam Celsitudinem, ad quam habent serenissimi regis atque illustrissimi Radvilli [2] litteras. Venient haud dubie et ego cum illis, quando nulla alia mihi datur facultas bene merendi de nobilissimis et magna virtute præditis adolescentibus, qui profecto dignissimi sunt, qui amentur. Præclare se gesserunt in hac schola. Utinam magis cogniti fuissent! Volui Illustrissimam Celsitudinem Vestram admonere de ipsorum adventu et de discessu in Lituaniam. Exspectant pecuniam, quæ jam Norrembergam ablata est. Jam sunt missi, qui afferant.

Utinam Vestra Illustrissima Celsitudo significaret mihi, quo tempore intra X aut XI dies eam possemus Stutgardiæ cum d. Lituanis invisere, ne frustra venissemus.

Deum testor, eas, quas mitto litteras, fuisse per errorem resignatas, per errorem, inquam; ignoscat Celsitudo Vestra Illustrissima.

Habui a cellario vinum vetus percommodum et quantum mihi satis futurum est. Rependat Dominus. Quid enim possum dicere amplius? Ipse cœlestis Pater augeat illi suos divinos thesauros, spiritum et fidem per Christum dominum nostrum.

Datæ Tubingæ 7 Novembris, anno MDLXIII.

Vestræ Illustrissimæ Celsitudinis servitor

Vergerius.

190a.

Herzog Christoph an Verger.

Ohne datum.

Antwort auf n. 190.

Vergerio etc.

Reverende nobis dilecte ac fidelis!

Ex litteris tuis intelleximus, studiosos Lituanos in patriam parare

*

1 S. n. 151. 178. 191.
2 S. n. 46.
3 S. n. 190a.

reditum. Ferre possumus, ut per Stutgardiam iter faciant et nos conveniant. Poteris etiam significare, quod circa tempus in litteris tuis nominatum nos Stutgardiæ, quantum jam scire possumus, inventuri sint.

Ad litteras comitis ab Ostrorogo[1], quod attinet, si quidem per ignorantiam resignatæ sunt, errori veniam domus et ignoscimus. Decrevimus etiam, nominato comiti ad litteras suas respondere ea, quæ conveniunt, quæ tibi una mittimus.

Hoc tibi clementer significare voluimus, ut haberes, quod studiosis Lituanis responderes.

Datæ nicht ausgeschrieben.

Hinten von des herzogs hand: »Soll ingrossiert werden.«

191.
Verger an herzog Christoph.
Tübingen 21 November 1563.

Aus dem datum der präsentation in Stuttgart 23 November 63 geht hervor, daß das schreiben, bei welchem der name des monats fehlt, 21 November 1563 abgefaßt ist.

Berichtet, daß der französische gesandte in der Schweiz ihn eingeladen habe, nach Graubünden zu kommen.

Illustrissime Princeps et Domine Domine Clementissime!

Venit ex Galliis in Helvetiam novus legatus[2], nam Mendocius est revocatus. Nomen ejus, qui nuper est missus Monsiur della Croyx, antiquus meus amicus atque dominus. Is ad me amanter scribit atque ait in summa, se venisse propter fœdus cum d. Grisonis seu Rhætis renovandum[3], optatque meam præsentiam, cum norit, me posse aliquid in eo genere præstare. Non erit eundum, nisi post festa natalicia (ut opinor) et libenter ibo, cum sperem, me posse aliquid boni efficere, utpote qui norim illas practicas. Adero in præsentia Vestra intra octo aut decem dies cum dominis Lituanis[4], ut Vestra Illustrissima Celsitudo dignata est scribere, et cum illa

*

1 S. n. 170. Das schreiben Ostrorogs und das antwortschreiben herzog Christophs, die beide noch erhalten, relig. sach. büsch. 20 f. 24, sind nur höflichkeitsschreiben.

2 Nikolaus de la Croix, abt von Orbais. Der herr von Mandosse war nur außerordentlicher gesandter gewesen.

3 S. n. 115 und 131.

4 S. n. 190.

coram agam de re tota, licentiam petiturus, si eundum videbitur,
neque enim sine licentia iter aggrederer. Sunt mihi a nepote[1] litteræ ex Prussia, de quibus etiam coram agam aliisque de rebus.
Commendo me reverenter Illustrissimæ Celsitudini Vestræ. Pater
cœlestis augeat illi suos divinos thesauros, spiritum et fidem per
Christum dominum nostrum.

Tubingæ die XXI anno 63.

Illustrissimæ Celsitudinis Vestræ servitor

Vergerius.

192.

Verger an herzog Christoph.

Tübingen 11 December 1563.

Bittet um ein pferd zu seiner reise in die Schweiz.

Illustrissime Princeps et Domine Domine Clementissime!

Eodem die, quo Celsitudo Vestra abivit hinc, supervenit d. Vi-
dasme de Cartres[2] Gallus, cum quo aliquot horis sum versatus, visus
est mihi prudens vir, eruditus et pius, quemadmodum Vestra Celsitudo melius judicatura est, de quo non attinet plura dicere. Fui
heri Retlingæ egomet, quæsivi magna diligentia equum, quo abirem
ad iter meum, et Deum testor, me non potuisse reperire. Reliqui
equi mei sunt cum meo nepote[3] in Prussiam profecti et redibunt
(ut spero) propediem. Reliquum est, ut me ad Illustrissimam Celsitudinem convertam, quam per Jesum obsecro, ut dignetur unum
mutuo concedere. Reddam enim sancte. Cuperem equum pro mea
persona placidum et minime ferocem et minime pretiosum, communem equum et tolerabilem. Reddam, inquam. Ubi accepero, statim abibo, et recta Argentinam iter instituam, deinde Basileam aut
Solodurum, ubi d. legatum[4] possim invenire. Commendo me reverenter Vestræ Celsitudini Illustrissimæ. Pater cœlestis augeat illi

*

1 S. n. 183.

2 Über den Vidame de Chartres, einen der bedeutendsten führer
der Hugenotten, s. den brief herzog Christophs in Kluckhohn, briefe
Friedrichs des Frommen I, 442. Br. n. 193.

3 S. n. 183.

4 Den französischen gesandten in der Schweiz s. n. 191. 193.

suos divinos thesauros, spiritum et fidem per Christum dominum nostrum.

Tubingæ die XI Decembris 1563.

Illustrissimæ Celsitudinis Vestræ servitor

Vergerius.

Nachschrift: equus erit dandus Federico Neppelio à cancellaria, mitto enim proprium famulum ad illum, qui accipiat.

193.

Verger an herzog Christoph.

Straßburg 31 December 1563.

Meldet seine ankunft in Straßburg und daß die pest seine reise in die Schweiz aufhalte.

Illustrissime Princeps et Domine Domine Clementissime!

Argentinam veni, ubi audivi, dominum legatum[1] Gallicum esse in dubio, num modo sit in Rhætiam profecturus renovandi fœderis causa, propterea quod pestis cœpit sævire. Misi proprium hominem, qui interroget, quem exspecto in horas; si venerit et nuntiaverit eundum esse, nihil morabor, etiamsi tantilla cœperit pestis regnare, fretus clementia Dei; si vero putarit, esse differendum, ego quoque differam et Tubingam rediturus sum.

Gallia bene habet in evangelio, multi, qui inde veniunt, affirmant. D. Vidama de Schartres[2] hic fuit aliquot diebus, deinde profectus est ad illustrissimum Bipontinum, mox Basileam venturus.

Liber de concilio imprimitur, video eum quotidie, sed paucissima intelligo, nam germanice imprimitur.

Reliqua non sunt, quæ sint scribenda, modo Basilea pestis cœpit etiam hic aliquantulum, Deus gubernet suam ecclesiam. Bene valeat Illustrissima Celsitudo Vestra. Pater cœlestis adaugeat sua divina dona, spiritum et fidem per Christum dominum nostrum.

Argentinæ ultima die Decembris anno 1563.

Illustrissimus princeps d. Radzivillus[3] commendat se ex animo, mira diligentia dat operam litteris et pietati.

Illustrissimæ Celsitudinis Vestræ servitor

Vergerius.

1 S. n. 191.
2 S. n. 192.
3 S. n. 187.

Verger   26

1564.

194.

Verger an herzog Christoph.

Tübingen 1 Februar 1564.

Meldet seine zurückkunft aus der Schweiz; bittet um einen empfehlungsbrief für einen Italiäner.

Illustrissime Princeps et Domine Domine Clementissime!

Veni ante X dies ex colloquio legati Gallorum [1]; non acceleravi, quod viderem, me afferre nova minus ferventia, quam optassem. Tandem, cum voluissem accedere, varia impedimenta me detinuerunt, sed tamen spero me superaturum omnia et venturum propediem (si Dominus voluerit) seu Stutgardiam seu Nurtingam [a].

Nunc id quod me premit, tale est. Venit ad nos jam tunc ex Italia vir prudens atque fidelis, mansit postea biennio aut amplius cum illustrissimo duce Prussiæ. Nunc revocatur a fratribus, rediturus tamen; ego licentiam non possum negare bono viro et fideli; cum vero non longe a Labaco versetur, putavi illi dandas litteras, quæ et Labaci deserviant et Justinopoli, quæ est sua patria, rogo autem (ut tntus accedat), vehementer rogo, ut mihi concedantur. Affirmo enim, illum ejus esse animi, ut redeat ad me, nec quidquam aliud eum cogitare, quare per Jesum Christum rogo, quid enim possum dicere majus [b]? In summa Illustrissima Celsitudo Vestra dignetur mihi litteras dare, quales insertas descripsi [c]. Commendo me reverenter Illustrissimæ Celsitudini Vestræ. Pater cœlestis augeat illi sua præclara dona, spiritum et fidem per Christum dominum nostrum.

Tubingæ prima Februarii 1564.

Illustrissimæ Celsitudinis Vestræ servitor

Vergerius.

Eigenhändige randbemerkungen des herzogs:

a Wan es sein gelegenheit.

b Weiß ime solliche brief nit mitzutheillen, wa er auch gefangen würde, sye ime mehr zu schaden dan fürstandt gereichen, zudeme mir zu hochem verweiß billich kheme, da ich einem verspreche, mein diener gewesen zu sein, den ich nit khennet und von seines thuens und

*

1 S. n. 192 und 193.

lassens nicht wuste, hatt er paßbriff von dem herzogen von Preußen, khan er woll mit denselben durch khomen one gefar.

c Das concept soll ime wider geschickht werden.

Waß zu schreiben, ist ad margines verzeichnet.

195.

Verger an herzog Christoph.

Tübingen 1 März 1564.

Kündigt seine baldige abreise nach Graubünden an.

Illustrissime Princeps et Domine Domine Clementissime!

Accepi hodie Vestræ Illustrissimæ Celsitudinis litteras, quibus breviter respondeo, mihi videri consultissimum (quidquid aliis videatur), ut in Rhætiam primo quoque tempore accedam [1]. Quare constitui, peremdie nativitatis me ad iter accingere. Me id male habet, quod tarde (ut mihi videtur) accedam, sed tamen accedendum est, res enim est hujusmodi, ut urgeat. Deus bene vertat; redibo, quanti potero citius, faciat Dominus.

Rerum, quas mandare dignata est illustrissima domina conjux [2], diligens ero.

Præterea sumam cœnam Domini die crastino, quod felix et faustum sit; ego pro Illustrissima Celsitudine Vestra assidue rogo, cui Pater cœlestis adaugeat sua præclara dona, spiritum et fidem per Christum dominum nostrum.

Datum Tubingæ 1 Martii 1564.

Illustrissimæ Celsitudinis Vestræ

servitor Vergerius.

Randbemerkung von herzog Christoph:

Hatt sein weg. Ist 6 wochen auff der langen banckh beleiben ligen.

*

1 Einmal wegen des bündnisses zwischen Frankreich und Graubünden; s. n. 192 ff. und dann wegen der drohenden gefahr, die inquisition könne von Mailand her eingeführt werden. Nach langem bitten gewährte Christoph diese reise und Verger war April und anfang Mai in Graubünden, s. n. 196. 198. 202. 203.

2 Anna Maria, tochter von markgraf Georg von Brandenburg; seit 24 Februar 1544 mit Christoph vermählt; † 20 Mai 1589 in ihrem wittwensitz Nürtingen.

26 *

196.

Verger an herzog Christoph.

Tübingen 2 März 1564.

Berichtet über die einführung der inquisition in Mailand und
wünscht nach Graubünden zu reisen.

Illustrissime Princeps et Domine Domine Clementissime!

Novit Vestra Celsitudo Illustrissima, quod in Sicilia invecta fuit
ante non multos annos inquisitio Hispanica [1], novit etiam, quod in
regnum Neapolitanum tentatum fuit anno 1545 de ea introducenda,
sed resistente magna regni vi, fuit repudiata, scit denique, hoc ipso
anno rursus fuisse tentatum de ea introducenda in statum Mediolanensem, imo scriptum fuisse a rege Philippo praesertim post absolutum concilium [2] de omnino invehenda; denique puto novisse, quod
viginti mille ducatorum fuerint promissa d. duci Sessae [3], quod su-
persederet per aliquot tantum septimanas, et quod res versatur in
istis terminis de ea introducenda vel non introducenda; quod si fiet,
existimo, magnum futurum ipsius Mediolanensis ducatus damnum et
incommodum, exemplo scilicet regni Galliarum, quod scilicet propter
magnam, qua usa fuit persecutione, incidit in gravia pericula. Jam,
Illustrissime Princeps, Curiae Rhætorum, quae est in Rhætia, distat
autem hinc quinque dierum itinere, multi debent convenire et conferre inter se et examinare, quid esset agendum in re hujusmodi;
est enim periculosa propter diversitatem religionis. Certum est,
quod monachi quidam Dominicani rem maxime urgent conanturque
perficere, ut omnino introducatur. Summa est, quod accedentibus

*

1 Die römische inquisition war schon länger in Mailand eingeführt;
die spanische inquisition war den Italiänern darum verhaßt, weil sie
von Madrid aus geleitet wurde und in erfüllung ihrer schrecklichen
aufgabe viel blutdürstiger war, als die römische. In Neapel hatte
Karl V schon versuche gemacht, sie einzuführen, aber das volk hatte
sich einmüthig erhoben und ihn gezwungen nachzugeben; auch in Mailand mußte Philipp von seinem vorhaben abstehen; es waren besonders
die päpste, denen die spanische inquisition nicht untergeordnet war,
die sich daher gegen dieselbe aussprachen und die völker schützten,
s. n. 197. 199.

2 Das concil in Trient war 4 December 1563 geschlossen worden.
s. n. 198.

3 S. br. n. 152.

reliquis ego quoque vellem accedere. Nullum video exstare periculum propter profectionem nec vitæ neque animæ, possum autem
aliquo modo proficere (si Deus vellet) id, quod fieret, paucis septimanis; spero inquam aliquem fructum, si accederem, et peto reverenter, ut liceat id mihi per Illustrissimam Dominationem Vestram,
nullum video incommodum, et spes quidem commodi non minima
apparet. Non possem discedere, nisi prope festum paschatis, interea
tempus mitigabitur et conficiam quædam mea negotia, valeo autem
mediocriter. Non fuit visum, cogitare de discedendo, nisi impetrata
licentia Illustrissimæ Celsitudinis Vestræ, a qua reverenter peto atque insto, ut mihi eundi venia concedatur. Sunt et alia negotia,
quæ conficerem, si Deus voluerit; est enim Rhætia et Curia con-
junctissimæ. Commendo me reverenter, oro Patrem cœlestem, ut
Excellentissimæ Dominationi Vestræ augeat sua præclara dona, spiritum et fidem per Christum dominum nostrum. Amen.

Tubingæ die secunda Martii 1564.

Illustrissimæ Celsitudinis Vestræ

servitor Vergerius.

197.

Verger an herzog Christoph.

Tübingen 8 März 1564.

Nachrichten über Maximilian II und den papst.

Illustrissime Princeps et Domine Domine Clementissime!

Nondum potui pecuniam mittere ad d. comitem Martinengum [1]
et significare ea, quæ sunt significanda, spero, me propediem posse.

Scripsi, tractari Mediolani de Hispanica inquisitione importanda [2],
quæ res maxime rempublicam illam conturbat. Nunc addo; ex litteris Romanis scriptum fuisse, serenissimum Maximilianum misso legato domino Joanne ab Helfestein exosculatum fuisse pedes Papæ
pro nova creatione in regnum Maximiliani, Papamque libentissime

*

1 S. n. 184. 203.

2 S. n. 196.

3 Die wahl zum römischen könig, October 1562 in Frankfurt, a.
n. 164. In Buchholz, K. Ferdinand VII, 519, findet sich das genauere
über die huldigung Maximilians vor dem papste, ein fußkuß ist nicht
erwähnt.

illam gratulationem suscepisse. Quis id dubitet? Vidi egomet litteras, quæ affirmant, hæc fuisse gesta Romæ die septimo Februarii; utinam sint falsa! Commendo me reverenter Illustrissimæ Celsitudini Vestræ, Pater cœlestis augeat illi sua præclara dona, spiritum et fidem per Christum dominum nostrum.

Tubingæ VIII Martii 1564.

Illustrissimæ Celsitudinis Vestræ

servitor Vergerius.

198.

Herzog Christoph an Verger.

Nürtingen 10 März 1564.

Antwort auf n. 196. Der herzog schlägt ihm seine bitte, nach Chur zu gehen, ab.

Reverende et nobis dilecte!

Accepimus litteras vestras, quibus nobis insinuatis, post finitum concilium jam tractari de Hispanica inquisitione in ducatum Mediolanensem introducenda, et quia res sit periculosa propter diversitatem religionis, ideo conventum indictum esse Curiæ Rhætorum, in quo hæc causa agatur et examinetur, et petitis, ut vobis liceat nostra venia et bona gratia ad hunc conventum proficisci et illi interesse.

Ceterum non potuimus ex vestris litteris intelligere, cujus nomine et auctoritate hic conventus fieri, et quorum principum vel populorum legati eo venire debeant.

Ergo non judicamus consultum, ut vos eo conferatis; nam profectionem hanc vestræ tenui valetudini inimicam futuram existimamus, atque insuper conventum illum vobis magnum periculum creare posse animadvertimus, præsertim cum mentionem faciatis, diversarum religionum homines conventuros, et monachos vehementer laborare ac urgere, ut inquisitio illa instituatur.

Clementer ergo vobis consulimus, ut in hac gravi ætate et valetudine vobis parcatis, neque sine causa vos præsenti exponatis periculo, sed otio et quiete a Deo tranquille fruamini. Hoc vobis ex singulari gratia, qua vos complectimur, significare voluimus. Datæ etc. Nurttingen 10 Martii anno etc. 64.

Vergerio.

Von dem herzog ist eigenhändig bemerkt:
Soll also geschrieben werden.

199.

Verger an herzog Christoph.

Tübingen 14 März 1564.

Dankt für den brief vom 10 März, meldet neuigkeiten aus Italien,
wünscht doch noch nach Graubünden zu reisen.

Illustrissime Princeps et Domine Domine Clementissime!

Gratias immortales ago Illustrissimae Celsitudini Vestrae pro litteris externa die Nirtinga datis [1], quibus me clementer hortatur,
ut abstineam ab itinere Rhætorum. Declarabo postea, cum venerit
festum paschatis, quam sint graves causæ, tunc enim commodius licebit, interea ago gratias (ut dixi) pro tam magna clementia; nunc
aperiam, in quo statu res sese habeat. Post celebratum tale conciliabulum, quale celebratum est [2], hoc est illegitimum et stultum,
furiunt Veneti putantque, se omnia habere in manu, quia concilium
absolverint. Imprimis quispiam dominus Fridericus Cornelius [3], qui
Bergomensium gubernat diocesim et episcopatum, scripsit Basileam
usque citavitque quandam mulierculam, quæ decem aut quindecim
annis vixit Basileæ cum marito suo medico sancte atque honeste,
citavit, inquam, ut statim a viro suo discederet et Bergomum se
conferret sub poena confiscationis bonorum, quæ vix quadringentos
ducatos excedunt, agiturque res valde serio; proh Deum immortalem, quanta hic crudelitas, dividere virum ab uxore, quia vivunt in
nostra religione, quasi actum fuerit de ea, ubi ea divisio facta fuerit!
Aliud est in re consimili, quispiam frater concessit fratri filiolam
octo aut decem annorum circiter, quæ cohabitaret Basileæ propter
paupertatem. Veneti resciverunt atque unicam istam ob causam
patrem puellæ in carcerem intruserunt mandaruntque magna diligentia, ut filiola in patriam, hoc est Bergomum remittatur. Quæ
durities est hæc? quasi actum sit (ut dixi) de nostra religione,

*

1 S. n. 198.

2 S. n. 196.

3 Fredericus Cornelius, geb. Venedig 1531, folgte seinem oheim
Aloysius Cornelius im jahr 1560 auf dem bischofssitz von Bergamo,
wurde 1577 bischof von Padua, unter Sixt V cardinal, † 1590 in Rom.

posteaquam filiola ex Helvetiis discessisset. Fiunt omnia in odium sanctæ religionis nostræ; Deus interponat suas partes.

Nunc quod ad inquisitionem Hispanicam [1] attinet, res sic habet: ea adornatur Mediolani et exspectatur in dies, ut proferatur, neque evadet (ut puto), quin proferatur, quod si fiet, cum magno incommodo Italiæ fiet; nam tota mutationes et incommoda sentiet, ea turbabitur pars imprimis, quæ in Rhætia est; habet enim magna ex parte diversam in religione sententiam, quare cavendum erit, ne illic ignis accendatur. Vestra Illustrissima Celsitudo sentire videtur, ne ego accedam; fiet, quidquid mandaverit, sed tamen consultum putarem, ut possem accedere, neque enim dubium est, quin ipsa inquisitio Hispanica sit invehenda, cum scilicet celebratum fuerit concilium, quale celebratum est; sed de mea illuc profectione postea cogitandum erit, interea scripsi, ut me certiorem faciant de omnibus. Non parvæ impendent mutationes, cum ista Hispanica inquisitio impendet; tum etiam, quod Maximilianus fertur pedes exosculatum fuisse antichristo [2] et illi jurasse obedientiam; maxima ea res pariet motum (si vera est), ut veram puto. Audiet in summa Vestra Illustrissima Celsitudo rem totam; nam significabitur mihi propediem. Bene valeat Illustrissima Celsitudo Vestra, cui me reverenter commendo. Pater cœlestis illi augeat sua præclara dona, spiritum et fidem per Christum dominum nostrum.

Tubingæ XIV Martii 1564.

Illustrissimæ Celsitudinis Vestræ

servitor Vergerius.

Außen steht die bemerkung:
Bedarff keiner anntwort.

199 a.

Aurelius Vergerius an herzog Christoph.

Tübingen 23 März 1564.

Bittet, ihm seine büchse, die ein herzoglicher förster ihm abgenommen, wieder zustellen zu lassen.

Illustrissime Princeps et Domine Domine Clementissime!

Accidit hodierna die hora quarta pomeridiana, ut cum quibus-

*

1 S. n. 196.
2 S. n. 197.

dam amicis animi gratia exiverim pedes portam Tubingensem ad
Lusnaum; ubi cum pervenissemus paulo ultra fornacem lapideam,
decertabam cum aliquo, tangere bombarda certum lapidem in quodam muro signatum. Quo facto forte obequitaverunt duo in via
regia (nam secesseramus nos ad viam, qua conscenditur convallis
post dictam fornacem), qui hoc audito unico sonitu (quia unica tantum erat bombarda) accurrerunt, interrogantes, quo modo fuerit
displosa bombarda et quapropter? significabatur et locus quoque de-
monstrabatur iis; interrogarunt postea, quisnam ego essem; dixi,
me indignum esse servitorem Celsitudinis Vestræ Illustrissimæ; petierunt, ut significarem meam personam, dixi, me esse domini Vergerii nepotem. Hoc audito, petiit a me non tam profecto imperiose
quam duriter, ut illi bombardam traderem. Rogavi ego, utrum illi
hæc potestas esset a Celsitudine Vestra Illustrissima concessa, ut
possit Vestræ Celsitudinis servitores armis spoliare propter rem tam
nullam; affirmabat, minis quoque additis. Non potui non obedire,
sicuti debui reverenter, petiit etiam flasculum; mecum non habebam,
quia onerata erat domi bombarda ante aliquot dies, et ut eam
exonerarem, exiveram. Quæ habui, dedi in summa propter obedientiam meam; is discedens significavit, se essę præfectum silvis, qui
accepta bombarda mea et verbis minus gratis prolatis discessit.

Ego, quid faciam, præterea nescio, nisi ad Illustrissimam Vestram
justitiam atque clementiam accurrere, cui reverenter atque humiliter
supplico, ne patiatur, talem mihi suo fidelissimo et quamvis indigno
addictissimo tamen servitori si quis mortalium injuriam fieri, sed
dignetur pro sua summa clementia per litteras mandare dicto præfecto, ut mihi meam bombardam restituat, et ne Celsitudinis Vestræ
servitores tam inhumaniter posthac excipiat.

Hoc supplico, Illustrissime Princeps, Clementissime Domine, non
propter bombardam tantum, quæ exigua res est, sed ut huic rumori,
qui est in civitate jam sparsus, remedium feram, et aliquo modo
honori meo consulam, ne videar ita despectus, quin hoc apud Celsitudinem Vestram Illustrissimam impetrare valeam. Quapropter
hunc proprium mitto nuntium, qui hoc mandatum referat, supplicans
per Christum, ut hoc mihi non deneget Celsitudo Vestra Illustrissima,
cui me reverenter commendo. Pater domini nostri Jesu Christi custodiat Illam atque augeat ad gloriam nominis sui sempiternam.

Tubingæ XXIII Martii 1564.

Illustrissimæ Celsitudinis Vestræ humilis servitor

Aurelius de Vergeriis.

200.

P. P. Verger an herzog Christoph.

Tübingen 23 März 1564.

Bittet um einige weinbergpfähle.

Illustrissime Princeps et Domine Domine Clementissime!

Cogor petere ab Illustrissima Celsitudine Vestra, quod mihi magni alicujus commodi futurum est. Mihi sunt necessarii aliquot palli seu ligna, quæ reponam in vinea sive horto, quem Celsitudo Vestra dignata est mihi tribuere. Quare ab.illa reverenter et supplex peto, ut dignetur mandare præfecto silvarum, ut velit dare aliquot ad meum usum, quantum suo judicio videbitur, quæ res pergrata mihi futura est. Commendo me reverenter Vestræ Illustrissimæ Celsitudini; a cellerario Tubingense litteras exspecto.

Datum Tubingæ die 23 Martii 1564.

Illustrissimæ Celsitudinis Vestræ

servitor Vergerius.

Eigenhändige bemerkung des herzogs:

Hab der enden und zu solchem werckh nit gelegen hols.

201.

Verger an herzog Christoph.

Tübingeu 27 März 1564.

Neuigkeiten aus der Schweiz.

Illustrissime Princeps et Domine Domine Clementissime!

Sunt mihi e Tiguro litteræ exaratæ die vicesimo quarto Martii. Scribunt, adhuc non esse concordes Philippianos cum Gallis; præterea pestem cœpisse sævire in ipsa Rhætia [1]. Ego nihil metuerem accedere, nisi timerem Vestræ Illustrissimæ Celsitudinis mandatum usque adeo; metuo, ne quid incommodi nascatur in Rhætia. Commendo me Vestræ Illustrissimæ Celsitudini reverenter.

*

1 In Chiavenna starben in jenem sommer binnen 3 monaten 400 personen: in Chur im ganzen 1400.

Datum Tubingæ die 27 Martii 1564.
Illustrissimæ Celsitudinis Vestræ
servitor Vergerius.

202.

Verger an herzog Christoph.

Chur 19 April 1564.

Berichtet über seine verhandlungen mit dem spanischen gesandten in Chur.

Illustrissime Princeps et Domine Domine Clementissime!

Iste nuntius venit Curiam Rhætorum et revertens litteras a me petit, quas libenter dedi. Summa est, quod ante octo dies venit huc legatus regis Philippi sive ducatus Mediolanensis [1], magno quidem cum honore susceptus a dominis Curiensibus, hodie iterum discessit Mediolanum versus, reliquit quidem aliquibus aliquam spem fœderis et novæ alicujus tractationis, sed quantum video, nihil fiet, per Dei gratiam, eo magis si successerit legatus Gallorum; annuntio bona nova et lætor, me venisse in tempore, veni enim Curiam Rhætorum eo ipso die, quo ipse legatus advenerat, multaque miscuerat et turbarat. Res narrabitur a me coram (si Dominus voluerit) spero inquam res feliciter successuras, spero inquam. Unum hoc dicam, litigavi cum homine coram toto senatu, nam ægre ferebat, quod dixissem privatim, ejus legationem mihi videri legationem Papæ, non autem Hispaniarum regis, propterea quod petiit non solum transitum a Mediolano in Germaniam, sed etiam ut liceat castigare eos Mediolani, qui non sunt papisticæ religionis, quare non poteram me continere, quin dicerem aperte, id quod est, hominem scilicet se prodere, quod pro Papa loquatur, non pro Philippo, et quamquam adessent mihi boni defensores, tamen d. Curienses me condemnare voluerunt in gratiam scilicet istius legati, cum ego vicissim nullius principis nomen jactassem; sic res est, tamen habiturus sum ipsos judices mecum in cœna, tantum refert audire publicam personam et privatam, sed tamen lætor hoc contigisse, nam scio, me aperuisse oculos multorum. Plura coram (ut dixi), interea commendo me

*

1 Der gesandte hieß nach dem brief n. 202a, der überhaupt die ganze sache ausführlicher erzählt, Adrianus Verbeccus.

Vestræ Illustrissimæ Celsitudini, cui Deus abunde largiatur sua divina dona, spiritum et fidem per Christum dominum nostrum.

Curiæ Rhætorum die 19 Aprilis 1564.

Illustrissimæ Celsitudinis Vestræ servitor

Vergerius.

a Darüber von des herzogs hand: brevi ad longum.

202 a.

Verger an herzog Christoph.

Zürich 28 April 1564.

Berichtet über seinen aufenthalt in Chur, seinen streit mit dem spanischen gesandten, seine zusammenkunft mit dem französischen gesandten und bittet um geld.

Illustrissime Princeps et Domine Domine Clementissime!

Rediit ad me Aurelius nepos et recitavit, quæ cum Vestra Illustrissima Celsitudine contulit. Nihil opus est repetere, ut non repeto, tantum attingam præcipua [1], quæ interim contigerunt. Venit eodem die, quo ego, Curiam Rhætorum Adrianus Verbeccus Flandrus, qui legatum agebat serenissimi Hispaniarum regis, venit quidem paucissimis comitatus constititque quatuor diebus, et primum quidem mecum cœpit publice, nec provocatus contendere coram magna parte senatus, absolutaque contentione, quasi ob eam rem venisset, discessit et Mediolanum se contulit. Causa, propter quam cœpit mecum contendere, fuit hujusmodi. Dixerat Verbeccus, se esse missum a Philippo in Rhætiam, ut rem perageret cum dominis Rhætis, nempe de fœdere cum illis renovando. Dixeram ego (inter privatos tamen) imo a Papa fuisse missum, qui hanc rem summa diligentia tractaret, nempe de abrumpendo fœdere, quod fuit cum rege Gallorum peractum. Verbeccus, quasi in hoc consisteret tota causa, constitit hic cœpitque urgere atque affirmare, sibi fieri a me magnam

*

1 Durch diesen brief ist der bei Meyer II, 253 nur kurz erwähnte »ärgerliche auftritt, den der alte streitsüchtige mann mit dem spanischen gesandten hatte« klar dargelegt. Es war denn sehr begreiflich, daß die Churer prediger sorgten, daß er eiligst nach Zürich abreise und es ist nur zu wahr, wenn Fabricius an Bullinger schreibt: sic bonus senex ex uno malo in aliud incidit; auch sein bedienter hatte sehr schlimme raufhändel.

injuriam, quandoquidem missus sit ab ipso Hispaniarum rege, non autem a Papa, conabaturque amoliri hoc ipsum caput, quod non fuisset a Papa missus, sed a Philippo. Ego non potui non affirmare, Philippum quidem dedisse nomen, (ut videtur) ut rem ejus nomine conficeret, sed Papæ revera conficere: Nam quorsum tentaret, Papæ autoritatem dominis Rhætis obtrudere? tentat enim, ut Papæ liceat, per dominos Rhætos castigare eos, qui versantes in Rhætia peccant nihilominus in Papæ jurisdictionem et potestatem. Deinde conatur, obtrudere aliud caput, ut scilicet liceat Philippo, militem Mediolano in Germaniam educere. Dicebam ego, an non hæc prorsus ad Papam? Petebat in summa, ut senatus juberet me exsulare ex tota Rhætia, quasi qui magnam injuriam intulissem suo regi. Causa fuit biduo contractata, atque ita ex causa dominorum Rhætorum fuit facta mea causa; diffidere enim videbatur Verbeccus in propriis terminis causam tractare. In summa senatus, qui magna ex parte constabat ex his, qui Philippo faverent, voluit aliquid Verbecco condonare, cum nondum causam ipsam intellexisset, condemnavitque me ipsum, ut solverem pecuniolam (fere XXV coronatos) cujus pars ad legatum ipsum deveniret, pars vero ad senatum. Ego nulla mora interposita solvi, quidquid petebatur, ut scilicet placarem mihi judices (quamquam non essent irati) ostenderemque, causam ita intelligere, quasi de nihilo ag12eretur. Cum solvissem assistentibus mihi bonis viris, qui ex animo favebant, invitavi protinus dominos judices, ut mecum pranderent, acceperunt conditionem, et pransi sunt triginta quinque hilariter atque etiam laute, magna cum lætitia, affuitque præcipuus consul d. Ambrosius Marti et d. Ladame de Tava, atque ita absolutus est primus actus fabulæ.

Verbeccus statim abivit satis quidem sordide simulavitque, se Hispaniam petere.

Post duos dies ecce affuit ex Gallia legatus alius, nempe Leverier quidam, vir quidem non magni nominis, sed tamen elegans et doctus, cœpitque de hac causa sermones conferre cum hoc et illo, et parare se ad fœdus renovandum, quod facit assidue. Is mecum egit amantissime obtulitque omnia, quæ haberet in promptu, dicebatque se velle resarcire damna, quæ fuissem passus propter sententiam judicum et magna quidem sollicitudine hoc agebat. Recusavi ego, quippiam velle accipere, sed me hoc egisso, ut serenissimo Galliarum regi satisfacerem, quacumque in re possem, me li-

benter observasse, quod causam apud judices denudassem, cum scilicet aperuerim, causam Papæ tractari coram dominis Rhætis, non
autem Philippi. Boni consului in summa, hoc est actum magno (ut
mihi videtur) judicum et senatus applausu.

Quantum licet prospicere et singulorum sententias animadvertere, nihil Verbeccus confecit, plane nihil, discessitque relictis sententiis omnium in nostra sententia, perageturque causa secundum id,
quod sentimus (si Deus voluerit). Persuasum enim est dominis
Rhætis (paucis quibusdam exceptis, qui causam involvere et decipere
voluissent) abstinendum esse ab amicitia aliorum, adhærendum vero
serenissimo Gallorum regi, quod sedulo curatur. Dominus legatus
commendat se ex animo Vestræ Illustrissimæ Celsitudini offertque
omnia, quæcumque potest, ait, se nosse, eandem Celsitudinem Vestram
esse optimam sui regis amicam.

Visum est mihi, proprium mittere hominem, qui hæc nova et
litteras ferat, putavi enim significandum, quidquid contigisset.

Præterea significandum duxi, me jam ad eum statum venisse,
ut plane cœperim indigere et opus habere pecunia, qua reliqua absolverem et domum redirem, quod faciam, cum primum licuerit.
Danda itaque meo famulo, quem mitto, quanta videbitur Vestræ Illustrissimæ Celsitudini, exspectabit enim, ut expediatur et se huc
conferat, si ita videbitur, omnia enim Vestræ Celsitudinis arbitrio committo.

Mitto præterea murem Alpinum ut, petitus est [1], voluissem binos
mittere, masculum et feminam, sed nondum potui invenire, mittam
autem postea. Commendo me reverenter Vestræ Illustrissimæ Celsitudini, cui Deum rogo, ut augeat sua præclara dona, spiritum et
fidem per Christum dominum nostrum.

Tiguri XXVIII Aprilis 1564.

Illustrissimæ Celsitudinis Vestræ servitor

Vergerius.

P. S.

Murem Alpinum non possum commode mittere, quod portari in
equo non possit, portabo egomet, et spero, me binos portaturum.

*

[1] S. br. n. 195. Die herzogin wünschte sie.

203.

Verger an herzog Christoph.

Tübingen 7 Mai 1564.

Berichtet über den erfolg seiner reise nach Graubünden.

Illustrissime Princeps et Domine Domine Clementissime!

Tubingam veni per Dei gratiam heri primum et veni, antequam Venturinus meus familiaris rediisset, habui eum obviam circa Balingam. Putavi autem accelerandum, quod sentirem, me non bene valere, deinde alia fuit causa, quod Gallorum legatus [1] monuerat, me non debere usque ad Joannis in Rhætia exspectare. Causa est in eo statu, in quo postremis meis litteris [2] scripsi, hoc est in bono, per Dei gratiam, nihil enim dubito, quin serenissimus rex obtineat, quæ velit, et si quid profeci ego mea profectione in Rhætia, sit Deo honor et gloria, sane puto, me profecisse. Legatus in summa parat suum ad regem discessum, nec quidquam perficiet, nisi inde discesserit; nam habet in animo novam cudere ligam seu fœdus aut provisionem exclusis penitus Hispanis, succedetque (ut opinor).

Cum audiero, Vestram Illustrissimam Celsitudinem Stutgardiam rediisse, (si Deus voluerit, ut bene valeam, ut spero) confestim invisam reverenter Vestram Illustrissimam Celsitudinem, interea confirmabo valetudinem.

Gratias ago immortales pro accepta pecunia, quæ quidem venerat in tempore; consumpseram enim, quæ habebam, in meo tam dispendioso itinere, laudetur Deus. Cum advenero, conferam multa de magna Rhætorum parte, quæ nunc voluisset statum mutare, conferam item quædam de Bullingero [3], cum quo multa et de aliis rebus. Attuli murem Alpinum [4] seu marmotam, nunc unum tantum, reliquos habiturus sum propediem; ajunt, illos nunc primum exire ex eorum cavernis, dabo operam, Stutgardiam mittatur. Bene valeat Vestra Illustrissima Celsitudo! De pecunia, quam eadem de-

1 Herr von Bellièvre s. n. 204.

2 S. n. 202. 202 a.

3 S. n. 111. Nach Meyer II, 255 begann von dort an wieder eine annäherung zwischen herzog Christoph und Bullinger, auch Verger stand mit ihm wieder in regerem briefwechsel.

4 S. br. n. 202 a.

derat ad d. comitem Ulissem [1], centum scilicet florenis mittendis, nondum potui mittere, nam Lugdunum profectus est, ea servatur apud me. Gratia et pax domini nostri Jesu Christi sit semper cum illa, amen. Commendo me reverenter.

Datum Tubingæ die 7 Maii 1564.

Vergerius servitor.

204.
Verger an herzog Christoph.
Tübingen 7 Mai 1564.

Bittet den herzog um seine verwendung, damit ihm seine pension von Frankreich ausbezahlt werde.

Illustrissime Princeps et Domine Domine Clementissime!

Vestra Illustrissima Celsitudo dignetur legere, quod me tangit, pro sua clementia; cogitavi enim differre meum ad illam accessum, neque enim recte valeo, sed nepos meus Aurelius ipse venit, ut, ubi opus fuerit, suppleat. Res sic habet: anno [2] antequam ex Rhætia ad Vestram Illustrissimam Celsitudinem advenissem, rex Henricus Galliæ scripsit ejus legato Morelletto, ut mihi ducentos coronatos in anno daret pro pensione pro meis in regem laboribus atque servitiis, quemadmodum apparet ex litteris, quas nunc mitto. Legatus non dedit semel; contigit, ut succederet alius legatus, cui nomen Bassafontanæ [3]; is, ut benefaceret, cum rem totam haberet in manu sua, et mortuus fuisset aliquis ex pensionariis, cui solvebantur centum et viginti circiter coronati, eam pensionem centum scilicet et viginti coronatorum collocavit in meo nomine, et reliquum, quod erat ad summam ducentorum coronatorum, numeravit etiam sæpius. Abiit deinde Bassafontana in Hispaniam legatus, qui vero successerunt le-

---

1 S. n. 184. 197.

2 Also im jahr 1552, Verger schickte seinen neffen Aurelius nach Chur, um die sache zu betreiben und Bellièvre versprach ihm seine verwendung. §. n. 205 und 206.

3 Sebastian de l'Aubespine, herr von Bassefontaine, geb. 1518, bischof von Limoges, 1553 und wiederum 1564 und 65 französischer gesandter in der Schweiz, in vielen gesandtschaften unter fünf königen erprobt, später mitglied des geheimen rathes, † 2 August 1582. 19 März 1553 schreibt dieser an Bullinger über Verger: Curavi, ut habeat a rege, unde possit honeste vivere. Meyer I, 79. S. n. 219. 220.

gati, numerarunt mihi centum viginti tantum; abieram enim in Prussiam atque Poloniam, neque erat, qui negotium urgeret pro me. Reversus non potui mutare statum rei, nam mihi solvebantur non prout a rege constitutum ducenti coronati, sed centum et viginti dumtaxat inscio prorsus rege. Contigit deinde, ut quatuor continuis annis pensio cessaverit, nec fuit cuipiam soluta. Tunc Vestra Illustrissima Celsitudo magna pietate erga me fuit usa et de suo mihi jussit numerari ducentos circiter florenos in anno; jam cum res in eo sit statu, dominus Bellieurus [1], qui nunc agit in Rhætia regis legatum, cum hac eadem de re cum ipso contulissem, mihi significavit, se (si Illustrissimæ Celsitudinis Vestræ litteras ad se scriptas videret) numeraturum integros ducentos coronatos in anno, ut fuerunt numerati tempore regis Henrici.

Summa est, me ad Celsitudinem Vestram Illustrissimam recurrere et humiliter petere, ut dignetur mihi hoc beneficium præstare, scribere videlicet ad dictum dominum legatum, ut quemadmodum ducenti coronati fuerunt constituti, ut numerarentur et aliquamdiu numerati fuerunt, numerentur nunc quoque; quod ipsam facturam, minime dubito.

Aliud est etiam in hac re ponderandum: quo tempore ducenti coronati numerabantur, nepos meus Ludovicus [2], qui consiliarium agit ducis Prussiæ, in Galliam profectus est et supplicavit, ut in suo ipsius nomine pensio numeraretur, postquam vita functus fuissem. Obtinuit, quod petiit, quemadmodum patet ex regis libro, ubi scriptum fuit ejus nomen loco nominis mei; itaque si negotium non emendaretur, posset contingere, ut iterum illi solverentur post meam mortem centum et viginti, non autem ducenti coronati, quare occurrendum esset tali incommodo et scribendum de tota re eidem domino legato, qui cum sit ita affectus, rem ita componere posset, ut liquido appareret, quod res est (sincere enim agitur), mihi scilicet constitutos fuisse a rege ducentos coronatos, deinde eosdem consti-

---

1 S. n. 203. Pomponius Bellièvre, geb. 1529, statthalter in Lyon; als außerordentlicher gesandter in der Schweiz accreditiert März 1563, viel verwendeter diplomat und staatsmann, 1604 unter Heinrich IV canzler von Frankreich. † 1607. S. br. n. 209. 210.

2 Ludwig war Juni 1563 nach Preußen geschickt worden, s. n. 183 und 184.

Verger   27

tutos fuisse Ludovico meo nepoti, qua quidem in re status rei licet exiguæ componetur totus.

Illustrissime Princeps, sentio, me ætate gravem esse, et exspecto quotidie vocationem a Domino, vellemque hoc negotiolum componere, antequam morerer; habeo enim in animo, istos ducentos dimittere meæ ex fratre nepti jam nubili[1], in quod subsidium tum Ludovicus, tum Aurelius nepotes sunt consensuri. Supplico autem Illustrissimæ Vestræ Clementiæ per Jesum Christum, ne mihi in hac re desit, cum in aliis rebus gravioribus nunquam mihi defuerit pro sua clementia. Commendo me reverenter eidem Illustrissimæ Celsitudini Vestræ, cui Pater cœlestis augeat sua præclara dona, spiritum et fidem per Christum dominum nostrum.

Tubingæ VII Maii 1564.

Servitor humillimus
Vergerius.

204a.

Beilage.

Wie herzog Christoph an Bellièvre schreiben solle.

Aufschrift:

In hanc sententiam ad regium legatum litteras desiderat Vergerius.

Magnifice Domine!

Vergerius, consiliarius noster, supplex a nobis aliquid petivit, quod negare non potuimus. Huic existenti adhuc apud Rhætos, antequam in aulam nostram venisset, Henricus felicis memoriæ II ejus nominis Gallorum rex concesserat ducentos coronatos pro annua pensione (ut ex litteris, quas vidimus, apparet), factum deinde fuit ministri cujusdam negligentia, ut de illa summa ducentorum septuaginta coronati fuerint detruncati et hoc sine regio mandato, imo ipso rege inscio. Quare ipsius Vergerii petitione permoti, quod æquitas suadere videtur, petendum a vobis existimavimus, ut vestro opere et diligentia velitis efficere, ut ipsi Vergerio ducenti coronati

---

1 Sie war die schwester von Aurelius und Ludwig, wohnte in Triest. Nach n. 211 warb ein arzt aus Padua um sie und Verger erreichte nach langem bitten, daß er, nach n. 222, dorthin reisen durfte, um ihrer vermählung anzuwohnen. S. n. 208. 211. 221. 222. 223.

numerentur, prout aliquamdiu numerati fuerunt, aut ut serenissimus rex rem totam intelligat: nam ipsi Vergerio aliquot centum deti- nentur in curia (ut diximus) ministrorum, et consultum existimamus, ut sua Majestas, quæ justissima est, rem cognoscat (si videtur); qua quidem in re facietis nobis rem gratam, aliis nostris favoribus, ubi- cumque poterimus, compensandam. Est enim idem Vergerius sere- nissimo regi mirandum in modum affectus, dignus itaque nobis vi- detur, cujus ratio habeatur. Vale! Datum etc.

Eigenhändige resolution des herzogs:

Soll also ingrossiert werden die abschrifft, soll bey seinem diener erfaren werden, wie der legatus heiße, und soll Vergerius ain clein brieflin geschriben werden, das ich ad petitia ipsius das schreiben an den franzosischen gesandten geferttiget, welches ich ime sambt des ambassaten schreiben hiemit widerumben zuschickhe.

205.
Verger an herzog Christoph.
Tübingen 14 Mai 1564.

Er habe seinen neffen nach Chur geschickt. Nachrichten aus Kärnthen.

Illustrissime Princeps et Domine Domine Clementissime!

Cum nuper in Rhætia versarer et viderem, me incipere ægro- tare, surripui me et valde timui, ne periculosa esset ægritudo. Cum Tubingam pervenissem et quievissem aliquantulum, videor mihi sani- tatem recuperasse (per Dei gratiam). Sed cum pœnituisset, quod Tubingam rediissem, cogitavi de mittendo meo nepote Aurelio Cu- riam Rhætorum usque, ut videret, quid ageretur, et causam non desereret; misi itaque illum mane [1], qui videat et faciat meo loco, quæ poterit; quamquam enim non sit multum, quod possit, tamen non poterit non prodesse, quod aliquis, qui negotium amat, inter- veniat, quemadmodum spero de Aurelio, proderit spero, licet non sit necesse.

Intellexi a fidelibus nuntiis et certis, missam fuisse projectam prorsus in malam rem ex Villaco, Clamfurto [2] et Kirchemor, spero

---

1 Er kam Juni wieder zurück. S. n. 206. 207. 208. 209.
2 Wohl Klagenfurt. Siehe über diese angelegenheit und Vergers reise dorthin n. 208.

27 *

quidem, Vestram Illustrissimam Celsitudinem audivisse, putavi tamen significandum, quod valde placet ad laudem Dei. Pater cœlestis adaugeat Vestræ Illustrissimæ Celsitudini spiritum et fidem per Christum dominum nostrum.

Datum Tubingæ die 14 Maii 1564.

Vergerius.

206.

Bellièvre an Verger.

Chur 20 Mai 1564.

Verspricht Verger seine verwendung und theilt ihm den stand der dinge in Granbünden mit.

Valde magnifice et illustrissime vir!

Accepi litteras excellentissimi domini ducis Wirtembergensis una cum litteris dominationis vestræ, fuit mihi res gratissima, audire de bono statu vestro et vestrum audire dominum nepotem [1], qui mihi visus est eruditus, prudens et honorificus nobilis. Ejus sufficientia est in causa, quod non capio provinciam modo scribendi de rebus, quæ ad dominos Rhætos pertinent, quæ hactenus me satis exagitarunt, sed spero, me perfecisse, ut nostri æmuli sint habituri bonam partem incommodi. Credo, quod comes Angosciola aderit intra quataor dies cum Adriano Verbecco. Rem videbimus, non sum cessuras tam cito. Quod attinet ad negotium dominationis vestræ, de quo sua excellentia ad me scripsit, exspectate a me omnia illa officia, quæ potest facere quilibet, qui sit bene affectus. Deus mihi det vires æquales bonæ voluntatis, spero, me brevi visurum suam majestatem, cum primum Lugdunum [2] pervenerit, ubi habebitur memoria rerum vestrarum, et cum Badam pervenero ad dietam, quæ fiet hoc mense, loquar cum thesaurario. Hic vero finem faciens me toto corde humiliter commendo dominationi vestræ, illam rogans, ut velit me in gratiam ponere illustrissimi ducis sui atque illi affirmare, me nunquam defuturum servituti, quam per meas litteras promisi. Deus vos conservet incolumem. Curiæ Rhætorum die XX Maii 1564.

Servitor et amicus affectissimus

Bellièvre.

*

1 Aurelius, s. n. 205.
2 Karl IX machte damals in begleitung seiner mutter seine rundreise durch Frankreich.

207.

Bellièvre an herzog Christoph.

Chur 21 Mai 1564.

Verspricht, Vergers angelegenheit zu besorgen.

Potentissime Excellentissime Illustrissimeque Princeps!

Excellentiæ Tuæ litteras Gœppingæ datas pridie mihi Vergerius junior reddidit, quibus mandas, ut causam P. Pauli Vergerii, qui tibi a consiliis est, suscipiam curemque, ut integra summa ducentorum solidorum, quæ ei a serenissimo Francorum rege Henrico promissa indultaque est, integra bona fide persolvatur. Et si Vergerio de principe meo reque sua publica optime merito libens, quibuscumque rebus possem, commodarem, nihil tamen est, quod mihi unquam gratius optatiusve accidere possit, quam si tanti principis (cujus virtutes imprimis admirari soleo) vel laborioso officio gratiam promereri possim. Velim itaque, Tua Excellentia existimet, Vergerii negotium summæ mihi præcipuæque curæ fore. Et quia inscio rege confici non potest, me de ea re quam accurate perscripturum. Quod si mihi a Domino dabitur, ut alia ulla in re Excellentiæ Tuæ operam navare possim, me Tibi addictissimum et obsequentissimum cognosces. Vergerius, qui has Tibi reddet, certiorem Te de rebus Rhæticis omnium optime faciet. Bene vale, Princeps Illustrissime, Dominus Excellentiam Tuam quam diutissime incolumem conservet!

Curiæ Rhætorum XII Calendas Junii.

Tuæ Excellentiæ addictissimus

Bellièvre.

208.

Verger an herzog Christoph.

Tübingen 23 Mai 1564.

Bittet dringend, ihm die reise nach Villach zu gestatten.

Illustrissime Princeps et Domine Domine Clementissime!

Puto, me scripturum de re, quæ me fortiter tangit ad vivum usque. Res sic se habet. Exspecto Aurelium [1] meum nepotem, qui nobis afferet bona nuntia de rebus, quæ geruntur in Rhætia, sic

1 S. n. 205.

spero. Illustrissime Princeps, significatur mihi, iterum projectam esse missam ex Villaco [1] (quemadmodum aliis meis litteris scripsi); nunc mihi videtur oblata commoditas, 'qua possim meæ conscientiæ satisfacere. Cum enim projecta sit illa idolatria (per Dei gratiam), video, oblatum esse tempus (quemadmodum moneor a multis amicis Villacensibus), ut accedam et meum officium faciam in adhortandis bonis viris, ne desint suæ vocationi, hoc est, ut constanter perseverent. Audio quidem, nondum esse projectam autoritatem episcopi Bambergensis, sed crediderim, cives Villacenses non esse stultos et scivisse, quid agerent, cum missam abdicarent. Fui alias ante quinque ... annos Villaci per quindecim dies, ubi fui magno amore susceptus; apparebat enim jam tum, quid de missa sentiretur. In summa, vellem accedere, nec metuerem sumptum aut incommoda pro Dei gloria promovenda, quod libentissime facerem. Sperarem, me inde posse avellere paucis diebus, et rursus in ducatum redire procul dubio, et licet nullam videam imminentem mihi molestiam, tamen irem caute et nullo, ut spero, periculo. Est quidem per terras illustrissimi ducis Bavariæ et episcopi Salitzburgensis aliquid metuendum, sed tamen spero, me caute profecturum, et omnia pericula superaturum, dum fuero Villaci. Vocor, inquam, a bonis amicis, qui me non patientur periclitari et Deus imprimis. Sunt mihi præterea alia negotia Villaci expedienda, præsertim de nepte [2] nuptui danda, quæ res mihi vehementer cordi est. Peto in summa, ut mihi per Vestram Illustrissimam Celsitudinem liceat adire et rem conficere, quæ res mirum in modum me provocat. Volui egomet ad Vestram Illustrissimam Celsitudinem accedere, sed speravi. Vestram Illustrissimam Celsitudinem non defuturam mihi in re tam honesta et sancta, scilicet negare consensum, sine quo nihil auderem conficere. Spero, me totum negotium confecturum spatio dierum ter quindecim, si Deus voluerit. Repeto, me urgeri a spiritu domini Dei nostri, ut accedam et peragam, quæ ipse jusserit, atque iterum peto, ut id mihi liceat, cujus rei responsum reverenter exspecto. Commendo me Vestræ Illustrissimæ Celsitudini. Gratia et pax domini Dei nostri cum illa amen.

Tubingæ die XXIII Maii 1564.

Vergerius servitor.

1 S. n. 205.
2 S. n. 204.

209.

Verger an herzog Christoph.

Tübingen 1 Juni 1564.

Räth, seinen neffen Aurelius abermals nach Graubünden zu schicken.

Illustrissime Princeps et Domine Domine Clementissime!

Venit ad Illustrissimam Celsitudinem Vestram Aurelius[1] meus nepos, qui nunc rediit ex Rhætia; narrabit ille, quæ vidit et audivit, credo non contemnenda. Venissem egomet, sed adhuc me impedit valetudo minus prospera, fiat voluntas Domini. Meum consilium est reverenter, ut Celsitudo Vestra hunc remittat, audiat vero causas. Novit negotium exacte (ut mihi videtur); notus est ipse primoribus totius Rhætiæ et quidem domestice, imprimis magnifico d. legato Gallorum[2], et hoc caput est; notus præterea pastoribus plurimis, e quorum manibus atque ore pendet tota causa. Venit legatus alius regis Hispaniarum, qui jam Curiæ Rhætorum subsistit, quiquidem est magnus vir, ut mirer, tantum fuisse missum ad d. Rhætos. Postremo aguntur res magnæ de armis scilicet capiundis, omnia loca illic armis scatent. In summa consultissimum putarem, si ille ipse nepos illic commoraretur aliquamdiu meo loco, consequeretur fructus haud dubie et non parvos (quantum ego existimo), certe multa concurrunt, quæ monent, ut istud faciat. Clanculum esset mittendus, neque enim opus est ulla ostentatione, tantum esset monendus, ut scriberet omnia, quæ fient, etiam per proprios nuntios, ac ut interim dominum legatum et dominos consules[3] moneret de iis, quæ sibi viderentur, audiretur enim libenter. Impensa futura est mediocris, imo tenuis etiam.

Ego eam ferre amplius nequeo, tuli semel, sed Illustrissima Celsitudo Vestra conferat, quantum illi videtur, ut possit resistere, quod spero, illam facturam esse, nam mihi videtur necessaria. Mitto plura dicere, Vestra voluntas fiat.

Non dicerem, si res haberet aliquid dubii, sed audio affirmare, cum certissima sit. Dominus Bullingerus[4] offert ex animo omnem

*

1 S. n. 205. 221. 223. October war er wieder zurück.

2 Bellièvre, s. n. 204.

3 Ambrosius Marti, bei welchem Verger gewöhnlich abstieg, und Johannes Tscharner waren die zwei bürgermeister von Chur.

4 S. n. 111.

suam operam, omnia inquam, quæcunque possunt ab homine desiderari, quemadmodum constat ex litteris, quas ad me scripsit, quas-
que ad Celsitudinem Vestram mitto. Plura non addo, Illustrissima Celsitudo Vestra sua utatur sapientia, cui me reverenter refero. Dignetur
audire nepotem et quæ Deus voluerit, deliberare. Gratia et pax
sit cum illa semper, me humiliter commendo. Mitto etiam, quas
ad me legatus italice dedit, ut in bonam spem venerim rei po-
tiundæ.

Tubingæ die primo Junii 1564.

Vergerius servitor.

210.

Verger an herzog Christoph.
Tübingen 18 Juni 1564.

Nachrichten aus Graubünden.

Illustrissime Princeps et Domine Domine Clementissime!

Venit ex Rhætia quispiam ex meis, qui affert nova, qualia dicam
breviter. Abundant illic milites, sed in oppido, quod appellant Felt-
kirch præcipue; pertinet enim ad comitatum Tirolensem, aliquot
mille milites illic convenerunt, Cæsar videtur consentire, ut colli-
gantur. Curiæ Rhætorum fuerunt ambo legati, Gallicus [1] et Hispa-
nicus [2], qui contenderunt non verbis tantum, sed cum essent in atrio
principum, armis egissent, si non fuissent impediti ab adstantibus,
sed demum discessit uterque alter Mediolanum, alter in Galliam.
Insurrexit turba hominum tenuiorum et rusticorum majore ex parte,
qui accedentes ad legatum Hispanicum clamabant, se præponere Hispanicum fœdus, alii vero graviores et prudentiores prætulerunt
Gallicum. Qui pro Hispanico accesserunt, fuerunt remunerati con-
vivio scilicet copioso ab Hispano. Non cessat Clavennæ pestilentia,
imo sævit quotidie magis. Inventi sunt Mediolanenses medici, qui
prætextu medicinæ adhibuerint unguenta, quibus pestis magis inflam-
maretur, et fuerunt ejecti. In Valle Tellina intravit gravis dissensio
inter evangelii ministrum et populum; putatur fuisse opus anti-

*

1 S. n. 204. Bellièvre.
2 Verbeccus s. n. 202a oder vielleicht der n. 209 erwähnte spanische gesandte, dessen name nicht genannt ist. S. n. 206.

christi, adhibendum esset remedium. Præfectus loci non defuit suo officio, est enim ex numero Christianorum. Mitto Illustrissimæ Celsitudini Vestræ libellum, sed Italicum in materia concilii, vertam in Latinum intra paucos dies. Accedam ad Illustrissimam Celsitudinem Vestram intra octo aut decem dies, cum scilicet nepos meus doctor Aurelius Argentina redierit. Est enim illic profectus negotii cujusdam causa. Commendo me Celsitudini Vestræ Illustrissimæ toto animo, cœlestis Pater illi augeat spiritum et fidem per Christum dominum nostrum.

Tubingæ, die XVIII Junii 1564.

Humilis servitor Illustrissimæ Celsitudinis Vestræ

Vergerius.

211.

Verger an herzog Christoph.

Tübingen 4 August 1564.

Bittet abermals um die erlaubniß, seine nichte besuchen zu dürfen.

Illustrissime Princeps et Domine Domine Clementissime!

Scripsi ante unam atque alteram septimanam, mihi maximopere opus esse propter nuptias neptis meæ [1] conferre me Villacum aut Labacum usque. Rescripsit Illustrissima Celsitudo Vestra, sibi non videri consultum [2]. Quare confestim acquievi, ut debeo, atque omnem curam abjeci de eundo. Non multo post accesserunt litteræ ejusdem personæ, quæ scribebat, se paratam esse venire ad Augustam usque vel non longe procul, propter nuptias scilicet, rogabatque me, ut venirem omnino. Ego qui curam abjeceram proficiscendi, suscepi eam iterum, et video prorsus necesse esse, ut eam. Neptis jam attigit vicesimum primum annum, et si permitto, eam diutius vivere sine marito, summum periculum est, ne moriar et maneat illa inuupta, quod maximi momenti est. Rogo itaque et supplico Vestræ Illustrissimæ Celsitudini, ut mihi dignetur dare veniam eundi aut Augustam aut non longe procul. Bonus est vir, qui eam ambit doctor medicus Patavinus nobilis, quare non libenter amitterem hanc occasionem, qua rogor, ut neptim desponsem, agitur

*

1 S. n. 204.
2 Der brief liegt nicht mehr vor.

de gloria Dei. Celsitudo Vestra Illustrissima dignetur mihi eam veniam concedere; nam promitto sancte, me iturum maxima cautela et diligentia, ne possim comprehendi. Res mea agitur et nunc multo magis, quam unquam antea; cum enim attigerim senium, Papæ libenter surriperent aliquo modo. Peto in summa veniam, qua mihi liceat abire et citissime, hoc est initio mensis Septembris redire; hanc si occasionem dimisero, nescio amplius, ubi possim collocare meam neptim. Commendo me Vestræ Illustrissimæ Celsitudini reverenter. Valeo mediocriter meo more per Dei gratiam. Gratia et pax domini nostri Jesu Christi sit semper cum illa.

Datæ Tubingæ quarta die Augusti anno Domini 1564.

Illustrissimæ Celsitudinis Vestræ servitor

Vergerius.

212.

Verger an herzog Christoph.
Tübingen 20 August 1564.

Verger meldet, der junge fürst Radzivil wolle nach Tübingen kommen.

Illustrissime Princeps et Domine Domine Clementissime!

Fui mane Uraci cum generoso domino Ungnadio [1]. Tubingam reversus inveni nuntium cum litteris illustrissimi domini Radzivilli [2], qui ad me scribit, se constituisse, Tubingam venire. Petit autem a me, ut illi de commodis (vel qualibus possum ædibus) prospiciam. Ego in gratiam talis principis omnia libenter faciam, etiamsi meæ ipsius ædes sint dandæ; sed vereor talem materiam contingere, ne qua turba fortassis oriatur. Venit enim Radzivillus ex loco peste infecto, ita ut coactus fuerit, se recipere in Carthusianum monasterium. In hoc dubio constitui ad Illustrissimam Celsitudinem Vestram accurrere, ut moneat sua prudentia, quid agendum fuerit. In me, dico, nulla erit mora, sed ne injuriam faciam Illustrissimæ Celsitudini Vestræ et ipsi Tubingæ, consisto; illa dignetur mandare, nam quod jusserit, exequar sine mora, atque Illustrissimæ Celsitudini Vestræ me revereuter commendo.

Tubingæ 20 Augusti anno 1564.

Vergerius servitor.

1 S. n. 30.
2 S. n. 46 und 187.

213.

Verger an herzog Christoph.

Tübingen 20 August 1564.

Fragt an, wo Radzivil wohnen solle.

Illustrissime Princeps et Domine Domine Clementissime!

Cogor Illustrissimam Celsitudinem Vestram iterum obtundere, nam urget me nuntius cum litteris missus ab illustrissimo Radzivillo [1]. Fuit nuntius Stutgardiæ ipsam Illustrissimam Celsitudinem Vestram quærens. Cum vero non invenerit, verum intellexerit, eam Uracum profectum esse, Uracum igitur constituit venire, disceditque hac ipsa hora, quæ est prima a meridie. Petit in summa, ut liceat ipsi illustrissimo Radzivillo ædes conducere per aliquot menses Tubingæ, ut commoretur metuens pestem, quæ Argentinæ grassatur, discedit tamen inde salvis rebus et cum nullam susceperit contagionem per Dei gratiam, (vixit enim in monasterio Carthusianorum maxima diligentia custoditus) nihil ergo metuendum a se et suis; tantum supplicat, ut Vestra Illustrissima Celsitudo concedat illi veniam commorandi. Qua in re summa diligentia utetur, ne qua ab illo fiat injuria. Quod si concesserit, ut speramus, dignabitur interim verbum facere generoso domino Ungnadio [2], ut velit concedere ædes a se conductas, in quibus postremo habitabat, quæ possidentur a vidua cujusdam jurisconsulti; solvet enim egregie, quidquid opus fuerit, habitabitque partim in illis partim in meis atque ubicumque poterit ad aliquod tempus, aut si ædes ipsæ Celsitudini Vestræ non placuerint, accipiet illustrissimus Radzivillus, quæcunque fuerint a Vestra Celsitudine oblatæ. Exspectat maxima anxietate nuntius (jam enim sunt octo dies, quibus illustrissimum d. suum Carthusii, quod est Argentinæ, reliquit). Nec plura, commendo me reverenter Illustrissimæ Celsitudini Vestræ, a qua responsum exspecto una cum litteris, si ita placet Illustrissimæ Celsitudini Vestræ, generosi domini Ungnadii, qui mandet viduæ, ut ædes consignet, locavit enim eas per triennium, ut fama est, imo ipsa vidua affirmat; aut si aliæ ædes magis Illustrissimæ Celsitudini Vestræ placuerint, de illis dignetur

*

1 S. n. 187.
2 S. n. 30.

scribere, quamquam de parvulis contentus est, ad modicum præsertim tempus.

Tubingæ 20 Augusti 1564.

Vergerius servitor.

214.

Herzog Christoph an Verger.

Nürtingen 24 August 1564.

Antwort auf n. 213.

Dei gratia Christophorus Dux Virtembergensis etc.

Reverende nobis dilecte et fidelis!

Accepimus litteras vestras, et quantum spectat ad conducendas ædes pro domino Radzivillo, bene fecistis in eo, quod illi vestras dare obtulistis, ea de causa etiam accepimus litteras a magistro aulæ dicti domini. Quibus lectis dedimus in mandatis præfectis nostris Tubingæ, ut dicto domino Radzivillo pro commodis ædibus ac petita prospiciant, quod nimirum nunc expeditum credimus. Cum vero ipse Radzivillus una cum sua familia ex loco peste infecto proficiscatur, et ne qua turba oriatur vel rumor in vulgus spargatur, maxime nobis consultum esse videatur, ut Radzivillus in certis locis extra Tubingam ad dies quatuordecim se contineat, postmodum oppidum ingrediatur. Quod vobis ad litteras vestras respondere voluimus. Bene valete!

Datæ Nirthingæ 24 die Augusti anno 64.

215.

Verger an herzog Christoph.

Tübingen 25 August 1564.

Bittet um geld; nachrichten über Radzivil.

Illustrissime Princeps et Domine Domine Clementissime!

Det mihi veniam Illustrissima Celsitudo Vestra, quod nimis audeo; urget me necessitas summa, opus enim habeo centum florenis in re magni momenti, Celsitudo Vestra dignetur mihi eos mutuo dare, quos brevi sum redditurus procul dubio. Nuntius, qui litteras fert, fidelis est, illi tuto poterunt committi; supplico autem per Jesum Christum, ne desit mihi.

Nuntius illustrissimi Radzivilli discessit nudius tertius bene contentus, invenit enim meas ipsius ædes et alias præterea, ita ut
duas habiturus sit Tubingæ; spero, illum affuturum esse intra sex
aut octo dies (si Deus voluerit). Fecit illi Vestra Illustrissima Celsitudo rem summe gratam, quod locum, hoc est Tubingam, concesserit; studebit diligenter.   Valeo mediocriter, ut possim mea manu
scribere, sed utcumque.   Commendo me reverenter Illustrissimæ
Celsitudini Vestræ, Deus eam custodiat a malo.

Tubingæ 25 Augusti 1564.

Illustrissimæ Celsitudinis Vestræ servitor

Vergerius.

215 a.

Cedula.

Herzog Christoph antwort auf n. 215.

Litteras vestras concernentes centum florenos, quos ut vobis
mutuo dentur, rogatis, accepimus, sed quia jam non Stutgardiæ, neque aliter quam quæ ad quotidianum usum nostrum de necessitate
spectant, pecunia provisi sumus, non potuimus nunc temporis ad rogata
annuere.   Scribimus autem per præsentes cellario nostro, ut vobis
centum illos florenos (modo ita in promptu res habet) det et eos
futuri salarii vestri detrahat.

216.

Verger an herzog Christoph.

Jesingen 31 August 1564.

Meldet die ankunft Radzivils.

Illustrissime Princeps ac Domine Domine Clementissime!

Hodie, qui est ultimus dies Augusti, cum audissem domino de
Radzivillo [1] Tubinga discedens Jesingam [2] veni*, ubi incidi illustrissimi
principis familiarem, qui præsto erat cum litteris ad me, constiti et
intellexi, quæ scribebantur.   In summa sua celsitudo futura est

*

1 S. n. 46.

2 Jesingen, dorf 1½ stunde von Tübingen entfernt; Herrenberg,
städtchen 4 stunden von Tübingen.   * Construction unklar.

hodie sub noctem Herrenbergæ, cras Tubingæ futurus. Sed memor
ego consilii Celsitudinis Vestræ [1] monui per litteras, ne Tubingæ
consisteret (dextre tamen), sed vagaretur hinc et illinc me ducente
per ducatum, donec quindecim dies elaberentur justis de causis.
Ego constitui, illum, ubi advenerit, Metzingam ducere et illic aliquantum subsistere. Discessit a me cum litteris et spero, illustrissimum Radzivillum facturum, quæ monui, cras igitur Jesingam veniet
ad me et deinde Metzingam usque (si Dominus voluerit); putavi
Vestræ Celsitudini indicanda omnia, quæ fiunt apud nos, nec dubito,
ita esse voluntatem suæ dominationis.

Quæ reverenter Vestram Celsitudinem colit: habet secum decem
equos, vehit duo plaustra suppellectilis et in his tantillum vini pro
necessitatibus. Facio, quod possum, sed si liceret mihi aliquanto
plura subministrare, nempe victum universum per Vestram ditionem,
faciam autem in posterum, quidquid Celsitudo Vestra dignata fuerit
mandare, plura non scribo. Dignetur Celsitudo Vestra meminisse
dare mandatum suo cellario de pecunia [2] mihi danda, non sine causa
mentionem facio; nam videtur mihi ille sua consilia cogitare, loquor,
quæ certo scio. Faciat Vestra Ilustrissima Celsitudo, quæ placuerint;
mitto litteras, quas ipse princeps mihi mittendas dedit. Commendo
me reverenter Vestræ Celsitudini, Deus eam servet incolumem.

Datum Jesingæ ultimo die Augusti anno 1564.

Vestræ Illustrissimæ Celsitudinis

servitor Vergerius.

217.

Verger an herzog Christoph.

Metzingen 2 September 1564.

Berichtet über den aufenthalt von Radzivil. Neuigkeiten aus der
Schweiz.

Illustrissime Princeps et Domine Domine Clementissime!

Heri vesperi Metzingam veni, comitabar autem illustrissimum
principem Radzivillum [3]; cum pervenissemus, excepit nos hospes

*

1 S. n. 214.
2 S. n. 215. 215 a.
3 S. n. 216.

satis commode atque laute °. Princeps læto fuit animo et semper
agebat gratias Vestræ Illustrissimæ Celsitudini, omniaque suffert
libentissime. Mane summo misimus nuntium ad. generosum d. Ungnadium ¹ illumque invitavimus; verum excusavit se propter valetudinem. Præcipua nunc est cura suæ illustrissimæ celsitudinis, ut
habeat, quos possit apud se habere et bene tractare in sua mensa.
Quare tanto libentius exspectabit tempus, quo Tubingam sit revo-
candus, interea æquissimo animo patitur, se in talia loca ablegatum
esse: commendat se ex animo Vestræ Illustrissimæ Celsitudini.

Sunt mihi ex Helvetia litteræ, in quibus nuntiantur bona omnia
de fœdere ᵇ regis Galliæ ² cum ipsa Rhætia, qua in re ego non exiguam navavi operam per Dei gratiam. Inter alia scribit ad me
Bullingerus °, quas litteras ego colligatas mitto; facit enim Vestræ
Celsitudinis mentionem et alia nova adjungit.

Vestra Illustrissima Celsitudo boni consulat. Commorabor ego
hic, dum meus currus revertatur, quem spero die Lunæ adfuturum
aut Martis.

Reverenter me commendo Illustrissimæ Celsitudini Vestræ, quam
Deus servet a malo.

Datæ Metzingæ die secunda Septembris 1564.

Illustrissimus Radzivillus audivit, quæ scripsi, ipse autem met
brevi daturus est litteras ad Vestram Illustrissimam Celsitudinem,
cui se commendat iterum atque iterum.

Vestræ Illustrissimæ Celsitudinis servitor

Vergerius.

Herzog Christoph schrieb eigenhändig auf den rand des briefs:
s. n. 218.

a Habe gern vernomen des Razevillus zu Metzingen ankhomen;
wirde biß dienstag gehn Pfullingen, alda ich sehen will umb ain
gelegne herberg ime, dan es alda nit gutte heusser hatt, und ver-
hoffs, S. L. zu mir beruffen, dem waidtwerckh und jagen ain gesellen
zu geben.

b Here es gern und noch lieber wolte ich heren, das der herzog

*

1 S. n. 30.
2 S. n. 155 ff. und 205 ff. Der vereinigungsvertrag zwischen Karl
IX und den eidgenossen wurde 7 December 1564 abgeschlossen; der
schiedvertrag zwischen Bern und Savoyen, der die streitigkeiten über
das Waadtland schlichtete, zu Lausanne 30 October 1564.
3 S. n. 111.

von Saphoy (Savoyen) und die von Bern mit ainander sambt denen von Genff vertragen weren.

c Schickhe ime Bullingers schreiben wiederumben, auch ain schreiben an den hern Rázevillum, das er ime anntwurtten welle.

218.

Christoph an Verger.

Tübingen 3 September 1564.

Antwort auf n. 217.

Reverende fidelis ac nobis dilecte!

Jucundum auditu id nobis fuit, quod illustrissimus nobis amicus et dilectus princeps Radzevillus Metzingam pagum nostrum salvus sanusque pervenerit. Nos hinc postridie 1 die Martis pergemus Pfullingam, ibi, quatenus loci illius utpote pagi ratio patitur, de commodo hospitio circumspiciemus, et ipsum ut nobis amicum et dilectum principem eo, ut una cum aliis quibusdam venando se ibi obectet, arcessemus. Quoad illa, quæ ex Helvetia nuntiantur, lubenter, certe et ex animo vellemus, Sabaudiæ principem cum Bernatibus atque Genevensibus amice transegisse. Bullingeri, quas transmisistis, ad vos remittimus litteras, una cum aliis ad principem Radzivilium datis, quas illi prompte transmittetis.

Datæ Tubingæ 3 Septembris anno 1564.

219.

Verger an herzog Christoph.

Tübingen 12 September 1564.

Zeigt seine reise nach Schaffhausen an, um den französischen gesandten Bassefontaine zu sprechen.

Illustrissime Princeps et Domine Domine Clementissime!

Eram hodie, ut pararem conviviolum illustrissimo Radzivillo [1], qui et cœnavit mecum pro sua humanitate. Interea supervenit nuntius missus a reverendissimo d. Bassafontana [2] legato serenissimi regis Gallorum, qui Schafusii constitit, et rogavit me in summa, ut ad se accederem; curat enim, quantum potest, ut fiat conventio cum do-

---

1 S. n. 217.
2 S. n. 204.

minis Rhætis, esse enim negotium in procinctu. Putavi, non negandam esse meam operam, quantulacumque sit. Quare statim ingressus sum iter Schafusium iturus [1]; sperabam enim, me rem non ingratam facturum Vestræ Illustrissimæ Celsitudini. Spero me intra octiduum rediturum, interea commendo me Vestræ Illustrissimæ Celsitudini, Deus illi donet suam gratiam et pacem.

Datæ Tubingæ 12 Septembris anno 1564.

Servitor Vergerius.

219 a.

Herzog Christoph an die drei professoren der theologie in Tübingen.

Schönbuch 26 September 1564.

Über ein italiänisches buch, das Verger herausgeben wolle.

Cristoff u. s. w.

Unsern gruß zuvor, wirdigen und hochgelerten liebe getreuwen! Wir lassen euch hieneben ain getruckt buch und dann ain concept, so Vergerius wider ermelt buch in italianischer sprach ausgeen lassen will, zukomen. Und ist darauf Unser günstiger bevelch, wo ir jemandt von studiosen oder sonst bei der universitet hetten, der solcher sprach kundig, ir wellendt denselben solch concept, doch in gehaim, das solches gedachtem Vergerio nit fürkomm, zu verlesen geben, und von ime satten bericht einnemen, auch ir darauf erwegen, dieweil er, Vergerius, nunmer alt und schwach, auch blöder natur, ob es ze thon und der muew werth, das solches dem truckh bevolhen werde etc., und alsdann Uns ain solches so Uns mit widerzusendung des buchs und concepts zu schreiben.

Im faal aber ir deren keinen bei der universitet, so diser sprach kundig, haben mögen, so wellendt Uns angeregt buch und concept den nechsten widerumb zuschicken, verlassen wir Uns zu euch gunstiglich. Datum Schonbuch den 26 Septembris anno 64.

An die 3 professores theologie.

*

1 Verger reiste wirklich dorthin, traf ihn aber nicht; s. n. 220.

Verger   28

220.

Verger an herzog Christoph.
Tübingen 31 September 1564.

Meldet seine rückkehr von Schaffhausen. Neuigkeiten aus der Schweiz.

Illustrissime Princeps et Domine Domine Clementissime!

Scripsi ante paucos dies, me vocatum per litteras a reverendissimo episcopo Bassafontana christianissimi Gallorum regis legato Schafusium profectum esse[1]. Nunc dicam reliqua. Per Helvetiam grassatur pestilentia et cœpit nuper Tiguri satis graviter. Cum itaque Bassafontana Tigurum declinasset et Schafusium venisset intellexissetque de pestilentia, quæ passim sæviret, proripuit se quanto citius et Galliam versus iter direxit. Cum itaque prope Schafusium venissem, non inveni; erat enim magnis itineribus Solodurum profectus. Quare redeundum putavi et redivi non viso eo, a quo exspectabar. Sic res est. Pauca audivi de ipsius negotiis; voluisset trahere in confœderationem sui regis Bernam et Tigurum, sed audio neutrum potuisse, nam utrumque habet in animo perseverare in sua reformatione et cavere a quovis fœdere, in quo liceret pensiones recipere et alia facere, quæ factitabant. Qua in re videntur mihi satis consulte agere. Curant deinde, si possint, instaurare concordiam, quam habuerunt cum dominis Rhætis, quod, ut opinor, illi succedet, quamvis multa adversentur. Misi ego Aurelium[2] meum nepotem, qui tractationi intersit et faciet, quæ potuerit.

Plura non habeo, quæ scribam. Podogra me urget per gratiam Dei. Commendo me reverenter Vestræ Illustrissimæ Celsitudini, Jesus Christus sit illi protectio, quod ex animo rogo.

Tubingæ 31 Septembris 1564.

Servitor Vergerius.

221.

Verger an herzog Christoph.
Tübingen 2 October 1564.

*

1 S. n. 219. Die ablehnende antwort Zürichs war vom 3 Sept.
2 S. n. 209.

Bittet dringend, ihm die reise zu seiner nichte zu gestatten, ebenso um einen geleitsbrief.

Illustrissime Princeps et Domine Domine Clementissime!

Vix memini, me ad clementiam Celsitudinis Vestræ scripsisse de negotio [1], quod mihi æque cordi sit atque hoc, de quo nunc scribo. Quare supplico per Jesum Christum, mihi ne neget. Est mihi in mea-patria neptis; Ludovici et Aurelii soror, de qua scio, me aliquando locutum fuisse aut scripsisse; ea jam attigit annum vicesimum primum, orphana, jamque incipit excedere tempus, quo esset nuptui tradenda, vellemque ego id præstare, si possem, antequam morerer; esset enim persanctum opus; neminem enim habet, qui faceret, si ego non facio. Summa est, me cupere Tergestum ire, ubi rem conficerem, non enim possum aliter. Tergestum est in ditione serenissimi Caroli Austriaci [2], non longe a Labaco, distat vero a mea patria duobus milliaribus tantum. Huc si possem me conferre, sperarem, me posse rem conficere, et nonnulla accederet laus evangelio, quod multi intelligerent, me XIII dierum iter emensum esse, ut rem absolverem Deo gratissimam. Vestra Illustrissima Celsitudo potest mihi uno verbo rem absolutam reddere, si videlicet dignaretur ad serenissimum Carolum scribere, ut mihi concederet salvum conductum, quo possim in persona accedere saltem per aliquot septimanas. Nam polliceor, me summam modestiam et silentium de negotio religionis servaturum. Eia igitur Illustrissime Princeps, ne neget mihi Serenitas Vestra rem, quam desidero tanto animi affectu, quanto nullam scio, me hactenus optasse, adjuro iterum per Jesum Christum, me omnia summa cautela peracturum. Quare rogo, ne meam petitionem deneget, spero, magnam Italiæ partem laudaturam Vestram Celsitudinem ob hoc tam sanctum opus. Exspecto litteras, quas egomet vellem ferre usque prope oppidum Grætz, quod non longe abest a Tergesto, indeque mitterem certas personas, quæ illustrissimo archiduci consignarent, quem, ut opinor, rem tam justam in gratiam præsertim Illustrissimæ Celsitudinis Vestræ recusaturum vix existimo.

Quid si interea quoque scribat in eandem sententiam serenissimo

1 S. n. 204. 222 ff.

2 Erzherzog Karl, bruder von Maximilian, geb. 3 Juli 1540, † 1 August 1590, nach seines vaters tod regent von Kärnthen, Krain, Steiermark, Görz.

28 *

Maximiliano, qui rem juvaret apud dominum fratrem archiducem, et mihi etiam faveret, si quando opus esset. Plurimum enim potest sua auctoritas in tota Istria. Utinam mittatar mihi exemplum litterarum, quæ sunt scribendæ!

Aurelius meus nepos [1] nondum rediit, quin neque Ludovicus [2] ex Prussia, exspecto utrumque in dies, et majore cupiditate litteras, de quibus scripsi.

Dignetur Vestra Serenitas meminisse libri Italici, quem apud illam dimisi in Schambach, terminus est in fine Septembris.

Commendo me Vestræ Serenitati. Pater coelestis augeat illi suos divinos thesauros, spiritum et fidem per Christum dominum nostrum.

Tubingæ die 2 Octobris anno 1564.

Servitor Vergerius.

Eigenhändige resolution des herzogs:

Er mag hinziehen, bedarf ainicher fürschrifft nit, sonder lasse ich ime ain patent zukhomen, da er gehn Triest zieche zu seinen freunden, bitt ine passieren zu lassen.

222.

Christoph an Verger.

Stuttgart 6 October 1564.

Antwort auf n. 221.

Christoph erlaubt ihm die reise nach Triest.

Dei gratia Christophorus Dux Wirtembergensis etc.

Litteras vestras, dilecte nobis ac fidelis, accepimus ex iisque iter, quod Tergestum versus nuptui locandæ neptis vestræ gratia instituistis, atque adeo quæ hac de causa a nobis petitis, intelleximus. Cum autem litteris commendatoriis ad serenissimum Imperatorem illustrissimumque ducem Austriæ, ejus fratrem, nihil, quod videamus, opus vobis sit, quippe omnia tuta, et eorum locorum in ditionibus videlicet prædictorum illustrissimorum principum nihil prorsus periculi vobis imminere arbitramur, litteras patentes, quibus petimus, ut per eas, quas iter facturi estis regiones, tuto vobis incedere liceat, his adjunctas vobis mittimus, quibus acceptis, iter,

*

1 Aus Chur, s. n. 209.
2 S. n. 183.

quando visum fuerit, arripere potestis, idque vos latere noluimus.
Datæ Stutgardiæ VI die mensis Octobris anno MDLXIIII.

223.

Verger an herzog Christoph.

Tübingen 17 October 1564.

Dankt für die erhaltene erlaubniß und bittet um ein italiänisches
buch. Sonstige neuigkeiten.

Illustrissime Princeps et Domine Domine Clementissime!

Accepi reverenter Illustrissimæ Celsitudinis Vestræ litteras datas die VI præsentis mensis [1], mihi vero redditas die XV. Ago ingentes gratias, plus habui, quam optassem, ut non frustra tanta sollicitudine petierim, quanta petii. Quamobrem constitui me in viam
dare, sed prius hæc sunt mihi agenda; invisenda erit Vestra Serenitas sive hic Tubingæ, ubi exspectatur, sive Stutgardiæ, aut ubi
fuerit; neque enim discedendum puto, nisi prius quædam communicem. Præterea vellem dare imprimendum, ut interea, dum absum,
absolvatur, librum [2], quem reliqui Sambaci die XXIV Septembris,
promisit vero se redditurum Illustrissima Celsitudo Vestra die XXIV
hujus mensis, spero me habiturum procul dubio; videor enim mihi
carere me utraque manu aut oculo, cum careo commodo typographiæ;
oro et supplico, ut reddatur mihi facultas, qua poteram imprimere
Italica, quæcumque voluissem; nunc cum senuerim, cogor emendicare
eos, qui mea legant. Dico iterum, res est mihi vehementer cordi,
ut nulla magis, aut detur mihi, qui possit mea legere atque intelligere, aut meam obstringo fidem, me nihil editurum, quod possit
Vestræ Serenitati displicere, quemadmodum spero, me fecisse hactenus.

Postremum, quod, antequam discedam, mihi curandum puto, est
hujusmodi. Cum aliquibus in locis grassetur pestilentia inter Istriam
et Bavariam, imo in Istria quoque et Bavaria scripserimque diligenter, ut monear, in quibus præsertim locis grassetur, ut sciam de-
clináre, quæ sunt declinanda, interea dum mea dentur imprimenda
et possim cum Celsitudine Vestra Illustrissima conferre, dabo operam,

*

1 S. n. 222.
2 S. n. 221.

ut intelligam de itineribus, quæ fuerint vitanda aut sectanda, metuo enim non nihil tam periculosum malum, ignoscat mihi Celsitudo Vestra. Bene spero de toto itinere, imprimis fructum spero in causa religionis, si Deus voluerit. Illustrissimo duci Radzivillo [1] in animo habeo quædam dicare Italica; sua enim patria mire afficitur elegantia talis linguæ; ejus celsitudo pulchre valet seque vehementer Serenitati Vestræ commendat una mecum. Pater cœlestis augeat illi suos divinos thesauros, spiritum et fidem per Christum dominum nostrum.

Aurelius meus nepos [2] pauca haberet, quæ conferet (si placet) de legatis Gallicis, sed non audet accedere, nisi admoneatur, faciet, quod imperabitur.

Tubingæ XVII Octobris 1564.

Illustrissimæ Celsitudinis Vestræ

servitor Vergerius.

Resolution von des herzogs hand:
Zu wissen, wa Schneppius mit den buechern hinkhomen ist.
Aurelium zu horen.
Lamprecht zu schreiben, das er all 14 tag Razevillo ain wildt geschoßen hette.

---

223 a.

Herzog Christoph an Verger.

(Sine dato.)

Antwort auf n. 223.

Litteras vestras accepimus ex iisque iter, quod instituistis, propediem vos accepturos esse, quod nihil monemus, idque quando libera ... nos licet* intelleximus, quod si prius nobiscum de aliquibus rebus conferre operis pretium esse putatis, Stutgardiam potestis accedere. Haud enim arbitramur, nos Tubingam in brevi accessuros esse. Librum*, quem tantopere ut imprimatur optatis, vobis remitti-

*

1 S. n. 46.
2 S. n. 209. 221.   * undeutlich.
3 Schwerlich ist dieses buch gedruckt worden, denn weder im Serapeum, noch bei Sixt findet sich ein italiänisches buch Vergers mit der jahrzahl ende 1564 oder 1565. Die drei professoren hatten zwar

mus, nos quidem licet, ut typis excudatur, ita tamen emendatus et
correctus, ut ex ipso libro videre licet nihilque moramur, quin minus eundem domino duci Radzivillo dedicetis. Potest etiam Aurelius
nepos vester una vobiscum accedere, ac de his, quæ de Gallicis
legatis habet, certiores nos reddere. Idque vos valere volumus.

1565.

224.

Verger an herzog Christoph.
Tübingen 11 April 1565.

Bittet um herzog Christophs verwendung bei kaiser Maximilian
zu gunsten eines vertriebenen Italiäners.

Illustrissime Princeps et Domine Domine Clementissime!

Eodem die, quo Illustrissima Celsitudo Vestra discessit, Tubingam venit generosus d. comes Ulisses a Martinengo [1], de cujus bonorum confiscatione atque exilio (religionis nomine tantum) memini
me non semel, sed sæpius cum Celsitudine Vestra Illustrissima reverenter contulisse, is in summa est, in quem Vestra Clementia centum florenos in christianum subsidium liberaliter donando pie contulit. Venisset ante hac (si per valetudinem licuisset), ut Celsitudini
Vestræ Illustrissimæ coram gratias ageret, sed cum Domini voluntas
fuerit, ut longa et gravissima ægritudine detentus, neque coram neque per litteras (sicuti voluisset) id præstare potuerit, nactus jam
valetudine minus infirma, consultius judicavit, reverenter Celsitudinem Vestram Illustrissimam ipse adire, et quod grati animi officium
est, humiliter præstare. Dignabitur ergo Celsitudo Vestra Illustrissima eundem pro sua christiana pietate clementer suscipere.

Habet etiam sibi nobilem quendam Vicentinum Alexandrum de
Trissinis adjunctum, qui propter nostram religionem profugus in Galliam primo se contulit; fuit enim captivus et gravissime a satellitibus antichristi persecutus, et tandem singulari Dei beneficio per
carceris eruptionem divinitus evasit. Is quamvis neque bannitus sit,
neque ejus bona (quæ tamen in periculo versantur) fisco unquam
dicata fuerunt, sed solummodo per absentiam (papistarum more) cum

*

ein günstiges urtheil abgegeben, aber die abreise Vergers und seine
zunehmende kränklichkeit verhinderten wohl den druck.

1 S. n. 184. Das geld s. n. 203.

comparere vocatus recusaverit, excommunicatus fuit, absens jam is
per biennium propemodum, ausus non est (et merito) in patriam se
tuto conferre, nisi habita prius idonea et sufficienti a Venetis cautione ad annum saltem, quo temporis sua commodocumque componere
posset, ut postea commodius sine ullius gravamine ad pias et chri-
stianas ecclesias sese recipere valeret. Cum vero omnibus undique
perpensis atque diligentissime consideratis nullum inveniat potentius
et magis expeditum medium, quam si Cæsarea Majestas legatum
Venetum ea de re serio interpellaverit, ut in suæ Majestatis gratiam dicti d. Veneti per salvum conductum (ut vocant) hoc officium
in hunc d. Alexandrum de Trissinis conferant, ut intra anni spa-
tium tuto in patria illi versari resque suas componere eo, quo poterit modo meliore liceat. Quia vero non ipsi tantum, sed toti propemodum orbi perspectissimum jam est, quantum apud suam Cæsaream
Majestatem Celsitudo Vestra Illustrissima auctoritate sua valeat et
possit, propterea confidenter constituit ad Celsitudinem Vestram Illustrissimam se reverenter conferre et supplicare pro sua summa et
incredibili in omnes Christianos (et religionis nomine præsertim profugos) pietate atque clementia, ut eadem dignetur commendaticias ad
suam Majestatem Cæsaream officiose litteras dare, ita ut per Celsitudinem Vestram Illustrissimam Cæsare ipso petitore hoc summum
beneficium accipiat, quod fortunas ejusque bona omnia in unum con-
cernit.

Illustrissime Princeps, novi hominis pietatem et integritatem,
dignum revera, in quem Celsitudo Vestra Illustrissima hoc pietatis
officium, quod illi summi beneficii loco futurum est, conferat, quod
et ego (sicuti pro omnibus fidelibus semper facere consuevi) ita nunc
pro hoc pio et bono fratre, in quem possum modum majorem reverenter et per viscera domini nostri Jesu Christi supplico. Commendamus nos reverenter Celsitudini Vestræ Illustrissimæ, pax et
gratia domini nostri Jesu Christi augeat illi suos divinos thesauros,
spiritum et fidem ad gloriam nominis ejus sempiternam.

Si dignaretur Celsitudo Vestra Illustrissima negotium hoc illustri d. Ludovico Ungnadio [1] unico verbulo commendare, nullum
esset dubium, quin brevi et sine gravi sumptu (qui necessario in
hujusmodi expeditionibus faciendus est), quæ voluerit, consecuturus

*

1 Dem sohn von Hans Ungnad, s. n. 30.

sit, quod per pietatem Vestram Illustrissimam supplicat per viscera
Dei nostri.

Tubingæ die XI Aprilis MDLXV.

Illustrissimæ Celsitudinis Vestræ servitor

Vergerius.

225.

Verger an herzog Christoph.

Tübingen 14 Juli 1565.

Dankt dem herzog für seine vielfachen gnadenbezeugungen.

Illustrissime Princeps et Domine Domine Clementissime!

Cum nuper Illustrissimæ Celsitudinis Vestræ aulicus concionator[1] apud me esset, Illustrissimæ Celsitudinis Vestræ summa erga
me clementia indicavit affirmavitque, Illustrissima Celsitudo Vestra
vices meas dolere parataque esse in necessitatibus meis mihi succurrere. Quibus auditis (etiamsi aliter de pietate Celsitudinis Vestræ
Illustrissimæ nunquam secus crediderim) ita magnis sollicitudinibus
(quibus in longo hoc meo morbo crucior) sum sublevatus, ut majorem morbi partem superasse mihi videar. Ago Deo meo gratias,
quod mihi apud tam pium et clementem principem vitæ meæ finem
esse velit, et ejus Celsitudinem incipere mihi misero in necessitatibus
meis succurrere; hinc enim apparet paternus Dei amor erga suos,
ut etiam in peregrinis locis omnibus suis bonis privati principes
ad illos sublevandos inveniant. Constituerum quidem, Celsitudini
Vestræ Illustrissimæ nolle esse molestus, verum necessitas, quæ est
summa, me cogit et Celsitudinis Vestræ summa clementia mihi animum facit, ut ad Illustrissimam Celsitudinem Vestram accurram et
illam reverenter rogem, ne me propediem ex hac misera mortalium
vita discessurum deserat; scio enim propediem ad patrem meum cœlestem mihi proficiscendum. Interim dum veniat hora, rebus neces-
sariis opus habeo, quas aliunde petere nescio, quam ab Illustrissima
Celsitudine Vestra, quæ prout dignata est, per tot annos me alere,

*

1 Balthasar Bidembach, geb. 1535 in Grünberg in Hessen; 1560
hofprediger in Stuttgart, nahm am religionsgespräch in Poissy und
Worms theil, wurde 1570 der nachfolger von Brenz als erster geistlicher Württembergs, † 1578 in Stuttgart, s. Fischlin, Mem. Theol.
Wirt. I, 142. Br. n. 180. Construktion ganz unklar.

ita per breve hoc tempus facturam non dubito. Pater domini nostri Jesu Christi Celsitudinem Vestram ecclesiæ suæ diu conservet et quotidie ei suos divinos thesauros augeat, spiritum et fidem per Jesum Christum dominum nostrum.

Tubingæ, die 14 Julii 1565.

Illustrissimæ Celsitudinis Vestræ servitor

Vergerius.

226.

Verger an herzog Christoph.

Tübingen 30 Juli 1565.

Dankt dem herzog für seine hülfe und bittet noch um einige unterstützung in seiner krankheit.

Illustrissime Princeps et Domine Domine Clementissime!

Posteaquam Illustrissimæ Celsitudini Vestræ pro innata sua summa clementia placuit, non tantum per aulicum Celsitudinis Vestræ concionatorem me invisere, verum etiam litteris pietatem suam erga me ostendere, non possum aliud præstare, quam Deo meo et Celsitudini Vestræ gratias agere, ejusque divinam majestatem precibus meis (quamdiu licuerit) sollicitare, ut Illustrissimam Celsitudinem Vestram ecclesiæ suæ rarum membrum quam diutissime conservet.

Petit Illustrissima Celsitudo Vestra, ut, si qua re opus habeo, Celsitudini Vestræ significem; Deus novit, quas sollicitudines perferre cogar in hoc longo meo morbo, adeo ut, si fieri posset, vellem dissolvi et esse cum Christo; sumptus sunt majores solito, famulitium quoque, nec aliunde quam ab Illustrissima Celsitudine Vestra est mihi subsidium exspectandum. Quare ad eam accurro et per Christum rogo, ut mihi maxime indigenti ea, quæ volueris, christiana caritate succurrat. Habitura enim est Celsitudo Vestra Illustrissima coelestem Patrem, qui abunde compensaturus est.

Plura, quæ scribam, non habeo, coelestis Pater Celsitudini Vestræ Illustrissimæ augeat suos divinos thesauros, spiritum et fidem per Jesum Christum dominum nostrum.

Tubingæ die XXX Julii 1565.

Illustrissimæ Celsitudinis Vestræ servitor

Vergerius.

227.

Herzog Christoph an Verger.

Göppingen 4 August 1565.

Schickt Verger 100 fl. zur unterstüzung.

Christophorus etc.

Litteras vestras, reverende nobis dilecte, accepimus, ex iisque de diutino morbo vestro, quo adhuc detinemini, haud sane libenter accepimus, vobisque adeo pio et christiano animo condolemus et speramus, Deum optimum maximum huic vestræ valetudini adversæ brevi opem, quæ vel ad sanitatem corporis vel salutem animæ vestræ spectet, laturum.. Interim qui necessarii sumptus suppetunt[1], centum florenos vobis transmittimus, atque in ceteris, quibus possumus gratificari, percupimus.

Datæ Geppingæ pridie Nonas Augusti anno 65.

228.

Ludwig Verger an herzog Christoph.

Tübingen 4 October 1565.

Zeigt dem herzog den tod seines oheims an.

Illustrissime Princeps et Domine Domine Clementissime!

Tandem Pater cœlestis d. Vergerium patruum meum ex miseriis et calamitatibus hujus mundi liberavit et ad beatam et æternam illam vitam, sanguine domini nostri Jesu Christi credentibus in eum comparatam, accepit. Hodie enim inter undecimam et duodecimam horam in die sine ulla fere molestia diem suum clausit; ei tum concionatores tum medici sua opera non defuerunt, præsertim vero d. Primus Truberus[2], qui tamquam conterraneus, spiritualibus consolationibus usque ad ultimum spiritum solatus est, ut non sit dubium, eum ad eam metam pervenisse, ad quam tendebat, nempe ad vitam æternam. Solitus erat, dum adhuc prospera valetudine uteretur, hoc nomine præsertim gloriari, quod adeo clementem et benignum principem Celsitudinem Vestram haberet, qui non solam, dum viveret, sui curam haberet, verum etiam post mortem

*

1 Undeutlich zu lesen.
2 S. n. 17.

futurus esset memor. Quare Illustrissimæ Celsitudini Vestræ, priusquam sepeliretur, hæc significare volui, ut Illustrissima Celsitudo
Vestra pro sua clementia academicis istis eum, etiam mortuum, commendare dignetur. Ego quidem sum solus hic et peregrinus, nec
sine auxilio Celsitudinis Vestræ Illustrissimæ scio, quo me vertam
Dignabitur ergo pro sua clementia mandare, quid sit agendum.

　　Tubingæ 4 Octobris 1565.

　　　　　Illustrissimæ Celsitudinis Vestræ servitor
　　　　　　　　　　　　　　　　　　Lud. Vergerius.

229.

Herzog Christoph an den keller [1] zu Tübingen.
Wildbad 5 October 1565.

Befiehlt ihm, die kosten der beerdigung Vergers zu tragen.

Cristoff u. s. w.

Lieber getreuwer!

Dieweil Petter Paulus Vergerius u. s. w. mit todt abgangen und
die leicht in Sanct Jergen kirchen bei dir begraben werden soll, so
ist unser bevelh, sover er nit sovil hinder ime verlassen, das die
depens, so auf solche begrebnus lauffen würdet, davon entricht werden
mecht, du wellest alsdan auf seines vettern Ludwig Vergerius begern,
solchen uncosten von unsert wegen bezalen, und denselben underschid-
lich mit guttem urkund aufmercken; der soll dir alsdann auf disen
bevelh in deiner rechnung für guter außgab gelegt und passiert
werden, verlassen wir unß gnediglich.

　　Datum Wildtbad den 5 October anno 65.

230.

Herzog Christoph an den rektor [2] der universität Tübingen.
Wildbad 5 October 1565.

Verordnungen wegen der beerdigung von Verger.

Cristoff u. s. w.

Liebe getrewen!

Nachdem der erwirdig unser besonder lieber Petter Paulus Ver-

＊

1 Der keller zu Tübingen hieß Ludwig Riepp, 1550 bis 1574.
2 Rektor war damals Dietr. Schnepf, s. br. 64.

gerius u. s. w. die schuld menschlicher natur bezallt und auß disem jamerthal verschiden, so ist unser günstiger und gnediger bevelh, ir wellendt verordnung geben, das die leycht in Sanct Jergen kirchen bei euch an ain bequemen ortt, es sei bei dem Ungnaden oder sonnst, cristenlich zur erden bestettigt, und das ime an demselben ortt ain tafel zu einem epitaphium aufgericht, aber sonst allein auf das grab ain stain mit seinem wappen und umbschrifft, wie es under euch, den universitetverwandten, gebreuchlich, gelegt mege werden, auch ir und alle universitetsverwandten mit der leicht geen. Was man dan dagegen zechen schuldig sein, das wirdt durch sein hinderlassen vettern oder unsern keller zu Tüwingen bezalt werden. An dem allem beschicht unser günstige und guedige mainung.

Datum Wildtbad den 5 October anno 65.

231.

Herzog Christoph an Ludwig Verger.

Wildbad 5 October 1565.

Drückt sein beileid über Vergers tod aus.

Cristoff u. s. w.

Unsern gruss zuvor, lieber getreuwer!

Wir haben dein schreiben, darinen du unß deines vettern Petter Pauls Vergerius tedtlichen abgang zu erkenen gibst, alles ferner inhallts gelesen.

Und dieweil es also der will gottes, und wir disem joch all underworffen, so muß man solches seiner almechtigkeit haimstellen und bevelhen.

Was dan wir rector und regenten zu Tüwingen von wegen der leicht, wie die zur erden bestettigt werden soll, schreiben, das hastu inligendt zesehen.

Und im faal, das er, dein vetter, nit sovil hinder ime verlassen, das die depens, so auf die begrebnus lauffen, davon entricht werden möcht, so hastu hiebei ain bevelh an unsern keller zu Tüwingen, das er solchen uncosten von unsert wegen bezalen welle; wollten wir dir hinwider zu gnediger antwort nit bergen.

Datum Wildtbad den 5 October anno 65.

231 a.

Ludwig Verger an ?

1565.

Wegen der begräbnißkosten.

Placuit illustrissimo principi pro summa ejus clementia statim post mortem patrui mei (piæ memoriæ) rectori Tubingensi mandare, quo pacto vellet sepulturam fieri, simul addens: quod, si patruus post se tantum non reliquisset, cellarius ejus celsitudinis illustrissimæ nomine persolvere deberet.

Sumptus minores, quos potui, persolvi, majores vero, cum non possem, petii a cellario, ut juxta illustrissimi principis mandatum persolveret. At ille se tale quid in mandatis non habere, nec se persoluturum inquit, nisi alio ab illustrissimo principe accepto mandato.

Quare est mea petitio, ut, cum illustrissimi principis talis sit voluntas, ei nunc præsenti plenius, quid agere debeat, mandetur.

Quales sint sumptus futuri, ad unguem judicare non possum, credo tamen quadraginta florenis opus fore. Hoc tamen scio, oportere viginti exponere, propterea quod in templo sit sepultus. Quid pro lapide et pro epitaphio sit dandum, ignoro.

Reliquum est, patruum in morbo a suo hospite ligna accepisse eo animo, ut de illis, quæ illustrissimus princeps quotannis dare solitus est, redderet, verum prius obiit, quam hujus anni ligna ei fuerint allata. Jam mortuo silvarum præfectus ligna dare non vult. Quare, cum illustrissimus princeps reliqua omnia dari jusserit, quæ ad festum Georgii dari debuissent, non dubito, ejus celsitudinem ligna quoque intellexisse. Si ergo talis est illustrissimi principis voluntas, opus erit mandato aliquo ad ipsum silvarum præfectum. Hæc sunt, quæ coram a T. D. petii.

231 b.

Primum dixi de cellario Tubingensi, qui sumptus pro sepultura persolvere nolit, cum tamen illustrissimus princeps jusserit, ut ex exemplo litterarum ejus celsitudinis ad rectorem scriptarum videre licet.

Secundo illustrissimum principem ante aliquot menses aimerum

vini patruo (piæ memoriæ) dari jussisse, hanc vini mensuram cellarium in compntis posuisse, tamquam illustrissimus princeps non dono
dedisset.

Tertio silvarum præfectum sine principis jussu ligna dare nolle,
cum tamen illustrissimi principis sit voluntas, ut omnia jam dentur,
quæ d. patruo (si ad festum Georgii vixisset) dari debuissent.

Adest cellarius, cum quo hæc omnia confici possunt, quapropter
D. T. rogo, ut hæc pro nostra amicitia expedire velit.

Amicus et servitor

Ludovicus Vergerius.

232.

Aurelius Verger an herzog Christoph.

Tübingen 16 October 1565.

Dankt dem herzog für die seinem oheim erwiesene güte und empfiehlt dem herzog sich und seinen'bruder.

Illustrissime Princeps et Domine Domine Clementissime!

Ex Helvetiis reversus inveni antiquum et fidelissimum servitorem Illustrissimæ Celsitudinis Vestræ (bonæ scilicet recordationis) dominum Vergerium olim patruum meum magnum longe carissimum ad
superos concessisse; et quamquam hoc ita demum fore mihi antea
optime perspectum erat, non potui tamen non aliquo modo vehementer dolere, quum tali homine me privatum inveniam, sub cujus
patrocinio et umbra pueritiam et juventutem meam integram traduxi.
Verum quando ea mecum animo repeto, quæ illi jam decrepita ætate
viro, in gravissimo et incurabili morbo constituto, æquo animo citra
omnem humanam consolationem seu refrigerii alicujus certam spem
ferenda fuere, optime ipsi a domino Deo nostro prospectum esse
video, cum permutata hac miseriarum tantarum valle ad amœnissimos
æternæ beatitudinis colles inter cœlites receptus sit, per unicum
meritum passionis, resurrectionis et ad cœlos ascensionis domini
nostri Jesu Christi, quæ qnidem firmissima fides (post beneficium
agnitæ veritatis) illi semper fuit, in qua sola consolabatur in afflictionibus suis, cupiens dissolvi et esse cum Christo. Nam revera illa
resurrectionis consolatio (credentibus serio) omnium gravaminum et
humanarum miseriarum, incommodorum malorumque levamen est
singulare, solatium et fortitudo patienti et invicto animo ad omnia

facile subeunda, quæ in hoc seculo adverse homini christiano accidere possunt, secum itaque optime factum, certum.

Quantum autem ad me attinet, novi ex Dei beneficio (annos jam ante aliquot), quanta bonitate, pietate, christiana caritate singularique clementia Illustrissima Celsitudo Vestra sit, et novi non solum in viventem patruum, sed in mortuum quoque, et non in ipsum tantum, sed in innumerabiles multos, maxime vero in me fratremque meum et familiam nostram universam, ut nihil amplius dubitem, quin divinitus de Potentissima et Clementissima Celsitudine Vestra prospectum sit nobis.

Vicissim vero persuasissimum sibi habeat Celsitudo Vestra Illustrissima, quod, si non ejus doctrinæ, prudentiæ et summæ illius rerum experientiæ, cujus patruus noster magnus præditus fuit, sumus, fidei tamen, diligentiæ et perpetuæ in Celsitudinem Vestram Illustrissimam observantiæ heredes erimus singulares, in quibus illius memoriam etiam (si fieri poterit) superare conabimur. Interim gratias agimus immortales et sempiternas Illustrissimæ Celsitudini Vestræ pro omnibus maximisque beneficiis et olim et nunc in jam defunctum d. patruum et in nos clementer collatis, pro quibus rependet Dominus; nos vero ea, qua unquam poterimus grati animi significatione, diligentissime curabimus, ne in immemores ingratosve tanta contulisse intelligat Celsitudo Vestra Illustrissima, cui humiliter supplicamus, ut nos sicuti pie cœpit, inter suos clementer conservare velit. Commendamus nos reverenter Illustrissimæ Celsitudini Vestræ. Pater cœlestis augeat illi suos divinos thesauros, spiritum et fidem per Christum dominum nostrum.

Tubingæ XVI Octobris 1565.

Illustrissimæ Celsitudinis Vestræ humilis servitor

Aurelius de Vergeriis.

233.

Keller in Tübingen an herzog Christoph.

Tübingen 5 November 1565.

Über die besoldung und die leichenkosten Vergers.

Gnediger Fürst und Herr!

Nachdem E. F. G. durch dern secretari herrn Frantz Kurtzen mir gestern gnedig bevelhen lassen, E. F. G. unverzogenlich zu be-

richten, was mein son, der gaistlich verwalter [1] zu Tůwingen und
ich weilundt herrn Petri Pauli Vergerii bischoff seligen vettern, Ludovico Vergerio an gemelts, seines vettern, deputat, so E. F. G. ime
Ludovico zu geben bewilligt, geraicht, gib E. F. G. ich hiemit underthenig zu erkhennen, das uf gehörten E. F. G. bevelch ich gemeltem Ludovico gegeben hab wie volgt, namlich: Für XXVIII scheffel
dinckel XIIII gulden, für XIII scheffel habern VI¹/₂ gulden, und für
XI imi VI maß wein 1 gulden XLVIII kreitzer, thut alles nach
herrn gülten zwaintzig zwen guldin achtzehen kreitzer. Was nun
gemelter mein son im Ludovico geben soll, wirt, wie gehört, etwas
namhaffts sein, E. F. G. derwegen von meim son, dem ich solchs
zugeschriben, inn wenig tagen auch bericht zukhomen.

Am andern, nachdem von E. F. G. ich vor disem, als gemelter
bischoff noch gelebt, doch wenig tag vor seim abganng bevelch entpfangen, ime ain aimer weins ains guten trunckhs also bald zu geben, doch darinn nit vermeldet, daß es uß gnaden geschehe, hab
ich gemeltem Ludovico selbigen aimer weins nit bezalt. So ich
nun sollichen aimer weins auch wie anders nach herrn gülten bezaln soll, haben E. F. G. mir verner zu bevelhen.

Zum dritten, als gemelter bischoff mit thod verschaiden, haben
E. F. G. mir weiter schreiben und bevelhen lassen, sover seine
erben nit so vil vermögen, das sie ine zur erden bestätigen, soll ich
dasselb von E. F. G. wegen betzalen u. s. w. Da hab ich gemeltem Ludovico solchen bevelch mit bescheidenhait etwas geöffnet,
darneben begert, er solle mich particulariter inn schrifft verstendigen,
was solchs gesteen, welt ich mich darinn aller gepür erzaigen, ee
aber er mich solchs bericht, ist bald der obgemelt E. F. G. bevelch, im das noch usstendig deputat, was gedachtem bischoff bis
künfftigen Jeorii (da ers erlept) hat gepürt, nach herrn gülten zu
bezaln, gevolgt, demselben bevelch bin ich nachkhomen, den andern
die begrebnus belangendt steen lassen, gedacht, es würde damit
ussein. Nun hatt aber vilgemelter Ludovicus, nachdem ich ime obgemelte XXII gulden XVIII kreitzer betzalt, mich erst angesprochen,
ich werde inn krafft gehörts begrebnusbevelchs, was uf den grabstain, auch das epitaphium, so man erst hawen und machen, geen,

*

1 Rudolf Riepp wurde 1574 seines vaters (s. br. n. 229) nachfolger.

Verger　　　　　　　　　　　　　　　　　　　　29

werd, betzalen, mich darneben sehen lassen ain schreiben, das
E. F. G. dem rectori universitatis deßhalb zugeschickht, das meins
behalts vermag, er solle dem bischoff seligen ain grabstain und epitaphium machen lassen; des ich mich aber nichts angenomen, sonder gesagt, was E. F. G. mir deßhalb weiter bevelhen, dem werd
ich underthenig gehorsamen. Das alles E. F. G. ich uf gehörten
gnedigen bevelch ich inn underthenigkhait unverhalten sollen, thun
derselben mich hiemit underthenig bevelhen. Actum den 5 Novembris anno 65.

E. F. G.

underteniger gehorsamer keller zu Tuwingen

Ludwig Riepp.

234.

Der verwalter der geistlichen güter in Tübingen an herzog
Christoph.

Tübingen 16 November 1565.

Wegen der besoldung Vergers.

Durchleuchtiger Hochgepornner Fürst, Gnediger Herr!

E. F. G. sein altzeit berait zuvor mein underthenig gehorsam
schuldig willig dienst, gnediger fürst und herr. Uff E. F. G. gnedigen bevelch gib derselben ich hiemit underthenig zu vernemen,
das ich dem hern Vergerio seliger gedechtnus undt seinem vettern
Ludovico uff empfangnen gnedigen bevelch von Jeory verschinen bis
uff sein absterben hab eingeben, wie volgt, namlich an:

Gellt I°XXXVII gulden XIII batzen III kr.

Vesen XIII¹/₂ scheffel III vl.

Habern XVIII scheffel.

Wein V aimer V¹/₂ imi.

So pleib ich ime noch allerding bis künfftig Jeorii an gellt auch für
früchten undt wein schuldig I°XXXXV guldin X batzen I kr., welchs
ich gemeltem Ludwigen, sobaldt er hieher khompt (wils Gott), er-
legen undt bezaln wirdt. Das hab E. F. G. ich uff deren gnedigen
bevelch nit sollen pergen, thun derselben mich hiemit alzeit underthenig bevelhen. Datum Tüwingen den 16 November anno 65.

E. F. G.

undertheniger gehorsamer gaistlicher verwalther zu Tüwingen

Rudolff Riepp.

235.

Herzog Christoph an den keller in Tübingen.

Stuttgart 22 November 1565.

Befiehlt Vergers schulden und die begräbnißkosten zu bezahlen.

Cristoff u. s. w.

Lieber getreuwer!

Wiewol wir dir und dem geistlichen verwalther hievor aufer-
legt und bevolhen, das ir weilund Petri Pauli Vergerii seligen geordnet pension seinem hinderlassen vettern Ludovico Vergerio bis
auf Jeory künfftig an gellt oder die fruchten und wein nach herren
gülten völlig bezalen wellen, so kan aber er, wie er uns undertenig-
lichen berichten lassen, die schulden und dan, was auf die begrebnus
ermelts seines vettern gangen, davon nit bezalen, darumb so ist
unser bevelh, du wellest das gewonlich und gebreuchlich leggellt,
deßgleichen den grabstein und das epitaphium, was solches ungever-
lich gesteen wurdt, auf ermelts Ludovics Vergerio ervordern von
unsert wegen bezalen. Am andern, was dan den aimer wein, so
wir ime, dem alten Vergerio, wenig tag vor seinem absterben ver-
ordnet, belangt, dieweil nun er denselben nit empfangen, auch du
dem Ludovico nach herren gülten nit bezalt, so wellest ime denselben auch aus gnaden nach herren gülten bezalen. Das alles soll
dir auf disen bevelh und gebürlich urkund in deiner rechnung für
guter außgab passiert werden. Verlassen wir uns gnediglich.

Datum Stutgart den 22 Novembris anno 65.

236.

Verger an Brenz.

Tübingen 26 Februar 1554.

Wegen der anstellung eines professors der hebräischen sprache,
Emanuel in Tübingen. Neuigkeiten aus Italien und England.

Schon gedruckt in Anecdota Brentiana von Pressel, s. 374 f.

Clarissime Brenti! Audi novum negotium, quod ad gloriam Dei
pertinet, neque enim in aliis me libenter impedio. Ante interimisti-
cam calamitatem Hebraicas litteras docebat Argentinæ d. Emanuel[1]

1 Emmanuel (Tremellio) kam nicht nach Tübingen, starb 1580 als
professor in Sedan.

29 *

vir valde doctus atque idem valde pius; quum Bucerus [1], piæ memoriæ, in Angliam vocaretur, una vocatus fuit is Emanuel, qui Cantabrigæ aliquamdiu professus tandem propter turbationem regni vix evasit et Argentinam se recepit, ubi locum suum invenit occupatum, itaque libenter huc veniret et communicaret donum sanctæ illius linguæ, in qua audio eum valde excellere, quin puto natum esse Hebræum et affulsisse illi lumen gratiæ, quod ex tenebris eum eripuit, unde majore etiam favore dignus est, ut agnoscat, se invenisse veracem Deum patrem nostrum pollicentem, se non deserturum suos; proposui rem d. rectori, d. Frechto [2], d. Fuchsio [3] et aliis quibusdam, quibus d. doctor Kilianus et doctor Ehemus valde bonum testimonium de ipso Emanuele, quem aliquando Argentinæ noverunt, jam dederant, in summa nemo est horum omnium, qui non videatur cupere eruditiorem virum (in Hebræa inquam lingua) qui hic profiteretur, quam is sit, qui nunc profitetur, et vident, fore ut multi, qui alioquin negligunt, excitentur ad studium illud, si præceptorem solide doctum habituri sint, præterquam quod etiam docti ipsi theologi sæpe poterunt illius opera uti. Sed aiunt, se audisse, illustrissimum dominum ducem dedisse locum illum ei, qui nunc obtinet, ad vitam, certe ita scholæ persuasum est, alioquin (ut audio) alium quærerent. Nunc mi Brenti, illud ante omnia protestor, me amare bonum hunc virum, qui nunc hic hebraice docet et putare dignum omni honore et commodo. Sed si ita est, quod illustrissimus

●

1 Martin Butzer (so schreibt Baum), geb. 1491 in Schlettstadt im Elsaß, trat frühe in ein dominikanerkloster, aber durch die reformation angeregt 1519 aus dem orden. Franz von Sickingen nahm sich des verfolgten an, nach dessen fall begab er sich nach Straßburg und führte dort mit Zell und Capito die reformation durch; die folgen des schmalkaldischen krieges veranlaßten ihn, eine ehrenvolle berufung nach England anzunehmen, wo er 28 Februar 1551 starb. Maria Tudor ließ seine gebeine wieder ausgraben und durch den henker verbrennen 6 Februar 1556. S. Baum, Capito u. Butzer, Straßburgs reformatoren. Elberfeld 1860.

2 Martin Frecht, geb. in Ulm, lehrte dort 1526 das evangelium, wurde aber wegen nichtannahme des interims gefangen und 1548 bis 1549 in Kirchheim gefangen gehalten, von herzog Christoph als professor der theologie nach Tübingen berufen und mit dem ephorat des seminars betraut; er starb 14 September 1556.

3 S. n. 96. Dr. Kilian Vogler war professor juris seit 1552.

princeps illi consultum cupiat, habet mansiones multas, in quibus eum collocet, ut interim locus sanctæ linguæ docendæ exercitatiori et celebriori detur. Rem totam audisti. Dominus Jesus spiret in cor tuum, ut facias beneplacitum ejus. Si videtur, quære istic, quo in statu res sit et quo animo illustrissimus princeps, certe plurimi ex academia Argentinæ mihi Emanuelem illum maximopere commendant, præsertim a pietate; rari in ea lingua excellentes viri reperiuntur, et si quando apparent, non sunt deserendi.

D. Petrus Martir [1] iterum Argentinæ sacras litteras profitetur.

D. Bullingerius [2] mittit tibi dono librum, quem videbis, scribit ad me, ut ornem munus verbis, at quid opus? facessant ceremoniæ inter fratres. Salutat te certe amanter et reverenter.

Dux Florentinorum [3] dedit filiam nuptui nepoti Papæ [4] alioquin ignobili, sed ob immensas divitias et impietatem nobili facto; perdat enim Dominus.

Obiit tyranno Turcarum adhuc alius filius; affirmant verum fuisse de Mustapha primogenito interfecto parentis jussu.

Oppidum est in agro Senensi, cui nomen S. Florentii [5], hoc nunc Cæsaris exercitus obsidet et Gallus parat se ad liberationem.

De Anglia adhuc spes, non est abbreviata manus Domini, totam audio tumultuari et renuere extraneum regem et papistica sacra restituta [6].

Vale et salve, honoratissime frater, oro, juva me tuis precibus apud dominum Deum nostrum; illi ego etiam hoc nomine gratias semper ago, quod me in perpetuis studiorum laboribus, quales toto cursu vitæ meæ non sustinui, pulchre sustentat, utinam talis proveniat fructus, qui gloriam ejus illustret!

Tubingæ die 26 Februarii 1554.

Vergerius.

*

1 S. n. 128.
2 S. n. 111.
3 Cosimo. N. 141.
4 Julius III, s. n. 165.
5 Sanfiorino.
6 Nach dem tode Eduards VI und der thronbesteigung von Maria Tudor.

237.

Von Verger.

Sine dato et loco.

Fällt anfang 1555.

Über die sendung Morones zum Augsburger reichstag.

Summa hæc est. Quum Ratisponæ celebrarentur comitia [1], atque ad ea missus fuisset cardinalis Contarenus [2], huic missa fuerunt quinquaginta millia coronatorum cum his mandatis, videlicet ut primum tentaret, si talis concordia iniri posset, quam papatus posset ferre et in hoc casu largiretur ex ea pecunia, cuicumque illi videretur. Si vero videret, nullam honestam concordiam fieri posse, quod tunc curaret de liga seu fœdere defensivo faciendo inter Papam et catholicos principes Germaniæ et in hoc secundo casu, quod deponeret illa quinquaginta millia coronatorum tamquam pro arra et cum promissione de addendo, quantum opus fuisset pro sua portione ad juvandam ligam. His rebus possum dare certissimum testimonium, quia fui præsens et vidi. Nunc ergo amicus ille mihi significat hæc verba: »il cardinal Moron [3] vien alla dieta con le medesime commissioni, et con la medesima quantita de danari, che hebbe il card. Contareno nella dieta di Ratispona,« hoc est, cardinalis Moronus venit ad comitia cum iisdem mandatis atque cum eadem summa pecuniæ, quam habuit cardinalis Contarenus in comitiis Ratisponensibus.

Unten der name Vergerius durchstrichen. Doch ist das blatt von dessen hand.

*

1 Jahr 1541, wo durch ein religionsgespräch zwischen Melanchthon, Butzer, Pistorius, Contarini, Eck, Pflug, Gropper eine vereinigung zwischen den beiden confessionen erzielt werden sollte.

2 Kaspar Contarini, geb. 1483 in Venedig, seit 1521 von dieser republik zu diplomatischen sendungen gebraucht; 1534 von Paul III zum cardinal erhoben, nahm theil an den religionsgesprächen von Worms und Regensburg, † 1542. Ein edler mann, dem protestantismus ziemlich geneigt.

3 S. n. 20.

238.

Nachrichten über ein bündniß zwischen papst, kaiser und England gegen die protestanten.

Sine dato.

Muß anfang 1555 fallen.

Cardinalis Moron[1] mittitur legatus a pontifice ad regem Romanorum, ut intersit diætæ Augustanæ[2], in qua Cæsariani auxilio pontificis per dicti cardinalis assistentiam multa et magna sibi promittunt. Is enim cum ampla facultate sibi a pontifice concessa proficiscitur et Romæ et in Italia omnibus Cæsaris negotiis præest eaque omnino dirigit. Est vero hæc certissima conjuratio facta inter Cæsarem, regem Angliæ[3], regem Romanum, pontificem et nonnullos etiam principes imperii, qui in obedientia Romanæ ecclesiæ permanserunt contra principes evangelicos, quos omnino oppressum iri et hanc diætam certissimum illorum exitium fore sibi persuadent. Et revera apparet aliquid magni mali illis impendere, si secreta ista conjuratio effectum habuerit. Rex Romanus, qui illius etiam est particeps, miser non intelligit, rem totam contra se principaliter esse susceptam. Rex enim Angliæ, qui omnem favorem a pontifice exspectat in capite libri, hoc exigit secreto, ut dictus pontifex debeat illi omne auxilium præstare, ut ad successionem imperii facilius pervenire possit. Quod si faciat, se affines illius remuneraturum et multa illis bona in regno Neapolitano daturum, promittit. Atque sunt ista inter illos secretissima. Ab hac conjuratione tam principes evangelici quam ceteri, quibus libertas Germaniæ cara est, diligenter sibi cavere et supradicta attentissime considerare debent, atque imprimis rex Bohemiæ, qui propter amicitiam, quam putat esse inter dictum cardinalem et patrem suum, nihil sibi timet. Sed si consideret, quod ante dictum est, istum negotiis Cæsaris in Italia præesse et regis Angliæ in ducatu Mediolanensi subditum esse et quod sperat, Cæsaris et dicti regis Angliæ auxilio summum pontificatum se aliquando adepturum, et ad hæc (quod caput est et certissimum

*

1 S. n. 20, er war zum Augsburger reichstag als päpstlicher nuntius geschickt.

2 Eröffnet den 5 Februar 1555.

3 Philipp von Spanien, gemahl von Maria Tudor.

argumentum) quod Cæsar religionem nullo modo curat, quam tamen
in omnibus actionibus suis, ut in ista suæ ambitioni semper præ-
texunt, ut simplicibus hominibus et credulis facilius imponeret, dictus rex Bohemiæ et ceteri omnes Germaniæ principes sibi cavere
et de rebus suis libertateque cogitare debent. Ad hæc cardinalis
Polus [1] Anglus, qui, quam bono animo in omnes Germanos esset, superioribus diebus edita contra illos oratione ostendit, et dictus Moron sunt amicissimi et tamquam fratres. Itaque inter illos constitutum est, ut tabellarios ordinarios habeant, quos ultro citroque ad
se mittent et remittent, ut communi consilio rem gerant. Ex ista
etiam intelligentia reges Romanorum et Bohemiæ possunt conjicere,
quid sibi immineat. Sed ad istam conjurationem debilitandam nihil
in præsentia efficacius esse videtur, quam si principes omnes, de
quorum rebus et libertate agitur, diætam Augustanam directe vel
indirecte non assistendo inutilem reddant.

239.

Verger an herzog Christoph.

Sine dato et loco.
Muß 1555 sein.

Fürbitte für 2 gefangene in Graz.

Illustrissime Princeps et Domine Domine Gratiosissime!

Vestra Celsitudo dignata est pro sua clementia et pietate interponere auctoritatem suam apud serenissimum regem Romanum etc.
atque instare pro liberatione illorum duorum infelicium adolescentum, compatriotarum meorum [2], qui jam fere septem annis tenentur
in durissimis vinculis, et quidem innocentissimi. Sed tandem d. Bern-
hardinus Manesius, inimicus illorum crudelissimus, obtinuit cum aliis
suis Hispanis apud eandem regiam Majestatem, ut illi nunquam
possint exire ex carceribus, nisi prius tum ipsi, tum fratres et aliquot consanguinei eorum dent scriptum regiæ Majestati, in quo af-
firment, parentes eorum (qui scilicet jam mortui sunt) fuisse proditores
et nebulones; nam ille Manesius, qui castrum et bona eorum in-
justissime occupavit, sperat per talem confessionem se posse acqui-

*

1 S. n. 10.
2 S. n. 17.

rere aliquod jus, quia nullum aliud habet. Jam, ne illi miseri marcescant et moriantur in illo squalore et miseria carcerum, constituerunt, velle dare una cum fratribus suis regiæ Majestati qualecumque scriptum postulat, atque hoc medio obtinere liberationem (si modo adhuc poterunt obtinere). In quo quidem negotio plurimum possent juvari a generoso domino Johanne Ungnad [1], qui illos servat in una turri, quæ est in quodam castro vocato Graz. Quare reverenter supplico Celsitudini Vestræ, ut pro sua maxima pietate ac caritate dignetur per suas litteras eos commendare illi generoso domino Ungnad et petere, ut quacumque in re illos possit juvare, velit in Vestram gratiam juvare, nomen eorum est Julius et Darius Gauardi, filii nobilis viri quondam domini Sancti patria Justinopolitani. Non dubito, quin valde profuturæ sint illis miseris captivis tales litteræ Celsitudinis Vestræ. In quibus etiam posset fieri mentio, quod ego ostenderim eidem Celsitudini Vestræ litteras ipsius domini Johannis Ungnad, qui se tam reverenter et tanto animi affectu commendavit suaque obsequia obtulit. Exstat diserte præceptum Christi de adjuvandis captivis maxime innocentibus. Quare iterum supplico per Jesum Christum, ut Celsitudo Vestra non deneget nobis patrocinium suum.

Vestræ Celsitudinis observantissimus

Vergerius.

240.

Verger an herzog Christoph.

Sine dato.

Muß ins jahr 1559 fallen, s. n. 85 ff.

Bittet um die zurücksendung eines buches und um anweisung einer neuen wohnung.

Illustrissime Princeps et Domine Domine Clementissime!

Primum supplico, ut Celsitudo Vestra dignetur meminisse, me illi reliquisse annotationes meas in catalogum [2], quæ utinam ab ea legantur mittanturque ad me cum judicio ipsius. Dixi, d. Brentium legisse neque improbasse.

*

1 S. n. 30.
2 S. br. n. 85.

Deinde aliud est, in quo clementiam Vestræ Celsitudinis cogor implorare. Aedes, in quibus hactenus Tubingæ habitavi, intra paucos dies vendentur, quare cogor exire. Cum autem diligentissime inquisierim, nullæ aliæ apparent, in quas possim me recipere, nisi abbatis Blopirensis, qui binas habet conjunctas, in alteris degit famulus ipsius ibi servans frumenta et vina, alteræ sunt vacuæ, et nullo ipsius incommodo possunt locari. Non recuso, solvere annuam pensionem. Sed nisi Celsitudo Vestra auctoritatem interponat suam, abbas non dabit. Quare eidem reverenter ac per Christum supplico, ut dignetur suis litteris ad abbatem scribere, ut mihi debeat ædes locare. Tubingam hodie redeo.

Vergerius.

Hinten von des herzogs hand:

Belangendt den chatalogum, so er gedenckht in truckh außgehen zu lassen, schickhe ich ime den wider; mag inne auch truckhen lassen, doch dieweill darinnen fill historisch, soll er sehen, das, waß er allegiert, certum seye, damit er nit reprehendiert werde.

Das hauß, so er begert, soll dem undervogt geschriben werden, derwegen zu handlen.

241.

Herzog Christoph an Radzivil.

Sine dato et loco.
Muß 1559 oder 1560 fallen.

Herzog Christoph empfiehlt Verger an Radzivil.

Illustris Princeps et amice nobis singulariter dilecte!

Vestram Dilectionem amice certiorem facimus, quod nobis reverendus consiliarius noster et dilectus, fidelis, Petrus Paulus Vergerius litteras legendas exhibuerit, in quibus illustrissimus princeps et nobis dilectus affinis Joannes Fridericus dux Saxoniæ, suæ dilectionis ejusdemque fratris ducis Joannis Wilhelmi nomine, ipsi Vergerio mandatum potestatemque dedit de curandis quibusdam negotiis, matrimonium[1] inter ipsum ducem Joannem Wilhelmum et regis Poloniæ sororem contrahendum spectantibus: sicut Vestra Dilectio ex copiis (uti vocant) seu exemplo illorum testimoniorum amice cognoscere poterit. Horum ergo negotiorum gratia Vergerius

*

1 S. n. 89.

Vilnam usque profectus est. Sed quia aliquid impedimenti in hac causa intercessit, et remora quædam objecta fuit, amice rogamus, ut Vestra Dilectio de Vergerio nihil sinistri suspicetur, sed ipsum excusatum habeat. Interim Vestræ Dilectioni nos ad omnia amica officia promptissime præstanda offerentes.

Überschrift:

Ad Palatinum Vilnensem.

242.

Verger an herzog Christoph.

Sine dato et loco.
Muß 1562 fallen.

Bittet um geld.

Illustrissime Princeps!

Cum Illustrissima Celsitudo Vestra me ante novem annos fugientem a papatu suscepisset, pro sua pietate et clementia, constituta tunc mihi fuit pensio ducentorum florenorum in anno; præterea frumenta, vina, avena et ligna pro aliis centum circiter. Cum vero Henricus Gallorum rex, antequam in Vestrum ducatum venissem [1], constituisset mihi ducentorum coronatorum pensionem, potui, tum Celsitudinis Vestræ, tum regis pensione mediocriter vivere. Contigit autem, quod pensio regia urgente Papa et dominis Guisanis nuper mihi fuerit adempta; contigit, ut annona facta fuerit in duplo carior; contigit denique, ut gravissima ægritudo ita me oppresserit, ut necesse fuerit augere numerum famulorum, qui me sustentarent, ita in summa, ut nisi Clementissima Celsitudo Vestra mihi opem tulerit, nullo modo possim evadere egestatem in hac mea senectute ægritudinaria. Cum vero rem totam coram eidem Celsitudini Vestræ narrassem, mandavit mihi, ut memoriale conscriberem, scribo itaque et me reverenter commendo. Ducenti coronati fuerunt mihi ademti (ut dixi), crevit annonæ pretium; cogor quoque propter imbecillitatem plures alere apud me; Vestra Illustrissima Celsitudo agat mecum servo Jesu Christi, ut a Deo inspirabitur, et vel ad suum dispensatorem Tubingensem scribat, ut voluerit, vel cui voluerit, mandet, ut mei rationem habeat. Spero, me non futurum

*

1 S. n. 204.

oneri longo tempore Vestræ Celsitudini. Nam vocabit me Pater cœlestis educabitque in suo regno, quem oro, ut eidem Celsitudini Vestræ Illustrissimæ augeat suos divinos thesauros, spiritum et fidem per Christum dominum nostrum.

Illustrissimæ Celsitudinis Vestræ

servitor Vergerius.

243.
Memoriale Vergerii.
Sine subscriptione, dato et loco.

Fällt anfang 1562.

Über seine reise nach Graubünden und die seines neffen nach Frankreich.

Retenta conclusione, quod intra octo dies debeam in Rhætiam redire ut privatus homo, sed vocatus a fratribus, hoc præbeo memoriale:

Nullis litteris opus habeo, nisi tantummodo patentibus, tum propter loca, per quæ cogar transire, tum ne quis in Rhætia suspicetur (si nullas litteras viderit me attulisse) me sine consilio Illustrissimæ Celsitudinis Vestræ Stutgardia aut Tubinga discessisse.

Supplico itaque pro patentibus litteris, in quibus dicatur, quod Vergerius consiliarius etc. vadit in Rhætiam pro suis negotiis, rediturus propediem ᵃ.

Puto, me mansurum usque ad tempus diætæ, quæ fiet ad ascensionem Domini. Quare absens manebo tribus mensibus. Agat Vestra Celsitudo, ut Deus illam suo spiritu monebit (pro sua pietate). Ego certe opus haberem aliqua sustentatione, sed fiat voluntas Domini ᵇ.

Item dixi, me habere in animo, nepotem interea in Galliam mittere, cui Vestra Illustrissima Celsitudo deputavit ante octo menses florenos ducentos, ut in Galliam eat, illic jure consultos audiat et gradum doctoratus sumat. Cum hoc igitur meo nepote viderentur mittendæ ad serenissimum Navarræ regem litteræ, quarum minutam ᶜ concepi sub censura Illustrissimæ Celsitudinis Vestræ.

Item cum ante octo menses dati fuerint eidem meo nepoti centum floreni ᵈ (ut dixi), reverenter supplico, ut Illustrissima Celsitudo Vestra dignetur mandare, ut alii centum nunc numerentur, ne post quatuor menses cogamur eos in Galliam mittere.

Von herzog Christophs hand am rande:

a Soll gestelt werden.

b Soll ime 200 gulden auß gnaden gegeben werden von Frantz Kurtzen.

c Diß concept sol nit, sonder soll dem künig von Navarren nur schlecht geschriben werden, das er disen Aurelium in gnedigem bevelh wolle haben, dieweill ich ine verleg.....

d Sollen ime die andere 100 gulden auch gegeben werden, doch das die quittung gestellt werde, er die auff die von mir beschehen 2 jerige studia enntpfangen hab, sonst khem er wider.

Hinten von Vergers hand:

Memoriale Vergerii Illustrissimo Principi. .

244.

Verger an herzog Christoph.

Sine subscriptione, dato et loco.

Fällt 1562.

Über das buch Curios: de amplitudine beati regni Dei.

Illustrissime Princeps et Domine Domine Clementissime!

Cum Vestra Illustrissima Celsitudo dignata fuerit mihi indicare, quod multæ nunc exsistant querelæ contra typographos Basilienses, qui scandalosos libellos excudant, quare velle sua auctoritate intercedere, ne ulterius pergatur, dedit mihi negotium, ut in memoriam illi adducam, quid actum fuerit de libello Cœlii Secundi [1], cui titulus de amplitudine misericordiæ Dei, pendet enim judicium et nihil de eo statutum fuit Basileæ. Quare paucis attingam rem totam.

Ulricus Zwinglius sensit, quod plurimi serventur per observationem legis naturæ, absque eo, quod Christum norint esse natum in mundo. Quam sententiam inseruit in epistola ad Franciscum Galliarum regem. Quæ quidem videtur mihi totum invertere evangelium et Christi gloriam, neque attinet ipsius articuli disputationem instituere hoc in loco. Quis non agnoscit?

Quare Cœlius Secundus Ulricum Zwinglium secutus, libellum scripsit, cui titulum fecit »de amplitudine misericordiæ Dei.« Nam eos etiam putat esse salvandos, qui Christum venisse in carnem igno-

---

1 S. br. n. 57 und 171.

raverint, dummodo recte vixerint. Hoc enim exsistit libri argumentum, eleganti quidem oratione conscriptus, ut venenum commodius instillaret.

Erat eo tempore ante sex aut septem annos Hieronymus Zanchus [1], etiam Italus, ipsius Cœlii Secundi gener, Argentinæ degens, ubi nunc degit quoque. Quare ad hunc et ad reliquos Argentinenses professores cum missus fuisset libellus judicandus, professores rescripserunt, non videri consultum, ut evulgaretur.

Mittebatur deinde Tigurum, ut illic quoque sententia diceretur, sed Tigurini quoque repudiarunt, neque eos movit, quod Ulricus Zwinglius primus illum articulum de pluritate salvandorum attigisset.

Postremo cum Basiliensibus professoribus fuisset exhibitus, hi quoque rejecerunt.

Cum vero trium ecclesiarum uniformia judicia Cœlius vidisset contra se, minime mutavit sententiam, imo edere atque evulgare libellum suum constituit, quemadmodum edidit atque evulgavit, sed magna astutia, ne dicam impostura.

Est in Rhætia oppidulum, cui nomen Puschlavio, ubi typographia exercetur satis tenuis atque obscura [2]. Quare Cœlius hucusque octo fere dierum itinere per difficillimas Alpes filium misit Horatium, qui libellum sumptu ipsius Cœlii curaret excudendum. Excudit, non quidem Puschlavii, sed Basileæ nomine apposito Basileamque non parvo sumptu reportavit ad Cœlium parentem, qui tum ad mercatum Francfordianum, tum alio misit distrahendum, præsertim vero in Poloniam, nam serenissimo Polonorum regi dicaverat.

Sed cum undique audirentur querelæ, quod scilicet malus a Basiliensibus typographis prodiisset liber (nam Basileæ putabatur impressus) et cum ipsa etiam Illustrissima Celsitudo Vestra eum vidisset, constituit dominos Basilienses sua auctoritate commonefacere, ne paterentur tales libros excudi apud se: cumque ad eos scripsisset, illi rem totam ad professores et censores librorum delegandum putarunt. Censores itaque ipsi, cum Cœlium ad se vocassent, eum de duobus præsertim articulis interrogarunt, cur illum librum imprimendum dederit, cum audierit a censoribus, non videri consultum, ut hoc tempore imprimeretur? deinde interrogarunt, cur honestis-

1 S. n. 187.
2 S. n. 146.

simæ urbis Basileæ in fine epistolæ dedicatoriæ [nomen] inseruisset?
Ad primum non negavit Cœlius, se fuisse monitum a rectore et
censoribus, ne librum in lucem ederet, sed respondit, non se, sed
filium suum imprimendum dedisse, idque hoc modo accidisse. Filium suum Horatium propter privata quædam negotia profectum esse
in Italiam, ac tunc priusquam iter ingrederetur, rogasse, ut sibi
libelli hujus describendi et secum ferendi copiam faceret, id quod
ipse fieri permiserit. Postquam igitur superatis Alpibus Puschlavium
pervenisset, ibi viso apud filium libello, eum imprimendum curarunt.

Quod vero attinet ad nomen civitatis Basileæ, inde venisse,
quod postquam sperarit, hunc libellum Basileæ approbatum atque ad-
missum iri, qui imprimeretur, se hanc epistolam ad regem Poloniæ,
cui librum dedicarit, scripsisse et, ut moris est, primum ei in libello
locum attribuisse, ubi tum sésé non potuisse alio loco vel civitate
litteras datas significare atque exprimere, quam ubi domicilium suum
haberet, hoc est in civitate Basilea atque ita factum, ut cum filius
sibi ipsi libellum tunc descripserit, in eo etiam nomen Basileæ re-
manserit, ex quo (ut speret) nihil detrimenti sit captura civitas.
Quæ hic recitavi, sunt verbum verbo desumpta ex scripto rectoris
et censorum Basiliensium, quibus fuerit causa (ut dixi) delegata,
quod ipsi domini Basilienses ad Vestram Illustrissimam Celsitudinem
miserunt. Authenticum est apud me. Quare pulchre apparet, ipsos
censores Cœlium monuisse, ne librum evulgaret et ipsum Cœlium
totam culpam in filium rejecisse.

Fuisset quidem rectoris atque censorum officium, investigare,
num vera fuissent, quæ ipse Cœlius respondisset, quod scilicet filius
curaverit librum imprimendum, non autem ipsum Cœlium; facile
enim potuissent ad veritatem pervenire, unis saltem litteris in Rhætiam scriptis. Sed tamen jam non videtur opus. Nam Puschlaviensis
verbi Dei minister, vir integerrimus ac doctus, Julius de Mediolano [1]
scribit litteras, quarum exemplum inferius describitur, in quo plane
affirmat, librum fuisse de voluntate et sumptu Cœlii impressum, non
autem quod alius fecerit, ut Cœlius respondit.

Tenor autem litterarum Italica lingua scriptarum, quas etiam

＊

1 Julius von Mailand, ein schüler von Valdez, freund Occhinos
und Martyrs; er war in Venedig in den kerker geworfen worden, aber
daraus entflohen und seit 1547 in Puschlav als geistlicher angestellt.

habeo, verbi Dei ministri sic habet ad punctum.

Valde miror, quod dominum Cœlium Curionem non pudeat se contegere propter suum librum hic impressum, cui titulus de Amplitudine regni Dei. Res ad hunc modum habet, quam narro omni sincera veritate. D. Cœlius misit huc dedita opera suum filium natu maximum, ut imprimeretur dictus liber, de quo negotio dedit litteras typographo et mihi, rogando, ut adhiberemus omnem diligentiam, ut quanto posset citius, imprimeretur, dicens quod prela Basiliensia ita erant occupata, ut non potuerit Basileæ imprimi, ut esset absolutus tempore nundinarum. Semper suspicatus sum, ne liber aliquid ruginis in se haberet et siquidem potuissem, effecissem, ne potuisset imprimi, nisi prius fuisset examinatus diligenter a viris, qui judicio pollent. Sed quia homines tantum sibi ipsis tribuunt, ut nolint subjacere aliorum reprehensionibus, nunquam potui librum videre, nisi posteaquam fuisset impressus. Nam filius semper mihi dicebat, quod illum corrigeret negabatque, se posse illum mihi in manus tradere, quia degebam ego Tirani, ipse autem Puschlavii. Fuit ergo impressus iste liber tanta sollicitudine tantoque sumptu, ut vix possem exprimere, augebatur mihi vero semper suspicio. Tandem cum fuisset absolutus, legi una cum domino Paulo prædicatore Tiliensi, sed tanto stomacho, ut vix potuerim perlegere. Nam præter præcipuum caput, quod est monstrosum et diabolicum et præterquam quod scripturæ sanctæ sinistre interpretabantur, imo magis quam apud papistas, mihi videbatur animadvertere, aliquid fuisse dictum de persona domini nostri Jesu Christi, quod mihi non videbatur probandum, tametsi res ageretur subtilissima astutia, quod etiam Franciscus Niger [1] animadvertit et semper existimavi, fore ut de isto libro contingeret, quod contigit.

Quod vero Cœlius miserit ipse ad hoc peculiariter suum filium natu maximum, qui hic Puschlavii librum imprimeret, ipsemet Cœlius scripsit typographo et mihi. Causam vero, cur non curaverit imprimendum Basileæ aut Tiguri aut Argentinæ, ubi minor fuisset sumptus et nullum vecturæ periculum, judicet, qui sani est judicii. Hac autem tota de re facio vobis plenam fidem. Hic finem facio et me commendo toto corde. Dominus vobiscum.

*

1 Franziscus Niger, aus dem Veltlin, lehrer des hebräischen in Chiavenna.

Puschlavii 6 Februarii 1562.

Minor frater et servitor

Julius de Mediolano.«

Illustrissime Princeps, hanc ego rem magni momenti esse existimo, neque enim satis futurum est, ut Vestra Illustrissima Celsitudo moneat dominos Basilienses, ne patiantur tales libros apud se excudi, sed monendi videntur, ut diligenter inspiciant, ne fiat aliqua impostura, quemadmodum hic apparet fuisse factam, monendi, inquam, ne professores, qui in illa academia versantur, cum fuerint prohibiti, ne Basileæ possint suos libros excudere, alio se conferant et nomen Basileæ mentiantur atque ita spargant, quas voluerint, res, inquam, mihi magni momenti videtur, et vix inveniretur simile exemplum.

245.

Verger an herzog Christoph.

Chur 6 Juni.

Muß im jahr 1562 geschrieben sein, gehört also zwischen n. 155 u. 156.

Berichtet über eine verhandlung zwischen einem päpstlichen gesandten und ihm.

Illustrissime Princeps Domine Domine Clementissime!

Scriptis jam litteris venit ad Curiensem episcopum quidam a concilio missus vir non parvæ (ut videtur) inter papistas auctoritatis, certe satis prudens secundum mundum, appellant eum equitem originalem ex Bellinzona. Is me voluit invisere, quamquam nulla prius fuisset mihi cum eo notitia. Admisi, ut debui, libenter (sum enim in civitate libera et Illustrissimæ Celsitudini Vestræ et mihi, suo servitori, favente). In summa, post multa, cum illum ursissem dicens, quod Papa post concilium peractum vellet armis nos adoriri, id affirmavit addiditque: Si servus meus non faciat, quæ illi mando, quæ causa est, quamobrem non possim baculo cogere? Tunc dixi ego, Papam vehementissime errare, si putat, illustrissimos Germaniæ principes esse ipsius famulos, neque enim esse, sed dominos episcoporum. Petierunt, inquit, concilium, nunc vero recusant concilium adire etiam invitati et rogati. Respondi ego, verum esse, quod concilium petierint et petant, sed universale, liberum et christianum concilium, nequaquam tale, quale congregavit Papa. Quare monebam, ne diceret amplius (si verum dicere voluerit) illustrissimos

Verger   30

Germaniæ principes concilium recusare, optare enim concilium, sed legitimum, sed recusare, quale Papa cœpit celebrare. Præterea conquestus sum apud ipsum, quod eodem tempore, quo salvum conductum emisit, eodem Papa quærat me interficere, imo me proscripserit, quod magnum habeat præmium (quod in aliis litteris non scripsi, sed ita est revera) quicumque me interfecerit. Respondit, se velle curare, ut hæc proscriptio tollatur, multum vero videbatur deferre Illustrissimæ Celsitudini Vestræ.

Suspicor, hunc virum non missum fuisse Curiam aliam ob causam, quam ut intelligat, quid hic faciam et quæ mea sit de concilio sententia. Deus novit, quid responderim, justissimam scilicet habere causam illustrissimos dominos protestantes principes, quam ob rem non accedant ad tale concilium, quod diligentissime ursi. At replicabat ille, non impune ferent, nam gravissimum illis bellum inferetur. Inferatur, dixi ego, confidunt in Domino, non in propriis viribus, quamquam vires non sint exiguæ.

Multa in summa mecum contulit in hoc genere, et cum nihil amplius haberet, quod replicaret, cœpit me hortari miris modis, ut me vellem papatui reconciliare obtulitque mihi ea in re diligentissimam operam. Quid attinet dicere? Ego egi, quod Christianum decuit et restiti, ut sane debui, resistamque, dum vixero, per Dei gratiam. Non deerunt mihi in his locis versanti tales sæpissime tentationes et practicæ, sed spero, me esse in Christo radicatum et nihil mihi metuendum esse ab istis tentatoribus modo a dextris, modo a sinistris. Vivit Deus, vivit suus spiritus in me per gratiam ejus. Commendo me reverenter Illustrissimæ Celsitudini Vestræ.

Curiæ Rhætiarum die 6 Junii.

Ejusdem Vestræ Celsitudinis Illustrissimæ

servitor Vergerius.

246.

Verger an herzog Christoph.

Sine dato, muß aber c. 23 bis 25 Juli 1562 fallen.

Wegen der kinder der pfarrer aus Graubünden, die herzog Christoph erziehen lassen will. S. n. 158.

Illustrissime Princeps et Domine Domine Clementissime!

Illustrissima Celsitudo Vestra quatuor pastorum filiis, qui de-

gunt in Rhætia, propter evangelium profugorum dignata est, triginta
florenos in anno pro tribus annis constituere, ut Tubingæ dent operam litteris. Cum vero eam, quam potui ea in re, diligentiam ad-
hibuissem, Deum testor, tres dumtaxat invenire potui idoneæ ætatis,
XIV scilicet annorum, qui possint ad ministerium verbi erudiri atque præparari, atque hi non nisi exacta hieme possunt adesse; nam
interim exercentur a parentibus in litterarum radicibus aliquanto
melius. Quare cum unus supersit locus, non fuissem ausus ego (absit) alium collocare, qui non fuisset aut ministri filius aut saltem
nepos. Verum cum præcipua, quæ sit in Rhætia, ecclesia, nempe
Vicosopranum mihi per litteras diligentissime commendarit pauperem
adolescentem, non tamen ministri filium, qui loco quarti ab Illustrissima Celsitudine Vestra admitteretur, eum ego reverenter propono atque commendo, ut scilicet per tres annos triginta habeat in
anno, et possit studiis incumbere. Quod si placet (ut spero), dignabitur ad suum dispensatorem Tubingensem dare litteras et mandare,
ut Joanni de præpositis Rhæto numeret ut supra, incipiendo a festo
sancti Georgii. Nam ita Illustrissima Celsitudo Vestra constituit,
quemadmodum manu Wilhelmi Caretti annotatum est, futura est
Deo gratissima eleemosyna.

Illustrissimæ Celsitudinis Vestræ

servitor Vergerius.

Eigenhändige resolution des herzogs:

Man mueß sehen, wie die bewilligung beschehen seye und mich
solches berichten.

Beleibt bey dem buchstaben der bewilligung, solen auch gehn
Thubingen ad studia khomen. Waß den 4 hierinnen vermeldet, dieweill er nit aines predigers son und aber zweifels one deren woll sein
werden, daromben beleibt es uti supra.

Von anderer hand ist bemerkt:

Ita scriptum est Vergerio.

247.

Verger an herzog Christoph.

Sine dato et loco.

Muß October 1562 fallen.

Bittet herzog Christoph, den druck seiner gesammelten werke zu
übernehmen.

30 *

Illustrissime Princeps et Domine Domine Clementissime!

Quod dictum est a filio Dei: estote parati, tangit quidem omnes omnium ætatum, sed magis mihi videtur pertinere ad senes et
senes ægrotantes. Quare cum ad me præcipue animadvertam pertinere, paro me ipsum ad mortem et gratias ago Patri meo cœlesti,
qui concedit, ut hoc possim facere, non quidem in condendo testamento, neque enim curo res frivolas, ut sunt opes hujus mundi, quas
olim habui et non habeo amplius, sed in relinquendo post me aliquid, quod possit ecclesiam Dei promovere (qualiscumque sim); in
summa collegi, quæ post meum a papatu discessum scripsi latine
aut italice, pertinent enim omnia ad causam religionis, atque ea
vellem evulgare ad gloriam Dei; sperarem enim aliquem fructum
inde rediturum. Sunt quidem passim plurimi libri, sed amici solent
per Italiam eorum, quos ipsi domestice aliquando noverunt, libros
libentius legere, præterea dixi, me de ipsa Italia aliquid boni sperare. Verum quid? cum mea gravissima ægritudo profecto me ex-
hauserit, non habeo, unde sumptum faciam. Supplico igitur Vestræ
Pientissimæ Celsitudini, ut dignetur contenta esse, mandare Georgio
typographo vel matri, ut imprimat Vestro sumptu [1] Latina omnia,
quæ sunt Vestræ Celsitudini dedicata, quemadmodum Italica his,
qui italice norunt. Credo sumptum futurum centum florenorum circiter; si possem de meo, Deus scit, quod non essem molestus. Sunt
jam duo anni et amplius, quibus pensiuncula trecentorum francorum, quam mihi Henricus II felicis recordationis constituerat [2], cum
primum ex papatu fugissem, mihi non solvitur, et metuo, ne papatus hoc etiam incommodum mihi fecerit, quando minus opus erat,
hoc est in senectute, sed fiat voluntas Dei, non auferet mihi Jesum
Christum, ubi sunt meæ divitiæ, cui summas gratias ago, quod mihi
tantum bonum revelaverit.

    Illustrissimæ Celsitudinis Vestræ humilis servitor

             Vergerius.

        248.

    Verger an herzog Christoph.
    Ohne unterschrift, datum und ort.

        *

1 S. n. 166.
2 S. n. 204.

Muß in das jahr 1562 oder 63 fallen, während die unterhandlungen von Spanien und dem papst mit Graubünden wegen des durchzugs noch fortdauerten.

Mahnt dringend, mit Graubünden ein bündniß zu schließen, ehe Philipp und der papst es thun.

Postea quam abivit a nobis Tubinga Vestra Illustrissima Celsitudo, diligentius adhuc cogitavi de causa Rhætorum. In summa mihi videtur pessime factum. Tamen monueram diligenter etiam scripto dominum legatum [1], ut caveret et nihil profeci. Ille totam existimationem (ut inde incipiam) regni Gallici et magnam Germaniæ partem posuit in periculo. Quomodo enim poterit in Italia amplius bellum gerere et se tueri, si interea aditum seu passum ad Italiam occludere voluit? Notum est, quam difficulter res fuerit confecta, cum Galli nuper Rhætiam magna sollicitudine retinerent et tamen vix poterant penetrare atque resistere, quod neutiquam potuissent, si Rhætiam neglexissent. Certe nihil aliud hic dici potest, nisi quod voluerint pecuniæ parcere. Nunc quid isti dicent? passos fuisse dominos Gallos, se vinci pecunia, cum de re maxima ageretur?

Dicet aliquis, exiguam fuisse jacturam, neque enim patientur Rhæti, educi militem per Rhætiam ex Italia. Respondetur, fuisse id verbo promissum, ne miles educeretur, sed si cœperit res urgere et hæc inchoata amicitia in dies confirmabitur, majora videbimus. Certe adapertum est ostium, quo extranei milites possint Germaniam nullo negotio ingredi. Viderunt hoc Hispani, qui magna sollicitudine bene ter brevi temporis spatio urserunt, ut sibi liceret suos milites ex Italia in Germaniam educere, quod nunc non magna pecunia consequuntur. Si Papa voluerit bella gerere et Germaniæ civitates invadere, quid potuisset consequi commodius? Imo cum nunc Constantiam custodiat acerrime, quid potuisset commodius consequi? Dicam amplius, Illustrissimus Wirtembergensis fere ad Constantiam usque pervenit suo dominio. Ille quoque singulariter videtur obnoxius, ne a Papa invadatur atque ab Hispanis.

Quid quod expositæ sunt multæ civitates Helvetiorum maximis injuriis? Possunt opprimi per Rhætiam et Mediolanum nullo negotio. Quid de Geneva dicendum est? Illa enim illinc a duce Sabaudiæ

*

1 Den französischen gesandten Coignet, s. n. 122, oder de la Croix, s. n. 191.

et comite de Namur, hinc per Rhætiam potest offendi.

Dominus legatus, qui dicebat, non esse sibi opus provinciis, quæ non possent equitatum adducere, viderit nunc, quem equitatum præferat et quid tandem speret. Mihi videtur, excusationem quandam fuisse, qua se ipsum deciperet. Vix ex suis Alpibus poterunt avelli domini Rhæti, quid nunc opus est. ut de equitibus cogitemus? Profudit Mediolanum ad XII millia, qua summa dicendum est, se totam Rhætiam, se Hispanos atque Italos lucri fecisse. In summa pessime factum, contempserunt prudentes illos viros, qui hactenus Galliam et magnam Italiæ partem defenderunt.

Adhibendum esset remedium, quamquam serotinum futurum est, qualecumque adhibeatur, sed tamen adhibendum esset qualecumque, neque esset cessandum.

Nullum vero adest remedium, nisi ut multitudine pecuniæ res superetur. Significandum videretur Galliarum reginæ, quæ incommoda atque damna inde proveniant, quæ significatio potest non solum litteris, sed certis nuntiis quoque significari. Scio, me fecisse meum officium et legatum sæpe ursisse, ut suum faceret. imprimis ne sineret Rhætiam rapi, ut rapta est a Papa atque Philippo.

Quod si aliquis dixerit iterum, non magnam fuisse jacturam. quod ducatus Mediolanensis contulerit XII mille, respondeo, magnam esse jacturam, quod semel sit aperta Mediolanensibus via, qua possint penetrare, quo voluerint. Dixi, quæ sentio. Illustrissima Celsitudo Vestra dignetur cogitare diligentissime nec sinere (si fieri potest) negotium perire. Objecerit quis rursus, exiguam esse jacturam, cum religio sit salva. Utinam sit salva! Cum enim Rhætia multos habeat (tertiam fere partem) quæ in religione nobiscum non consentiat, cumque contiguum sit Mediolanum, plane papisticum. data est nunc occasio, qua tota Rhætia corrumpatur. Et quid potest in religione contingere deterius?

Domine, Domine adjuva nos! Nam profecto est, quod metuamus. Loco enim firmæ religionis, quæ vigebat in Rhætia, succedet nunc corruptissima ex Hispania et Mediolano. Quid erit vendere religionem, si hoc non est? Quid erit Galliam contempsisse et pedibus conculcasse, si hoc non est? O miseram Galliam, quæ tot laboribus ad veram religionem se proripuerat; imo o miseram Rhætiam. quæ erit facta Hispanis et Mediolano in prava religione socia!

Si quod est remedium, non recuso omnes labores atque omnes

ærumnas, dum possim occurrere huic tanto malo, etiam si mihi moriendum sit.

Hinten von des herzogs hand:

Das pass ist woll begert, aber nit bewilligt; werden es auch nit
thuen, geben sich selbst auff die fleischbanckh alle die, so von dem
pabstumb abgetretten, wa sye frembdem kriegsvolckh den durchzug
und pass wurden gestatten, wurden sye gewiß die ersten sein, so es
gereuwen wurde.

249.

Verger an herzog Christoph.

Tübingen, sine dato.

Muß November 1563 fallen.

Bittet um frist für die Litthauer zur bezahlung ihrer schuld; für
sich um die erlaubniß, nach Graubünden reisen zu dürfen und um eine
billigere wohnung in Tübingen.

Illustrissime Princeps et Domine Domine Clementissime!

Domini Lituani [1] rogarunt me, ut supplicem Illustrissimæ Celsitudini Vestræ eorum nomine, quod, cum debeant illi trecentos taleros pro totidem sibi mutuo datis, quæ fuit maxima ejus clementia,
dignetur exspectare, dum in patriam redeant. Sancte enim affirmant, et ut nobiles decet atque Christianos, se statim misuros sine
mora. Faciet Vestra Sublimitas in ea re rem gratissimam atque
honorificam sibi et toti eorum familiæ *.

Ego, quod ad me Vergerium attinet, monitus sum a d. della
Croyx *, se profecturum in Rhætiam et tractaturum causam fœderis
renovandi in mense Januario circiter festum S. Pauli, et cupit, ut
sim una cum illo. Quare in animo haberem accedere, et sperarem
aliquem fructum (si Dei voluntas esset). Vestra Illustrissima Celsitudo dignetur dicere suam sententiam, an mihi esset eundum s;
non detrectarem laborem, maxime quia dubito futuram aliquam dif-
ficultatem in renovando. Nam Hispani et Mediolanenses maxime
urgent, ne fiat, sed cum illis potius, quod certe scio. Præterea
sperarem, me aliquid in religione profecturum multis modis.

Habitavi hactenus multis annis per Dei gratiam Tubingæ in

*

1 S. n. 151.
2 Der französische gesandte, s. n. 191.

ædibus cujusdam papistæ medici, qui est mortuus. Solvi pensionem magnam, quinquaginta quinque scilicet florenos in anno, quæ excedit quartam partem pensionis, quam Vestra Illustrissima Celsitudo dignatur mihi concedere pro sustentatione (qualis pensio non est Tubingæ tam grandis). Quare cum magis senuerim et pauper sim, debeo me a tanta pensione retrahere. Cum ergo duæ sint domus Tubingæ, altera alicujus, qui agit coquum in Vestra familia, prope portam, quæ appellatur Actor [1], pro qua solverentur viginti, ut puto, altera vero prope portam Lusnator [2] ubi commorabatur Rodolphus Riepus cellarius, quæ ad Vestram Sublimitatem pertinet, harum duarum dignetur alteram mihi concedere[c], quamdiu vixero, sum vicinus morti, et spero, me usurum brevi tempore ad gloriam Dei.

Fortassis esset consultum, scribere de tota hac materia ad dominum præfectum Tubingensem, qui provideret de ædibus. Superiore anno initio Januarii (nisi fallor) dignata est mihi concedere centum florenos in anno pro parte pensionis, quæ mihi solvebatur a rege Gallorum, cum jam adsit terminus alterius anni, supplico, ut dignetur mihi solvi facere illos florenos. Credo scriptos fuisse in cancellaria. Nam debeo iter facere pro fœdere renovando et pecunia mihi deest.

Servitor Illustrissimæ Celsitudinis Vestræ

Vergerius.

Am rande von des herzogs hand:

a Der Litawer preceptor vergleiche sich derwegen mit den kirchenrätten einnemen und das es gewiß seye. [sic]

b Khan nit schaden, das er sich dahin begebe, wa es seines leibs halber und sicherheit des weges thuen khan.

c Es soll an den vogt geschriben werden, ime umb ain haß, da er nit so fill zinß auß durfft geben, beholffen zu sein.

d Frantz Kurtz soll ime 100 gulden seins weitter bewilligten geldt geben, wiewoll das jar noch nit furuber.

Hinten noch von des herzogs hand:

Wilhelm soll Vergerio die anntwurt ad marginem anzeigen und Frantz Kurtz den lesten puncten verrichten.

*

1 Haagthor.

2 Lustnauer thor; welche wohnung Verger bekam, ist nicht nachzuweisen.

250.

Verger an herzog Christoph.

Sine dato et loco.

Muß ins jar 1564 fallen.

Die händel mit Scalichius betreffend.

Illustrissime Princeps et Domine Domine Clementissime!

Causa, de qua scribo, ad me ipsum proprie pertinet, quamquam intersit nomen nepotis, tamen proprie mea est, et nulla potest esse mihi magis propria. Quare Celsitudini Vestræ reverenter supplico atque per Jesum Christum filium Dei obtestor, ut dignetur, me servitorem addictissimum patienter audire.

Res est hujusmodi. Venerat in ducatum Celsitudinis Vestræ ante quinque annos Scalichius[1], vir turbulentus et plane malus (quemadmodum infra paucos dies constabit clarius luce meridiana). Præsensi, hominem esse talem, et cum imposturas ipsius cœpissem cognoscere, Ilustrissima Celsitudo Vestra meliora sperans de ipso certis judicibus delegatis mandavit, ut causam cognoscerent. Cognoverunt, et demum facta est transactio inter me et illum, qua utrimque erat facta promissio, quod nemo amplius vel facto vel verbo læderet (licet a me nunquam fuisset læsus). Et quamquam gravissima mihi videretur talis transactio, tamen tuli omnia reverenter in honorem Dei atque in gratiam Illustrissimæ Celsitudinis Vestræ. Discessit Scalichius in Prussiam atque ibi fracta fide et jurejurando scripsit contra me atque impressit librum virulentissimum atque ibi evulgavit præsente et consentiente illustrissimo principe domino duce Prussiæ. Vestra Celsitudo librum vidit et judicavit, indignissimum esse, qui legeretur, cum præsertim etiam Illustrissimæ Celsitudinis Vestræ mentio in eo fuisset facta. In summa dignata est numerare nepoti meo doctori Aurelio centum taleros, quibus se in Prussiam conferret et de libro contra me edito apud illustrissimum Prussiæ ducem conquereretur. Profectus Aurelius, cum multos menses insumpsisset atque illam pecuniam a Celsitudine Vestra (pro ejus gratia) numeratam et aliam consumpsisset, tandem nullam potuit consequi justitiam, ita ut re infecta discedere coactus fuerit. In-

*

1 S. n. 94. 182 a.

terea commotæ fuerunt miræ tragœdiæ de ipso Scalichio, tamquam de homine, qui multa de se mentiretur et multa misceret odiosa, ita ut a Cæsare sive Maximiliano fuerit appellatus bastardus (ut puto, eum esse) et falsificator privilegiorum. Maxima inter reliquos injuria affecit generosum d. Ungnadium [1], a quo ausus est petere, ut sibi restitueretur ejus filia in uxorem, innuens se cum illa clanculum contraxisse, quo tempore etiam Illustrissimam Celsitudinem Vestram ausus est ad nuptias per litteras invitare. Prætermitto reliqua ab ipso Scalichio perpetrata, unum hoc dixerim, illum in Prussia omnium contra se odia concitasse, et ejus adversarium Albertum Trussium nobilem Prutenum (de quo fortassis Illustrissima Celsitudo Vestra antea audivit) ad Cæsarem et serenissimum Romanorum regem esse profectum, ut probationes certas et firmas adferat, quibus Scalichium non esse talem, qualem esse se dicit, probet. Nec dubium est, illum, quod optat, inventurum. Nam ex magnifico d. Ungnadio intellexi, generosum d. Ludovicum, suæ magnificentiæ filium, tale quid ad suam magnificentiam scripsisse, quæ si bonus d. Ungnadius antea rescivisset, hominem defendendum et promovendum nunquam suscepisset (sicuti credo, ejus magnificentiam jam pœnitere).

Jam ad rem. Cum Scalichius ipse animadverteret, se in tota Prussia infamiam subiturum (quod non evadet) perfecit apud illustrissimum Prussiæ ducem suis consiliis, ut alias meus nepos, cui nomen Ludovico Vergerio, missus fuerit ejusdem principis in Germaniam legatus (nam ejusdem consiliarius est cum tribus equis inserviens).

Bonus Ludovicus credens rem serio agi et christiane ingressus viam, ivit ad illustrissimum Palatinum electorem ibique legationem absolvit. Cum deinde ad Illustrissimam Celsitudinem Vestram accessisset legationem expediturus, exspectaretque audientiam in dies et horas, ecce proferuntur litteræ illustrissimi ducis Prussiæ, qui ad me ipsum scribens dicit, tandem se nolle amplius uti opera prædicti Ludovici, postea quam illum tam longe misisset non parvo sumptu, sed illum liberasse a suo servitio, maximo cum prædicti Ludovici præjudicio atque meo. Possunt enim, quicumque legerint

*

1 S. n. 30. Ungnad hatte dem schwindler auch einen sehr warmen empfehlungsbrief an den herzog von Preußen mitgegeben. S. archiv für kunde österreichischer geschichtsquellen 20, 247 f.

litteras, aut factum quoquo modo intellexerint, suspicari, meum nepotem dimissum esse propter enorme aliquod flagitium atque scelus,
cum per quinquennium ejus Celsitudini inserviverit et inauditus absens
fuerit a legatione remotus, inscius, rebus suis omnibus ibidem in-
compositis relictis cum majori mobilium suorum parte, opera tantum
et diligentia istius, quem sæpe dico, Scalichii.

Jam Illustrissime Princeps ea confidentia, qua servitores in
Christo solent (quæ mihi spem dat) reverenter peto, non scilicet, ut
Illustrissima Celsitudo Vestra quippiam scribat et conetur, dictum
meum nepotem reponere in suo officio et in servitio (nam ipse ante
fere annum a me petiit, ut illum avocarem, præsertim cum animadverteret, se post Scalichii adventum negligi) non hoc petitur, inquam;
faciet ea de re illustrissimus Prussiæ dux voluntatem suam. Sed
peto, ut dignetur Celsitudo Vestra litteras scribere (si placet et si
dignatur) quibus significet prædictum Ludovicum conscium suæ inno-
centiæ, et se omnino inculpabilem esse et indignum tali dimissione
tantum itineris suscepisse, ut patefaceret suam innocentiam, hoc
tantum peto, et ut illi litteræ dentur, quæ bonis servitoribus dari
consueverunt, ut possit apud alios principes locum invenire, si de
nullo peccato constiterit.

Puto, me petere rem justissimam et omnibus meis officiis erga
Celsitudinem Vestram Illustrissimam promovendam. Interea res ipsa
declarabit, quomodo se gesserit Scalichius, spero enim fore, ut
cognoscatur pro evidenti impostore, et meus nepos contra pro bono
viro. Illustrissimæ Celsitudini Vestræ negotium hoc reverenter commendo, tanto magis quod litteræ ipsius Scalichii manu ad me exaratæ
fuere ejusdem illustrissimi principis nomine, quod ex caracteris col-
latione evidentissime apparet.

Vergerius.

Von des herzogs hand:

Nota in des herzogen zu Breussen schreiben zu vermelden, dieweill Ludovicus Vergerius widerumben hinein zu reitten mir angezeigt
und darbey gebetten, wa er in ainicher ungnade were, ine zu guediger
verauntwurttung khomen zu lassen und so er S. L. nit weitters zu diener
angenem, ime ain genedigen schrifftlichen abschidt zu geben, damit
er inne der enden in gott beleitten wurde auffzulegen hat, dieweill ich
inne dan zu S. L. auch gnedig gefuerdert, und nit gern sehe, wa er sich
nit nach deren gefallen gehalten und dan breuchig den dienern abschidt zu geben, hette ich nit umbgehen khinden, obgemelter maassen

an S. L. ine Vergerium zu verschreiben mit freundlicher bitte, ine zu gnediger verantwurttung khomen zu lassen und dan ime ain gnedigen abschidt mitzutheillen seines geleisten dienst, des seye u. s. w.

251.

Verger an herzog Christoph.

Sine dato et loco.

Verger bittet um geld.

Illustrissime Princeps et Domine Domine Clementissime!

Jam duo sunt anni, quibus in principio mensis Januarii Vestra Illustrissima Celsitudo dignata est pro sua clementia mihi ex camera jubere dari centum (nisi fallor) florenos, quibus victitarem. Habui ante duos annos centum et habui ante annum totidem pro pecunia, quam solebat mihi dare rex Galliæ. Nam convertit eam pecuniam. Nunc cum venerit illud tempus et per Dei voluntatem affixus sim lecto (ægroto enim non mediocriter) cogor a Vestra Celsitudine Illustrissima petere consuetum, ut habeam, unde me sustentem ad gloriam Dei.

Vergerius servitor.

Hinten von des herzogs hand:

Wan das verschinen jar herumbher, soll ime Frantz die bewilligte 100 gulden auff künfftig jar geben.

252.

Verger an herzog Christoph.

Sine dato et loco.

Verger bittet um geld.

Illustrissime Princeps!

Duobus superioribus annis in fine scilicet Januarii Vestra Illustrissima Celsitudo dignata est mihi jubere dari florenos centum. Nam promiserat ex camera. Dignetur nunc pro sua clementia tantundem. Nam profecto opus habeo, boni consulat Vestra Illustrissima Celsitudo.

Vergerius.

Hinten von des herzogs hand:

Diser khumbt alle tritt und helt umb geldt an; soll ainest mit ime abgerechnet werden und so man ime was zu thuen, solches ime besallen.

Darunter folgende rechnung von anderer hand:
   gellt 300 fl.
   dinckel 80
   habern 90
   wein 2 fuder 3 aimer
   holtz 20 claffter.
Soma nach herren gülten
   A 450 fl.

252a.

Beilage.

Abrechnung über Vergers besoldung.

Volgt, was der keller zu Tiwingen dem hern Vergerio von Jeorii anno etc. 64 bis Jeorii anno etc. 65 an L scheffel dinckel,
L scheffel habern und III aimer wein amptshalber noch schuldig:

        Dinckel XXXII scheffel.
        Habern XXIII scheffel.
        Wein III aimer.

So ist der verwalther daselbst ime, Vergerio, obgehorte zeit an
XXX scheffel dinckel, XXXX scheffel habern und XI aimer X imi
weins auch noch schuldig, wie volgt:

        Dinckel XXV scheffel.
        Habern XXXI scheffel.
        Wein V¹/₂ aimer.

          Suma:

        Dinckel LVII scheffel.
        Habern LIIII scheffel.
        Wein VIII¹/₂ aimer.

Die IIᶜ guldin, so verwalther ime, Vergerio, neben gemelter
frucht und wein, auch XX klaffter holtz jerlichs raicht, hat er schon
hievor eingenommen.

253.

Verger an herzog Christoph.

Sine dato et loco.

Durchaus nicht zu bestimmen.

Bittet um einen geleitsbrief für seinen neffen Ludwig, der nach
Kärnthen reisen solle.

Illustrissime Princeps et Domine Clementissime!

Cogor mittere nempe pro causa Christi unum ex meis familiaribus, cui nomen Ludovico Vergerio, ad aliquot barones et alios
nobiles, qui sunt in Carniola. Cum vero possit contingere, ut ipsi
familiari et nepoti meo opus sit auctoritate et veluti umbra Vestra
ad evadenda pericula, quæ accidere solent his temporibus, quibus
vigent ista religionis dissidia, supplico, ut ea dignetur (pro sua in
promovenda pietate consuetudine) concedere eidem nepoti patentes
litteras in forma consueta, quibus scilicet Illustrissima Celsitudo
Vestra testetur, ipsum Ludovicum esse unum ex suis ministris et
servis, ut revera est. Cum enim sim ego minister et servus Vester,
illi quoque ad Illustrissimam Celsitudinem Vestram haud dubie pertinent, qui mihi inserviunt, quia aluntur Vestro pane et serviunt
illi una mecum. Commendo me reverenter.

Ejusdem Illustrissimæ Celsitudinis Vestræ deditissimus

Vergerius.

254.

Ludwig Verger an herzog Christoph.

Datum 1565.

Der kranke Peter Paul Verger schickt ein französisches buch und
bittet um guten wein.

Illustrissime Princeps et Domine Domine Clementissime!

Cum litteras mei patrui hodie acceperim, quibus quædam apud
Illustrissimam Celsitudinem Vestram expedienda mihi injungit, ejus
petitioni deesse non potui. Quare illa, quæ Celsitudini Vestræ Illustrissimæ significari per me vult, hæc sunt:

Sibi missum esse colligatum libellum gallice scriptum, quem
cum ignoret, num Celsitudo Vestra antea viderit, Celsitudini Vestræ
offert, ut, si antehac non viderit, perlegere possit.

Bullingerum ad se scripsisse, cardinalem Constantiensem [1] Roma
domum rediisse. Episcopum Curiensem [2] esse mortuum.

Se in eodem statu esse, nempe ægrotum, supplicemque a Cel-

*

1 Marx Sittich von Hohenembs, s. br. n. 136.
2 Thomas von Planta war vom 21 December 1548 bis 20 Mai 1565
bischof in Chur.

situdine Vestra petere, ut cellario mandare dignetur, ut aliquantulum
boni vini pro sua persona in hoc morbo dare velit; se enim in tota
urbe non posse invenire, quod morbo suo conveniat. Meminit, se
ante quinquennium ex arce satis bonum habuisse, poterit cellarius
de illo vino, quod Celsitudo Vestra ei annuatim pro sua clementia dat,
tantundem accipere vel retinere. Petit quoque, ut, si per Illustrissimam Celsitudinem Vestram licet, ad se veniam. Ait enim, se per
tres vel quatuor dies opera mea opus habere. Dignabitur Celsitudo
Vestra mandare, quæ ei placuerit.

   Illustrissimæ Celsitudinis Vestræ humillimus servitor

         Ludovicus Vergerius.

  Hinten von des herzogs hand:

  Soll keller gehn Thubingen geschriben werden, das er Vergerio
auß dem grossen faß item verschines jars gewachsne Holtzgerlinger [1]
lasse versuechen, und so er ain willen zu deren ainem hab, das er ime
ain halben aymer gebe.

  Der hiesig Vergerius mag ain tag 3 oder 4 hinuber reitten. Ich
will das buchlin zu gelegenheit lessen.

        *

  1 Holzgerlingen, ein dorf 3 stunden von Tübingen entfernt; jetzt
wird dort kein wein mehr gebaut.

SCHLUSSWORT DES HERAUSGEBERS.

Der vorliegende briefwechsel wurde während der sechziger jahre von herrn vicedirector von Kausler im hiesigen archiv gesammelt und von mir geordnet. Äußere umstände verzögerten die herausgabe des oft angekündigten werkes längere zeit, doch wurde es als manuscript mehrfach benützt, so von Kugler und Stälin. Leider sollte herr von Kausler die herausgabe nicht mehr erleben, er starb 27 August 1873 mitten unter den vorbereitungen und so übernahm ich allein die endgültige ordnung, die abfassung der lebensskizze, der anmerkungen, des registers etc., aufs eifrigste und treueste unterstützt von herrn hofrath dr Staudenmayer, der in seiner stellung als archivbeamter den lebhaftesten antheil an dem zustandekommen des werkes nahm, früher beinahe die hälfte der briefe abgeschrieben hatte und nun mit unermüdeter sorgfalt die druckbogen nach den originalmanuscripten revidierte. Für diese große freundlichkeit und vielfache hülfe spreche ich ihm hier den wärmsten, aufrichtigsten dank aus.

Die ordnung der sammlung war eine durch das datum der briefe von selbst gegebene; die beilagen wurden gewöhnlich nicht mit eigenen nummern versehen, sondern unter a. b. an die schriftstücke angehängt, auf welche sie sich bezogen. Kleine unregelmäßigkeiten bitte ich damit zu entschuldigen, daß, nachdem der ganze briefwechsel schon geordnet und numeriert war, noch einige neue briefe aufgefunden wurden, welche, so gut es anging, an ihre stelle eingeschoben werden musten, ohne die bisherige ordnung allzusehr zu beeinträchtigen. Einige andere briefe, die nicht gerade an herzog Christoph oder Verger gerichtet sind, aber in den zusammenhang des ganzen passen, haben dadurch eine stelle in dem briefwechsel verdient. Auch der brief an Brenz n. 236 wird sein erscheinen in dieser sammlung damit rechtfertigen können, dass er, soweit mir bekannt, der einzig noch erhaltene ist, den Verger an herzog Christophs vertrautesten geistlichen rath richtete.

Anmerkungen zu schreiben, ist immer eine mißliche sache, da sie den einen zu lang und den andern zu kurz, manchen auch ganz unnöthig erscheinen; diese wollen ganz einfach eine kurze orientirung über die personen und verhältnisse geben, welche hier erwähnt werden und ich hoffe doch, daß sie manchem leser nicht ganz unerwünscht sein werden.

Was die schreibart der dokumente betrifft, so wurden die lateinischen in die gegenwärtig übliche verändert (mit ausnahme der eigennamen), die deutschen dagegen so genau als möglich wiedergegeben, da das deutsche des 16 jahrhunderts sprachlich ein ganz anderes interesse darbietet, als das oft ziemlich nachläßige latein des Italiäners; aber auch da wurde die willkührliche interpunktion und der planlose wechsel von großen und kleinen buchstaben nach dem heutigen gebrauche und den grundsätzen des litterarischen vereins geregelt.

Schließlich fühle ich mich gedrungen, den beamten des k. staats- und hausarchivs hier, herrn geheimen legationsrath von Schlossberger und herrn archivrath dr Stälin, sowie meinen collegen an der hiesigen bibliothek, herrn oberstudienrath Heyd und herrn professor dr Wintterlin, für die vielfache förderung und unterstützung, welche sie dem werke zu theil werden ließen, meinen aufrichtigsten dank zu sagen.

Stuttgart 22 Mai 1875.

TH. SCHOTT.

REGISTER.

31 *

BERICHTIGUNGEN UND NACHTRAGE.

S. 9 ff. Graubündten] lies stets Graubünden.

S. 11, z. 4 v. o. Gribaldo] lies Gribaldi.

S. 13, anm. 1. Nach den alten stiftsprocuratorenrechnungen ist der »Augustinerweinberg«, der jezige klostergarten, eine stiftung von dem tempore reformationis in Tübingen gewesenen nuntio Petro Vergerio.

S. 19, z. 6 v. o. 215] l. 215 a.

S. 23, a. 1. vgl. Walersdorff, alte slavische drucke auf der kreisbibliothek zu Regensburg, in: Verhandlungen des historischen vereins von Oberpfalz und Regensburg. Bd. 29. s 122.

S. 24 mitte Gribaldo] l. Gribaldi.

S. 44. n. 236. Das originalmanuscript ist in der k. öffentlichen bibliothek in Stuttgart Hist. 527. fol. g; die correktur wurde nach dem originale revidiert.

S. 76, z. 2 v. o. Carl] l. Karl.

S. 77, z. 7 v. u. ebenso.

S. 80, z. 15. v. o. bumilline] l. humilime.

S. 82, anm. 1. Mamsius] l. Manesius.

S. 89, anm. 4. Bochatel] l. Bochetel.

S. 101, z. 3 v. o. abisus] l. abyssus.

S. 106, z. 11 v. o. slavische] l. Slavische.

S. 112, z. 9 v. o. ebenso.

S. 113, z. 3. v. o. frates] l. fratres.

S. 113, z. 12 v. o. die 3 bogen] l. die 3 ersten bogen.

S. 127, a. 2. Über Nidbruck vgl. Horawitz, beiträge zu den sammlungen von briefen des Ph. Melanchthon in den sitzungsberichten der Wiener akademie, philosophisch-historische cl. bd 76. s. 300.

S. 136, a. 1. Über Sabinus vgl. weiter: Heffter, Erinnerung an G. Sabinus. Königsberg 1844. Töppen, die gründung der universität zu Königsberg und das leben ihres ersten rectors G. Sabinus. Königsberg 1844.

S. 200, mitte Saletzky] l. Saletzkhi.

S. 202, z. 11 v. u. gibt ihnen briefe] l. gibt ihnen die briefe.

S. 216, anm. 4 zu Cochläus vgl. Otto, Johannes Cochläus der humanist. Breslau 1874.

S. 224, z. 3 v. u. Nicolaus] l. Nikolaus.

S. 264, a. 1, z. 2 Zancchi] l. Zanchi.

S. 271, z. 5 v. o. Satiglion, wahrscheinlich Chatillon, Colignys bruder.

S. 281, mitte Bergami] l. Bergomi.

S. 286, mitte abgneigt] l. abgeneigt.

S. 355, z. 1 v. o. 130] l. 160.

S. 386, anm. 1, vgl. br. n. 225.

S. 417, anm. 1. Könnte auch ein anderer herr von Bellièvre (generalstatthalter von Vermandois) sein, der ebenfalls gesandter in der Schweiz war.

S. 420 Angosciola = Johannes, graf von Anguisola, spanischer gesandter in der Schweiz bis März 1569, s. a. s. 424, a. 2.

S. 432. n. 218 Christoph] l. herzog Christoph.

S. 436. n. 222 ebenso.

S. 455 med. libri — sic.

S. 459, z. 9 v. u. coram eidem — sic.

INHALT.

1553.

32 *

Seite

um verwendung des herzogs für seinen in Venedig gefangenen
neffen Aurelius. 127

43. Stuttgart 7 Juni. Verger an herzog Christoph. Verger
kündigt seine abreise nach Polen an; schickt noch einige bücher. 128

44. Frankfurt 12 Juni. Verger an herzog Christoph. Nachrichten über die reformation in Polen. 129

45. Königsberg 20 Juli. Verger an herzog Christoph. Verger berichtet über seine reise nach Preußen, den dortigen herzog,
die kirchlichen verhältnisse in Preußen und Polen, über streitigkeiten zwischen Polen und Livland. 130

46. Königsberg 21 Juli. Verger an herzog Christoph. Über
den briefwechsel von Lipomani und Radzivil. 135

47. Königsberg 24 August. Verger an herzog Christoph. Verger berichtet über seine bemühungen zur beilegung des osiandrischen streites und seine reise zu Radzivil. 136

48. Königsberg 14 October. Verger an herzog Christoph.
Verger berichtet über seine baldige heimkehr, seine litterarische
thätigkeit in Preußen; bittet für seinen neffen Aurelius. Über
den briefwechsel zwischen Lipomani und Radzivil. 137

1557.

49. Tübingen 17 Juni. Verger an herzog Christoph. Verger
berichtet über seine reise nach Graubünden, sein zusammentreffen
mit Beza und Farel, über den grafen Julius von Thiene; klagt
Gribaldi der ketzerei an und bittet um geld, über die übersetzung des neuen testaments ins Slavische. 139

49a. Sine dato. Herzog Christoph an Verger. Antwort auf
n. 49. 142

50. Tübingen 24 August. Verger an herzog Christoph. Nachrichten über den krieg in Italien. 143

50a. Stuttgart 14 Sept. Herzog Christoph an den rath zu
Straßburg. Erbittet sich aus der hinterlassenschaft Sleidans die
bücher, welche Verger gehören. 144

51. Tübingen 5 October. Verger an herzog Christoph. Dankt
für eine hirschkeule. 145

52. Stuttgart 23 October. Verger an herzog Christoph. Verger bittet um die erlaubniß, zu heirathen und fragt an wegen des
aufenthalts von Isabella Manriquez. 146

53. Tübingen 31 October. Verger an herzog Christoph. Verger
schickt einige exemplare eines buches von Brenz und bittet um
mittheilung des reichstagsabschieds von Regensburg. 149

54. Tübingen 4 Nov. Verger an herzog Christoph. Bittet
um nachricht über die reise des cardinals von Trient, erbietet
sich zu einer gesandtschaft nach Frankreich. 150

Verger 33